TARA DUNCAN
ET L'INVASION FANTÔME

DU MÊME AUTEUR

TARA DUNCAN

Tara Duncan dans le piège de Magister, XO Éditions, 2008, et
    Pocket.
Tara Duncan. Le Continent interdit, Flammarion, 2007.
Tara Duncan. Le Dragon renégat, Flammarion, 2006.
Tara Duncan. Le Sceptre maudit, Flammarion, 2005.
Tara Duncan. Le Livre interdit, Le Seuil, 2004, et Pocket.
Tara Duncan. Les Sortceliers, Le Seuil, 2003, et Pocket.

La Danse des Obèses, roman, Laffont, 2008.

Sophie
Audouin-Mamikonian

Tara Duncan
et l'invasion fantôme

Roman

XO
EDITIONS

ÎLE
DU ROYAUME
DE PATROK

Kikrok

TATRAN

MER

Cityville

ROYAUME
D'AQUARIA
PAYS
DES TRITONS

Osor

Denez

Oo'salé

ROYAU
DE LANG

Arruchir

Kro

Hon

Krot

OCÉAN DES BRUMES

DÉSERT
DE SALTERENS

VIRIDIS

Céclat

Travia

Formia

Sala

Tiran

MEUS

Kekidi

Montagne Rouge

Demoi

ROYAUME
DE SELENDA

Poivret

Tesour

BASCRIT

Lasbon

Fier

SPANIVIA

S

Respyr

Tingapour

Cava

fleuve Tange

EMPIRE D'OMOI
CONTINENT
DE TÛ

fleuve Borta

CARTE
D'AUTREMONDE
face Ouest

E NORD
glaciaire

S ORAGES

PLAINE
DU MENTALIR

Rino ○

○Ceross

Urla ●

ROYAUME
DE KRASALVIE

I'ci ○

Tombé ○

KRANKAR

○Viskeu
G'luan't

T'éou ○

Kria ●

Montagne du Tabor

ROYAUME
DE VILAINS

Minat ●

Deho ○

ONTAGNE

Progadek ○

Sum ●

○Forat

○Smallville

HYMLIA

Cogito

SMALL
COUNTRY

Géopole ●

Ergo ○

GANDIS

Garo ○

Vertig ○

OCÉAN BLEU

Tespres

MER MYCHAIL

Vasy

○Étoi

ÔLE SUD
tte glaciaire

Échelle : 1:52 500 000

0   1 417,5 km

PÔLE NORD
Calotte glaciaire

Continent inexploré
du
TATUMALENCHIVAR

ÎLE DE
RENVERS'AN

PÔLE SUD
Calotte glaciaire

Échelle : 1:52 500 000

0   1 417,5 km

CARTE
D'AUTREMONDE
face Est

DYNASTIE DUNCAN AV LANCOVIT
ÉTABLI LE 25 FAICHO 5015 (DATE D'AVTREMONDE)

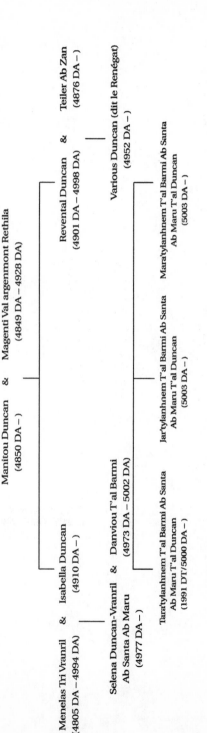

Manitou Duncan & Magenti Val argenmont Rethila
(4850 DA –) (4849 DA – 4928 DA)

Menelas Tri Vranril & Isabella Duncan
(4805 DA – 4994 DA) (4910 DA –)

Reventental Duncan & Teiller Ab Zan
(4901 DA – 4998 DA) (4876 DA –)

Various Duncan (dit le Renégat)
(4952 DA –)

Selena Duncan-Vranril & Danviou T'al Barmi
Ab Santa Ab Maru (4973 DA – 5002 DA)
(4977 DA –)

Tara'tylanhnem T'al Barmi Ab Santa
Ab Maru T'al Duncan
(1991 DT/5000 DA –)

Jar'tylanhnem T'al Barmi Ab Santa
Ab Maru T'al Duncan
(5003 DA –)

Mara'tylanhnem T'al Barmi Ab Santa
Ab Maru T'al Duncan
(5003 DA –)

DYNASTIE T'AL BARMI AB SANTA AB MARU, EMPIRE D'OMOIS
ÉTABLI LE 25 FAICHO 5015 (DATE D'AVTREMONDE)

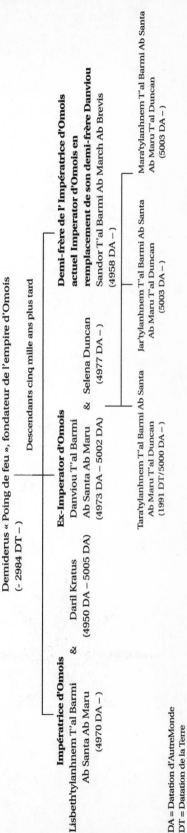

Demiderus « Poing de feu », fondateur de l'empire d'Omois
(– 2984 DT –)

Descendants cinq mille ans plus tard

Impératrice d'Omois & Daril Kratus
Lisbeth'tylanhnem T'al Barmi (4950 DA – 5005 DA)
Ab Santa Ab Maru
(4970 DA –)

Ex-Imperator d'Omois
Danviou T'al Barmi
Ab Santa Ab Maru & Selena Duncan
(4973 DA – 5002 DA) (4977 DA –)

Demi-frère de l'Impératrice d'Omois
actuel Imperator d'Omois en
remplacement de son demi-frère Danviou
Sandor T'al Barmi Ab March Ab Brevis
(4958 DA –)

Tara'tylanhnem T'al Barmi Ab Santa
Ab Maru T'al Duncan
(1991 DT/5000 DA –)

Jar'tylanhnem T'al Barmi Ab Santa
Ab Maru T'al Duncan
(5003 DA –)

Mara'tylanhnem T'al Barmi Ab Santa
Ab Maru T'al Duncan
(5003 DA –)

DA = Datation d'AutreMonde
DT = Datation de la Terre

Au rire et à l'humour,
à la vie et à l'amour,
à ma merveilleuse famille, Philippe, Diane, Marine, Maman, Cécile
et à toutes les pièces rapportées qui font maintenant partie de nous,
je vous aime et bien plus encore.

1

L'attente
ou l'éternité, on peut dire ce qu'on veut, c'est long.

Les fantômes attendaient.

Après tout, ils avaient l'éternité devant eux.

Beaucoup d'entre eux étaient humains, d'autres non, tous s'étaient retrouvés dans l'OutreMonde, là où vont les âmes des sortceliers morts. Ceux-qui-savent-lier-les-sorts. Les magiciens.

Les humains rassuraient les autres. Ils savaient que leur race avait une énorme qualité.

Elle faisait des conn... des erreurs.

Elle jouait avec la magie, sans bien la comprendre, sans tout à fait la maîtriser.

Sorts ratés, potions mortelles, monstres trop gourmands.

Oui, si quelqu'un mettait un énorme interrupteur sous une pancarte « Attention, fin du monde ne pas toucher », vous pouviez être sûr qu'un humain le baisserait rien que pour voir ce qui allait se passer.

Parmi les fantômes, ceux qui avaient terminé leur vie en s'exclamant « Tiens, je n'ai pas encore essayé ç... » le disaient aux autres :

« Un jour, une brèche s'ouvrira, quelqu'un, quelque part, commettra une erreur. Et nous pourrons rentrer chez nous. »

Car c'était cela. Une faim dévorante. De retrouver un corps. Des sensations, des émotions. Des odeurs, des goûts.

Alors, ils attendaient. Impatients, fébriles.

Voraces.

Et enfin, le jour vint.

Ils étaient prêts.

2

L'attaque

ou mieux vaut éviter de vendre la peau du vrrir
avant de l'avoir tué...

Dans un superbe palais, habité par des gens ayant un goût affirmé pour l'or et les pierres précieuses, une potion, boule verdâtre et puante, flottait dans les airs, à environ cinq mètres du sol.

Elle n'était pas censée faire ça.

Elle se mit à vibrer, puis à tourbillonner violemment, projetant des tentacules verts autour d'elle tandis qu'un trou noir commençait à pulser en son milieu.

Cela non plus, ce n'était pas du tout normal.

Mais personne n'était occupé à la surveiller parce que sa créatrice, une jolie fille aux longs cheveux blonds, Tara Duncan, était dans la pièce voisine, les yeux dans ceux de Robin, un magnifique demi-elfe.

En essayant, vu qu'elle avait été transformée en vampyr[1] et n'arrivait absolument pas à se retransformer en humaine, de ne pas le mordre... enfin, pas trop.

Tara était l'Héritière du trône d'Omois, et donc, très logiquement, future Impératrice... si elle parvenait à survivre au périlleux apprentissage de la magie et des dangers d'AutreMonde. Et Robin était son petit copain, bien que l'Impératrice en place, Lisbeth, ne veuille pas de lui comme futur/potentiel/possiblevoirepro-bable fiancé de Tara.

---

1. Non, Dracula n'est pas passé par là et elle n'a pas été mordue... enfin, pas exactement. C'est en soignant Selenba, la terrible vampyr, que Tara a appris comment se transformer en vampyr. Et du fait des dangers d'AutreMonde, elle a inconsciemment refusé de se retransformer. À part le régime un peu... sanglant, le fait d'être vampyr lui permet d'être plus forte, plus rapide, quasiment immortelle. Son petit copain, Robin, lui, aimerait bien qu'elle cesse de le regarder comme s'il était une délicieuse côtelette saignante...

À ce stade, tout aurait encore pu être stoppé.

Mais les deux adolescents roucoulaient[1] en se murmurant des mots doux et Tara avait soigneusement insonorisé la pièce où elle avait enfermé la potion.

Srr'vour Kli Vergick. La potion pour faire revenir les morts. Les réincarner. Leur donner une seconde chance.

Enfin… pour en faire revenir un seul, en fait. Le père de Tara, Danviou, assassiné alors qu'elle avait deux ans. Depuis le jour où elle avait découvert qu'elle n'était pas une mutante, mais une sortcelière, celle-qui-sait-lier-les-sorts, Tara trouvait que la magie, ça craignait. C'était dangereux, cela pouvait faire mal. Mais cela avait aussi, parfois, une certaine utilité. Autre que transformer tout le monde en grenouille autour d'elle.

Elle voulait faire revenir son père. Vraiment. Plus que tout au monde. Et pas uniquement parce que sa mère avait tendance à tomber amoureuse d'hommes, séduisants certes, mais soit horriblement dangereux, soit horriblement ennuyeux.

Alors, Tara avait fait ce qu'il fallait.

Le parchemin avait été soigneusement caché.

Tara l'avait retrouvé.

Le langage était ancien et obscur.

Tara et Cal, son ami le Voleur Patenté, avaient réussi à le traduire.

Sans prêter grande attention aux avertissements d'usage genre « Ceeeee parcheeeemiinnnnnn est maaauuudiiiit » !

Les ingrédients étaient complexes à assembler. Voire quelque peu dégoûtants. Comme la fiente de gliir des marais puants ou quelques grains de bouse de traduc, l'animal le plus… odorant de la planète. Ne reculant devant rien Tara avait même pillé le nid d'un terrifiant oiseau Roc pour obtenir du duvet. Elle avait failli se faire décapiter par le volatile géant, avant de découvrir que le duvet de l'oiseau était en vente libre chez son apothicaire préféré.

Elle avait parfaitement conscience d'enfreindre une bonne

---

1. Tara avait fini par expliquer à Robin que Fabrice lui avait dit que les amoureux « roucoulaient » comme des pigeons sur Terre et que c'était une métaphore. Depuis, lorsqu'ils voyaient des gens en train de « roucouler » ou qu'ils le faisaient eux-mêmes, il arrivait à l'un des deux de roucouler pour de bon en agitant des bras comme un pigeon, ce qui avait le don de faire plier de rire le second. Inutile de dire que leurs amis les trouvaient parfaitement débiles lorsqu'ils faisaient ça…

demi-douzaine de lois avec cette potion. Faire revenir les morts était INTERDIT.

Surtout dans les royaumes et les empires où un certain nombre de princes avaient poussé un soupir de soulagement lorsque leurs belles-mères étaient passées de l'autre côté.

Et s'étaient empressés de promulguer une loi de fer et d'airain : « ON NE FAIT PAS REVENIR LES MORTS SOUS PEINE D'EN DEVENIR UN SOI-MÊME ET RAPIDEMENT. »

Ce qu'elle faisait était donc *verboten*, *forbidden*, *greouvlich*, quelle que soit la langue dans laquelle on le prononçait.

Malheureusement, elle n'était pas la seule à avoir enfreint la loi par amour. Cal, le jeune Voleur futur Patenté, qui l'avait aidée à déchiffrer le parchemin, et était donc dans le secret, l'avait imitée. Il avait lui aussi créé une potion afin de faire revenir la belle Eleanora, assassinée quelques jours plus tôt. Potion qu'il avait cachée non loin de la suite impériale de Tara.

Grosse erreur.

Les deux potions entrèrent en résonance, produisant ce qu'espéraient les fantômes.

Une promesse de catastrophe.

Il manquait un ingrédient, qui fut ajouté par l'irruption soudaine d'un dragon dans la chambre contiguë à la salle de la potion. Le dragon avait utilisé une énorme quantité de magie pour se matérialiser dans la pièce en dépit des anti-Transmitus du Palais.

Il délivra son message à Tara (« La potion n'est pas au point, tout va expl… arrrrgh ») et mourut.

Le mal était fait. La magie frappa les deux potions. Mais seule la plus « mûre » s'ouvrit. Celle de Tara.

Le trou noir au centre de sa potion s'agrandit et, soudain, un vortex s'ouvrit entre AutreMonde, la planète magique où vivaient sortceliers, elfes, vampyrs et autres races, et OutreMonde, le monde des fantômes.

Des centaines de fantômes de toutes les couleurs, hurlant de joie, franchirent la brèche et se précipitèrent à travers les murs.

Un serviteur qui venait paisiblement apporter un message à Tara fut le premier à se retrouver nez à nez avec les fantômes. Affolé, il hurla pour prévenir l'Héritière et fit demi-tour, battant deux ou trois records olympiques dans la foulée.

Les fantômes foncèrent dans la suite impériale, prêts à posséder tout être vivant.

Ils ne s'arrêtèrent pas au dragon. Il était mort, donc inintéressant.

Mais ils bondirent vers le premier corps chaud, vibrant, celui d'une jeune fille aux cheveux blonds, aux yeux rouges et aux longues dents qui les regardait d'un air horrifié.

Le premier fantôme à avoir franchi la brèche fut aussi le plus rapide.

Son corps rouge et vaporeux traversa avec un ricanement le bouclier magique qu'elle avait créé. Qu'est-ce qu'elle croyait ? Il était un fantôme, rien ne pouvait l'arrêter.

Il posséda son corps sans problème et, une fois à l'intérieur, voulut attaquer les centres vitaux, afin d'en prendre le contrôle.

À sa grande surprise, il n'y parvint pas. La jeune fille, folle de rage, commença à se battre. Dès qu'il prenait le contrôle nerveux d'une main, d'un bras, d'une jambe, de la langue ou des yeux, elle le lui arrachait en hurlant de douleur et de fureur. Près d'elle, son Familier, un pégase blanc, accordé mentalement avec sa compagne, luttait tout autant. Sans bouger d'une plume, le magnifique animal jetait toutes ses forces dans la bataille pour soutenir la jeune fille.

De plus, le fait qu'elle soit une vampyr ne lui facilitait pas les choses. Le fantôme n'avait pas envisagé d'attaquer une inhumaine. Il avait juste sauté sur le premier corps qui se présentait. Il tenta de prendre possession de son cerveau, mais, là aussi, se heurta à une telle résistance qu'il finit par reculer.

Slurk ! Jurant et maudissant sa malchance, il essaya une dernière fois, puis, constatant son échec, baissa les bras. Il n'arriverait à rien comme cela. Peut-être qu'un fantôme plus puissant que lui serait plus efficace. Il se libéra de cette empêcheuse de posséder en rond et sortit péniblement de son corps.

C'est alors que la jeune fille fit quelque chose d'incroyable, quelque chose d'inédit.

Elle sortit ses crocs.

Elle le mordit.

Et elle le toucha.

Stupéfait, le fantôme sentit la morsure le déchirer. Pire, en le mordant, elle aspira sa vie, son essence, sa conscience !

Il voulut s'enfuir, mais elle le tenait solidement. Ses griffes, à leur tour, le déchiquetèrent. En quelques secondes, il passa du statut de prédateur à celui de proie.

Et il perdit.

La jeune fille dont il ignorait le nom parvint à le détruire si complètement qu'au moment de disparaître dans une terrible agonie, il eut juste le temps de penser que, cette fois, il n'y aurait pas d'OutreMonde pour lui.

Et qu'il aurait mieux fait d'y rester.

3

La fuite

ou lorsqu'on a des fantômes aux trousses,
mieux vaut savoir courir vite. Très vite.

Tara reprit ses esprits, encore sous le choc.

Elle était parvenue à détruire, sans très bien savoir comment, le fantôme qui l'avait attaquée. Instinctivement, elle fonça vers le vortex qui continuait à vomir des hordes d'êtres fuligineux en un effrayant arc-en-ciel.

Détruire la potion. Elle devait faire vite, refermer la brèche. Tara incanta, levant les bras. Ses mains s'illuminèrent d'un feu bleu presque noir. Son puissant pouvoir jaillit. Et frappa la potion flottant dans les airs comme une énorme boule verte du sein de laquelle sortaient les fantômes.

La potion, le toit de la chambre, le plancher de la chambre du dessus, le plafond de la chambre du dessus, etc., jusqu'au toit du Palais impérial de Tingapour, à Omois, disparurent purement et simplement. Deux oiseaux furent rôtis, tombèrent sur la tête d'un homme (qui, par la suite, ne sortit plus que la tête recouverte d'un casque intégral et surveilla le ciel avec une profonde méfiance), et une demi-douzaine de nuages qui envisageaient d'inonder la capitale furent volatilisés.

Heureusement, consciente de sa mauvaise maîtrise de la magie, l'Impératrice, prudente, avait littéralement vidé toutes les chambres de cette aile du Palais. Tara ne risquait donc pas de désintégrer quelqu'un en train de ronfler paisiblement dans son lit au-dessus d'elle.

Coupé de sa source, le vortex s'éteignit. Tara s'affaissa, soulagée.

La brèche était refermée.

Soudain, un hurlement de terrible douleur retentit.

Mon Dieu, Robin !

Elle fonça dans sa chambre et stoppa net, pétrifiée d'horreur. Dix fantômes, de couleurs, tailles et formes différentes, se disputaient le corps de Robin qui tentait de résister, balayant l'air de ses mains armées de poignards. Les fantômes ne s'en préoccupaient pas, trop occupés à se battre pour son corps.

Sourv, le Familier de Robin, tendait ses têtes d'hydre, ses crocs de requin lacéraient le corps des fantômes en pure perte. Elle ne pouvait rien faire.

Sentant le danger, l'arc de Llillandril, possédé par l'esprit de la puissante guerrière elfe, se matérialisa à l'épaule de Robin, tandis que son carquois se positionnait derrière. Le demi-elfe se dégagea de la masse grouillante en un demi-saut périlleux avant, avec une vitesse qui surprit les fantômes. Il rengaina ses poignards, l'arc se mit en place et décocha ses flèches, mais, pas plus que ses couteaux, les traits ne découragèrent les assaillants fuligineux.

Soudain, l'un des fantômes disparut, se superposant un instant au corps du demi-elfe. Robin se redressa, baissant les bras, puis laissa tomber son arc, une curieuse expression sur le visage. Un mélange de répulsion aveugle et de... jubilation.

Sourv arrêta de se battre et se mit à gémir.

Tara devait intervenir, et vite. Elle sortit ses crocs et bondit. Les fantômes s'envolèrent, effrayés. Ce qu'un fantôme avait vu, les autres en avaient connaissance, apparemment. Ils la savaient dangereuse. Ils se mirent hors de portée, prêts à plonger comme des vautours.

Tara réfléchit à toute vitesse. Il fallait faire sortir le fantôme du corps du demi-elfe. Tout de suite.

Mais elle n'avait aucune idée de la façon de s'y prendre ! Créative, elle devait être créative ! Elle devait sortir le fantôme, donc... donc, oui, c'était ça, elle devait l'extirper.

Sans extirper en même temps les entrailles, le cœur et les poumons de Robin.

Elle activa sa magie. Ses mains s'illuminèrent de nouveau de bleu foncé.

— Par l'Extirpus ! cria-t-elle, que le fantôme disparaisse et que la possession cesse !

Sa magie frappa Robin avec la force d'un marteau-pilon, le clouant au mur de marbre doré derrière lui. Soudain, son beau visage fut pris de contractions. Mais aucun fantôme ne sortit de son corps.

« Il est à moi, à moi ! » Tara entendit ces mots sortir de la bouche de Robin, prononcés avec une rapacité révoltante.

Cela ne marchait pas !

Et cette fois, Sourv cria.

— Pierre Vivante ! hurla Tara.

Obéissante, la Pierre sortit de sa changeline et apparut au-dessus de sa tête.

— *Pouvoir tu veux, jolie Tara ?* gazouilla-t-elle, ravie de venir en aide à son amie.

— Oui, oui, aide-moi !

Le pouvoir immense de la Pierre s'ajouta à la puissance de Tara. Le flux s'intensifia au point que les côtes de Robin craquèrent et que son visage se convulsa de douleur. Et pourtant, en dépit de tous ses efforts, cela, non plus, ne fonctionna pas.

La peur monta en Tara, comme une horrible vague glaciale qui lui souleva le cœur. Elle n'eut pas conscience que le maléfique anneau de Kraetovir[1], à son doigt, luttait contre sa magie au lieu de l'aider. Son souffle ralentit, son sang peina dans ses veines et ses poumons ne purent lui apporter assez d'oxygène. Elle paniqua. Elle ne pouvait pas se battre si elle s'évanouissait ! Sa magie s'éteignit. Dépitée, la Pierre se posa sur une table. L'arrêt brutal du flot libéra Robin, qui s'affaissa.

Ses yeux se troublèrent et elle voulut aller vers lui. Son amour. Celui qui, depuis qu'ils se connaissaient, l'avait si souvent sauvée. Robin, dont elle admirait et respectait la bonté et l'intelligence, tout autant que l'incroyable beauté qui l'avait attirée au début. Robin, dont elle ne pouvait pas se passer, Robin qui la protégeait envers et contre tous.

Robin, qui l'aimait tellement qu'il aurait pu mourir pour elle.

Elle ne comprenait pas. Elle était paralysée. Elle l'appela alors qu'il titubait vers elle, impuissant.

— Robin ! Bats-toi, mon amour, résiste ! Tu dois le chasser, refuse-lui la maîtrise de ton corps !

Le magnifique demi-elfe avait l'air terrifié.

---

1. Depuis *Le Seigneur des Anneaux*, on a pourtant prévenu tout le monde, hein, NE PAS PORTER D'ANNEAU FORGÉ PAR DES INTELLIGENCES MALÉFIQUES ET AVIDES DE PUISSANCE. Mais Tara est comme tout le monde, elle pense qu'elle saura s'en sortir. Elle a tort.

Soudain, il sursauta et son expression se modifia. Le fantôme dans son corps paraissait perdre le contrôle. Mais à quel prix ! Le regard si clair s'obscurcissait, comme recouvert d'une peau morte, les beaux cheveux d'argent et d'ébène mêlés chutaient en un flot léger et constant. Le visage si pur, si beau, se déformait comme de la pâte à modeler.

La possession était en train de le tuer.

Et Tara ne pouvait rien faire. Elle incanta, incanta à s'en arracher la gorge, lançant Reparus sur Revivus, sa magie frappant, frappant encore le corps du demi-elfe, dans le fol espoir de le sauver. La Pierre l'aida de son mieux, au point d'une hémorragie de magie dont elle faillit ressortir exsangue.

En pure perte.

Devant la jeune fille impuissante, Robin parut… couler, comme s'il perdait consistance, comme si une horrible, monstrueuse métamorphose se produisait. Son corps et ses vêtements se mirent à fondre, rongés par une atroce moisissure.

Soudain, dans un énorme sursaut de volonté, il eut un geste incroyable. Il retira son manteau d'elfe et le lança vers Tara, qui l'attrapa sans comprendre.

Puis il tendit vers elle un bras qui n'était plus qu'un squelette. Tara voulut avancer, mais elle manquait d'air.

Le voile noir de l'inconscience s'abattit sur elle.

Mais elle savait.

Elle savait.

Le sol montait et descendait, comme sur un bateau, et Tara dut lutter contre un soudain mal de cœur. Elle ouvrit les yeux. Partout, des gens tentaient d'échapper à des hordes de fantômes et elle… elle était dans les bras de quelqu'un.

Quelqu'un qui en avait quatre.

Xandiar.

Le grand chef de la garde impériale courait, l'air concentré, le visage si figé qu'elle ne sentait sa peur qu'à travers les battements désordonnés de son cœur, sous son uniforme pourpre et doré. Sur son épaule, miniaturisé, Galant. Le pégase n'avait pas l'air bien, comme sa jeune maîtresse. Tara constata qu'elle était enveloppée dans un manteau d'elfe, le visage presque caché. La vision du manteau lui rendit la mémoire.

— Robin ! cria Tara, mon Dieu, Robin, je n'ai pas pu... La magie n'a pas marché ! Il... il...

— Il est mort, haleta le grand garde. Je ne sais pas pourquoi, mais lorsque je suis arrivé dans votre suite il était allongé par terre, tout déformé. Je me suis saisi de vous et je me suis enfui. Il faut vous mettre en sécurité tout de suite, Votre Altesse, les fantômes sont partout !

Tara se mit à pleurer.

— Robin, non, il faut que j'y retourne ! Il... il n'est peut-être pas...

— Si, répliqua le garde, inflexible. Il est mort. C'est un demi-elfe, je pense qu'il n'a pas supporté la possession. Plusieurs de mes thugs ont eu la même réaction, nous sommes plus difficiles à posséder que les humains. Mais ce n'est pas impossible, non. Je dois vous mettre à l'abri !

Vaincue, Tara s'abîma dans un chagrin si profond qu'elle ne s'aperçut pas du chaos autour d'elle. Ils entrèrent dans la salle d'audience, occupée par sa tante et une horde de courtisans, tous curieusement figés. Tara voulut parler, mais le garde lui mit la main sur la bouche, se glissant derrière une colonne.

— Ssssssttt, fit-il, une immense douleur dans les yeux. Notre Impératrice Lisbeth a été la première à être possédée. Elle a lutté courageusement. Trois fantômes ont tenté leur chance, elle leur a résisté. Mais le quatrième l'a vaincue. Surtout, ne faites pas de bruit, cela peut être dangereux.

Elle lui fit signe qu'elle comprenait. Il retira sa main.

— Mais... et... et... maman ? chuchota-t-elle, pétrie d'angoisse.

Xandiar évita son regard.

— Je suis désolé. Dame Selena aussi. Elle était avec votre tante lorsque c'est arrivé. En compagnie de Various Duncan. Nous ne pouvons plus rien faire pour eux.

Tara, prenant la mesure de la catastrophe, eut une inspiration tremblotante.

— Grand-mère, arrière-grand-père, ma sœur Mara, Jar, mes amis, Moineau, Cal, Fafnir, Grr'ul ?

— Votre grand-mère et Jar sont sur Terre. Ils sont à l'abri... pour l'instant. Votre sœur, Mara, est à l'université des Voleurs Patentés, sous la protection de Grr'ul. J'espère que la troll verte aura l'intelligence de la cacher. Quant aux autres, je ne sais pas, avoua-t-il. Je ne les ai pas vus. Mais je n'ai pas beaucoup d'espoir, ils étaient en route pour venir vous voir, peu de temps avant que les fantômes ne nous envahissent.

C'était trop. Elle sombra. Trop de chagrin, trop de culpabilité. Tout était sa faute ! Et elle ne pouvait rien faire, son pouvoir n'avait pu sauver Robin, il ne sauverait pas plus Selena ni le reste de sa famille. Son jeune esprit de quinze ans ne pouvait pas supporter ce fardeau. Autant renoncer. Elle se recroquevilla dans les bras de Xandiar comme une poupée de son, le visage livide.

Puis l'horreur de la situation provoqua ce que Tara n'était pas parvenue à accomplir jusque-là. Elle se retransforma enfin en humaine, abandonnant sa forme de vampyr si puissante. Qui ne lui avait servi à rien en dépit de toute sa force.

Xandiar reprit sa course folle, moitié en courant, moitié en lévitant, se cachant derrière les arbres imposants plantés dans le marbre vert, or ou rouge des couloirs.

À plusieurs reprises, il dut s'envoler pour éviter une patrouille, et se cacher dans les recoins des poutres enchantées du toit. Cela, conjugué à sa peur, sapait ses forces. Il évita les Portes de transfert internes, traversa à pied le parc privé de plusieurs dizaines de kilomètres, niché au cœur du Palais, se cachant au milieu des animaux en liberté.

Il devait sauver l'Héritière. Elle représentait tout ce qui restait de la famille impériale, à part le jeune Jar, encore sur Terre.

Son instinct de protecteur le poussait vers ce seul but. Mais aussi la dévotion qu'il portait à Tara depuis qu'elle lui avait rendu son honneur. En chemin, de nouveau, il s'arrêta brusquement. Une ravissante jeune thug aux cheveux pourpres et aux yeux noirs apparut, sortie de nulle part. Séné Senssass. Xandiar faillit gémir de frustration. La camouflée, membre des services secrets d'Omois, était à la fois une précieuse alliée, une redoutable guerrière et, surtout, sa petite amie. Depuis peu, car il avait mis longtemps à comprendre pourquoi elle traînait toujours près de lui. Mais il ne pouvait pas lui faire confiance. Si elle était possédée, elle les trahirait. Alors, il retint son souffle et se fit tout petit. La camouflée passa devant lui sans le voir.

Enfin, au prix d'efforts épuisants et de grosses frayeurs, évitant gardes, courtisans et ministres, il arriva à l'unique sortie. La Porte de transfert entre les différents pays d'AutreMonde, mais aussi vers les autres planètes.

Ne sachant pas si les gardes en faction avaient été possédés ou non, Xandiar ne prit aucun risque. Il les assomma tous les trois, après avoir déposé Tara, toujours à moitié inconsciente de douleur, derrière la Porte. Il la récupéra, installa le petit pégase au creux de ses bras, puis la mit au centre du cercle formé par les tapisseries de transfert.

— Vous devez vous réfugier sur Terre, dit-il très vite, tandis que les premiers fantômes apparaissaient à travers les murs.

— Non, cria Tara, révulsée, ils me suivraient à travers la Porte ! Ma… leur planète serait envahie !

Ils n'avaient plus le temps, les fantômes s'enhardissaient, prêts à plonger sur le corps de Xandiar. Il lança, faute de mieux :

— Château Vivant de Travia, au Lancovit !

Tara voulut protester, mais Xandiar ne lui en laissa pas le temps.

Et avant que la Porte ne l'emmène ailleurs, elle eut le temps de le voir se battre…

Et succomber.

4

Le Château Vivant

ou lorsqu'on possède un corps de pierre
et de solides fondations, s'enfuir sur la pointe des pieds
n'est pas facile facile...

Le gardien de la Porte de transfert lancovienne, Fleurtimide-
auborddunruisseaulimpide, était de faction à la Porte de transfert
du Château Vivant de Travia.

Il aimait son travail. Accueillir les nouveaux arrivants. Les
faire escorter par les pages, dans leurs appartements ou auprès
de Leurs Majestés. Les prévenir que le Château Vivant était une
entité sensible qu'il fallait éviter de... fâcher. Les assister lorsque le Château était d'humeur blagueuse et changeait tout dans
son immense corps de pierre.

Tout cela lui donnait une rassurante impression d'ordre et de
logique. Oui, Fleur, comme l'appelaient ses amis humains, était
un cyclope heureux.

Il le fut nettement moins lorsque la Porte de transfert s'anima
soudain, en provenance de Tingapour, et déposa devant lui
le corps inanimé de l'Héritière Impériale d'Omois et celui de
son pégase. La trop fameuse, dangereuse et incontrôlable Tara
Duncan. Enveloppée dans un manteau d'elfe. Qui n'était plus
sous sa forme de vampyr, au sujet de laquelle tout AutreMonde
avait glosé.

Suivie par une horde de fantômes furieux.

En quelques secondes, sa belle salle toute propre et bien ran-
gée fut le centre d'un chaos total. Les gardes, affolés, tentaient
de chasser les fantômes à coups de magie et d'armes, mais rien
ne fonctionnait. Deux furent blessés en visant des fantômes
avec des Destructus qui ricochèrent ou passèrent au travers,
plusieurs creusèrent des trous dans les murs et le plancher, ce
qui fit rugir le Château, mais rien à faire.

Fleur comprit soudain que les fantômes s'emparaient des gardes lorsqu'il vit l'un d'entre eux pénétrer dans un corps.

Les fantômes une fois réincarnés capturaient les gardes encore libres afin d'aider les autres fantômes à les posséder. La bataille devint franchement sanglante, car les gardes libres se battaient avec l'énergie du désespoir tandis que la sirène d'alerte invasion mugissait dans tout le Château.

Fleur bondit vers le sceptre de transfert, tapi au centre d'une des cinq tapisseries de transfert. Il fallait déconnecter la Porte ! Stopper l'invasion ! Mais les fantômes ne lui en laissèrent pas l'occasion. Deux gardes possédés la maintinrent ouverte, la laissant dégorger sans cesse de nouveaux fantômes. Et les lances qu'ils braquèrent sur lui le dissuadèrent de tenter un assaut héroïque.

Fleur n'était pas un guerrier, juste un fonctionnaire de deux mètres de haut avec un seul œil et des cheveux roux.

Il ne pouvait pas se battre, certes, mais parfois, le plus intelligent était de fuir. Il ne chercha même pas à résister. Il attrapa Tara et fila, encore étonné qu'aucun fantôme n'ait fondu sur lui. Le Château, toujours aussi furieux, se mit à gronder, et les murs se refermèrent derrière lui, emprisonnant les gardes.

Malheureusement, tous les fantômes n'étaient pas réincarnés. Et ceux qui étaient encore purs esprits passèrent au travers des murs comme s'ils n'existaient pas.

Fleur redoubla de vitesse. Le Château l'aida. Il fit disparaître le couloir, le remplit de murs et de faux chemins. Et ainsi, il l'escamota en quelques secondes, trompant les fantômes qui le perdirent de vue. Mais le gardien savait très bien que cela n'allait pas durer très longtemps. Les fantômes avaient l'air d'en avoir après la jeune Héritière. Il devait donc la cacher.

— Château Vivant, dit-il à voix haute, peux-tu dissimuler Tara Duncan ? La soustraire aux yeux des envahisseurs ?

Sur les murs de pierre grise, un magnifique paysage du Mentalir, le pays des licornes, apparut. L'une d'elles s'approcha, ses pieds délicats foulant l'herbe bleue. Elle inclina sa corne. Le Château Vivant ne pouvait ou ne voulait pas parler, mais ses images le faisaient très bien pour lui. Un siège se faufila vers le cyclope et il y déposa la jeune fille. Celle-ci paraissait très choquée et n'avait pas ouvert les yeux une seule fois.

Le fauteuil fonça vers le mur qui s'effaça, puis ils disparurent. Soulagé, le cyclope soupira, puis dit à voix haute :

— Aussi longtemps que cette crise n'est pas terminée, surtout, ne dis à personne où elle se trouve, c'est compris ? Et utilise les scoops un peu partout pour vérifier qui est possédé et qui ne l'est pas. Tant que nous n'aurons pas un moyen de détecter les possédés, nous ne pourrons nous fier à personne.

Tout autour du cyclope, des écrans apparurent. Ils montraient les scoops, petites caméras caméléons volantes, suivant, épiant, surveillant pour le Château. Fleur hocha sa tête rousse.

— Bravo. Maintenant, il va falloir repasser toutes les bandes en arrière afin de savoir qui est contaminé et qui ne l'est pas. Nous allons avoir du travail, mon ami. En attendant, fais ce qu'il faut pour que nos ennemis ne pensent pas qu'ils ont gagné trop facilement, d'accord ?

La licorne émit un petit hennissement et inclina de nouveau sa magnifique tête blanche.

Puis le paysage changea, les terres sinistres des Marais de la Désolation surgirent, tandis que l'odeur des arbres pourrissants montait du sol. Le cyclope eut la sensation de marcher dans un bourbier spongieux et froid, et eut un sourire sinistre.

— Euh… si cela ne t'ennuie pas, moi, je préfère un beau soleil et une prairie pleine de fleurs.

Le Château obéit, mais Fleur savait que, dans le reste de son corps de pierre, il faisait froid, gris, humide et glissant.

Les envahisseurs ignoraient encore à qui ils avaient affaire. Le Château allait leur réserver quelques surprises.

Tandis que le cyclope, caché dans les entrailles du Château, réfléchissait, un nouveau personnage se matérialisa dans la Porte de transfert. Les fantômes eurent à peine le temps de se précipiter vers lui qu'il incantait un Transmitus et disparaissait… pour ressurgir dans une chambre, bien plus loin dans le corps du Château Vivant.

Celui-ci enregistra le nouveau venu avec un sursaut de joie. Et quand un château de plusieurs millions de tonnes sursaute, cela s'entend. Et se sent. Déséquilibrés, des centaines de gens se cassèrent proprement la figure et les chamans guérisseurs durent faire face à un soudain afflux de patients.

— Chuuuut, murmura Cal, le jeune Voleur Patenté, s'adressant à l'énorme entité, ne dis à personne que je suis là. Tara est arrivée ici ? Je l'ai aperçue dans les bras de Xandiar avant de me cacher. Et toi, Château, tu vas bien ?

Le paysage favori de la chambre de Cal, une vue plongeante sur les trésors de la salle impériale d'Omois (bien plus grande que celle du Lancovit), regorgeant d'or et de joyaux, fit place à la licorne. Celle-ci hennit joyeusement. Le Château s'était fait du souci pour son humain préféré. Cal répondit à la question informulée :

— Oui, je vais bien. J'ai réussi à leur échapper, mais ça a été dur. Et Blondin est resté bloqué là-bas. Heureusement, il semble que pour une mystérieuse raison, les fantômes ne parviennent pas à se réincarner dans des corps inhumains. Ne me demande pas pourquoi, je n'en sais rien. Ils n'ont attaqué ni les elfes, ni les dragons, ni les centaures, ni les Tatris à deux têtes. En revanche, ils ont attaqué tous les humains, et les thugs aussi, qui, en dépit de leurs quatre bras, ont une base humaine. Et Tara, elle est… intacte ?

La licorne hennit et hocha la tête de bas en haut. Cal se détendit un peu. Il avait craint le pire.

— Je me demande pourquoi elle n'a pas été possédée. Les fantômes ciblent en priorité les sortceliers possédant le plus de pouvoir, qu'il soit politique ou magique.

Cal prit un air sombre et frotta ses yeux gris, fatigué.

— C'est d'ailleurs ça notre plus gros problème. Ils contrôlent tous les corps des gouvernants. Celui avec qui ils ont eu le plus de mal a été Xandiar, mais ils ont fini par l'avoir. Et ici ?

Le Château projeta une vision de ce qui se passait dans la salle du trône, où se tenaient le Roi Bear et la Reine Titania, les deux souverains du Lancovit.

Leurs têtes brunes se dressaient très droites et leurs yeux semblaient vitreux. Leurs corps tressautaient au fur et à mesure que les fantômes les possédaient. Devant eux, Salatar, la chimère et Premier ministre, crachait des flammes contre d'autres fantômes, en vain.

— Slurk, jura Cal, ils les ont eus, eux aussi ! On est très, très mal partis. Où est Tara ?

Le Château hésita un instant. Fleur avait bien dit qu'il ne fallait dévoiler la cachette de Tara à personne. Mais Cal était son ami et le jeune adolescent n'avait pas l'air possédé. De plus, il était l'un des proches de l'Héritière et lui avait sauvé la vie un nombre incalculable de fois.

La licorne indiqua un fauteuil à Cal, qui y prit place. Le mur de sa salle de bains s'ouvrit et il plongea dans les profondeurs du Château.

Tara se réveilla. Une main bâillonnait sa bouche. Fermement.

Il n'y avait qu'une seule chose à faire.

Elle mordit de toutes ses forces.

La main eut un soubresaut et se retira.

— Aïe, la vache, t'es dingue ! chuchota une voix bien connue, pourquoi tu m'as mordu ? Heureusement que tu t'es retransformée, dis donc ! Sinon, ma main terminait en steak haché !

Tara plissa les yeux, mais la lumière était faible et elle avait du mal à voir.

— Ca… Cal ? dit-elle. Mais qu'est-ce que…

Elle porta la main à sa bouche, hésitante. Il manquait quelque chose. Ses dents de vampyr avaient disparu. Comment ?

Puis, comme une onde violente, douloureuse, mortelle, le souvenir de Robin la frappa de plein fouet. Sous le choc, elle se recroquevilla dans le manteau du demi-elfe et se mit à pleurer. Tout doucement, comme un animal blessé qui a à peine la force de respirer.

— Tara, demanda Cal qui avait reconnu le manteau de Robin, j'ai vu que Xandiar avait réussi à t'exfiltrer et je t'ai suivie. Tu sais où sont les autres ?

La jeune fille souffrait tant qu'elle n'arrivait pas à prononcer un mot. Le garçon le comprit et la prit gentiment dans ses bras.

Afin de la calmer, il fit ce que sa mère aurait fait. Il la berça sans hésiter. Ils étaient tellement dans la bouse de traduc qu'il aurait tout le temps de demander des explications plus tard. Au bout d'un moment, les sanglots de Tara s'espacèrent un peu et il put lui chuchoter quelques mots de réconfort… même s'il n'avait aucune idée de la raison pour laquelle elle pleurait toutes les larmes de son corps. Tara en avait vu d'autres, une invasion de fantômes n'aurait pas dû mettre dans cet état celle qui avait affronté les hordes de démons de Magister sans broncher. Enfin, du moins, en ne tremblant que très peu.

Il dit quelque chose et le Château matérialisa une bouteille d'eau minérale des monts du Tasdor. Très rafraîchissante, car la magie la maintenait à une température idéale. Un verre apparut en flottant dès qu'il fit signe et il le proposa à Tara. La jeune fille leva vers lui un visage ravagé, mais accepta de boire quelques gorgées.

Elle tenta de parler, mais sa peine emporta sa volonté. Elle se contenta de dévisager le visage d'ange innocent de Cal, ses yeux gris et ses cheveux noirs et ébouriffés, incapable de prononcer un mot de plus. À ses côtés, Galant, son pégase familier miniaturisé, semblait l'ombre de lui-même tant il souffrait pour sa maîtresse.

— Cette invasion de fantômes est en train de mettre Autre-Monde à feu et à sang, insista Cal. Tara, les autres vont bien ? Je me suis enfui sans exactement voir ce qui se passait.

En dépit de sa tristesse et du fait qu'elle n'avait qu'une seule envie, se remettre à pleurer et vouer le reste du monde aux enfers, Tara comprit qu'elle devait répondre. Elle sentait la tension de Cal sous sa paume. Le garçon aux cheveux noirs et ébouriffés vibrait comme une pile et dans ses grands yeux gris montait une supplication. Lui résister était trop compliqué, elle ne voulait plus réfléchir.

— Nous avons été… attaqués (sa voix s'étrangla dans sa gorge). J'ai dû me tromper avec la potion pour faire revenir mon père, parce que ce qui est sorti de là était affamé et aveugle. Ils étaient des dizaines, des centaines. Un fantôme m'a possédée et j'ai… j'ai résisté. Mais Robin… Cal, il n'a pas… il a… j'ai… j'ai vu mourir Robin.

Les yeux de Cal s'écarquillèrent et il se tendit encore plus. Il rencontra le regard de Tara, la suppliant de ne pas confirmer ce qu'il venait d'entendre, mais les larmes qui débordaient eurent vite fait de le convaincre du contraire. Son ami était mort, d'où le manteau.

Il comprenait aussi pourquoi la lumière s'était éteinte dans le regard de Tara.

— Par les mânes de mes ancêtres, je saisis pourquoi tu es dans cet état. Tu… tu vas tenir le coup ?

— Je veux mourir, répondit Tara sans aucune énergie. J'ai tellement mal. Il faut que ça s'arrête !

— Je… je ne peux rien faire pour toi, répondit Cal en déglutissant péniblement tant la tristesse de son amie lui faisait mal, mais je comprends ta peine, moi aussi, j'ai cru mourir lorsque El est morte. Cela… cela a été insupportable.

Tara se remit à pleurer et Cal réprima son envie de l'imiter. Leur survie était en jeu. Il n'avait pas le temps. Non. *Ils* n'avaient pas le temps.

Car ils étaient coupables de ce désastre. Tous les deux. Il n'aimait pas cela, mais Tara ne devait pas porter seule ce fardeau.

— Je n'en suis pas tout à fait sûr, mais je crois que tu n'es pas la seule responsable dans cette histoire, avoua-t-il. Je pense que ma potion est entrée en résonance avec la tienne. Je… je voulais faire revenir Eleanora. Je t'ai volé la formule et j'ai créé la potion dans l'appartement que nous a réservé ta tante. Celui qui se trouve près de ta suite. Je suis désolé. Je n'aurais pas dû.

Tara ne réagit même pas au fait que Cal avait préparé une seconde potion sans qu'elle le sache. Il continua :

— Nous sommes tous les deux fautifs. Nous avons commis une terrible erreur. Il va falloir que nous trouvions une solution pour nous en sortir. Nous ne pouvons pas abandonner ta mère et nos amis dans les griffes de ces monstres. Il y a beaucoup moins de fantômes au Lancovit, donc je pense que mes parents sont en sécurité pour l'instant, mais cela ne va pas durer.

De nouveau, Tara ne broncha pas, se contentant de pleurer comme si son cœur se brisait. Elle semblait loin, si loin qu'il pouvait à peine l'atteindre.

— Tara, tu m'entends ? Comment as-tu réussi à te débarrasser du fantôme qui t'a attaquée ? En utilisant ta magie ? Avec une formule de la potion ? Tara ?…

Il la secoua, mais elle était dans ses bras comme un mannequin de paille, molle et sans réaction.

Là, il paniqua. Tara était une amie, mais aussi une arme d'une grande puissance. Raison pour laquelle, lorsque les fantômes avaient été trop occupés par Xandiar pour s'intéresser à lui, il en avait profité pour la suivre.

Il ne savait pas encore très bien comment, mais il allait l'utiliser pour atomiser ces fantômes, et plus vite que ça ! Ce qu'ils faisaient aux humains était… monstrueux.

Il frissonna. De par sa profession, s'il respectait la mort, il ne la craignait pas. Mais ce qu'il avait vu était bien pire que la mort. Les victimes abdiquaient, mais, au fond de leurs yeux, il lui semblait discerner les âmes prisonnières qui hurlaient leur désespoir.

Il n'avait réussi à s'enfuir que parce que, petit et mince, il ne représentait pas une proie très intéressante pour les fantômes, qui recherchaient en priorité les corps de ceux qui incarnaient le pouvoir.

Il ne savait pas encore s'il devait être vexé ou profondément soulagé.

Il regarda son amie, regrettant de ne pas pouvoir la laisser s'abandonner à son chagrin.

Puis il la gifla.

5

Cal

*ou jouer à la Barbie avec une jolie fille
n'est pas forcément aussi amusant qu'on le dit.*

Tara ne réagit pas. Elle regarda Cal. En fait, non, il était devant elle, alors elle percevait sa présence, c'était tout. Il aurait pu être un arbre. Un fauteuil. Un krakdent. Elle s'en fichait. Sa joue la cuisait, mais elle s'en fichait.

En face d'elle, le garçon fermait les yeux, comme s'il s'attendait que la jeune fille le transforme en crapaud. Si elle n'avait pas été aussi désespérée, Tara aurait pu en rire. Ou être en colère. Oui, elle aurait même pu le changer en ver de terre, histoire de lui apprendre à la frapper.

Mais elle n'en fit rien. Tout lui était indifférent. Elle flottait dans un épais brouillard de culpabilité, de chagrin. Et de regrets. Plus rien ne comptait. Robin était mort. Sans cesse, elle vivait et revivait ses derniers instants. Ce qu'elle aurait pu faire, comment elle aurait pu changer le destin. Le film passait en boucle.

Et c'était un film d'horreur.

Cal ouvrit un œil hésitant et se palpa un peu partout, encore étonné d'être entier et bipède.

Tara espérait qu'il allait abandonner. Non, elle n'espérait même pas, elle n'en était plus capable. Elle voulait juste qu'on la laisse tranquille. Qu'elle puisse se repaître encore de sa douleur. Mais Cal était têtu. Il n'abandonna pas.

Il lui parla. Pendant ce qui lui sembla être des heures.

Il lui décrivit ce qui allait se passer si les fantômes restaient au pouvoir. Avides de ce qu'ils n'avaient plus depuis des siècles, ils allaient exploiter les humains et les inhumains.

En faire leurs esclaves.

Il ne savait pas si les pouvoirs du fantôme et ceux de son hôte s'additionnaient, mais si c'était le cas, c'était une catastrophe.

Il ne tenta pas de gommer l'urgence dans sa voix. Et Tara la perçut, du fond de sa détresse. Plus le temps passait et plus elle avait l'impression d'être dans du coton, un épais coton qui l'asphyxiait petit à petit, alors qu'elle avait un poignard de douleur enfoncé dans le cœur. Elle n'arrivait presque pas à respirer.

Mais il y avait cette urgence dans la voix de Cal. Cette urgence qui le faisait presque gémir et qui la fit réagir.

— Lai… laisse-moi tranquille.

Cal se redressa, en alerte.

— Mais je ne peux pas ! Tara, c'est toi qui as fabriqué cette potion. Enfin, c'est nous. Nous devons trouver un plan, quelque chose pour faire partir les fantômes. Tu dois me dire comment tu as fait pour chasser celui qui t'a attaquée. Peut-on utiliser ce moyen nous aussi ?

— J'ai… je l'ai mordu. Sous ma forme vampyr. Je… je ne sais pas, il est mort… je crois.

Cal s'affaissa. Lorsque Tara s'était transformée en vampyr afin d'échapper aux dragons, son cas avait été étudié par l'Académie de médecine d'Omois.

Pour l'instant, personne ne comprenait bien comment elle avait procédé. Et peu de tests avaient été effectués, essentiellement parce qu'ils n'avaient trouvé aucun candidat prêt à se faire transformer en buveur de sang. Et encore moins enclin à laisser Tara tripatouiller ses gènes. Donc, il ne pouvait rien faire de cette information pour l'instant. Dommage.

— Nous avons besoin d'un plan. En fait, Tara, *j'ai* besoin de toi, je t'en prie !

Tara secoua la tête, désespérée. Il voulait qu'elle réfléchisse, qu'elle trouve une solution, mais elle n'y arrivait pas ! C'était trop dur ! Comment arriver à réfléchir alors que tout ce qu'elle voulait, c'était… disparaître ?

Mourir ?

De nouveau, Cal sentit qu'elle lui échappait.

— Je comprends que ce soit difficile, mais depuis que tu es toute petite, Tara, tu as lutté pour survivre. Tu ne peux pas te laisser mourir maintenant, tu es trop jeune ! Rappelle-toi ton enfance, Tara, la joie, le bonheur, cela peut revenir, je te le jure, Tara !

Tara refusait les images qui émergeaient au son de la voix de Cal. Des images de son enfance, facile, en dépit de l'attitude glaciale de sa grand-mère, à un moment où son monde était simple. Il y avait ses amis, l'école, les goûters, la liberté, courir dans les champs, monter les gros chevaux, les percherons si imposants qu'il fallait une échelle pour grimper, mais après, c'était comme d'être sur un tapis volant tellement ils étaient moelleux. Il y avait les odeurs de craie et de chocolat, les fleurs et la chaleur du soleil. Il y avait l'amour de ses amis. Puis, plus tard, l'amour de Robin.

Elle se laissa submerger, se blottit dans le manteau et se remit à pleurer, en dépit de ses yeux brûlants. Elle pleurait sur son enfance perdue, elle pleurait sur son innocence perdue, elle pleurait sur son amour perdu.

Cal grinça des dents. Zut ! juste au moment où il pensait arriver à la tirer de son chagrin, elle y replongeait.

— Robin était un guerrier, Tara, s'il était encore vivant, que te dirait-il ?

Tara ne répondit pas. Elle était si fatiguée. Cal lui pinça le coude, utilisant un de ses trucs de Voleur pour lui faire mal. Volontairement. Bien plus que la gifle. Une longue douleur continue, qui aurait délié la langue des plus coriaces.

Elle gémit, puis une étincelle de révolte s'alluma un instant dans ses yeux si bleus.

— Lâche-moi, tu me fais mal.

— Réponds-moi d'abord.

— IL EST MORT !

Cal fut si surpris par son rugissement qu'il la lâcha.

— Mais toi, tu es vivante ! protesta-t-il. Bats-toi pour lui !

Mais elle ne l'écoutait pas.

— J'ai voulu plus, dit-elle d'un ton trop calme. J'ai voulu réincarner mon père, j'ai défié la mort. Elle m'a punie en me prenant mon amour. J'ai tué Robin.

Le visage de Tara s'emplit d'un tel dégoût envers elle-même que le cœur de Cal se serra. Ils se dévisagèrent, les yeux bleus affrontant les yeux gris et, un instant, Cal se haït pour ce qu'il faisait subir à son amie.

Mais il n'abandonna pas.

— Tu veux mourir, très bien, dit-il d'une voix soigneusement contrôlée. Je vais même t'aider si c'est ton choix. Une compression de la carotide et hop ! finie la douleur. Mais avant, tu dois réparer tes erreurs, Tara, tu n'as pas le choix.

Réparer ses erreurs ? Non, elle s'en fichait. Tout ce qu'elle voulait, c'était s'anéantir dans la tristesse, que celle-ci la dévore et ne laisse plus que des os. Ainsi, peut-être cesserait-elle de souffrir.

Elle détourna le regard et retomba dans son apathie. Le brouillard la recouvrit, persistant, gommant les voix, les efforts, les sons. Elle souffrait toujours, mais le corps de Cal était incroyablement chaud. Et elle était si fatiguée !

Sans s'en rendre compte, elle glissa dans le sommeil. Cal soupira. Il la rallongea, arrangea les oreillers, puis s'assit dans un fauteuil, soudain épuisé lui aussi.

Le reste du monde était en train de sombrer, et lui, tout ce qu'il pouvait faire, c'était regarder son amie dormir.

Et prier des dieux indifférents.

De toutes ses forces.

Pendant des jours et des jours, Tara refusa tout. De manger. De se laver. De parler.

Elle ne faisait que dormir et pleurer.

Après l'avoir trouvée en train de sangloter en serrant sa click dans sa main au point de se faire saigner, Cal la lui confisqua purement et simplement. Le gadget avait été créé pour lui permettre de communiquer avec Robin, ils la portaient tous les deux en boucle d'oreille. Aujourd'hui, l'objet de quartz et de métal lui rappelait trop celui qu'elle avait perdu.

Cal, désespéré, dut s'occuper d'elle. Elle s'agrippait au manteau de Robin comme si c'était une partie d'elle. Elle refusa de s'en séparer. Cal laissa aux Élémentaires le soin de la laver et de la sécher, et à la changeline, son extraordinaire entité garde-robe-armurier, le soin de la vêtir et de la dévêtir.

Il était un garçon, quand même, et manipuler le corps d'une jeune fille nue était tout simplement au-dessus de ses forces.

Cal le comprenait, l'esprit de son amie avait été sérieusement affecté. L'enfance de Tara, élevée par une grand-mère glaciale et trop occupée, avait été plus ou moins heureuse. Entourée de secrets et de mystères qu'on refusait de lui dévoiler, elle avait acquis une grande indépendance et avait mis longtemps à se reposer sur ses amis, à ouvrir son cœur à Robin. Le choc de le voir mourir, comme elle avait vu mourir son père alors qu'elle avait deux ans, l'avait violemment ébranlée.

Elle s'était refermée sur son désespoir. Et Cal commençait à se demander s'il pourrait l'en sortir.

La première nuit, il faillit mourir d'une crise cardiaque.

Un hurlement le jeta au bas de son lit, en position instinctive de combat.

Le temps qu'il se rende compte qu'aucun fantôme ne les attaquait et que son cœur revienne à une vitesse normale et non pas à deux cents pulsations à la minute, il identifia la provenance du hurlement. Tara se débattait, en proie à un terrible cauchemar. Il passa une heure à caresser ses cheveux trempés de sueur, jusqu'à ce qu'elle se calme.

Pour recommencer deux heures après.

La faire manger relevait de l'exploit. Chaque repas était un calvaire. Bouchée après bouchée, qu'elle avalait parfois mécaniquement, ou refusait, tout simplement. Elle était déjà mince de nature, la magie puisant dans les forces des sortceliers, à présent, elle était carrément maigre. En dépit des soins des Élémentaires et de la changeline, ses beaux cheveux blonds étaient ternes et desséchés, ses yeux bleus, sombres et opaques. Elle devenait de plus en plus translucide, ses joues se creusaient, soulignant son ossature fine.

Galant, son pégase, n'allait pas mieux. Comme elle, il refusait de s'alimenter, et Cal dut le forcer à avaler son avoine et son foin.

Cal ne le savait pas, mais Tara était plus ou moins consciente de ce qu'il faisait.

Et elle le haïssait. Dieu qu'elle le haïssait…

Si Cal avait été capable de sentir sa colère sous la morne indifférence, il serait parti en courant.

Jamais il ne la laissait tranquille. Jamais il n'abandonnait. Mais même cela ne parvenait pas à la sortir de sa dépression. Rien ne pouvait franchir le barrage. La nourriture n'avait aucun goût. Les images, aucun relief. Les sons, aucune texture. Elle ne sentait même pas la douleur s'installer dans son corps maltraité. Car les maigres rations que lui faisait avaler Cal n'étaient pas suffisantes et les déficiences s'installaient, ses muscles, ses tendons, ses os lui faisaient mal. Tara ne sentait rien, pas consciemment du moins.

Sous l'influence de Cal, leur environnement fut modifié au fur et à mesure de leurs besoins. Le Château Vivant agrandit la chambre, créa une salle de bains et insonorisa soigneusement les murs. À moins d'un manque de chance phénoménal, aucun être, fût-il fantôme, ne pourrait les trouver. Puis il mit en place une salle de gymnastique afin que le petit Voleur puisse continuer son entraînement quotidien. Avant chaque séance, Cal obligeait Tara, poupée docile, à bouger, manipulant ses membres et la faisant marcher, afin d'éviter qu'elle ne perde tous ses muscles. Puis, une fois la corvée terminée, les dents serrées, il s'occupait de lui.

Il plaçait Tara dans un confortable fauteuil et, torse nu, sautait, plongeait, courait, suait en un enchaînement de sauts, bonds et attaques rapides. Il passait ensuite au lancer de couteaux, alors que ses muscles tremblaient de fatigue.

Il ratait rarement sa cible. En fait, la seule fois où cela arriva, ce fut parce que Tara s'endormit et se mit à hurler dans son sommeil. Cal sursauta et le poignard alla se planter dans l'œil d'un dragon sur une tapisserie.

Si Tara avait été vraiment consciente, elle aurait été admirative, car, dans son genre, le Voleur était un extraordinaire athlète.

Il s'entraînait deux fois par jour pendant deux heures, plus une heure de nage dans le bassin de la salle de bains. Le sport l'aidait à ne pas devenir fou.

Sa famille, son Familier le renard Blondin, ses amis, tous lui manquaient. Surtout son Familier. Il sentait qu'il allait bien, car, s'il avait été blessé ou capturé, leur liaison mentale l'en aurait immédiatement informé. Mais plus la distance était grande, plus le lien était distendu et le malaise de Cal grandissait. Un jour ou l'autre, il n'aurait pas le choix, il devrait retourner à Omois, dans la gueule de l'ennemi, afin de récupérer son renard.

— Mince alors, maugréa-t-il un jour particulièrement difficile, si on m'avait dit que j'allais devenir la nounou d'une
sublime fille de quinze ans et que j'allais trouver ça horrible, je
ne l'aurais pas cru une seconde !

Car c'était la seule chose qui l'empêchait d'abandonner. Son
sens de l'humour. Et sa culpabilité aussi.

Le Château Vivant lui avait installé un écran géant. Et lui diffusait autant d'informations que possible, fenêtre ouverte sur le
reste du monde.

Les nouvelles n'étaient pas bonnes.

Les fantômes avaient pris le contrôle de la majorité des républiques, des royaumes et des empires humains de la planète.

Cela n'avait pu se faire dans la discrétion, car les scoops[1] des
cristallistes en poste dans les différentes cours avaient enregistré l'invasion. Seuls les inhumains avaient été épargnés. Les
mânes des sortceliers vampyrs, tatris ou nains n'avaient pu se
réincarner dans les corps de leurs peuples. Dépités, ils étaient
repartis en OutreMonde.

Les mauvaises nouvelles arrivant souvent en paquet, Autre-
Monde découvrit très vite que les fantômes pouvaient désormais ouvrir la connexion entre AutreMonde et OutreMonde à
volonté.

À part la jeune fille, personne n'avait trouvé le moyen de leur
résister. Si un humain parvenait à repousser un fantôme, des
dizaines d'autres fantômes essayaient jusqu'à ce que l'un des
leurs soit assez puissant pour le posséder.

Cal avait placé Tara devant l'écran, espérant que les scènes
d'apocalypse allaient sortir son amie de son apathie.

Malheureusement, il n'y eut pas de scènes d'apocalypse. Les
fantômes, prudents, évitèrent de tuer, vu que les âmes des
morts, du moins celles des sortceliers, allaient en OutreMonde.
Ils emprisonnèrent ceux qui tentaient de leur résister, mais
pour le peuple, rien ne changea.

En apparence.

Deux semaines après la prise de pouvoir des fantômes, cela
commença. Par la démission des elfes d'Omois.

---

1. Petites caméras volantes semi-intelligentes, avides de scoops, d'où leur nom, particulièrement douées pour dévoiler tous ce que les grands d'AutreMonde aimeraient bien
cacher, et pour lesquelles les journalistes de *Voici* et autres *Paris Match* donneraient leur
bras droit… et peut-être même leur bras gauche.

Incrédules, Cal et Tara (enfin, Cal était incrédule, Tara, elle, s'en fichait) virent les formations impeccables des elfes guerriers, montés sur leurs pégases, le pelage assombri pour l'occasion, quitter Omois. À leur tête, toute de rouge vêtue, ses somptueux cheveux d'argent lui faisant comme une cape sur son pégase pourpre, la Reine des elfes fit une annonce. Elle ne reconnaissait plus l'Impératrice d'Omois comme son employeur, du fait de sa possession par un fantôme, et par conséquent rompait le contrat.

Les elfes rentraient chez eux, à Selenda. Cal en eut les larmes aux yeux. Voir ces rangées d'elfes magnifiques dans leurs armures étincelantes, sur leurs pégases noirs, le visage figé, quitter Omois était une véritable catastrophe.

Tara fixait l'écran, mais Cal savait qu'elle ne le voyait pas.

— Tu crois qu'ils vont à l'ambassade de Selenda à Omois ? dit-il sur ce ton serein qu'il avait adopté avec elle. Apparemment, le fantôme de Lisbeth n'a pas voulu les laisser utiliser la Porte de transfert du Palais. Je me demande si les dragons sont encore sur AutreMonde ou s'ils sont rentrés au Dranvouglispenchir.

En fait, il avait essayé de contacter Maître Chem, le gardien dragon d'AutreMonde, membre du Conseil des Hauts Mages, afin de voir s'il pouvait trouver un remède à la dépression de Tara. Mais les lignes étaient coupées à l'intergalactique.

AutreMonde était isolée du reste de l'univers. Et sans les Portes pour voyager à travers l'espace en une fraction de seconde, les dragons allaient devoir revenir sur AutreMonde en vaisseau, ce qui pouvait prendre des dizaines d'années.

Formidable.

Tara aurait pu le lui dire. Les cours intensifs infligés par l'Imperator et l'Impératrice lui avaient appris que la première chose que faisaient les ennemis était de couper leurs victimes de l'aide de leurs alliés. Au plus profond d'elle-même, elle ricana de la naïveté et de la surprise de son ami. Extérieurement, elle ne réagit pas, indifférente.

Dans les jours qui suivirent, entre deux tentatives pour nourrir Tara sans qu'elle lui jette la nourriture à la figure (il était devenu superfort pour éviter les steaks volants), Cal constata que les elfes n'étaient pas les seuls à quitter Omois. Les cristallistes firent un reportage sur l'ambassade tatris qui se vidait, ainsi que sur l'ambassade vampyr. Cal y vit Arn'o, l'elfe styleur, et la fille du président vampyr, Kyla, partir sur leur supertapis volant à réaction, l'air furieux, encadrés par les gardes thugs de l'empire. Ne restaient apparemment que l'ambassadeur, sa femme, et une partie de sa suite, qui saluèrent gravement Kyla, l'air affligé.

La vampyr montrait les dents et sa propre escorte n'avait pas l'air plus commode. Cal se dit que les fantômes étaient stupides de se mettre à dos ces dangereux prédateurs.

Mais ils n'étaient pas les seuls. Des races moins dangereuses, les lutins P'abo, les gnomes bleus et les Diseurs de Vérité, les fées, les Géants de Pierre, les sirènes, les tritons, les orcs, les gobelins, les sages licornes, les belliqueux centaures, les chimères, une grande partie partaient, escortés par les gardes, vers les frontières ou les Portes de transfert. Certains emportaient leurs maisons qui flottaient derrière eux comme d'immenses cerfs-volants, d'autres n'avaient que de minces bagages, peut-être confiants en un prompt retour.

C'était tragique.

Et Cal se demandait pourquoi les gardes obéissaient à ces ordres qui lui apparaissaient criminels. Puis il comprit.

Il était impossible de savoir qui était possédé et qui ne l'était pas. C'était bien là tout le problème. En ce qui concernait Lisbeth, Impératrice d'Omois, la possession avait eu lieu devant toute la cour, et beaucoup des principaux ministres en avaient été également victimes. Mais pour les grades inférieurs, c'était une autre paire de manches. Et si les gardes ne pouvaient pas avoir tous été infectés, ils devaient obéissance à leurs supérieurs.

Mais on sentait qu'ils n'aimaient pas ce qu'ils faisaient. Et ils montraient une courtoisie exquise envers les inhumains priés de quitter l'empire.

Comme pour s'excuser.

L'Impératrice et son fantôme s'étaient faits discrets. Une simple annonce pour déclarer que rien n'allait changer dans l'empire, que les marchands devaient se rassurer et que tous les plaignants et leurs doléances étaient les bienvenus au Palais.

Mais les Omoisiens connaissaient la politique et savaient ce qu'il fallait faire : le gros dos. Attendre que les choses aillent mieux. Et surtout, surtout, ne pas aller au Palais pour se plaindre. Faire du commerce, obtenir des licences ou des conces-sions, oui. Se mettre le pouvoir régnant à dos, non. Certainement pas.

Plusieurs cristallistes, sortceliers et nonsos furent arrêtés, puis relâchés. Leurs articles virulents firent place à des articles bienveillants envers le nouveau pouvoir.

Il ne fit aucun doute aux yeux de leurs lecteurs ou spectateurs qu'ils étaient possédés.

La propagande avait commencé.

Cela fut souligné par les cristallistes inhumains. Les vampyrs, les elfes, les Tatris surtout dénoncèrent ces manipulations. L'empire d'Omois leur fit calmement savoir que s'ils n'étaient pas contents, l'empire se ferait un plaisir de leur mettre les points sur les i et les barres sur les t.

Avec de bons gros canons si nécessaire.

C'est alors que les résistants entrèrent en clandestinité. Des centaines de blogs anonymes fleurirent sur magicnet, le réseau d'AutreMonde. Omois fit fermer son réseau, mais ceux des inhu-mains et des résistants humains des autres royaumes continuè-rent de plus belle. Et il n'était pas bien difficile pour les Omoisiens de bidouiller des connexions pour se brancher sur les autres réseaux d'information du magicnet. *Idem* pour les chaînes de vidéocristal, qui passaient les infos en boucle.

À ce moment-là, Cal avait cessé de se ronger les ongles, parce qu'il n'en avait plus. Il envisageait sérieusement d'entamer la première phalange. Il se sentait comme un animal, traqué, coincé, incapable de réagir. Jamais de sa vie il n'avait eu une si pesante responsabilité. Et il comprenait un peu mieux ses parents. Il n'avait pas été très facile à élever, avec sa manie de se fourrer tout le temps dans les pires problèmes. À présent qu'il se retrouvait avec Tara à gérer, il se rendait compte que ce n'était pas si facile.

La situation était déjà mauvaise, elle empira.

La tête de Tara fut mise à prix.

Comme dans les besterns, westerns, ouesterns, machins dont Cal ne se souvenait plus du nom, ces films importés à prix d'or de la Terre. Pour un montant vertigineux. S'il la livrait, il pou-vait devenir riche. En devenant un traître, certes, mais un traî-tre très millionnaire. Il eut un ricanement maussade. Dommage que son intégrité soit aussi fortement ancrée en lui.

Évidemment, l'avis de recherche n'était pas aussi violent qu'un « On la veut morte ou vive, et morte, ce serait mieux », il était tout à fait poli. L'empire d'Omois informait simplement que l'Impératrice était très inquiète de la disparition de son Héritière et récompenserait largement tous ceux ou celles qui lui donneraient la moindre information permettant de la retrouver.

Ben voyons.

Et comme Lisbeth ne savait pas que Tara s'était retransformée en humaine, elle avait fait afficher ses deux visages. Celui, magnifique et glacial, aux yeux rouges, de sa forme vampyr, et le normal. Comme ça, quelle que soit sa forme, Tara serait repérée.

Même si les deux visages de Tara étaient ceux qui revenaient le plus souvent sur les écrans des chaînes internationales, ils n'étaient pas les seuls. Les fantômes coopéraient bien mieux entre eux que les anciens gouvernements et les avis de recherche étaient repris également par les chaînes nationales des pays conquis.

Mais, lorsqu'il y a une action, il y a aussi une réaction. Du côté de la résistance, des tas de sortceliers, humains et inhumains, menaient la vie dure aux fantômes. Il y eut plusieurs attentats contre les possédés. Deux ministres furent enlevés. Mais les résistants ne parvenaient pas à oublier que les corps qu'ils attaquaient étaient ceux d'amis ou de gens innocents. Alors, c'était vraiment difficile. Les fantômes, furieux, firent arrêter des tas de gens dont beaucoup n'avaient aucun lien avec la Résistance. Cela ne fit qu'encourager ceux qui luttaient contre l'oppression. Plusieurs usines furent sabotées. Bientôt, les actes des résistants aux fantômes firent la une des jourstaux.

Cal enrageait de ne pas pouvoir se joindre à eux.

Mais ce qui le chagrina le plus, c'était qu'ils étaient peu nombreux. N'y apparaissaient ni Moineau, probablement capturée, car elle était dans le Palais lors de l'attaque des fantômes et n'était pas revenue au Lancovit, ni Robin, ce qui confirmait sa disparition, ni Fabrice manquant (s'il était encore vivant !) depuis qu'il les avait trahis, ni Manitou, l'arrière-grand-père labrador de Tara, ni Isabella, ni Jar, ni Mara. Cela dit, son propre visage n'apparaissait pas non plus parmi les recherchés. Il était

probablement un trop petit poisson pour intéresser les fantômes.

Un autre mois s'écoula, et Tara ne montrait aucun signe
d'amélioration. Pire, elle s'affaiblissait de jour en jour. Elle ne
pleurait même plus, se contentant de regarder dans le vide.
Aucune vie n'animait son regard. Elle semblait enfermée dans
un cocon épais, impénétrable.

Elle était en train de mourir.

Cal en avait conscience, mais il ne savait plus très bien quoi
faire. Il n'avait que quinze ans ! Pour la première fois depuis
longtemps, il admit qu'il avait besoin d'aide. Et la meilleure
personne pour ce genre de problèmes, qui avait élevé six
enfants tout en restant au top dans son domaine, était sa mère,
Aliana-Léandrine Dal Salan.

Mais pouvait-il courir le risque ?

Enfin, un jour, un peu plus désespéré que d'habitude, après
que Tara avait une nouvelle fois refusé de manger, il décida
d'agir.

— Tara, dit-il d'un ton pressant, je dois essayer de prendre
contact avec ma famille, pour savoir s'ils vont bien et surtout si
maman… Bref, j'ai besoin d'eux. Je te laisse ici avec Galant, je
reviens le plus vite possible, d'accord ?

Tara ne le regarda pas, ne l'entendit pas. Elle était dans son
enfer personnel, fait d'un bouillon noir de mépris envers elle-
même, de désespoir et de chagrin. En fait, elle ne se rendit pas
vraiment compte qu'il était parti. Ce fut juste une sorte de
soulagement, car la main exigeante et la voix insidieuse qui
voulaient l'obliger à manger, à vivre, disparurent de son environnement. Parfait, elle allait pouvoir s'enfoncer dans le noir.

Et ne plus revenir.

Et là, l'anneau de Kraetovir n'était pas d'accord du tout. Il
s'était cru malin en laissant le demi-elfe mourir. Il n'aimait pas
l'influence que Robin avait sur Tara et son obstination à le lui
faire retirer de son doigt.

Alors, il avait bloqué sa magie, l'empêchant d'agir normalement.

Sauf que si Tara mourait, il n'aurait plus de corps pour vivre
et respirer à travers son hôte. Un peu comme un parasite, il
avait passé tant d'années à la griffe de la Reine Dragon qu'il en
avait acquis une sorte de conscience.

Et cette conscience lui disait qu'il avait commis une grosse bourde. Alors, chaque fois que Tara voyait des images de Robin en train de mourir, il lui substituait des images heureuses. De quoi vomir, mais d'une part il n'avait ni bouche ni estomac et, d'autre part, si c'était le seul moyen de la sauver, il n'avait pas le choix.

Il ne pouvait pas parler à Tara, mais il commença tout doucement à lui insuffler un sentiment d'urgence. Il tenta de réveiller la combativité qui sommeillait au cœur de la jeune fille. Son inquiétude pour ses proches.

Elle ne réagissait pas, refusant passivement les sentiments heureux qu'il infusait.

S'il avait pu soupirer, l'anneau l'aurait fait.

Il retroussa des manches imaginaires et se mit au travail.

Dans l'esprit de Tara se forma l'image de Robin. Le magnifique demi-elfe la regardait avec amour. Comme cela faisait des semaines qu'elle le voyait mourir, encore et encore, elle fut surprise de le voir intact et si beau, et son cœur se brisa. De nouveau. Il releva ses longs cheveux blanc et noir dans un geste si familier qu'elle en gémit de douleur, puis il lui sourit. S'il ne disait pas un mot, ses beaux yeux de cristal, fendus comme ceux d'un chat, parlaient pour lui.

« Je te pardonne, disaient-ils, tu ne pouvais pas savoir. »

Tara fit sursauter Galant en répondant dans le vide, s'adressant à quelqu'un qu'il ne pouvait pas voir, la voix cassée de n'avoir pas dit un mot pendant des semaines.

— Mais je t'ai tué.

« Un fantôme m'a tué, répondirent les yeux, pleins de tendresse, tu n'y es pour rien. Je suis mort, mais je reste dans ton cœur et je t'aime pour l'éternité. »

— Je… je ne savais pas, répondit Tara, je ne savais même pas à quel point je t'aimais. Tu étais si… commode ! Tu étais toujours là pour moi, fidèle, loyal. Et moi, je te voyais autant comme un ami que comme un petit ami. Plus parfois. Ce n'était pas bien. Ce n'était pas juste. Et maintenant que tu es… que tu es mort, je me rends compte que je t'aimais plus que moi-même. Je veux mourir, je veux te rejoindre !

Les yeux se firent sévères.

« Non, répondirent-ils, non, tu ne dois pas. Tu as des milliers de choses à faire dans ce monde, tu dois vivre ! Je t'aime de toute mon âme, mais, Tara, la mort n'est pas la solution. Sois patiente. Le temps t'aidera à supporter l'insupportable. Cela aussi passera. »

— Mais… mais qu'est-ce que je dois faire ?

Les yeux furent impitoyables. Et elle n'aima pas beaucoup l'image de perdante qu'ils reflétèrent soudain.

« Bats-toi ! »

Et, comme une image qu'on souffle, il disparut. Tara regarda dans le vide, puis contempla Galant qui, les ailes en berne, le pelage gris plutôt que blanc, paraissait à moitié mort.

Elle resta sans bouger un long moment. Galant ne bougeait pas plus, suspendu à ses gestes. Son regard doré scrutait le visage tant aimé de sa maîtresse. Il n'osait presque pas respirer. L'étrange vision qu'elle venait d'avoir allait-elle la sortir enfin de sa dépression ? Les pégases n'avaient pas de dieu, mais, s'il en avait eu un, Galant se serait agenouillé et aurait prié de toutes ses forces.

Puis toute animation déserta le visage émacié de Tara et des larmes coulèrent le long de ses joues.

— Mais qu'est-ce que je raconte, je parle à une hallucination. Il n'est même pas là !

Les yeux vides, elle se recoucha, et le pégase se dit que lui aussi allait mourir si la tristesse de sa maîtresse continuait à lui empoisonner l'esprit.

Au doigt de Tara, l'anneau de Kraetovir eut un éclat de lumière agacée. Il avait pourtant cru… mais non. Bon, les grands moyens. Il allait devoir sacrifier une partie de lui-même pour créer quelque chose d'aussi puissant, mais il n'avait pas le choix. De nouveau, les licornes d'argent, son camouflage (regardez comme je suis joli et inoffensif), se muèrent en masques de démons aux yeux sanglants. Un jet de magie noir fusa, tandis que le petit anneau frissonnait, les âmes prisonnières de son fer noir mourant une à une. Il lui en restait une réserve de cinq mille avant qu'il ne redevienne simple fer sans pouvoir. En sacrifier une petite centaine devrait être suffisant.

Soudain, au-dessus de leurs têtes, un fantôme apparut. Tara avait les yeux fermés, mais le hennissement et l'angoisse brutale de Galant la firent se redresser. Elle leva la tête. Son visage se durcit.

Les fantômes l'avaient retrouvée !

Prête à venger chèrement son amour perdu, elle allait activer sa magie, lorsqu'elle se rendit compte que le fantôme ne s'approchait pas. Il restait à distance et la regardait avec une infinie tendresse.

Elle cessa de respirer.

C'était le fantôme de Robin.

Pas une illusion. Son âme. Il était translucide, mais ses longs cheveux argentés et ses mèches noires humaines si caractéristiques, qui le dénonçaient comme un demi-elfe, resplendissaient, tout comme ses vêtements.

Tara se leva trop vite et chancela. Une expression inquiète passa sur le visage du fantôme.

— Robin ? C'est bien toi ?

— C'est moi, répondit la voix chaude de Robin. Par les mânes de mes ancêtres, Tara, mais qu'est-ce qui t'est arrivé ?

Elle n'eut plus aucun doute. C'était bien Robin. Elle éclata en sanglots et lui raconta tout ce qui s'était passé depuis sa mort. Le fantôme finit par prendre un air perplexe.

— Et tu as voulu mourir ? Pour me rejoindre ?

Tara hocha la tête.

— Mais je ne veux pas !

Tara le regarda. Le fantôme n'avait pas l'air très content.

— Enfin, Tara, tu es vivante ! Qu'est-ce que tu ferais dans l'OutreMonde, ce n'est pas ta place ?

— C'est ce que je veux, murmura Tara, je deviens un fantôme et je viens vivre avec toi.

Là, Robin eut l'air carrément ennuyé.

— Non, dit-il fermement. Il n'en est pas question. Tu ne vas pas te laisser mourir juste pour un amour d'adolescents. C'est ridicule ! Tara, tu es jolie, tu es gentille et tout et tout, mais si tu étais morte, jamais je n'aurais tenté de mourir moi aussi, enfin, c'est ridicule !

Tara était perdue.

—Ah non ?

— Évidemment que non ! Je me serais trouvé une nouvelle petite amie et c'est tout !

Là, Tara réagit vivement. Elle avait du mal à en croire ses oreilles.

— Une… une nouvelle petite amie ?

— Oui, bien sûr. À quoi t'attendais-tu, je suis un elfe. Tu sais bien que nous, les elfes, nous sautons sur tout ce qui bouge !

Un instant, l'anneau crut en avoir trop fait, car les sourcils de Tara se froncèrent. Kraetovir avait assisté à de nombreuses scènes entre Tara et Robin et parvenait à bien rendre la tessiture de la voix du garçon, mais, pour ses sentiments et ses réactions, c'était une autre paire de manches. Et puis il devait se dépêcher. Les âmes se dissipaient plus vite qu'il ne l'avait prévu pour créer ce sortilège.

La bouche de Tara se plissa en une moue amère.

— Tu racontes n'importe quoi pour éviter que je ne me laisse mourir, hein, c'est ça ?

Le fantôme parut soupirer avec irritation, puis répondit :

— Pas du tout. Écoute, il faut que je parte, ce n'est pas facile pour moi d'être là. Je vais devoir te quitter, mais je veux que tu me promettes de ne plus te laisser dépérir ainsi. Crois-moi, je n'en vaux pas la peine.

Et, avant qu'elle n'ait eu le temps de réagir, il disparut. Tara se redressa, bouche bée. Elle l'appela, hurla même, mais le fantôme ne daigna pas réapparaître.

Encore trop faible pour tenir debout très longtemps, elle se laissa tomber sur son lit, stupéfaite de ce qu'elle venait d'entendre. Galant regardait son anneau d'un air suspicieux. Le pégase vit le fer noir et les yeux rouges laisser la place aux inoffensives licornes. Par le crottin de la jument céleste[1], qu'est-ce que le maudit anneau avait encore manigancé ? Était-il responsable de l'apparition du fantôme ?

Soudain, Tara se pencha, faisant sursauter Galant, le prit dans ses bras et le caressa avec tendresse.

— Il est parti, Galant. Robin est parti et nous sommes encore là. Qu'allons-nous devenir ? Il ne veut pas que je meure. Je ne sais plus quoi faire…

Le pégase répondit en lui envoyant une image de l'anneau se transformant, mais comme ce dernier faisait cela souvent, Tara ne réagit pas. Elle était encore pleine de la vision tant aimée de Robin. Galant renonça. Il frotta ses naseaux si doux contre la joue de sa maîtresse. Lui aussi voulait qu'elle vive, mais refusait de l'influencer. Ce devait être sa décision.

---

1. Je sais, je sais, ça peut paraître curieux, mais les pégases jurent aussi…

Cependant, il sentait sa soif et se dégagea pour pousser un verre d'eau vers elle. Elle soupira doucement et le but. Il dut demander six fois à l'Élémentaire d'eau de le remplir avant que sa soif soit étanchée.

Comme une somnambule, elle se leva, indifférente à la douleur de ses jambes ankylosées, et se dirigea vers la salle de bains. Lorsqu'elle en ressortit, il constata qu'elle s'était brossé les cheveux et lavée. Toute seule apparemment, puisqu'elle avait encore du savon au coin de la clavicule, juste en dessous du bijou incrusté dans son cou par les couleurs. Jamais l'Élémentaire d'eau n'aurait laissé de savon. Le pégase se prit à espérer. Elle se recoucha et ferma les yeux, le serrant de nouveau contre elle. Comme un talisman. Comme un refuge. Galant cala sa tête sous le menton de sa maîtresse et se détendit. Le manteau du demi-elfe, très abîmé à force d'avoir été détrempé de larmes, d'avoir servi de couverture, d'oreiller, etc., fut laissé de côté.

Enfin, pour la première fois depuis la mort de Robin, Tara s'endormit sans être tourmentée par de terribles cauchemars.

En passant par les souterrains du Château Vivant, le cœur au bord des lèvres à l'idée qu'un fantôme vadrouilleur lui tombe dessus, Cal parvint à s'échapper sans que personne le voie. Il utilisa le même passage que celui qu'ils avaient suivi pour échapper au Ravageur d'Âme. Et dire qu'à l'époque il avait cru qu'ils affrontaient la pire des catastrophes !

Comme quoi, tout est une question de gradation.

— Merci Château, dit-il alors que le fauteuil le déposait à la sortie cachée. Je ne sais vraiment pas ce que nous aurions fait sans toi. Veille bien sur Tara pendant mon absence ! Je reviens le plus vite possible.

Avant de sortir, il modifia son apparence. Il incanta et ses cheveux tournèrent au blond terne, ses yeux, au brun bilieux, et son visage d'ange s'arrondit, devint anodin, passe-partout. Sa robe de sortcelier aux couleurs du Lancovit, bleue avec des renards d'argent bondissants, se transforma en un confortable pantalon gris et une chemise tout aussi grise, très banale. Ses chaussures noires de Voleur Patenté, équipées de crampons, ventouses et autres gadgets modifiables à l'envi, prirent l'allure de classiques mocassins de ville. Il était méconnaissable. Parfait.

Comme un animal à l'affût du prédateur, il déambula prudemment dans sa ville natale. Dans les joyeuses rues de Travia, la capitale du Lancovit, aux maisons peintes de toutes les couleurs, aux fresques animées, tout semblait presque normal.

Mais les gardes dans les rues étaient un peu plus nombreux, les passants parlaient bas et les regards étaient méfiants. Partout, des panneaux indiquaient que les Transmitus étaient déconseillés, et peu de lits, baignoires, tapis, fauteuils et autres moyens de transport utilisés par les sortceliers, volaient. En revanche, beaucoup se déplaçaient sur des pégases, comme s'ils voulaient éviter d'utiliser la magie.

Et certains des gros marchands que Cal connaissait pour leur horreur du sport avaient l'air aussi à l'aise sur les pégases que des vaches en train de voler.

Hum ! Intéressant.

Autre surprise, les jardiniers royaux avaient planté quantité de sensitives. Les arbres empathiques aux magnifiques feuilles dorées et aux troncs blancs reflétaient les sentiments profonds des gens, raison pour laquelle il n'y en avait habituellement pas dans les villes… Ils mouraient trop vite. Mais ceux-là semblaient renforcés et les gens paraissaient les éviter. Cal vit un homme qui s'était un peu trop approché de l'un d'eux, dont le feuillage virait au noir. Presque immédiatement deux gardes vinrent l'encadrer et ils repartirent ensemble, sous les regards furieux des passants.

Qui cependant n'intervinrent pas.

Cal en eut le cœur glacé. Si Bear et Titania aimaient profondément leurs sujets qui le leur rendaient bien, le Lancovien moyen ne se gênait pas pour exprimer clairement son opinion. Que les fantômes soient parvenus à mettre la capitale en coupe réglée en moins de deux mois était plus qu'inquiétant.

Contrairement à Omois, le Lancovit n'avait pas exilé ses inhumains. Mais ceux-ci rasaient les murs et des yeux hostiles les suivaient, eux qui étaient les bienvenus à peine quelques semaines plus tôt.

Les marchands avaient sorti leurs étals, comme d'habitude, mais les ménagères discutaient moins et emportaient rapidement leurs achats, qui les suivaient en voletant derrière elles. Et les étals des nains, elfes et autres vampyrs étaient bien moins achalandés que d'ordinaire.

Il y avait peu de premiers sortceliers, très repérables avec leurs robes aux couleurs du Lancovit. Cal n'en vit qu'un ou deux qu'il faillit bêtement saluer. Il devait être prudent, son attitude ne devait pas le trahir.

Les bars, bistrots, tavernes, auberges et restaurants étaient déserts. Les regroupements ne semblaient pas encouragés. Cal n'avait pas entendu parler de loi martiale, mais l'ambiance qui régnait y ressemblait fichtrement.

Il observa tout cela, notant les moindres détails, puis se dirigea vers sa maison.

Elle ne se trouvait pas très loin du Palais, et il y serait arrivé bien plus vite avec un Transmitus, mais il décida de faire comme les autres. D'éviter la magie.

Il se retrouva enfin devant la grande bâtisse engloutie sous un odorant chèvrefeuille. L'allée de gravier de cristal était vide, et il eut un soupir nostalgique devant la mare de Toto, son hydre domestique, que Robin s'était approprié comme Familier, et avait promptement rebaptisée. Il eut un pincement au cœur en se souvenant que les Familiers mouraient lorsque leurs maîtres décédaient. Il ne reverrait jamais Toto.

Il observa la maison plus attentivement. Il ressentait un curieux sentiment de malaise.

Sans son renard Blondin comme éclaireur, il devait se contenter de son intuition. Et celle-ci lui donnait des coups dans les côtes en hurlant : « Danger, danger ! »

Soudain, l'un de ses frères, Benjy, ouvrit l'une des fenêtres et lévita paisiblement jusqu'au sol, puis s'avança sur le chemin.

Lui ne semblait pas avoir peur d'utiliser la magie. C'était typique des Dal Salan, et cela fit sourire Cal. Il y avait tout de même une raison à sa légendaire impertinence. Benjy avait les mêmes cheveux noirs que Cal, mais ses yeux étaient bleus, comme ceux de leur père. Il était plus grand que le petit Voleur également, ce qui, dans le passé, lui avait permis de maîtriser son turbulent petit frère. Les Dal Salan étaient une famille unie et Cal eut chaud au cœur en le voyant.

Au portail, deux types qui discutaient près d'un Géant d'Acier, dont les branches jaunes aux feuilles bleues donnaient de l'ombre à la moitié du quartier, lui emboîtèrent le pas lorsqu'il s'enfonça dans les rues encombrées. Cal jura tout bas. Sa famille était sous surveillance. Et slurk !

Coup de chance, Benjy était celui de ses frères qui avait choisi la même profession que leur mère et que Cal. Voleur Patenté. À eux deux, ils n'auraient pas de mal à communiquer en dépit de ces balourds qui le surveillaient.

Cal fonça. Son frère avait pris à gauche, il devait se rendre à l'université des Voleurs Patentés, où il enseignait. Les gardes étaient probablement équipés des nouvelles lunettes qui permettaient de voir au-delà des apparences, mais Cal savait qu'il leur faudrait plus de dix secondes pour percer son déguisement.

Il ne leur laisserait pas ces dix secondes.

Il revint sur ses pas, croisa son frère et trébucha, le cognant légèrement. Lorsqu'il s'éloigna, il laissa au creux de la main de Benjy un petit papier caméléon. Cal vit son frère, impassible, dissimuler le papier, qui avait pris la teinte exacte de sa peau. Il sourit. Bon vieux Benjy. Le papier lui donnait rendez-vous sur les toits de l'université des Voleurs Patentés. Les jeunes Voleurs, turbulents, mettaient souvent les tuiles des toits à rude épreuve, mais cela faisait partie des rites d'initiation et les professeurs fermaient les yeux. Benjy trouverait bien une excuse pour se débarrasser de ses gardes et, s'il n'y arrivait pas, Cal s'en chargerait. Il examina les gardes et vit qu'ils ne se déplaçaient pas avec la précision de combattants aguerris.

Bien.

Escalader les murs sans se faire repérer fut un jeu d'enfant. La façade était tellement sculptée de statues, de niches et d'encorbellements qu'un enfant de cinq ans aurait pu y grimper. Et avec sa tenue qui avait pris la profonde teinte rose de l'université (la Reine Titania aimait vraiment cette couleur, au point d'en colorer le ciel de temps en temps), il était indétectable.

Les gargouilles qui guettaient leurs pigeons quotidiens le saluèrent amicalement. Elles connaissaient bien Cal, qui leur apportait de temps en temps des friandises. Les animaux, mipierre, mi-organique, se nourrissaient de tout ce qui tombait dans leur gueule, mais il était rare, depuis la grande pluie de sucreries de 5012, due à une tornade qui avait emporté l'usine de bonbons au nord de la ville, qu'elles puissent mettre la patte sur des confiseries.

Cette fois-ci, Cal était trop pressé pour s'attarder. Le visage tendu par l'effort, il ne mit que vingt minutes à monter. L'un de ses meilleurs temps.

Heureusement, Benjy avait dû donner des ordres, car aucun étudiant ne paressait là-haut.

Cal dut attendre une bonne heure avant qu'un crissement ne l'alerte. Il se détendit en voyant une tête aussi brune que la sienne pointer entre deux statues.

— Petit frère, s'exclama Benjy, c'est bon de te revoir, tu devrais retirer ce déguisement que je voie que c'est bien toi !

Cal fronça les sourcils. Benjy l'avait toujours appelé de tas de noms, mais jamais « petit frère ». « Idiot, imbécile, rat d'égout, bouse de traduc » étaient les plus courants de ses surnoms, surtout lorsqu'il rendait dingues ses parents. Et, lorsqu'il était vraiment en colère ou inquiet, il l'appelait Caliban.

Son frère voulait-il lui donner un avertissement ? Étaient-ils écoutés ?

— Je préfère éviter de faire de la magie sur le toit de l'université, répondit Cal, étonné que son frère ait oublié cette règle élémentaire imposée par les professeurs. Benjy, est-ce que tout va bien ?

Et de la main, il fit un signe. « Sommes-nous espionnés ? »

Son frère le regarda attentivement, parut réfléchir et répondit verbalement à sa question muette :

— Non, tout va bien, j'ai réussi à me débarrasser des gardes. J'ai été soulagé d'apprendre que tu avais réussi à te cacher. Tu sais où se trouve Tara Duncan ?

Si sa réponse apaisa momentanément Cal, sa question le remit aussitôt sur le qui-vive.

— Tara ? Pourquoi me demandes-tu ça ?

— Parce que c'est ton amie, non ?

Quelque chose clochait. Son frère se comportait bizarrement et soudain, le cœur de Cal se serra.

Son frère était possédé. C'était évident. Mais pourquoi ? Sa famille n'était pas si importante et n'avait aucun pouvoir politique ! Puis l'évidence le frappa. Tout cela n'était qu'un vaste piège pour capturer Tara !

Il afficha un visage neutre et commença à reculer, tout doucement, comme s'il voulait juste contempler la ville.

— Je n'en sais rien, je ne l'ai pas vue depuis longtemps. Et comment vont maman et papa ? demanda-t-il d'une voix aussi neutre que possible.

— Ils vont bien, répondit le fantôme, mais viens par ici et raconte-moi ce que tu as fait et où tu t'es caché depuis deux mois que tu es revenu au Lancovit.

Cal n'en montra rien, mais il venait d'avoir la confirmation de ses soupçons. Comment son frère savait-il qu'il était revenu depuis deux mois alors qu'il était censé se trouver à Omois ? Seuls les fantômes qui gardaient la Porte de transfert l'avaient vu. Il n'y avait plus aucun doute.

— Omois a plusieurs succursales au Lancovit, improvisa-t-il. Je me suis caché dans l'un des appartements réservés aux dignitaires omoisiens en visite.

C'était crédible. Et la discussion lui permettait de continuer à reculer, très naturellement.

— Tu mens.

L'affirmation le fit sursauter. Son frère ne cherchait plus à se cacher.

— Tous les appartements sont sous surveillance. Nous savons que tu t'es volatilisé en arrivant au Château, et nous pensons que tu as rejoint l'Héritière d'Omois. Alors, *petit frère*, tu vas vite nous dire où tu la caches. Un délicieux repas préparé par notre chère maman m'attend à la maison et je n'ai pas de temps à perdre. Cela fait des centaines d'années que je n'ai pas pu goûter quoi que ce soit.

Ce ne fut qu'à ce moment que Cal vit vraiment l'esprit étranger s'afficher sur le visage familier de son frère. Étranger et vorace.

Il était encore un peu loin du bord, mais tant pis. Sans crier gare, il s'envola dans un saut périlleux arrière et plongea dans le vide.

Simultanément, sa main droite s'abaissa et un fil très fin jaillit de sa paume, s'enroulant autour d'une statue. Il n'activa pas de Levitus, parce que, du coin de l'œil, il venait de voir les gardes royaux montés sur des pégases, prêts à l'intercepter.

Contre les puissants chevaux volants, un Levitus n'avait aucune chance.

Il connaissait l'université comme sa poche et réfléchit à toute vitesse. Il tendit les pieds et, lorsque le filin l'arrêta dans sa chute, il percuta violemment les vitraux de l'université, atterrissant dans un grand fracas de verre brisé… tout droit dans les bras des gardes qui l'attendaient. Un Immobilisus l'atteignit et il fut raidi sur place, maudissant son manque de prévoyance. Quel crétin !

Son frère apparut derrière lui.

— Tsss tss tss, dit-il en secouant la tête, je n'ai pas accès à tous les souvenirs de l'esprit de ton frère, mais j'avoue que je suis déçu. Je pensais que tu me donnerais plus de fil à retordre.

Le juron de Cal le fit éclater de rire.

— Allons, ce n'est pas très gentil de traiter ton frère de cette façon.

Et il lui envoya un grand coup de pied dans les côtes qui priva Cal et de son oxygène et de son sens de la repartie.

Benjy lui attrapa les cheveux et lui tira la tête en arrière. Cal ravala un gémissement. Il lui avait cassé une ou deux côtes et chaque mouvement était une torture.

— Maintenant, tu vas nous dire où se trouve l'Héritière ! Ou, mieux encore, tu vas nous le montrer…

Cal aurait bien voulu lui cracher au visage, mais il n'avait pas encore retrouvé assez de souffle pour parler.

— Dans tes rêves, abruti, finit-il par articuler péniblement.

Benjy lui sourit.

— Vois-tu, nous les fantômes, nous avons quelques points faibles. Les odeurs et la nourriture nous passionnent tellement que nous avons tendance à oublier le reste. Si ce qu'un fantôme voit, lorsqu'il est désincarné, est connu de tous les autres fantômes, lorsqu'il se réincarne, en revanche, la communication est coupée et nous devons passer par les bonnes vieilles boules de cristal. Et lorsque l'un d'entre nous est tué, enfin… que le corps qu'il occupe est tué, il ne reste pas sur AutreMonde, il repart soit sur OutreMonde, d'où il ne peut pas toujours revenir tout de suite, soit… ailleurs, quelque part d'où apparemment, on ne revient pas. Du tout.

Cal se demandait pourquoi le fantôme lui racontait tout ça.

— De plus, et c'est vraiment agaçant, nous ne pouvons pas avoir accès à tous vos souvenirs. J'ai reconnu le signe que tu m'as adressé tout à l'heure, mais c'est juste un coup de chance. Chez ceux d'entre vous qui sont les plus résistants ou les plus têtus, nous n'y avons même pas accès du tout, ce qui nous empêche de nous faire passer pour vous. Ta mère et ton père ont tout de suite vu que j'avais possédé leur fils et j'ai dû faire posséder toute ta famille, ce qui mobilise des fantômes sur des tâches non primordiales.

Cal gémit. Imaginer toute sa famille envahie de fantômes était insupportable.

Son frère se pencha encore plus vers lui et ajouta :

— Sauf, bien sûr, si je parviens à capturer l'Héritière. Et toi, mon jeune ami, tu vas m'aider.

Cal sentait des fourmillements dans ses doigts, encore quelques secondes et il pourrait saisir ses armes… et le fantôme allait regretter de lui avoir tendu ce piège.

Sauf que s'il le poignardait, il poignarderait aussi son frère.

— Pour… pourquoi les gardes ? souffla-t-il.

Le fantôme fronça les sourcils. Cal crut qu'il ne lui répondrait jamais. Puis soudain, il se décida.

— À cause de la Résistance inhumaine.

Cal ouvrit de grands yeux. Il ne voyait vraiment pas le rapport entre lui, les gardes et les inhumains.

— Nous ne parvenons pas à posséder les inhumains qui, hélas, sont nombreux sur cette planète, il va falloir qu'on fasse le ménage, d'ailleurs. Tous ces nains, ces vampyrs, ces monstres, c'est dégoûtant !

Cal, qui aimait autant Fafnir, la naine guerrière rousse, que sa propre sœur, grimaça.

Le fantôme se perdit un instant dans ses rêves de génocide, puis se reprit.

— Bref, les résistants, humains et inhumains, se sont unis pour nous combattre. Les plus virulents sont les elfes. Les vampyrs, eux, essaient de composer avec nous. Pour l'instant, nous leur laissons croire que nous ne les attaquerons pas.

De nouveau, Cal retint un hoquet de douleur. Ces fous allaient mettre AutreMonde à feu et à sang !

— Nous avons pensé que, du fait de tes liens avec l'Héritière Impériale, ta famille serait contactée par la Résistance. Et pour faire croire que les Dal Salan n'étaient pas possédés, nous avons mis deux gardes qui font semblant de nous surveiller. Ce qui est amusant, c'est que finalement, c'est toi qui es tombé dans le piège. Je te remercie pour ton aide, petit frère.

— Enferme-moi dans un cachot, fantôme, parce que tu peux me faire ce que tu veux, annonça Cal tout en rapprochant ses doigts des poignards, je ne t'aiderai jamais de la vie.

— Oh, mais si ! Tu n'es pas le seul à avoir des frères, mon jeune ami, et permets-moi de te présenter le mien.

Cal leva les yeux et, lorsque le fantôme qui planait au-dessus de sa tête fonça sur lui, subitement, il retrouva son souffle.

Pour hurler.

6

La Résistance

ou lorsqu'on a affaire à un ennemi impitoyable et cruel,
mieux vaut être tout aussi impitoyable... voire cruel.

Cal se trouvait dans un endroit étrange. Il entendait des glou-glous et des gargouillements, ainsi qu'un poum-poum régulier, comme une pompe. Il se souvenait juste d'avoir vu le fantôme plonger sur lui, puis... plus rien. Le vide, le noir complet. Les fantômes devaient avoir affiné leurs techniques de possession, parce qu'il n'avait pas pu résister, même pas une seconde. Puis il se souvint du choc sur sa tête. Au moment où le fantôme l'envahissait, Benjy l'avait frappé de nouveau, le plongeant dans l'inconscience. Il voulut bouger et se rendit compte avec horreur que cela lui était impossible.

Qu'est-ce qu'ils lui avaient fait ?

Puis, comme une bougie qui éclaire soudain une grotte trop noire, il commença à percevoir une lueur. Quelque chose de confus. Et soudain, cela le frappa. Une lumière éblouissante, celle des deux soleils d'AutreMonde. Le marché et son amical chaos coloré, les enfants des écoles, encadrés par leurs profes-seurs, certains lévitant en cachette dans leur dos, les gardes, les pégases. Les visions se succédaient, un peu saccadées, mais très nettes.

Enfin il comprit. Les glouglous qu'il percevait étaient son sang. La pompe, son cœur qui fonctionnait au rythme tran-quille d'une marche régulière. Il était dans son corps.

Et son corps était possédé par un fantôme. Son cœur sur lequel il n'avait plus aucun contrôle se serra lorsqu'il prit conscience de ce qu'il faisait.

Il marchait.

Vers le Château Vivant.

Apparemment, le fantôme ne pouvait pas puiser dans les souvenirs de Cal, car il ne se dirigea pas vers l'entrée secrète, mais vers l'entrée principale. Une fois devant les gardes, il produisit une accréditation, incrustée dans son avant-bras et bien visible. Lorsqu'il leva le bras, Cal aperçut une manche recouverte de bleu. Et brodée de renards d'argent bondissants. En passant devant un miroir, il en eut la confirmation. Mince, le fantôme lui avait rendu son apparence.

Les gardes relevèrent leurs lances et lui firent signe de passer. Cal pria de tout son cœur pour que le Château se rende compte qu'il y avait un énorme problème. Puis il se rassura. Enfin, il tenta de se rassurer. Le Château n'était pas idiot, il verrait bien qu'il avait repris son apparence normale, alors qu'il s'était transformé avant de sortir. Il se méfierait.

Il y avait beaucoup de monde. Les plaignants, courtisans, courriers, sortceliers, nonsos entraient et sortaient en un flux coloré et bruyant. Après avoir interrogé un huissier, le faux Cal se dirigea vers la salle d'audience, où la fausse Reine Titania et le faux Roi Bear recevaient leurs sujets tous les après-midi. Il était déjà cinq heures du soir et cela faisait trois heures que Cal avait quitté Tara.

Le paysage de désolation masquait toujours les murs. De temps en temps, un serpent milière se faufilait dans la boue, aux pieds des courtisans, et il faisait froid, parce que le Château avait bloqué la ventilation sur « gelé ». Des kroas visqueuses sautaient dans les mares et Cal eut un sourire mental. Le Château était peut-être conquis par les fantômes, mais il n'était pas soumis.

L'un des hommes devant lui gifla soudain un page qui n'avait pas été assez rapide pour lui apporter ce qu'il avait demandé. Le jeune garçon, trop stupéfait pour réagir, se frotta la joue et regarda le courtisan, vêtu d'une absurde armure d'argent trop décorée. Personne ne giflait les pages au Lancovit. Jamais.

Soudain, devant la brute, une énorme crevasse s'ouvrit alors qu'il se dirigeait vers la salle du trône. Au fond, une bestiole aussi grande que répugnante fit claquer ses pinces et lorgna sur l'homme avec gourmandise. Celui-ci bondit sur une colonne qu'il entoura de ses bras en hurlant.

Tout le monde éclata de rire. L'homme mit quelques minutes à comprendre que le Château lui avait fait une bonne farce et que ce n'était qu'une projection, particulièrement réaliste. Il repartit en levant haut le poing. Son geste fut couronné par une averse glacée et la foudre le frappa deux fois. Ce n'était pas une vraie foudre, il y survécut donc, mais sa belle armure encaissa moins bien, et ce fut trempé, cabossé et noirci qu'il fonça dans les couloirs, agitant les bras tandis que le nuage, furieux, le suivait.

Cal ne savait pas si cette brute était possédée ou non, mais il était reconnaissant au Château d'avoir mis le malotru au pas. Et regretta que le faux Cal ne se soit pas tombé dans le piège, ce qui aurait alerté son ami de pierre.

Après avoir montré son accréditation une bonne demi-douzaine de fois (apparemment, les fantômes étaient assez paranoïaques), le faux Cal arriva devant la salle du trône. Dont les portes étaient fermées. Cal sentit le fantôme froncer les sourcils. C'était inhabituel. Les gardes impassibles à la porte ne bronchèrent pas lorsqu'il s'approcha. Il n'était pas le seul à vouloir entrer et les autres n'avaient pas l'air très contents.

Il présenta son accréditation. Cal ne savait pas ce qu'il avait fait, mais les gardes écarquillèrent les yeux et lui ouvrirent les portes avec empressement. Derrière lui, il entendit la rumeur mécontente, qui fut arrêtée net par les portes se refermant sur lui. Le vrai Cal reconnut tout de suite le champ de sortilège d'un Opaquus. Personne, au-dehors, ne pourrait entendre ce qui se passerait ici. S'il avait été un assassin, cela aurait pu se révéler fichtrement pratique.

Le fantôme observa la salle. Qui était à moitié vide, ce qui était également inhabituel.

Enfin, à moitié vide de gens, parce qu'un impressionnant amoncellement de nourriture entourait les deux trônes d'argent.

Des soupes, des veloutés crémeux, des consommés. Des spatchounes entiers cuits à la broche, ou pochés dans du jus de truffe, désossés, reconstitués, confits dans leur graisse au point de s'effilocher, ou encore à la crème de balboune et aux épices de Sentivor. Des paons, des poulets, des chapons, des dindes, des faisans, des bobelles encore fumantes de magie, des oiseaux de feu dont le plumage s'éteignait avec leur mort, des oies, des canards, accompagnés de leurs foies gras et de leurs toasts, des cygnes noirs et blancs voguant, immobiles, sur des lacs de sauce. D'énormes côtes de traduc rôties au beurre, des rostraducs, des entrecôtes au feu de bois, des faux-filets épais au four, des foies de traduquets, des langues et des cervelles de bébés bééés au beurre noir. Des cuissots et des épaules d'animaux terriens, chevreuils, daims, cerfs, biches, faons, élans, rennes, bouquetins des montagnes. Des jambons de cochon, de sanglier et de crouiiic, crus, fumés, cuits, demi-cuits, en terrines, en pâtés, en charcuterie étalée comme une marée rouge et blanche sur d'immenses planches de bois, andouillettes, tripes, saucissons. Des dizaines de gratins, de pousses de brill, de pommes de terre, de camelles brunes avec du fromage de bééé, des ratatouilles, des haricots de toutes les couleurs, des pâtes aux champignons, aux lardons, aux fruits de mer, des choux-fleurs, des épinards. Des dizaines de poissons en croûte de sel, juste saisis ou accompagnés de sauces onctueuses. Des coquillages encore vivants ou cuits au court-bouillon avec leurs mayonnaises, nature, à l'ail, au toye, à la ciboulette, des crustacés, homards, langoustes, krrucs aux pinces agressives mais si délicieuses. Des centaines de sortes de fromages, pâtes molles, pâtes dures, ronds, carrés, ovales, énormes ou tout petits, parsemés d'épices ou de graines, cernés de pains blancs, noirs, aux céréales, aux raisins, aux noix, aux pignons, au sésame, au pavot...

Certains de ces fromages nécessitaient un masque à oxygène pour approcher. Et arboraient des panneaux « interdiction de fumer ou d'allumer une flamme nue à proximité » plantés dans leur pâte gonflée et souvent très animée.

Des desserts à foison, beignets dégoulinants de sucre et de confiture, gâteaux baignant dans le miel de bizzz, ou enneigés de crèmes colorées, ou encore surplombés de fruits confits ou frais. Des macarons de toutes les couleurs, des petits-fours. Des glaces, des sorbets de tous les fruits de la Terre, d'AutreMonde et des autres planètes. Des chocolats fourrés, noirs, blancs, au lait, à la crème, au caramel. Des bonbons doux et des bonbons durs, des sucettes Kidikois. Des cafés terriens, importés à prix d'or, des thés, des infusions de kax, dite « la tisane molmol ».

Le Roi et la Reine étaient sur leurs trônes et les plats voletaient autour d'eux. Ils se servaient copieusement, louant tel ou tel apprêt, sauçant tel ou tel fumet, sursautant de plaisir au picotement incendiaire de certains piments.

Soudain, le Roi sursauta et hurla tout en recrachant une bouchée :

— Ahhhh, ça brûle ! Ce plat a été salé ! Par les crocs cariés de Gelisor, la prochaine fois que cet imbécile de cuisinier met du sel dans les aliments je le pends et j'expose sa carcasse aux crooaks dehors !

Cal rangea l'information dans un coin de sa mémoire. Les fantômes n'aimaient pas le sel.

Le jeune garçon constata que Leurs Majestés avaient grossi.

Beaucoup.

À présent, chacun devait peser au moins deux cents kilos. Leurs robes de sortceliers gémissaient presque en essayant d'envelopper leurs corps en entier et ils ressemblaient à de petits tonneaux, posés sur les trônes d'argent.

Ce que lui avait avoué le fantôme lui revint à l'esprit. Les fantômes aimaient manger, car ils avaient été privés de goût pendant des années. Il grimaça dans son esprit. Si cela continuait de cette façon, le Roi et la Reine ne pourraient bientôt plus se déplacer. La Reine lui fit signe d'un doigt adipeux et il s'avança.

Cal habitait de temps en temps au Château et y venait donc souvent. Comme toujours, il fut émerveillé par la beauté de la salle bleu et argent, dont les colonnes exquises s'élançaient vers la voûte tels les arbres d'une forêt. Chaque pouce de la salle, savamment sculptée par les elfes et les nains, racontait une histoire. Et si le Château Vivant ne transformait pas les murs en une projection des paysages d'AutreMonde comme partout ailleurs, les magnifiques tapisseries se chargeaient de raconter l'histoire des ancêtres des Lancoviens. La geste de la belle Mariandre aux cheveux de feu, la rupture du cor d'appel de Roland après la trahison de son frère d'armes, la guerre menée par Mérié Muréglise pour unifier les cinq comtés du Lancovit en un unique royaume, la malédiction lancée sur Damien, transformé en Bête et sauvé par Belle.

Leur amie Moineau avait hérité de cette malédiction et pouvait se transformer en bête à volonté.

Le fantôme semblait tout aussi impressionné, car il tournait la tête dans tous les sens comme s'il n'avait jamais vu autant de merveilles.

— Salut, mes frères et sœurs, dit-il d'une voix joviale en approchant du trône, ben dis donc, y en a qui se la coulent douce !

Le roi Bear se redressa, rentrant difficilement le ventre.

— Un peu de respect pour tes supérieurs, fantôme ! Et puis qui es-tu d'abord ?

— Tirn Goule, répondit le fantôme, actuellement dans le corps de Caliban Dal Salan. Et ce n'est pas parce que vous avez eu le bol d'atterrir dans ces corps que vous êtes mes supérieurs. Compris ?

Le faux Roi faillit enfler comme une grosse baudruche. Puis ce qu'avait dit le faux Cal pénétra dans son cerveau.

— Dal Salan ? Le meilleur ami de l'Héritière d'Omois ?

— Oui, mon frère a possédé le corps de son frère. C'est comme ça que nous l'avons piégé. Nous pensons qu'il sait où elle se trouve. On peut parler tranquillement, je suppose ?

Le Roi hocha la tête, calmé.

— Oui, le Château Vivant ne peut pas nous entendre, nous avons isolé la pièce, et tous ceux qui se trouvent ici sont possédés.

Cal gémit intérieurement. Il avait espéré que le Château avait entendu la déclaration et qu'il se méfierait de lui.

— Ce Château est un peu difficile à vivre, je trouve, commenta le fantôme. Cela dit, reconquérir notre monde ne nous a pas pris tellement de temps finalement. Quel bonheur de revêtir un corps !

La Reine Titania mâcha son petit-four à la crème et lança :

— Maisnousnechomepaachéombreux !

— Comment ?

La Reine lui jeta un regard noir, choisit un nouveau gâteau, avala, puis répéta :

— Nous ne sommes pas assez nombreux ! Ces stupides fantômes d'OutreMonde sont contents de vivre là-bas. Seuls les hors-la-loi, les furieux, les plus terribles d'entre nous voulaient revenir, que ce soit pour se venger ou pour prendre le pouvoir. Mais nous ne sommes pas si nombreux, comparés aux autres fantômes, et nous manquons cruellement de bras.

Ah, ça, c'était une information intéressante ! Même en apprenant que les fantômes évadés étaient la lie des sortceliers, ce qui le fit frissonner, Cal enregistrait fiévreusement la moindre faiblesse de ses ennemis.

Le Roi se pencha vers le faux Cal, curieux, tout en sauçant un plat avec un petit pain.

— Sais-tu pourquoi l'Héritière est recherchée à ce point ? Nous tenons l'Impératrice, je ne vois pas l'intérêt de perdre autant de temps et d'énergie à rechercher cette Tara !

Le fantôme haussa les épaules.

— Je ne sais pas. Et je m'en fiche. Dès que j'ai terminé ma mission, je file à Brontagne, dont je suis originaire, et je me taille un petit royaume. Lorsque j'en aurai terminé avec eux, ces paysans qui m'ont tué regretteront d'être nés (il serra les poings et haussa le ton). Quant aux maudits tritons qui ont augmenté le prix du lait de balboune et provoqué l'effondrement de mon commerce, ils vont payer, eux aussi. Je me vengerai !

Sa virulence fit reculer les deux souverains.

— Bien bien, finit par dire Bear en s'éclaircissant la voix, va donc essayer de retrouver cette Tara pendant que nous étudions d'un peu plus près les coutumes culinaires de ce peuple.

Le fantôme les salua et se détourna.

— Abrutis ! marmonna-t-il dans sa barbe. Ils vont tellement s'empiffrer que leurs hôtes vont en mourir et qu'ils vont finir par se détruire eux-mêmes. Avec des fantômes dans ce genre comme amis, pas besoin d'ennemis !

Il demanda à son accréditation de lui montrer le chemin jusqu'à sa chambre.

Dès qu'il fut arrivé, à la grande horreur de Cal, la licorne du Château apparut sur les murs de la chambre. Le faux Cal lui sourit, mais, prudent, ne prononça pas un mot. Le Château crut qu'il attendait de retourner auprès de Tara et lui fournit obligeamment un fauteuil. Le fantôme tressaillit lorsque le fauteuil fonça dans un mur qui s'effaça, tandis que Cal hurlait intérieurement.

— Non ! Non, espèce de crétin de Château Vivant, ne fais pas ça ! Ce n'est pas moi !

Mais il fut très vite trop tard. Le fauteuil les déposait bientôt dans la chambre où Tara dormait.

Absolument sans défense.

Tout de suite, le vrai Cal constata qu'il s'était passé quelque chose. Le plateau qu'il avait laissé était entamé, quelqu'un avait mangé la moitié de la tranche de jambon qu'il y avait déposée ainsi que quelques cuillerées de pâtes (le plus facile à faire avaler à Tara, avec la soupe, même si la soupe tachait nettement plus). Et la bouteille d'eau était presque vide.

Le fantôme sursauta lorsque Tara se redressa d'un seul coup, sentant sa présence. Elle frotta ses yeux ensommeillés et demanda :

— Cal, tu étais où ?

S'il avait été maître de lui-même, Cal aurait été stupéfait qu'elle consente enfin à lui parler. Et encore plus de son ton accusateur.

— Je suis allé rendre visite à mes parents, répondit le fantôme d'un ton amical, alors que Cal sentait que son corps était tendu à l'extrême et qu'il gardait la main sur sa boule de cristal dans sa poche. Mais ils n'étaient pas là, probablement en voyage. Et toi ?

Tara leva les yeux, et le fantôme put voir à quel point elle était triste. Il n'était pas idiot. Il ne s'approcha pas, prudent, mais lui demanda :

— Comment te sens-tu ?

— Mal, finit par répondre la jeune fille.

Elle planta ses yeux si bleus dans les yeux gris de Cal. C'était étrange, probablement dû au fait que ses perceptions étaient brouillées par son chagrin, mais Cal semblait… différent. Crispé. Si elle ne l'avait pas aussi bien connu, elle aurait pu croire qu'il avait peur d'elle.

Tara soupira et attira Galant contre elle, comme une grosse peluche. Le pégase, trop content de la voir si animée, ne protesta pas, même si ça lui mettait les plumes à l'envers. Elle frotta son menton contre le crâne doux entre les oreilles, et Galant, soudain malicieux, lui lécha le bout du nez.

— Ehhh, dit-elle, je ne suis pas une Kidikoi !

Mais elle ne sourit pas, et l'enthousiasme du pégase se calma. Tara reporta son attention sur Cal qui, curieusement, n'avait pas bougé.

— Je suis désolée, dit-elle.

Il se contenta de hausser un sourcil. Il lui en voulait sans doute beaucoup, elle savait qu'elle avait été odieuse avec lui.

— Je t'ai donné beaucoup de mal, assuma-t-elle, honnête. Je pense que sans toi, je me serais laissée mourir. Je n'ai aucun moyen de te remercier, maintenant que je suis une mendiante à la rue, mais ce que tu as fait pour moi… je ne l'oublierai jamais.

Cal se détendit visiblement, même si ses mains restèrent cachées dans les poches de sa robe de sortcelier.

Puis il posa une question curieuse :

— Tu… tu voulais te suicider ?

Tara eut l'air choquée.

— Pas du tout ! La mort c'est nul ! Je voulais juste rejoindre Robin. Si je n'étais pas sûre de pouvoir vivre avec lui en Outre-Monde je n'aurais jamais essayé de me laisser mourir !

À voir la tête de Cal, il ne voyait pas bien la logique de la chose. Il changea de sujet avec une autre question tout aussi bizarre :

— Alors, quoi de neuf ?

Tara soupira et ressentit soudain le besoin de s'étirer. Elle avait été recroquevillée sur elle-même pendant si longtemps que son dos s'était verrouillé. Elle se déplia et lança les bras au ciel. Le visage de Cal se crispa et de nouveau il recula. Elle ne lui prêta pas attention, toute concentrée sur la sensation de la vie qui revenait dans son corps. Elle était pleine de courbatures. Et très faible.

En fait, ce qu'elle ressentait, c'était : Aïe !

— J'ai décidé de t'écouter, finit-elle par répondre en se massant les cuisses avec une grimace. Tu avais raison. Et j'avais tort. Me laisser mourir de chagrin ne changera rien à l'erreur que j'ai commise. Je ne peux ni l'effacer ni la réparer, du moins pas du fond de mon lit. Mais je peux faire ce qu'il aurait… je peux faire ce qu'il faut pour combattre les fantômes.

Cal eut l'air alarmé. Il sortit une boule de cristal de sa poche, dont le code était déjà composé.

— Qu'est-ce que tu fais ? demanda Tara, étonnée.

— J'ai un petit coup de cristal à donner, rien de bien grave. Donc, tu disais que tu allais combattre les fantômes, c'est ça ?

— Oui. Je ne suis pas sortie de cette dépression toute seule, tu sais. La Résistance m'a contactée.

Le garçon en oublia sa boule de cristal, prête à être activée.

— Quoi ?

Tara hocha la tête, presque amusée par la surprise de son ami.

— Pendant que tu étais parti, confirma-t-elle, j'ai… j'ai eu une… une sorte de vision (elle préférait éviter de parler de fantômes pour ne pas effrayer Cal). De… de Robin. Il… il m'a dit qu'il ne m'en voulait pas. Et qu'il voulait que je me batte. Je n'ai pas réagi tout de suite. J'ai failli passer outre. Je me suis recouchée. J'ai dormi. Cette fois-ci, je n'ai pas eu de cauchemars. C'était si bon que j'avais envie que cela continue. Cal, si tu savais ! Plus de douleur. Plus de regrets. Plus rien. Juste le sommeil.

Cal rangea la boule de cristal dans sa poche en marmonnant quelque chose qu'elle ne comprit pas bien, du genre « larésistancekelrésistancemanquaitplusqueça ».

— Et alors ? demanda-t-il, avide.

— Et alors, notre ami le Château Vivant m'a passé une communication. C'était Fleur, le cyclope, ancien gardien de la Porte de transfert. Comme nous, il se cache dans le Château. Il m'a dit que pendant ces deux derniers mois, il avait monté une sorte de mouvement de résistance contre les fantômes au Lancovit, avec des ramifications partout dans le monde. Et qu'il voulait me présenter quelqu'un. Quelqu'un que nous avons déjà rencontré… enfin, par cristal interposé dans mon cas. Regarde… (Elle éleva la voix.) Château, tu peux me repasser l'enregistrement, s'il te plaît ?

La licorne apparut sur le mur et la salua de la tête. Puis elle s'effaça et un triton s'afficha. Il flottait dans une bulle d'eau suspendue dans les airs qui lui permettait de respirer. Le vrai Cal remarqua tout de suite que, derrière lui, les murs étaient ceux du Château Vivant. Sa curieuse pierre dorée était facilement reconnaissable.

Une deuxième image apparut, représentant Tara, quelques heures plus tôt, dans son lit, ébouriffée et maussade d'avoir été brutalement sortie de son merveilleux sommeil.

Le regard du triton s'aiguisa lorsqu'il vit la jeune fille amaigrie et couchée.

— Votre Altesse Impériale, s'inclina-t-il, Tara'tylanhnem T'al Barmi Ab Santa Ab Maru T'al Duncan ?

Encore ensommeillée, la Tara du mur fit un petit signe affirmatif et agacé. Il savait très bien qui elle était, elle ne ressemblait pas au pape, n'est-ce pas ?

Le triton se réinclina dans sa bulle d'eau suspendue.

— Votre Altesse est-elle malade ? demanda-t-il d'un ton plein d'inquiétude.

Tara émit un soupir fatigué.

— Peut-être, je ne sais pas, là, je dormais.

— Pardon de vous avoir réveillée, Votre Altesse Impériale. Je vois que vous avez réussi à vous retransformer en humaine, mes félicitations.

Cela avait vraiment mis les Omoisiens, humains comme inhumains, assez mal à l'aise que Tara soit une vampyr. C'était donc pour cela qu'il avait hésité. Il pensait qu'elle serait sous sa forme de vampyr.

— Château ! cria Tara, faisant sursauter le triton, tu peux effacer la communication ! Je veux qu'on me laisse tranquille !

L'image du triton commençait à pâlir lorsque celui-ci se rendit compte que Tara ne voulait pas lui parler.

— Attendez, attendez ! cria-t-il, les yeux écarquillés d'angoisse. Je fais partie de la Résistance, j'ai besoin de vous !

Tara haussa les épaules. Elle refermait déjà les yeux.

— Je m'en fiche. Château !

— Non ! J'ai des nouvelles de votre famille !

Tara rouvrit les yeux et dévisagea le triton d'un air méfiant.

— Château, attends une minute.

La licorne sur le côté agita sa crinière. Ils commençaient à lui casser les sabots, ces deux-là… Elle cligna des yeux et l'image du triton se stabilisa. Lui, en revanche, avait l'air déstabilisé.

— Bon, allez-y, ordonna Tara, dites ce que vous avez à me dire et ensuite, laissez-moi dormir !

— Voyons, dit le triton en s'efforçant de reprendre contenance. Votre mère va bien. Elle n'est pas possédée. Enfin, du moins, elle ne l'est plus, même si nous n'avons pas réussi à savoir pourquoi. Son fantôme l'a quittée presque dès le début. Mais elle reste sous bonne garde. Votre sœur et votre frère non plus ne sont pas « fantômés », comme nous disons maintenant pour une personne possédée. Quoique, dans le cas du prince Jar, cela soit dû au fait qu'étant sur Terre, où aucun fantôme n'est allé, du moins pour le moment, il n'a pas été contaminé. Dame Isabella non plus. Nous travaillons avec elle et avec votre arrière-grand-père afin de libérer AutreMonde. Elle a pris la tête de la Résistance humaine à partir de la Terre.

Tara hocha la tête. Cela ne l'étonnait pas de sa grand-mère, toujours prompte à s'emparer du pouvoir lorsque celui-ci était vacant. Et même si elle était surprise, elle était contente que sa mère ne soit plus « fantômée ».

— Les fantômes ont bloqué les Portes de transfert pour leur unique usage et, de fait, nous n'avons plus de communication avec la planète des dragons, le Dranvouglispenchir. Les nains ont trouvé le moyen d'ouvrir une Porte de transfert clandestine, malheureusement elle ne nous permet qu'un contact avec la Terre, pas avec d'autres planètes. Grâce à elle, nous avons pu communiquer avec votre grand-mère et exfiltrer sur Terre les résistants les plus menacés. Votre grand-mère dit que son manoir commence à ressembler à une auberge surpeuplée et bruyante avec tout ce monde.

Tara ressentit une étincelle d'amusement. Sa glaciale grand-mère ne devait pas apprécier outre mesure cette invasion de réfugiés. Cela dit, Tara ne savait pas qui était le plus à plaindre. Les résistants qui allaient devoir la supporter, ou son implacable aïeule…

— Votre amie Fafnir Forgeafeux est notre contact avec les peuples nains qui sont entrés en résistance, aux côtés des elfes et des vampyrs.

Les yeux de Tara brillèrent lorsqu'elle imagina l'improbable alliance, vu que les nains n'aimaient pas beaucoup les elfes, qu'ils trouvaient trop snobs. Sans parler des vampyrs, que personne n'appréciait vraiment sur AutreMonde.

— Votre tante Lisbeth, malheureusement, a été possédée, elle était l'une des premières cibles des fantômes. Le Premier ministre Vélobicycl, le Tatris qui a succédé à Tyrann'hic, a été démis de ses fonctions et remplacé par un humain. Le nouveau Premier ministre a été immédiatement possédé, ainsi que la majorité des membres du gouvernement omoisien. Nous n'avons aucune nouvelle de votre demi-oncle, l'Imperator Sandor. Il n'était pas au Palais lors de l'attaque. Nous pensons que soit il a été possédé, soit il se cache, comme vous.

Connaissant Sandor, c'était assez improbable. Le puissant guerrier n'était pas du genre à se dissimuler. Il était plus probablement possédé, hélas ! Ou alors bloqué quelque part, du fait de l'immobilisation des Portes de transfert.

— C'est tout ce que nous savons sur votre famille pour l'instant. Heureusement, nous avons des alliés à l'intérieur de tous les Palais et de tous les Châteaux de la planète, car il faut être extrêmement prudent avec les boules de cristal, précisa le triton. Le réseau est sur écoute. Dès que les mots « résistance », « armes », « coup d'État » sont prononcés, les coordonnées spatiales des boules sont relevées. Un certain nombre des nôtres ont été emprisonnés avant que nous ne comprenions.

Le sourcil de Tara se leva. Il comprit l'allusion.

— N'ayez aucune crainte, ce réseau est... disons qu'il est protégé.

Tara constata à regret qu'il avait réussi à la tirer de son apathie. Elle décida de poser quelques questions.

— Comment avez-vous fait pour me retrouver ?

— En fait, c'est le gardien de la Porte, Fleurtimideaubordduruisseaulimpide, qui a contacté la Résistance omoisienne, dont je suis le chef. Apprenant que nous vous cherchions, il nous a dit qu'il savait comment vous joindre, sans préciser où vous vous trouviez, par prudence. Je suis venu en utilisant de petits Transmitus sur tout le chemin afin de ne pas être repéré. Cela m'a pris presque trois jours pour arriver au Lancovit. Car les importantes manifestations de pouvoir sont également sous surveillance, par le biais des satellites.

Tara eut l'air impressionnée. Les fantômes avaient pensé à tout.

— Fleur vous a fait confiance juste parce que vous étiez le chef de la Résistance omoisienne ?

— Non, pas uniquement. Parce que je suis un inhumain et que les fantômes ne peuvent donc pas me posséder, mais également parce que je connaissais votre ami Robin. Je lui ai expliqué comment j'avais fait la connaissance de Robin et de V'ala. À ce sujet, je suis inquiet. Je n'ai eu aucune nouvelle de Robin. En dépit de mes nombreux appels, sa boule de cristal ne répond pas. Nous aurions bien besoin de lui dans la Résistance, est-il avec vous ?

La Tara de l'écran prit une petite inspiration étranglée, imitée par sa jumelle de chair qui regardait. Mais elle se contrôla fermement. Elle ne voulait pas se remettre à pleurer. Pas chaque fois qu'elle évoquait Robin, c'était... c'était trop douloureux.

Cela créait un tel vide en elle qu'elle devait trouver un moyen de le combler. Vite.

— Robin est mort, dit la Tara de l'écran d'une toute petite voix. Les… les fantômes l'ont tué.

Le triton resta silencieux. Et sa peine brilla dans ses yeux bleu-vert.

— C'était un valeureux garçon, finit-il par prononcer. Nous chanterons le Fll'elnairvi[1] en sa mémoire. Ceux qui lui ont fait cela le regretteront.

Tara n'avait aucune idée de ce qu'était le Fll'elmachin. Et le fit savoir sans aucun tact.

— Bon, et vous vouliez quoi ?

On sentait qu'elle n'avait qu'une seule envie, se recoucher. Le triton ferma ses narines, façon qu'avait son peuple de montrer son irritation. Mais sa voix resta calme lorsqu'il répondit :

— Avant que nous en parlions, je voudrais préciser tout d'abord que je suis à votre merci.

— Pardon ?

— Votre ami le Château est très… enfin, disons nettement plus méfiant que Fleur. Il a refusé de me laisser vous parler tant que j'étais en dehors. J'ai donc dû pénétrer dans l'enceinte du Château. En fait, actuellement, je suis son… leur prisonnier.

Ah ! d'où son histoire de « réseau protégé ».

— Et je n'ai aucune idée de l'endroit où vous vous trouvez, votre Altesse Impériale. Si le Château ressentait la moindre trahison dans mes actes, il a été très clair sur ce qu'il me ferait.

Tara sentit qu'il attendait qu'elle pose la question. Fatiguée, elle se prêta cependant au jeu.

— Et il vous fera quoi ?

— Il m'écrasera, crouiiic, comme une noix bien mûre.

La Tara sur le mur frissonna. Cal fit de même. Enfin, c'est ce qu'il aurait fait s'il avait encore eu un corps. Le fantôme qui le possédait, lui, n'eut aucune réaction.

— Hum, je vois, reprit Tara. Donc, le Château Vivant et Fleur vous ont fait venir dans ces murs afin de s'assurer de votre loyauté. Vous n'avez plus aucune communication avec l'extérieur,

---

1. Rituel de vengeance des tritons. Moi, à la place de certains fantômes, je commencerais sérieusement à m'inquiéter…

et vous remettez votre vie entre mes mains. Je trouve cela très imprudent.

— Pas plus imprudent que d'avoir lâché des milliers de fantômes sur AutreMonde, Votre Altesse Impériale.

Tara recula et pâlit.

— Vous… vous savez ça ?

— Les fantômes n'ont pas diffusé l'information, mais nous avons suffisamment d'« amis » au Palais pour avoir fini par apprendre ce qui s'était passé. Et surtout qui était responsable… même si nous ne savons pas encore pourquoi vous avez été assez stu… imprudente pour lâcher cette plaie sur AutreMonde.

Le triton n'était pas très diplomate. Et Cal aurait juré que son hésitation avait été volontaire. Tara soupira et ses épaules se baissèrent, vaincue.

— Vous ne pourriez pas trouver de qualificatifs pires que ceux dont je me traite depuis deux mois, Montagnecristaux… ou célèbre pirate SangNoir, si vous préférez.

Le triton baissa le menton, admiratif. Une attaque pour contrer une autre attaque. Bien, la jeune fille était peut-être aussi combative qu'on le lui avait suggéré.

— Peu importe mon ancien nom, ou le nouveau. Et c'est la raison pour laquelle nous devions vous retrouver. Avant les fantômes. Que s'est-il passé ?

Cal eut ainsi l'explication détaillée – un peu trop d'ailleurs – de l'attaque des fantômes. Mais Tara ne mentionna pas la seconde potion. Et lorsque le triton apprit que Tara avait tenté de faire revenir son père, il se contenta de grimacer en se mordillant une griffe. Il recracha un bout de peau qui se mit à flotter dans le liquide. Yerk ! c'était dégoûtant.

Le récit ne fut pas très long. Et se terminait mal.

— Voilà, termina Tara, la gorge visiblement serrée. Non seulement je n'ai pas réussi à faire revenir mon père, mais en plus j'ai tué mon amour et certainement des centaines d'autres personnes. Vous aviez raison tout à l'heure. J'ai été incroyablement stupide. Je devrais savoir que la magie n'apporte jamais rien de bon.

Le triton faillit protester, mais il était trop intelligent pour perdre du temps avec des névroses.

— Qu'allez-vous faire ? se contenta-t-il de demander douce-ment.

— Je dois lutter. Et faire en sorte que ces fantômes repartent là d'où ils viennent. À jamais.

— Cela nous amène à ma présence ici. Savez-vous com-ment les chasser ? Les fantômes ont mis votre tête à prix. Nous pensons que cela a quelque chose à voir avec la potion. C'est pour cela qu'ils vous redoutent, parce que vous avez un plan ?

— SangNoir, MontagneCristaux ou qui vous voulez, soupira Tara, il y a à peine deux heures, je pensais que j'allais enfin ces-ser et de vivre et de souffrir. Alors, non, je ne sais pas comment et je n'ai pas de plan. Sur le parchemin de la potion, il n'était noté nulle part comment il fallait s'y prendre pour faire repartir les fantômes. Je vous rappelle que le but, c'était de les faire venir. Enfin, d'en faire venir un du moins.

Le triton était manifestement déçu. Il avait espéré que le parchemin pourrait les aider.

— Vous êtes sûre ? insista-t-il, rien du tout ?

— Non, juste les avertissements disant que la potion était dangereuse, qu'il ne fallait pas la fabriquer et encore moins l'utiliser sous peine de terribles sanctions, etc. C'est tout.

Le triton jura, et Cal se fit la réflexion qu'il ne connaissait pas celui-là. C'était un assez joli juron, très imaginatif.

— Cela dit, précisa Tara en sortant un parchemin froissé de sa poche, voici l'original. Nous n'avons pas pris la peine de tra-duire les avertissements, car la langue est compliquée et nous avions peu de temps. Mais si vous avez une licorne sous la main, peut-être pourra-t-elle comprendre les avertissements et trouver ce que nous avons ignoré.

Le triton sortit sa boule de cristal et fit un gros plan sur le texte. Quelques secondes après, il en avait une copie parfaite.

— Vous devez rencontrer nos amis, décida-t-il dès qu'il eut ter-miné. Je vais organiser une réunion, dès que nous aurons réussi à traduire ce parchemin. Enfin, si le Château me permet de partir.

— Château ?

La licorne apparut.

— Tu peux le libérer, je crois qu'il est de notre côté… quel que soit ce côté.

La licorne s'inclina et un fauteuil apparut derrière le triton. Sa bulle et lui s'installèrent dedans.

— Je vous recontacte très vite, eut-il le temps de dire avant de disparaître.

Tara vit l'image s'effacer et se tourna vers le faux Cal.

— Alors ? Qu'est-ce que tu en penses ?

Le fantôme se mordait la lèvre, très ennuyé.

— J'en pense qu'il faut que nous rencontrions ces gens. Le plus vite possible.

Tara hocha la tête.

— Oui, tu as raison. Ce que je trouve bizarre…

— Oui ?…. répondit le fantôme.

— C'est que Robin m'avait dit que le triton, étant un mutant, n'avait pas besoin de sa bulle d'eau pour se déplacer dans l'air comme les autres tritons et sirènes. Et pourtant, celui-ci en avait une… hum.

Elle se redressa, faisant de nouveau tressaillir le faux Cal. Et gémit. Le moindre mouvement était douloureux.

— En attendant, il va falloir que tu m'aides.

Le fantôme plissa les yeux, soupçonneux.

— Que… que je t'aide ?

— Oui. Je suis complètement rouillée. J'étais dans le néant, mais de temps en temps, des images parvenaient à franchir les murailles qui m'entouraient. Et j'ai pu apercevoir certains de tes exercices. Tu pourrais m'en enseigner quelques-uns afin que je retrouve une bonne forme physique rapidement ?

Le fantôme poussa un imperceptible soupir de soulagement.

Et acquiesça sans entrain.

Cependant, il devait avoir été choisi pour son expérience des arts martiaux, car, lorsqu'il conduisit la jeune fille dans la salle d'entraînement, il n'hésita pas un instant.

Après avoir appliqué un Reparus à Tara, qui, sinon, aurait bien été incapable de lever la jambe plus haut qu'un demi-centimètre.

Et si Cal trouva certaines de ses techniques brutales, il dut reconnaître que le fantôme savait ce qu'il faisait. Zut ! Tara ne le démasquerait pas ainsi.

Ce fut pénible. Tara souffrit tellement qu'elle regretta, encore une fois, d'avoir eu l'idée idiote de recommencer à vivre. Ses muscles étaient rouillés, ses os protestaient en grinçant, ses genoux semblaient bloqués. À la fin de l'exercice, elle soufflait comme un phoque, rouge écarlate. Et elle avait mal à peu près partout, jusque dans les doigts.

— La vache, j'étais mieux dans mon lit, grogna-t-elle en tentant de s'étirer… et en y renonçant très vite. On a terminé ?

Le fantôme confirma. Lui ne transpirait pas d'une goutte, ce que la jeune fille trouva injuste. Il semblait tendu et soucieux. Elle sentit le remords la mordre. Trop occupée à s'apitoyer sur son sort, elle n'avait même pas demandé si sa famille allait bien. Elle allait réparer ça tout de suite.

— Et ta famille ? Tout va bien ?

Le fantôme tressaillit et sa main plongea dans sa poche.

— Pourquoi me demandes-tu ça ? interrogea-t-il.

Tara fronça les sourcils.

— Ben, tu ne m'as pas dit que tu voulais parler à ta mère ? J'étais un peu dans les vapes, mais ça, je m'en souviens.

— Si, si, confirma très vite le garçon. Ils vont bien. Ils vont tous très bien. Ils ne sont pas là pour l'instant. Partis… en voyage. La situation est sous contrôle. Tout va très, très bien. Tu sais, ce n'est pas la première fois que nous avons à faire face à une crise, tout est un éternel recommencement !

Tara lui sourit. Bien que son ami semblât un peu perturbé, que sa famille soit saine et sauve était une bonne nouvelle.

Soudain, elle sursauta.

— Répète ce que tu viens de dire ! s'exclama-t-elle en attrapant Cal par le bras.

Le petit Voleur pâlit.

— Euuh, mes parents vont bien et tout va bien…

— Non, non, à propos d'un éternel recommencement. Bon sang, tu as raison. C'est ça, la solution ! J'étais tellement… tellement… Non, mais quelle gourde ! Lisbeth a raison, je n'utilise pas mon cerveau quand je suis trop sous pression, c'est idiot !

Au grand soulagement de Cal qui commençait à avoir mal au bras tellement elle le serrait, elle le lâcha et se mit à fouiller dans sa poche comme une folle.

— Qu'est-ce que j'en ai fait, brolk[1] de slurk, dis-moi que je ne l'ai pas laissé à Omois ! Changeline, trouve-moi mon livre, le LDSS, dépêche-toi !

---

1. Brolk, probablement notre équivalent de « bordel ». « Mais quel brolk tu as mis dans ta chambre ! » est l'équivalent de notre « mais quel bordel tu as mis dans ta chambre ! » et brolk de slurk serait l'équivalent de « bordel de merde ». Je l'accorde, c'est assez peu distingué, mais a le mérite de bien exprimer une certaine colère…

L'entité obéit et, l'instant d'après, à son grand soulagement, Tara se retrouva avec un livre relié d'or et de pourpre, en cuir de spalendital et corne de licorne. Elle le serra contre son cœur.

C'était un livre cadenassé. Frappé aux couleurs d'Omois. Le Livre des Sombres Secrets.

Rien qu'à son aspect, on sentait qu'il contenait des trucs dangereux. Pire qu'il *était* dangereux. Le fantôme s'approcha et, pour une fois, Cal et lui éprouvaient le même sentiment, ils étaient morts de curiosité, mais elle l'arrêta de la main.

— Je suis désolée, Cal, mais ce livre ne peut être lu que par les Héritiers d'Omois. Bien que l'original soit à Omois, je n'ai pas le droit d'ouvrir cette copie conforme pour qui que ce soit d'autre. Je vais essayer de trouver tout ce qui a trait aux fantômes. Peut-être que l'un des souverains des temps passés a eu affaire à une invasion de ce genre, cela m'étonnerait fichtrement que je sois la seule à avoir fait ce genre d'imbécillité. Cela a dû se produire, j'en suis sûre. Il suffit juste de trouver quand, et ce que les sort-celiers ont fait pour y remédier. Merci, c'est grâce à toi !

— Quoi ?

— Oui, tu as dit que tout était un éternel recommencement, et, bien sûr, tu as raison, comme d'habitude. Cal, tu es génial !

Le garçon grimaça, peu convaincu. En fait, il avait l'air d'avoir carrément mal au cœur. Il soupira. Fort. Et sa main ressortit de sa poche.

— Crois-moi, ce n'était pas volontaire. Bon, je te laisse chercher, je vais prendre une douche.

Tara prit alors conscience qu'elle émettait une odeur… disons… intéressante.

— Oppps, rougit-elle, pardon, tu as raison, j'ai beaucoup transpiré, mais comme j'ai eu cette idée, ça m'a… Bref, je vais prendre une douche moi aussi. Mais avant, est-ce que tu peux m'envoyer de nouveau un Reparus, s'il te plaît ? J'ai vraiment mal partout.

Cal obéit et l'instant d'après un jet de magie bordeaux frappait la jeune fille, la revivifiant. Elle n'avait pas fait attention la première fois, mais elle remarqua que le petit Voleur avait abandonné ses habituels jets de magie dorée, comme l'or qu'il aimait presque autant que les dragons. Peut-être avait-il assombri sa magie en hommage à Eleanora ?

— Prends garde, mentionna Cal doctement en la menaçant du doigt, c'est le deuxième en moins d'une heure. Le Reparus ne peut pas t'apporter les vitamines dont tu as besoin, du moins pas à long terme. Tu dois reconstituer tes réserves d'abord.

— Je n'ai pas très faim, confessa Tara en testant ses muscles les uns après les autres, un peu étonnée de ce ton professoral, mais je vais faire un effort. À tout de suite.

Sous la douche, la jeune fille demanda à l'Élémentaire d'eau d'accentuer la force de ses jets afin de masser ses muscles encore tendus en dépit du Reparus de Cal. L'eau chaude apaisa ses dernières courbatures et, pour la première fois depuis longtemps, elle sentit un tiraillement de faim.

— Château ? Tu pourrais me faire parvenir un sandwich, s'il te plaît ? Viande de traduc et fromage de balboune avec de la mayonnaise d'œuf de spatchoune à l'huile de tolis.

Le truc à deux mille calories la bouchée. Cela allait lui donner le carburant dont elle avait besoin. Quelques secondes plus tard, le sandwich traversait la pierre et se matérialisait près de sa main. Elle l'attira vers elle et mordit dedans sauvagement, tout en restant sous sa douche, évitant habilement de le mouiller. Les goûts explosèrent dans sa bouche et elle faillit en soupirer de contentement. Ce n'était pas le bonheur, parce que ce ne serait jamais plus le bonheur, mais c'était tout de même fichtrement bon.

Comme attiré par un aimant, son esprit se tourna vers Robin, mais elle se maîtrisa fermement et termina son sandwich avant de reperdre tout appétit. Pour l'instant, elle ne devait surtout pas penser à son amour perdu, ou elle allait tout abandonner. Elle devait d'abord réparer ce qu'elle avait fait. Ensuite, elle aviserait.

Mais Dieu que c'était douloureux !

La bouche encore pleine, elle tendait la main vers sa serviette lorsque soudain une sirène se mit à mugir.

Et tout s'éteignit.

Tara se retrouva toute nue et ruisselante, dans le noir complet. Elle avala de travers, crachota et allait appeler lorsque soudain se produisit quelque chose qui lui ôta toute envie de faire le moindre bruit.

Un fantôme apparut près du plafond. Tout à fait bleu, faiblement luisant dans le noir complet, il se déplaçait silencieusement, essayant de voir ce qu'il y avait autour de lui. Il n'avait même pas conscience des murs, qu'il traversait comme du brouillard.

Tara s'aplatit au ras du sol et la changeline la couvrit d'un tissu noir. Elle devait être à peu près invisible. Le temps qu'elle compte une centaine de battements de cœur, il avait disparu. Elle ne réagit pas. Elle avait vu plein de films où les méchants faisaient semblant de partir et hop ! revenaient soudain pour surprendre leurs adversaires. Instruite par l'expérience, Tara préféra rester immobile au cas où. Mais le fantôme n'avait pas dû visionner les mêmes films, parce qu'il ne revint pas.

La porte de la salle de bains s'ouvrit et une silhouette se profila.

— Tara, appela la voix de Cal, tout va bien ? Le Château a éteint pour que le fantôme ne nous repère pas, mais il est loin maintenant.

Tara allait répondre, lorsque, pour la seconde fois en quelques minutes, sa voix se bloqua dans sa gorge.

Car, en dépit du noir total, elle voyait Cal.

Qui luisait faiblement.

Comme le fantôme.

7

La trahison

ou la preuve par deux
que le corps et l'esprit ne font pas toujours qu'un...

Cal était un fantôme ! Tara déglutit, la peur au ventre. Elle comprenait maintenant. L'air mal à l'aise de Cal depuis son retour, sa magie différente de sa couleur habituelle. Elle mit le doigt sur ce qui l'avait gênée également. Depuis qu'il était rentré de son expédition, à aucun moment il n'avait fait d'humour. Au début, elle avait mis ça sur le compte de son respect pour son chagrin, mais le jeune Voleur était capable de plaisanter avec la mort elle-même.

Il avait été possédé. Probablement en rendant visite à sa famille. Ce qui laissait supposer qu'ils étaient possédés eux aussi.

Et non pas en voyage. Évidemment. Il avait menti. Ce n'était plus Cal.

Son cœur se serra de chagrin. Un à un, elle perdait tous ses amis.

Pourquoi ne l'avait-il pas encore dénoncée aux autres ? Puis la réponse s'imposa immédiatement à son esprit. À cause de la Résistance, bien sûr. Lorsqu'il avait vu le triton, il avait compris qu'il était préférable de capturer tout le monde plutôt que seulement l'Héritière !

Les pensées avaient traversé son esprit à la vitesse de l'éclair et Cal était encore en train de s'avancer dans la salle de bains en tâtonnant lorsque la lumière se ralluma. Elle resta faible cependant, et Tara prit conscience qu'il avait vraiment fallu un noir total pour qu'elle se rende compte de la possession de Cal.

Sans le vouloir, l'autre fantôme venait de lui rendre un fier service.

Elle se redressa, tandis que la changeline passait du noir à son pourpre habituel, la vêtant d'une jolie robe courte brodée d'or. Puis elle lissa ses longs cheveux dorés en une natte compliquée.

Tara sourit au fantôme.

—J'ai eu peur, avoua-t-elle, le Château a de sacrés réflexes, dis donc.

—Oui, répondit mornement le faux Cal, il suit les fantômes de près. Dès que celui-ci s'est trop approché, il nous a prévenus. Mais la sirène était peut-être un peu… euh… bruyante, elle m'a fait peur.

—Tout s'est bien passé, fit Tara avec légèreté, alors, ce n'était pas bien grave. Que veux-tu que nous fassions maintenant?

—Si le Château le peut, il serait intéressant de demander à Fleur de nous mettre en contact avec la Résistance, comme ça, on pourrait arranger un rendez-vous, qu'est-ce que tu en penses?

Il faisait semblant de lui demander son avis, alors que Tara sentait qu'il bouillait d'agir et de les capturer. Bien, elle allait lui faciliter la tâche.

—Pas de problème, contacte Fleur par l'intermédiaire du Château Vivant, et nous allons organiser ça. Heureusement que tu es là, Cal, sans toi, je ne sais vraiment pas ce que j'aurais fait.

Le fantôme se tortilla, gêné, puis afficha un grand sourire.

—Mais ce sera bientôt terminé. Château?

La licorne apparut les pieds dans la baignoire, ce qui n'avait pas l'air de la gêner outre mesure. Elle inclina sa tête argentée, prête à leur venir en aide.

—Peux-tu nous mettre en contact avec Fleur, s'il te plaît? demanda poliment Cal.

La licorne hocha sa crinière et, l'instant d'après, l'image de Fleur s'affichait. Le cyclope était perché sur une échelle et clouait au mur un tableau de ses souverains. Avant qu'ils ne soient possédés. Comme une sorte de consolation pour lui. L'apparition de l'image de Cal le surprit et il faillit dégringoler de son perchoir.

—Quoi? Quoi? Qu'est-ce que c'est? demanda-t-il, complètement affolé.

—Ce n'est que moi, Cal, répondit le fantôme en réprimant un sourire. Pardon de vous avoir dérangé, maître Fleur, mais nous aimerions organiser un rendez-vous avec la Résistance. Si vous avez libéré le triton, nous espérons que vous avez cependant un moyen de le joindre.

— Bien sûr, bien sûr, opina le cyclope roux en se tenant la poitrine comme si son cœur allait s'échapper, laissez-moi juste reprendre mon souffle.

Il avait vraiment dû avoir peur, car ses taches de rousseur ressortaient sur son visage pâle.

Il descendit de son échelle et posa sa boule de cristal dans l'emplacement prévu à cet effet. Celle-ci se connecta au réseau du Château. Personne ne pourrait localiser l'appel, le Château disposant de suffisamment de rerouteurs dans AutreMonde pour que les programmes espions se perdent définitivement. En revanche, le fantôme devrait être prudent pour ne pas mentionner quelque chose qui les ferait repérer trop tôt par ses petits copains. Curieuse, Tara se cala dans un fauteuil et observa. Les images convergèrent et, bientôt, ils eurent l'impression d'être dans la même pièce que Fleur.

— Euh, pourriez-vous retirer mon image, s'il vous plaît ? demanda Tara. Je suis recherchée, je ne voudrais pas qu'un espion tombe sur moi par hasard.

Le Château obéit et le champ se rétrécit pour n'englober que Fleur et Cal.

L'image du triton se matérialisa devant eux. Tout aussi prudent, il ne s'inclina pas.

— Oui ? Que puis-je faire pour vous ? demanda-t-il très urbain.

Fleur le salua de la tête.

— J'ai ici quelqu'un qui désire discuter avec vous, annonça-t-il tandis que Cal s'avançait.

— Que votre eau soit claire, maître Triton, salua le fantôme. J'ai une amie. Avec qui vous avez discuté un peu plus tôt dans la journée et qui ne désirait pas que vous soyez écrasé par votre travail.

Fine allusion au danger qu'avait couru MontagneCristaux en venant au Château Vivant. En dehors du champ, Tara grimaça, admirative. Le fantôme était intelligent. Mauvais.

— Nous aimerions vous rencontrer et discuter un peu du... du prix du lait de balboune.

Le triton, dont le regard s'était aiguisé dès qu'il avait compris qu'ils parlaient de Tara Duncan, eut un sourire intéressé.

— Que votre magie illumine, sortcelier. Du prix du lait de balboune ? Intéressant. Il est vrai que mes compatriotes ont un peu exagéré avec les augmentations de prix récentes, mais...

— Exagéré ? s'indigna Cal. Vous plaisantez, j'espère. C'est du vol caractérisé ! Vous savez de combien vous avez augmenté les prix depuis les deux cents dernières années ? Presque dix mille pour cent ! C'est un scandale, oui !

Interloqué, le triton le regarda. Tout aussi étonnée, Tara se demanda à quoi jouait le fantôme, parce qu'il avait vraiment l'air en colère.

Soudain, celui-ci se souvint qu'il n'était pas là pour négocier du lait, mais pour attraper des comploteurs.

— Hrrrrmm hrmmm, bref, continua-t-il, je pense qu'il faudrait fixer un rendez-vous avec tous vos... vos producteurs les plus importants, les vrais décideurs, afin d'en discuter. Cette situation de monopole doit cesser rapidement, c'est intolérable !

Bien, il avait demandé à ce que tous les résistants importants soient présents. Le triton hocha sa tête écailleuse :

— Ils seront là, vous pouvez y compter. Quand ?

— Le plus tôt sera le mieux. Disons Fredi à 26 heures ?

C'était le lendemain, à l'équivalent autremondien de minuit. Il demandait ce délai afin de prévenir ses copains et de préparer la souricière. Tara eut un fin sourire. Le tout était de savoir qui serait le chat. Et qui serait la souris. Ou le mrrr et la pouic selon AutreMonde.

— Si tard ? s'étonna le triton. Il est assez inhabituel de se réunir la nuit.

Il parlait pour les éventuels espions.

— C'est exact, répondit le fantôme avec aisance, mais mon amie et moi sommes très occupés pendant la journée et le seul moment, c'est à 26 heures Fredi. Je suis désolé.

Le triton soupira, puis hocha la tête.

— Je vais en informer tout le monde. Voici mon adresse. À demain.

Si l'image disparut, l'adresse resta gravée devant eux en lettres luminescentes. Le fantôme la nota soigneusement, puis releva la tête vers Tara, la dévisageant d'un air songeur.

— Je vais faire un tour dehors, histoire de voir si tout va bien, et de repérer l'endroit où vit le triton.

Ainsi proposé, c'était tout à fait raisonnable. Tara lui offrit son plus joli sourire à fossettes et opina :

— Tu as raison, il ne faudrait pas qu'on se perde ! À tout à l'heure.

— À tout à l'heure.

Le fauteuil emporta le fantôme. Dès que celui-ci fut sorti, Tara bondit... enfin, se mit prudemment sur ses pieds, à l'affût de toute douleur. Non, ça allait, les deux Reparus, l'eau chaude et le copieux sandwich avaient fait leur travail. Elle n'avait quasiment plus mal.

— Château, cria-t-elle, situation d'urgence !

La licorne apparut instantanément, les oreilles couchées en arrière, l'air inquiet.

Tara fit court :

— Cal a été possédé !

Le pelage argenté de l'animal vira au noir. Un coup de tonnerre retentit.

— Non, non, tu ne dois pas lui montrer que tu te doutes de quelque chose, dit très vite Tara. Nous devons le piéger. Est-il sorti du Châ... euh, de ton enceinte ?

La licorne souffla un jet de vapeur brûlante. Les licornes « normales » ne faisaient pas cela, mais, celle-ci étant virtuelle, elle pouvait se permettre ce qu'elle voulait. Derrière elle s'afficha l'image de Cal quittant le Château d'un pas pressé. Très vite, il se perdit dans la foule colorée.

Le Château allait envoyer une scoop pour le suivre, mais Tara l'en dissuada.

— Non, il ne doit se douter de rien. Il possède le corps de Cal. Je ne sais pas exactement ce qu'il sait de notre ami, mais Cal a une sorte de sixième sens pour ce genre de trucs. Il saura tout de suite qu'il est suivi. Mets-moi plutôt en relation avec notre ami le triton. Changeline, masque mon visage, s'il te plaît.

Les deux entités obéirent. Le temps que la connexion s'établisse, et le visage de Tara était recouvert d'une fine dentelle noire qui la rendait méconnaissable, tandis que ses beaux cheveux blonds trop identifiables étaient également voilés. Elle se courba un peu, comme si elle était très vieille.

Les yeux du triton s'agrandirent lorsqu'il vit l'inconnue qui l'appelait.

— Euh... oui ?

— Pardon pour ce masque, dit Tara d'une voix étouffée et haletante, imitant l'une des courtisanes d'Omois qui passait son temps à essayer de rajeunir, mais j'ai eu un petit problème, une potion qui a mal tourné. Ahhh, l'attrait de la jeunesse ! Vite perdue, difficile à retrouver.

Le triton, qui n'avait pas ce genre de problèmes, hocha la tête, compatissant.

— Que puis-je faire pour vous, Dame ?

— Mon ami vous a donné un rendez-vous. Pour discuter du prix du lait de balboune…

Les narines du triton se fermèrent. Il était nerveux.

— Je ne crois pas…

— Demain, Fredi, l'interrompit fermement Tara. À 26 heures. Il faut avancer la date du rendez-vous, car notre ami a un locataire indésirable qui est au courant de ce rendez-vous. Il pourrait faire capoter notre accord.

Dans sa bulle d'eau, le triton se raidit.

— Pardon ?

Tara réprima un soupir.

— Oui, parfois, c'est un peu comme s'il y avait deux personnes dans un même corps. L'un veut quelque chose et l'autre… autre chose.

Une authentique panique s'afficha sur les traits du triton lorsqu'il comprit ce que venait de suggérer Tara.

— Je… vois, dit-il gravement. Que proposez-vous, ma Dame ?

— Avançons donc le rendez-vous. Ce soir. À 24 heures. Cela vous convient-il ?

— Plusieurs de nos amis ne pourront pas être là, pas en un temps aussi court, protesta le triton.

— Ce n'est pas grave, assura Tara. Faites de votre mieux. Ah ! et il faudra également changer le lieu. Ne courons aucun risque de voir un concurrent tenter de faire échouer l'affaire.

Le triton se mordit la lèvre… puis eut un sourire acéré.

— Voici un endroit qui devrait convenir, dit-il en affichant une adresse dans la vieille ville. C'est une… disons une auberge, tenue par l'un de nos amis. Il y a du monde, mais nous réserverons une salle au premier étage. Une porte, derrière, permet d'accéder directement à l'étage sans passer par la salle commune.

— Parfait, reconnut Tara, à tout à l'heure alors.

Et après avoir recopié l'adresse, elle coupa la communication. Bien, elle avait des tas de choses à faire d'ici ce soir. À commencer par prévenir Fleur que Cal n'était plus fiable. Le pauvre cyclope, déjà nerveux, prit très mal la mauvaise nouvelle.

— Oh là là ! dit-il en se tordant les mains, les choses vont de plus en plus mal ! Nos ennemis savent qui est à la tête de la Résistance ici, à présent. Ils vont me traquer !

— Le Château vous protège, assura Tara, ne vous inquiétez pas, jamais ils ne vous trouveront si le Château ne le veut pas.

— Mais le fantôme qui possède Cal vous a bien trouvée !

Sur ces paroles définitives, le cyclope coupa la communication d'un air malheureux, pas convaincu du tout.

Évidemment, il avait raison. La suspicion allait dorénavant empoisonner toutes leurs relations.

Tara demanda au Château de l'avertir dès que Cal serait en vue, histoire de ne pas se faire surprendre.

Une fois qu'elle aurait pris contact avec la Résistance, elle ne pourrait plus revenir ici. Cal la traquerait bien plus efficacement que les fantômes, elle en avait la certitude.

Elle devait partir.

Et n'avait aucune idée de l'endroit où aller.

Elle soupira. Pour l'instant, le plus urgent était de trouver un moyen d'anéantir les fantômes… enfin, pas de les anéantir, vu que Robin faisait partie du nombre… du moins de les faire repartir en OutreMonde. Donc son travail commençait par une recherche exhaustive dans le LDSS.

Elle invoqua la clef attachée au livre. Celle-ci, d'or et de diamants, très… omoisienne, apparut. Tara l'inséra dans la serrure et le livre s'ouvrit. Les images s'animèrent, prêtes à compléter les textes, mais elle les ignora. Elle tapota trois fois la première page du livre et dit « Fantôme » à haute voix. L'index se couvrit immédiatement de lignes, suivies de numéros de pages. Tara faillit gémir lorsqu'elle vit le nombre d'occurrences qui s'affichaient : plus de trente mille !

— Oh là là ! Galant, on va en avoir pour des siècles à lire tout ça !

Le pégase hennit doucement. Du moment qu'elle allait mieux et qu'elle se battait pour survivre, il s'en fichait. Il se posa sur son épaule et, comme elle, commença à lire. C'était assez passionnant, un peu comme un livre de fiction, sauf que tout avait réellement eu lieu. Les fantômes étaient souvent cités, car certains parvenaient à franchir la paroi séparant AutreMonde d'OutreMonde par hasard, profitant des failles qui s'ouvraient parfois entre le monde des vivants et celui des morts.

En fonction des fantômes, les histoires n'étaient pas toujours tragiques. Certains ne voulaient qu'une seule chose, retourner en OutreMonde. D'autres étaient absolument ravis de revenir. Certains étaient monstrueux. Et causaient beaucoup de dégâts avant d'être « neutralisés ». Hélas pour Tara, les souverains qui avaient eu affaire avec les fantômes ne précisaient pas comment lesdits fantômes avaient été renvoyés. Zut ! cela n'allait pas du tout. Elle fut tentée de survoler les pages, mais ne le fit pas. Il suffisait qu'elle rate une seule phrase pour anéantir toute chance de combattre efficacement. Les dents serrées, elle se contraignit à lire en détail. Vu que le livre comportait des milliers de pages, heureusement condensées grâce à la magie, ce qui permettait d'éviter de se trimballer avec une encyclopédie en cinquante volumes, elle sentait qu'elle allait y passer des mois entiers.

Très vite, Galant, encore fatigué de son long jeûne, se posa sur ses genoux et somnola. Tara lut un moment, puis, songeuse, réfléchit. Elle devait envisager toutes les éventualités, y compris celle d'être capturée ou d'avoir à quitter précipitamment la ville. Il était impératif de se préparer. Elle posa Galant dans son panier, où le petit pégase se mit à ronfloter paisiblement. Elle eut un sourire attendri. Elle lui en avait fait voir de toutes les couleurs, à son pauvre Familier. Une dernière caresse et elle invoqua la licorne du Château. Prévenant, celui-ci lui fournit tout ce dont elle pourrait avoir besoin. Armes, nourriture, eau, déguisements divers, maquillages, crochets, cordes, tentes, mais aussi médicaments, au cas où elle serait seule et ne pourrait utiliser de Reparus[1] sur une blessure, bandages et potions diverses.

La changeline avala tout son barda sans broncher et Tara reconnut que, dans ce cas spécifique, la magie était pratique,

---

1. Seul un autre sortcelier peut incanter un Reparus pour soigner un blessé, cela ne fonctionne pas sur soi-même. Des tas de sortceliers tentèrent de s'administrer des Reparus grâce à des miroirs, mais ne réussirent qu'à obtenir de très beaux miroirs étincelants, ce qui créa toute une nouvelle branche de l'industrie miroitière.

car elle ne sentait aucun poids dans ses poches. À regret, elle y rangea aussi le manteau de Robin.

Puis elle se concentra de nouveau sur le Livre des Sombres Secrets. Cal n'allait pas tarder à rentrer et elle ne voulait pas l'affronter à moitié endormie.

La licorne réapparut soudain sur le mur, lui arrachant un petit cri effrayé. Juste derrière, l'image de Cal pénétrant dans le château, sifflant un air guilleret, s'afficha.

— Je t'en ficherai, moi, des sifflements guillerets, marmonna Tara. Tu as de la chance que je ne veuille pas courir le risque de te neutraliser !

Elle referma soigneusement le livre et le rangea dans sa changeline. Elle avait bien vu que le fantôme était très intéressé par ce qu'il contenait… et qu'il devait considérer comme une menace.

Discrètement, les scoops suivirent le faux Cal. Mais il ne revint pas tout de suite. Il passa d'abord dans la salle d'audience qui restait aveugle pour le Château. Quand il en ressortit quelques instants plus tard, l'air toujours aussi satisfait de lui-même, il se rendit dans sa chambre et attendit patiemment que le Château lui envoie son fauteuil.

Le Château ne perdit pas de temps. Quelques instants plus tard, il le déposait dans la chambre secrète.

— Tout va bien, dit-il à Tara en lui souriant joyeusement, j'ai repéré son adresse, et toutes les issues ainsi que les rues alentour. Je vais te faire un plan, comme ça, s'il y a un problème, tu sauras comment t'échapper.

Il jouait bien son rôle. Si elle n'avait pas eu ce coup de chance, jamais elle n'aurait pu deviner que son ami était un traître.

Docile, elle apprit par cœur le plan qui ne lui servirait jamais.

— Tu as regardé dans le Livre des Sombres Secrets ? demanda le fantôme avec une feinte indifférence.

— Non, mentit Tara, pas encore. Mais dès que nous aurons rencontré les résistants, je vais m'y plonger.

— On pourrait le faire à deux, proposa-t-il, on avancerait plus vite et aux Limbes[1] les précautions de tes ancêtres ! Nous sommes en guerre et nous n'avons pas le temps de respecter les conventions habituelles !

---

1. L'équivalent de notre « Au diable ».

Mais Tara secouait la tête, têtue.

— Ma tante a dit : « Uniquement, quelle que soit la situation, pour les membres de la famille, héritiers directs. » Je suis désolée, mais je ne briserai pas la promesse que j'ai faite. Je regarderai dès que j'en aurai l'occasion. En attendant, si cela ne t'ennuie pas, je suis encore très fatiguée et je crois que je vais aller me coucher.

— Mais il n'est que 19 heures ! protesta le fantôme, qui ne lâchait pas prise si facilement, et je pourrais…

— À demain, Cal, répondit fermement Tara, dors bien.

Et avant qu'il puisse réagir, elle se retira dans sa chambre. Dont elle laissa la porte entrouverte, afin qu'il voie bien qu'elle se mettait au lit après s'être lavé les dents.

En maugréant, le fantôme la surveilla pendant quelques instants, puis finit par abandonner. Il se fit projeter un film dans sa chambre et bientôt s'endormit.

Comme Tara.

Sauf que la jeune fille avait programmé le Château pour qu'il la réveille à 23 heures. Tara était parée. Sa Pierre Vivante bien calée dans sa poche, l'anneau de Kraetovir à son doigt, Galant prêt à intervenir, c'était tout ce dont elle avait besoin. En une seconde, la changeline la vêtit d'une tenue de Voleuse Patentée au tissu caméléon. Pour l'instant, noire, discrète, silencieuse. Comme une ombre, Tara se glissa dans le fauteuil magique en dehors de sa chambre et fila.

Dès qu'elle fut sortie, Cal apparut dans la pièce. Il n'avait pas du tout l'air endormi.

— Elle me prend vraiment pour un imbécile, cette petite, pesta-t-il. Voyons un peu où elle va sans prévenir son cher copain Cal.

Le fantôme voulut utiliser le deuxième fauteuil pour franchir les murs de pierre, mais celui-ci demeura inerte. Il se précipita vers la porte et la secoua frénétiquement, sans succès.

Furieux, il se redressa et ordonna au Château de lui ouvrir la porte, mais celui-ci resta silencieux. Une licorne apparut et le dévisagea d'un air agressif, grattant le sol de la pointe de son sabot fourchu. Il comprit. Il avait été démasqué. Comment ?

— Ah, c'est comme ça, hein ? gronda le fantôme entre ses dents serrées. Mais je suis prévoyant. Et j'ai une réponse au cas où les choses tourneraient mal pour moi. Je crois que tu tiens particulièrement au Roi Bear et à la Reine Titania. Tu es en quelque sorte « lié » à eux et aux membres de leur famille. Si tu ne me libères pas immédiatement, voici ce qui va leur arriver.

Il éleva sa boule de cristal et à sa grande horreur le Château vit s'afficher une image, provenant de la salle où il était sourd et aveugle.

Ses deux souverains étaient maintenus par des gardes en dépit de leurs protestations. À leurs pieds, leurs enfants, effrayés, dont certains pleuraient.

Et sur leurs cous s'appuyaient deux couteaux… Un peu de sang coula, prouvant, s'il en était besoin, que les lames étaient bien aiguisées.

— Un seul mot de moi et ils sont tous morts, indiqua calmement le fantôme. Et sache que je me fiche bien de savoir ce qui va arriver aux deux imbéciles qui occupent leurs corps.

Le Château trembla et ses fondations oscillèrent.

Un instant, il hésita. Un instant seulement. Il aimait bien Tara, mais, entre elle et ses légitimes souverains, il n'avait pas le choix.

À regret, il libéra la porte et le fauteuil reprit vie.

— Très bien, ricana le fantôme aux gardes. Vous pouvez libérer ces deux gros abrutis. Mettez-les au régime, nous avons besoin de tous nos alliés. En vie. Enfin, plus ou moins. Toi, Château, ralentis la progression de Tara, je veux la rattraper.

Le Château obéit. Tara ne s'en rendit pas compte, mais le chemin vers la sortie bifurqua imperceptiblement, lui faisant perdre du temps. Le fauteuil porta Cal jusqu'au souterrain en un temps record. Tara venait à peine de franchir la porte secrète qu'il était déjà sur ses talons. Le Château frémit lorsqu'il vit les gardes nombreux, armés jusqu'aux dents, qui le suivaient.

Le Château se mit à pleurer sur le triste destin de ses occupants. Une pluie grise et glaciale déferla dans les couloirs, trempant les courtisans et les ministres, et malheureusement identique à celle qui se déversait sur Tara au-dehors.

— La vache, grogna-t-elle en regardant le ciel gris d'un air maussade, c'est bien ma chance, le seul jour depuis deux mois où je sors, paf ! il pleut. Et je crois que je n'ai pas intérêt à faire de magie pour me protéger.

Elle aussi avait remarqué que les sortceliers avaient l'air d'éviter la magie. En dépit de la pluie et de la nuit, il y avait beaucoup de monde dans les rues de Travia. Et si les gens n'incantaient pas pour léviter ou se protéger de la pluie, ils utilisaient des sorts préfabriqués comme les Ombrellus ou les Antipluius. Certaines des plus belles avenues étaient protégées par de coûteux champs de magie qui ne laissaient passer la pluie qu'au-dessus des arbres et des plantations. C'étaient de loin les plus fréquentées. Une foule rieuse les parcourait, s'arrêtant dans les cafés et les cristauxmas, l'équivalent des cinémas sur Terre. Il faisait chaud et la pluie apportait une humidité qui trempait les endroits à découvert, mais faisait ressortir l'odeur de la terre et de l'herbe. Partout les affiches des derniers films, spectacles, opéras, concerts, interpellaient les passants.

Les deux lunes éclairaient un peu trop au goût de Tara et, si la majorité des gens ne faisait pas attention à elle, certains la dévisageaient d'un peu trop près en dépit du déguisement de vieille femme qu'elle venait d'endosser.

Elle se couvrit d'autant plus le visage qu'il apparaissait en gros et sous tous les plans, vampyr comme humain, sur les panneaux de cristal.

Angoissée à l'idée d'être reconnue et arrêtée, à aucun moment, en dépit des leçons données par l'Imperator, elle ne se rendit compte qu'elle était suivie.

Travia était grande et Tara ne voulait pas prendre un tapis volant-taxi pour aller à son rendez-vous. Elle avait calculé qu'il lui faudrait environ trois quarts d'heure pour arriver à l'auberge de l'Aragne Bigleuse. Le quart d'heure supplémentaire allait lui servir à vérifier si l'auberge était sous surveillance ou pas. Elle avait le cœur battant. Pour la première fois depuis deux mois, elle avait l'impression de revivre. La tristesse était toujours là. Elle ne partirait jamais. Mais, au moins, elle ne la tuait plus à petit feu. Le fait de bouger, de se battre pour réparer sa terrible erreur lui apportait un certain apaisement. Et surtout, elle était obligée de se concentrer sur autre chose que sur elle-même. Elle scrutait les ruelles, s'appliquant à être attentive.

Pas suffisamment…

Enfin, elle arriva à l'auberge. Verte, rouge, jaune, bleue, fantastiquement sculptée comme la majorité des maisons de

Travia, elle possédait plusieurs ouvertures, en bas, aussi bien pour les géants que pour les nains, et en haut, pour ceux qui préféraient léviter ou voler, comme les fées. Très grande, elle affichait des centaines de boissons élaborées dont certaines devaient être servies dans des bocs de cristal, tous les autres matériaux étant incapables de résister. Un feu d'artifice constant étoilant le ciel au-dessus d'elle, le bruit masquait les conversations. Habile pour ceux qui appréciaient la discrétion. Car la meilleure cachette était souvent celle qui se trouvait sous le nez de ceux qui cherchaient.

Par l'entrée principale, Tara vit des tas d'elfes, noirs, violets, blancs, bleus, mais aussi quelques nains, des Tatris et deux vampyrs, se presser pour se mettre à l'abri. Apparemment, l'auberge était également fréquentée par les inhumains. Ce qui la surprit, parce que en général les elfes et les nains ne s'entendaient pas très bien. Un éclair de chagrin jaillit, qu'elle ignora de son mieux. Voir les êtres si beaux et si gracieux était douloureux. Presque insurmontable. Si les comploteurs avaient choisi une autre auberge, si les consommateurs avaient juste été des nains ou des humains, tout aurait été différent. Tara aurait senti qu'elle était encerclée, lentement, mais sûrement, par les soldats du faux Cal. Mais tout à son chagrin provoqué par la vision des elfes, elle ignora les signaux avertisseurs. Et contourna l'auberge afin d'entrer par la porte de derrière.

L'auberge était construite en bois de glor, ce bois vert, très solide, descendu des montagnes du Tasdor par les nains, qui l'utilisaient également dans leurs mines pour son imputrescibilité. Celui-ci avait dû en voir de toutes les couleurs, car, en dépit de sa solidité, il était fendu de partout. Par endroits, on voyait le sol en dessous, et monter les escaliers demandait un sacré équilibre. Les marches ne craquaient pas... elles se lamentaient en un véritable concerto au fur et à mesure de sa progression. Tara ne savait pas si c'était une sorte de système d'alarme, mais, à moins de léviter, personne ne pouvait monter sans que les occupants en soient avertis.

Sans oublier la discrète scoop qui veillait au-dessus, dans un coin, camouflée de vert, que Tara ne repéra que parce que son Imperator d'oncle lui avait appris à se méfier. Hum, la maison paraissait bien gardée. Un intrus, et des Transmitus se mettraient immédiatement en action afin de permettre à tout le monde de s'échapper.

Elle arrivait déjà sur le palier. Le souffle un peu court du fait du manque d'exercice, elle se dit qu'elle allait vraiment devoir se reprendre sérieusement.

Elle hésita. Ils ne lui avaient pas donné de mode d'emploi. Est-ce qu'elle devait faire comme dans les films d'espionnage et toquer selon un certain code ? Le hic, c'était qu'elle n'avait aucun code. Zut ! autant frapper tout simplement.

Au moment où elle allait toucher la porte, celle-ci s'ouvrit sur MontagneCristaux, qui la salua dans sa bulle d'eau.

Près de lui, une fille violette qu'elle connaissait bien. Et n'aimait pas beaucoup. V'ala. La splendide elfe violette lui adressa ce qui pouvait passer pour un sourire… chez les canni-bales. Tara ne put retenir un mouvement de surprise de voir le triton et l'elfe aussi proches sans qu'il y ait ni sang ni hurle-ment. Depuis que le triton l'avait empoisonnée, V'ala avait en effet juré de l'étriper à la première occasion.

V'ala comprit sa réaction. Et embraya.

— Comme tu le sais sans doute en tant qu'Héritière, l'Impé-ratrice a ordonné à ce vieux poisson de me donner l'antidote à son poison, expliqua-t-elle en désignant MontagneCristaux.

Tara hocha la tête. Oui, elle était au courant. Et avait regretté que l'Impératrice ne veuille pas la laisser se débarrasser de l'horripilante elfe violette.

— J'étais au Palais, continua l'elfe, et je me rendais dans ta suite pour prévenir Robin que j'allais clouer la peau du triton au mur lorsque les fantômes ont envahi Omois. Du coup, MC et moi, nous avons décidé d'une trêve. Et bien évidemment, je le tuerai dès que les fantômes seront exterminés.

— Il faudra déjà y arriver, fillette, sourit le triton, très à l'aise. Si mes souvenirs sont exacts, c'était toi qui étais en mauvaise posture lorsque les fantômes ont débarqué.

— Vous m'aviez piégée ! s'exclama V'ala furieuse.

— Et qui te dit que je ne vais pas recommencer ? Même si tu es une jolie petite chose, ce n'est pas une raison pour que je me laisse tuer. Donc nous jouerons à ce jeu, si cela t'amuse, mais selon *mes* règles.

Mais la gaieté qui se lisait dans ses yeux bleu-vert révélait qu'il appréciait V'ala. Tara soupira et avança. Elle n'avait pas de temps pour cela. Et se demanda fugitivement ce que donneraient des hybrides elfeviolette/tritonàmoitiéelfe. Un truc intéressant, certainement.

— Tu as réussi à te retransformer, nota V'ala, dommage, te combattre sous ta forme de vampyr serait certainement plus amusant que sous cette forme humaine trop fragile et trop lente !

Bon sang, mais qu'est-ce qu'ils avaient tous avec sa transformation ?

Puis V'ala fit quelque chose de vraiment bizarre. Elle se pencha afin que seule Tara l'entende :

— Montagne m'a dit que tu avais abandonné Robin aux fantômes ?

Tara hocha la tête, la gorge soudain trop serrée pour parler.

— Moi, je serais restée, affirma V'ala, un étrange amusement dans la voix. Et je l'aurais défendu.

Tara décida de l'ignorer. L'elfe violette était cruelle. Inutile de lui donner la satisfaction de montrer sa peine.

Dans la vaste salle, des tas de gens se retournèrent vers elle. Certains étaient masqués, d'autres non. Cela dit, avec la magie, elle était bien incapable de dire qui elle avait réellement devant elle. Donc pour l'instant, elle voyait deux elfes, dont une elfe violette qui lui rappela V'ala, bien qu'elle soit plus grande. Une cousine ? Une elfe noire, aux veines soulignées d'argent. Deux autres tritons, une sirène et un type qui avait tout d'un redoutable marin, vu sa posture et sa main posée sur un sabre. Deux Tatris et un Camhboum, frémissant de tous ses tentacules, semblable à une grosse poire jaune aux yeux rouges. Tara fut surprise. Les Camhbours évitaient soigneusement les émotions fortes, qui, du fait de leur métabolisme très particulier, avaient tendance à les faire exploser. En général, ils choisissaient des professions paisibles : administrateurs, bibliothécaires... Avoir un Camhboum dans la Résistance, c'était un peu comme de voir un mouton très émotif et hautement explosif charger une escouade de bouchers...

Il y avait deux trolls aussi et, devant les énormes masses vertes, Tara se prit à regretter sa fidèle garde du corps, Grr'ul. Fleur était présent, mais sous forme d'image. Des boules de cristal avaient été posées un peu partout dans la salle, projetant les images en 3D très convaincantes. Au point qu'il était difficile de savoir qui était présent et qui ne l'était pas. Au vacillement de certaines images, Tara se rendit compte qu'il y avait autant de personnes « projetées » que physiques dans la salle.

Elle supposait que les résistants avaient trouvé une parade contre ceux qui espionnaient les boules de cristal.

L'une après l'autre, les boules s'allumaient, et d'autres personnages s'affichaient, se saluant, s'apostrophant, assis ou debout. Une partie de la scène les entourant étant projetée aussi, c'était assez bizarre de voir un bout de jardin, un morceau de salon ou un coin de cheminée surgir de nulle part.

Soudain, l'une des silhouettes s'avança et retira son masque. Une grande fille aux longs cheveux noirs et aux yeux sombres se tenait devant Tara. Celle-ci fronça les sourcils devant son rictus haineux. Et la reconnut.

Angelica.

Son ancienne ennemie la toisa.

— Espèce de garce ! s'écria-t-elle. Est-ce que tu sais à quel point tu as pourri ma vie ? On aurait dû t'exécuter à la naissance. Depuis que tu es venue sur ce monde, les choses vont de mal en pis. D'abord le Ravageur, ensuite les fantômes, qu'est-ce que tu nous prépares après, l'invasion des démons ?

— Angelica ! grogna Tara, qu'est-ce que tu fais ici ?

— Deux saloperies de fantômes ont possédé mes parents, cracha la grande fille. Nous revenions tout juste de Paris et de Milan, avec une fantastique garde-robe, et tu sais quoi ? Mère et Père ont été possédés par des *Cultiveurs* ! Mère se balade avec des robes à petites fleurs en tissu synthétique, un fichu sur la tête, et veut me faire goûter ses saletés de confitures, pendant que Père se passionne pour les roses ! Il a même abandonné ses plans de domination du mon... euh, ses différents travaux, et est en train de faire construire une roseraie sur le terrain d'entraînement de nos pégases ! Tu te rends compte ! Et ils n'arrêtent pas de manger ! Ils ont dû prendre au moins dix kilos depuis deux mois ! Tout ça, c'est à cause de toi ! Alors, je suis entrée dans la Résistance. Je veux qu'on me rende ma vie !

C'était bien d'Angelica d'entrer en Résistance parce qu'on bouleversait sa petite vie bien confortable. Tara allait répliquer, lorsqu'une discrète sonnerie de trompette retentit et qu'une image se matérialisa devant elle, la faisant se raidir d'angoisse. L'adversaire était un peu plus consistant qu'Angelica.

C'était T'avila, la redoutable Reine des elfes en personne. Ses pouvoirs étaient aussi effrayants que mortels. La Reine de l'air et des ténèbres. Les imprudents qui murmuraient son nom, qui parlaient d'elle dans le froid de la nuit, apprenaient très vite qu'elle était capable de les entendre. Où qu'ils soient. Le message mettait du temps à arriver, oui, mais il arrivait.

Toujours.

Alors, la Reine décidait. Parfois, cette décision lançait la Grande Chasse. Et celui ou celle qui avait offensé la Reine le regrettait. Pour le reste de sa vie. Qui en général était très court…

Vêtue de noir mat, l'air furieux, ses cheveux argentés lui faisant comme une cape frémissante, son sceptre étincelant dans la main, elle paraissait sur le point de tuer quelqu'un. Et Tara se sentit soudain très contente que ce ne soit pas elle… enfin, pas pour l'instant.

Elle déchanta vite.

— Ainsi, fit la Reine, braquant sur elle le feu gris de son regard, voici donc l'imbécile imprudente qui a mis notre monde à feu et à sang.

Ouch, c'était raté pour les retrouvailles amicales. Les autres se redressèrent et la dévisagèrent. Angelica eut un petit ricanement satisfait.

Bon, le point positif, c'était que la Reine n'avait pas fait de remarque sarcastique sur sa transformation.

Une autre image s'anima et Tara reconnut le président des vampyrs. Drakul. Depuis qu'elle avait sauvé sa fille vampyr, Kyla, qui était devenue Buveuse de Sang Humain, Tara savait que le président Drakul était un allié… enfin elle l'espérait. Très fort.

— Allons, allons, ma chère Reine de l'air et des ténèbres, l'apaisa-t-il de sa voix onctueuse, n'insultez pas notre invitée, après tout, elle montre de la bonne volonté, puisqu'elle est ici pour tenter de réparer ses erreurs. N'est-ce pas, ma chère ?

Tara savait quand il fallait faire preuve d'humilité.

— Oui, dit-elle d'une voix soumise. Je me dois d'essayer.

L'image se pencha et prit un ton chagrin.

— Tu t'es retransformée ? Pourquoi ? Tu étais magnifique en vampyr !

Gni, il n'allait pas s'y mettre lui aussi !

— Et comment ? insista la Reine qui se fichait de la transformation de Tara comme de son premier sortilège raté. Savez-vous comment renvoyer *vos* fantômes en OutreMonde, petite humaine ?

Tara serra les dents. Ce n'était pas parce que la Reine frôlait les deux mètres qu'elle devait la traiter de « petite », mais, prudente, elle ravala la remarque acerbe qui lui brûlait les lèvres.

— Non, pas pour l'instant, Votre Majesté. Mais je vais chercher une solution dans… disons dans un certain document où il est abondamment traité des fantômes.

Elle ne faisait pas suffisamment confiance aux gens qui se trouvaient dans la pièce pour révéler comment ni où elle allait trouver la solution… si celle-ci existait. Surtout avec Angelica qui écoutait de toutes ses oreilles. Tara reprit la parole. Prudemment.

— De votre côté, ajouta la jeune fille en s'adressant au triton, avez-vous pu faire déchiffrer le reste du parchemin que je vous ai montré ?

— Oui, répondit MontagneCristaux, sa voix traversant parfaitement la bulle d'eau dans laquelle il flottait. Hélas ! vous aviez raison. Il y est juste indiqué que le parchemin est dangereux, qu'il ne faut pas l'utiliser, etc. Mais aucun renseignement sur la méthode pour faire repartir les fantômes.

Tara s'affaissa, mais elle ne s'était pas fait trop d'illusions. Elle se souvenait vaguement de ce qu'elle avait lu et n'avait pas vu de recette du type « Comment se débarrasser des fantômes qui encombrent votre paillasson » sur le parchemin.

— Pour l'instant, nous n'avons aucune piste, fit remarquer la Reine des elfes. Avez-vous une idée, humaine, de la façon dont les elfes traitent habituellement les cas comme le vôtre ?

Tara secoua la tête.

La Reine décida de lui montrer. Elle incanta. Deux ailes noires apparurent dans son dos, son sceptre se transforma en faux et son visage laissa transparaître ses os fins et délicats.

La mort se tenait devant eux.

Et Tara ne fut pas la seule à reculer dans la pièce…

Sans lâcher sa faux, la Reine énuméra, en levant les doigts, véritable squelette vivant :

— Je disais donc que nous avions plusieurs solutions pour la haute trahison. La décapitation, mais je n'aime pas vraiment, c'est un peu… rapide. Le démembrement, ça c'est mieux. Quatre traducs attachés à chaque membre, qui tirent lentement chacun de leur côté. Chaque pas distend les os un peu plus, jusqu'à arracher bras et jambes. Plutôt sanglant, et long, puisque le condamné meurt en se vidant de son sang. J'aime assez le supplice des taormis, très douloureux, plus rapide. On enduit le condamné avec du miel de bizzz et on le place près d'un nid de taormis. Ensuite, on fait des paris pour savoir en combien de temps les taormis le dévoreront. Cela oscille entre cinq et quinze minutes.

Tara déglutit. Certes, depuis deux mois, elle s'efforçait de rejoindre Robin. Mais pas tout à fait de cette façon.

— Il y a également la nage du glurps, continua la Reine avec gourmandise. Les glurps ont la particularité de n'attaquer que ce qui bouge. Lorsqu'on lance le condamné dans l'eau, il tente donc de ne pas remuer, mais, s'il ne nage pas, il coule, sauf s'il sait faire la planche. Là, ça dure un peu plus longtemps. Je crois que le record a été de quarante-six heures vingt-trois minutes trente-deux secondes. Il y a aussi la crémation par oiseau de feu. En général, la douleur est telle que le condamné meurt d'une crise cardiaque. La défenestration, mais le résultat n'est pas garanti et parfois on est obligé de recommencer, ce qui est déplaisant et salissant. La pendaison par pégase dans les forêts d'épines. Le nœud n'est pas tout à fait coulant, ce qui fait qu'il ne brise pas la nuque du condamné lorsqu'il est soulevé, mais se resserre lentement, tandis que le pégase traîne le condamné dans la forêt d'épines empoisonnées. Il meurt donc à la fois étranglé, empoisonné et écorché vif. Mon préféré. Ah ! et la Mort d'Argent, j'allais oublier. Ça, c'est pour les traîtres appartenant aux familles royales ou princières. Coûteux, mais efficace. Le condamné est plongé dans un bain d'argent. En fusion. Cela donne des sculptures tout à fait intéressantes. Je me demande ce que tu aurais choisi, petite humaine.

Euh… la fuite ? Ça lui semblait bien, là, tout de suite. Ce monde ne la décevait jamais. Entre la solution pacifique et la solution sanglante, il choisissait toujours la sanglante.

Même Angelica avait pâli.

— La tuer ne résoudra pas notre problème intervint le Camh-boum d'un ton posé. En fait, ça pourrait même l'aggraver. Après tout, c'est l'Héritière d'Omois. Lorsque cette crise sera résolue, je n'ai pas envie d'avoir des comptes de ce genre à rendre à l'Empire…

Les autres s'agitèrent, mal à l'aise. Tara sentit des réajustements dans les esprits, et les mines de ceux qui n'étaient pas masqués se firent songeuses.

La Reine des elfes reprit son apparence normale… qui finalement n'était pas vraiment moins intimidante que celle qu'elle venait de quitter.

— Qu'elle soit Héritière ou pas n'y change rien, déclara-t-elle. Les puissants n'échappent pas plus à la justice que les faibles, cela fait partie de la Constitution qui régit ce monde. Ne l'oubliez pas.

— Et elle sera châtiée comme il se doit, répondit le Camh-boum toujours aussi paisible, mais, pour l'instant, nous devons nous concentrer sur les fantômes, c'est notre première préoccupation. Qui a fait quoi et pourquoi devra venir en second.

Tara n'osa pas réagir, même si elle ressentait qu'elle avait déjà été châtiée. D'une façon bien plus douloureuse que tout ce qu'avait évoqué la Reine des elfes. Elle garda sa peine pour elle.

— Vous avez raison, maître Brom'zzz, faisons donc le point sur ce que nous savons des fantômes, reprit le président des vampyrs, en une habile diversion. Nous avons découvert que, lorsque nous tuons les hôtes, les fantômes sont immédiatement renvoyés en OutreMonde. D'où il n'est pas si facile de revenir, contrairement à ce qu'ils veulent nous faire croire. De plus, d'après des rumeurs, certains de ces fantômes disparaissent purement et simplement. Ils ne passent pas en OutreMonde du tout. Nous ne savons pas encore pourquoi. Ce qu'un fantôme désincarné sait, tous les autres le savent aussi s'il le désire, mais ceux qui sont dans les corps n'ont pas accès à cette espèce de télépathie. Ils doivent utiliser les boules de cristal comme tout le monde. Selon la force de résistance du possédé, le fantôme a ou non accès aux souvenirs de son hôte. La plupart du temps, les premiers sortceliers et les Hauts Mages sont possédés, mais les fantômes ne peuvent utiliser leur savoir. Ils le remplacent par le leur, ce qui fait qu'ils sont assez faciles à démasquer. Par ailleurs, si le fer et l'argent ne leur font rien, en revanche ils fuient le sel et ne peuvent franchir un cercle fermé tracé avec du sel.

Les autres invités hochèrent la tête, plusieurs d'entre eux avaient noté la même chose, et le prix du sel était en train de grimper lentement mais sûrement.

— De plus, continua le vampyr d'un ton satisfait, si nous les touchons avec nos canines et nos griffes, nous pouvons les déchiqueter. Y compris lorsqu'ils se pensent à l'abri dans le corps d'un hôte.

Un murmure appréciateur salua son annonce.

— En les mordant, nous aspirons le sang et l'énergie du fantôme en même temps, poursuivit Drakul. Mais cela nous empoisonne, car nous ne devons pas boire de sang humain. Aucune autre arme ne fonctionne contre eux. Depuis que l'information a circulé, les fantômes nous évitent soigneusement et les ressortissants de mon peuple sont chassés de tous les endroits où ces saletés ont prit le pouvoir.

Tara tressaillit. Elle saisit soudain la portée de ce qu'avait dit Drakul. Si elle avait mordu Robin, elle l'aurait sans doute sauvé ! Une vague de douleur et de chagrin l'envahit, qu'elle s'efforça de tenir à distance.

— Plusieurs des nôtres se sont sacrifiés, indiqua le vampyr, une ombre d'anxiété dans la voix. Nous comptons sur vous, jeune Héritière, pour les soigner comme vous l'avez fait avec la renégate Selenba.

Il ne mentionna pas que Tara avait guéri bien plus que le célèbre Chasseur. Tara inclina la tête.

— Je suis à votre disposition. Combien d'entre eux sont contaminés ?

— Quatre. Nous ne savions pas si vous étiez vivante, et libre, mais nous devions courir le risque. C'est un soulagement pour nous, Votre Altesse Impériale. Il y en a deux à Omois, un au Lancovit et un au Royaume de Vilains. Nous pourrons les faire venir ici afin de les soigner, dès qu'ils auront terminé leurs missions.

Soudain, l'un des elfes violets dressa l'oreille, mal à l'aise. V'ala se redressa, en alerte elle aussi.

— C'est curieux, dit-elle, je sens comme… comme une pression dans l'air.

Elle leva les yeux, puis hurla :

— Des anti-Transmitus ! Nous sommes découverts ! Il faut fuir !

Les fenêtres éclatèrent et des gardes surgirent, sur des tapis volants et des pégases, précédant un adolescent que Tara connaissait bien.

Cal.

8

Sylver

ou voler au secours de demoiselles en détresse n'est pas forcément une bonne idée.

Des jets de magie fusèrent dans tous les sens. Les images s'éteignirent. Des hurlements de douleur retentirent lorsque les gardes, humains, commirent l'erreur de se jeter sur les elfes violets et noirs présents dans la salle. Les inhumains étaient bien plus rapides et dangereux, et avaient évité les sorts avec agilité.

Mais les gardes étaient trop nombreux. Tara activa sa magie et en assomma trois d'un seul coup, hélas ! tout de suite remplacés par trois autres. Elle frappa de nouveau, mais sa magie lui échappa et assomma l'un des elfes. Les trolls se battaient avec fureur, leurs massues démolissant les gardes, mais ils furent enveloppés de sorts collants qui immobilisaient leurs membres petit à petit. Galant écharpait tout ce qui passait à portée, et très vite les gardes apprirent qu'il ne faisait pas bon affronter les serres du petit pégase agile. Angelica se battait avec une froide efficacité, ne faisant pas de quartier. Si les autres évitaient de tuer les gardes, V'ala ne se retenait pas et les hurlements des fantômes délogés des corps mourants de leurs hôtes ébranlaient l'éther.

Les tritons, la sirène, le marin et V'ala combattaient aux côtés de MontagneCristaux, qui protégeait Tara. Leurs bulles d'eau amortissaient les sorts, mais ils n'allaient pas résister très longtemps. Les sabres de V'ala étaient des tourbillons mortels, mais elle aussi faiblissait face au nombre. Devant eux, le Camhboum tremblait de tous ses tentacules.

— Rendez-vous ! hurla Cal, vous ne pouvez pas vous échapper !

MontagneCristaux regarda quelque chose et dit soudain à Tara, renversant une table devant eux :

— Baissez-vous ! Maintenant !

Tara obéit.

Et le Camhboum explosa.

Pendant un instant, plus personne n'entendit rien. La moitié des assaillants se trouvaient autour de lui, mais les autres étaient encore dehors, attendant de pouvoir entrer dans la pièce. À présent, il ne restait plus grand-chose du mur et tout le monde était à moitié sonné.

Cal gisait sur le côté, du sang coulait de sa tête. Il se redressa en gémissant. Toutes les brillantes avaient été soufflées et la seule lumière était celle des lunes, masquées par les nuages. On ne voyait plus qui étaient les assaillants et qui étaient les assaillis dans la pénombre.

Encore assourdie, Tara sauta sur ses pieds, et, faisant signe à MontagneCristaux qui abandonna sa bulle d'eau, fila vers la porte et descendit à toute vitesse, suivi par ses acolytes et V'ala, qui saignait d'une oreille. Ah ! il n'avait pas besoin d'eau, c'était bien ce qu'elle pensait. Tara ne choisit pas la sortie, supposant que les gardes devaient garder l'entrée secondaire, mais se précipita vers la salle commune, où des dizaines d'elfes se tenaient les oreilles en regardant le plafond avec une profonde appréhension. Quelques gardes entouraient la sortie, mais ils n'étaient pas si nombreux. Cal n'avait pas imaginé que ses proies tenteraient de fuir par la grande salle. Tara eut une inspiration. Des elfes. Guerriers. Très, très susceptibles. Adorant se battre…

— Nous sommes de la Résistance, hurla-t-elle en amplifiant magiquement sa voix, à bas les fantômes ! Elfes d'AutreMonde, battez-vous avec nous contre ceux qui vous oppriment ! Sus aux gardes !

Le sang déjà bouillant des elfes ne fit qu'un tour au son de la voix guerrière de Tara. Ils ne réfléchirent pas, attrapèrent leurs arcs et se précipitèrent vers les gardes, dont ils ne firent qu'une bouchée. Les soldats rescapés de l'attaque du premier étage arrivaient déjà dans la salle et Tara ne s'attarda pas. Elle sauta par-dessus une table, toujours suivie de MontagneCristaux et de V'ala, et se précipita vers la sortie.

— Avec moi, continua-t-elle à hurler, attaquons ceux qui sont dehors, aidons nos amis à s'échapper !

Avec un rugissement enthousiaste, les elfes se précipitèrent à ses côtés. Les gardes furent débordés en quelques secondes, et ceux qui étaient encore en haut n'eurent pas le temps d'intervenir en lévitant. Les flèches imparables des elfes les abattaient les uns derrière les autres.

Dans la mêlée, Tara perdit MontagneCristaux, qui se battait contre deux gardes avec son trident. Elle tenta de lui venir en aide, mais le triton hurla :

— Sauvez-vous ! Vous devez trouver la solution ! Vous êtes notre seul espoir !

Tara ne savait pas s'il avait raison, mais ne le découvrirait jamais si elle était capturée. Ce fut donc la mort dans l'âme qu'elle s'enfuit, le camouflage de sa combinaison la faisant disparaître parmi les ombres.

Elle débouchait à toute vitesse dans une ruelle lorsqu'elle percuta quelque chose de plein fouet. Quelque chose d'incroyablement massif, qui ne broncha pas. Sous le choc, elle rebondit et se retrouva par terre, le postérieur sérieusement endolori.

— Ouch ! laissa-t-elle échapper.

Elle entendit un profond reniflement, comme si une bête gigantesque se repaissait de son odeur, puis une voix étranglée :

— Damoiselle, je suis confus, vous ai-je blessée par inadvertance ?

Elle n'avait vraiment pas le temps de faire la causette. Elle bondit sur ses pieds, ignorant la douleur dans son dos, et fila sans répondre, contournant l'intrus.

À sa grande surprise, celui-ci se maintint à sa hauteur sans effort. Elle courut plus vite. Lui aussi. Elle accéléra encore. Il fit de même. Zut ! elle allait devoir utiliser la magie pour se débarrasser de lui. Elle incanta un Acceleratus, sachant bien qu'elle allait puiser dans les très maigres réserves de son corps, mais elle n'avait pas le choix.

Mais si l'intrus fut surpris par son foudroyant démarrage, en moins de deux secondes, il était de nouveau à sa hauteur.

C'était quoi, ce type ? Un marathonien dopé aux amphétamines ?

Pourtant, il n'était pas très adroit. Alors qu'elle louvoyait agilement au milieu des obstacles, il s'écrasait contre les murs, saccageait les devantures, glissait sur les ordures, bousculait les rares passants, laissant derrière lui un sillage de désolation, ponctué par ses « excusez-moi, pardon, excusez-moi ! ».

Cet imbécile attirait l'attention sur elle. Elle devait absolument s'en débarrasser.

Tara jeta un coup d'œil au-dessus d'elle. Les gardes étaient en train de s'organiser pour quadriller le quartier et retrouver les résistants qui avaient réussi à s'échapper. Les patrouilles volantes et terrestres se coordonnaient. Tara avait essayé un Transmitus, mais des anti-Transmitus avaient été jetés sur la moitié de la capitale. Le temps d'arriver dans une zone libre et ce serait trop tard.

Le piège se refermait.

Au loin, Tara entendit un son qui lui retourna l'estomac. L'aboiement des chatrix. Les redoutables hyènes noires aux dents empoisonnées étaient des traqueuses hors pair, bien meilleures que les meilleurs chiens terrestres. Elles ne mettraient pas longtemps à retrouver sa trace. Elle ne pouvait pas retourner au Château. Elle devait quitter la ville, et vite !

Mais la sangsue maladroite qui s'essoufflait sur ses talons allait voir où elle se rendait. La semer devenait vraiment urgent. La semer ou l'assommer. La seconde solution lui sembla la plus efficace, vu qu'en dépit de sa maladresse, il courait plus vite qu'elle.

Avisant une impasse, Tara s'y engouffra et s'arrêta, haletante.

Puis elle fit face à son poursuivant.

Un hoquet de stupeur lui échappa. Les nuages s'écartaient et les lunes illuminèrent brusquement la ruelle.

Devant elle se trouvait la vivante incarnation de la perfection. Un garçon, à peu près de son âge, un peu plus peut-être. Vêtu d'un épais pantalon noir enfoncé dans des bottes, d'une chemise à manches longues taillée dans une curieuse matière luisante et d'un gilet, en dépit de la chaleur. Comme les nains, deux haches dépassaient de son dos, retenues par un harnais. Il était grand. Son visage était celui d'un ange. Avant la Chute. Quelque chose qui appelait le regard, la grâce d'un archange, attirante, dangereuse. Il avait des yeux de lion, d'un vert doré si brillant qu'il était impossible d'en détacher les yeux. Une incroyable crinière de cheveux, du caramel à l'orge grillé en passant par l'or pur, coulait comme de la soie sur ses larges épaules. Si longue qu'elle effleurait le creux de ses reins puissants.

S'attarder sur son visage était presque comme le toucher. De longs cils, de belles lèvres qu'on avait envie d'embrasser, un menton ferme et un front dégagé.

Le plus impressionnant restait sa peau. Elle semblait presque opalescente, vibrant d'un feu froid, sous les rayons des deux lunes. C'était... c'était presque injuste d'être aussi beau, comme une sorte de... d'avantage, ou de camouflage. Pour dissimuler quoi ? Ce n'était pourtant pas un vampyr, son charisme était bien différent. Mais au plus profond d'elle-même son instinct lui soufflait qu'en dépit de son air égaré et gentil, il était dangereux.

Pourtant, lorsqu'il sourit, elle en oublia de respirer.

— Damoiselle, laissez-moi vous porter secours séance tenante[1]. Point ne devez redouter les sicaires[2] des mânes trépassées.

Allons bon, il parlait comme dans un vieux livre, en lancovien ancien. Cela dissipa un instant le charme, et Tara se secoua. Sa magie nimba ses deux mains d'un voile bleu.

— Par l'Assommus, qu'il s'endorme pendant que je m'envole !

La rime n'était pas géniale, mais elle n'avait pas le temps de peaufiner. Avant que le garçon n'ait le temps de réagir, le jet de magie surpuissant le percuta... et rebondit sur son étrange peau étincelante, revenant frapper Tara de plein fouet, comme s'il avait heurté un énorme miroir.

Galant et elle furent assommés sur-le-champ.

C'était la première fois que Tara « goûtait » à sa propre magie et la première chose qu'elle pensa en se réveillant fut : Aieeuh !

Maintenant, elle comprenait mieux pourquoi ses ennemis la redoutaient. Elle ne savait pas doser la force de ses coups.

---

1. Sur l'instant.
2. Vient du latin *sica*, « poignard ». *Sicarius* désigne un assassin, mot qui est devenu sicaire en langage commun...

Sa deuxième pensée fut que le lieu où elle se trouvait était étrange. Ça... bougeait. Elle plissa les yeux. Au-dessus d'elle, la voûte rouge et bleu des arbres d'AutreMonde oscillait. Elle en sentait l'odeur et, sous ses côtes, les racines.

Et elle n'était pas attachée. Galant non plus, qui la poussa du chanfrein pour lui indiquer qu'il allait bien.

Donc, pour une fois, ils n'étaient pas en prison. Ni dans une chambre. Sans le vent chaud et l'odeur d'humidité, elle aurait presque pu croire qu'elle se trouvait dans le Château Vivant, mais là, trop de détails lui prouvaient qu'elle n'était pas à l'intérieur, mais bien dehors. Galant remua les ailes et s'envola, montrant ainsi qu'ils étaient totalement libres.

— Damoiselle, dit une voix soucieuse, allez-vous bien ? J'ai eu grande crainte et n'ai pu vous mettre en garde. La magie rebondit si je suis averti. Vous voyant activer votre pouvoir, je n'ai pu m'empêcher de me protéger. Je suis fort marri[1] !

Houlà, il allait falloir qu'elle demande une traduction si elle devait discuter avec cet olibrius ! Il parlait un peu comme une aragne, même si ses phrases ne rimaient pas.

Elle le regarda. C'était bien le même garçon bizarre que tout à l'heure. Il était toujours aussi beau et lui souriait gentiment, mais semblait sur ses gardes, comme s'il n'osait pas l'approcher de trop près.

Tara allait ouvrir la bouche pour le questionner lorsqu'une voix railleuse la lui fit refermer aussi sec.

— Alors, la Belle au Bois dormant, ça y est, on est réveillée ?

Tara émit un gémissement plaintif. Elle était en plein cauchemar, c'était sûr. Elle se redressa, et la tête lui tourna.

— Angelica ? C'est toi ?

— Non, c'est le prince des Vilains. Évidemment que c'est moi ! Qui aurait été assez maline pour te suivre et te voir t'assommer toute seule alors que ce charmant jeune homme voulait juste t'aider ? Il était là pour ça d'ailleurs.

— Quoi ?

— Il s'appelle Sylver Claquétoile. Il fait partie de la Résistance, il y est entré il y a quelques jours. Il veut combattre les fantômes, mais il était en retard pour la réunion. Il a vu ce qui

_____

1. Fort désolé.

s'est passé, il a utilisé des raccourcis pour te venir en aide lorsque tu l'as heurté.

— Quoi ?

— Comme tu es une dingue hystérique, avant qu'il ait eu le temps de t'expliquer qu'il était de ton côté, tu l'as agressé.

— Quoi ?

— Bon sang de mes ancêtres, mais ce que tu peux être stupide ! Et puis on dit « comment » et pas « quoi ». Arrête de faire la kroa et concentre-toi un peu ! Je te dis que Sylver est de notre côté. Il est là pour nous aider. Ça y est, mademoiselle Je-fous-le-Brolk-tant-que-je-peux, tu as compris ?

Tara avait encore les idées un peu confuses, mais ressentait une double envie. Celle de transformer Angelica en grenouille et le fameux Sylver en crapaud.

Elle résista vaillamment à la tentation.

— Nous sommes à plus de cent tatrolls de Travia, en pleine foutue cambrousse, lui signala Angelica. Dieux, je hais la campagne !

— Moi à cet endroit, je comprends ; Sylver Claquétoile je comprends. Toi, je ne comprends pas. Pourquoi es-tu là ?

— Je te suivais, expliqua Angelica en détachant soigneusement les syllabes comme si elle parlait à une débile. Je ne sais pas comment tu fais, c'est parfaitement dégueulasse, mais tu es la fille la plus chanceuse que j'aie jamais rencontrée. J'ai pensé que tu arriverais à t'en sortir et, du coup, moi aussi. Lorsque tu as voulu te débarrasser de Sylver, sa magie a contré la tienne et t'a assommée. C'est à ce moment que je suis arrivée avec les gardes aux fesses. Sylver les a assommés en une seconde. Il m'a sauvée. Non pas que j'aie vraiment eu besoin d'aide, bien évidemment, mais j'ai trouvé son intervention aussi efficace que rapide. Je lui ai dit de te laisser sur place, et je ne sais pourquoi il a tenu à te ramasser. Nous sommes sortis de la ville grâce à lui. Il a une façon de détecter les soldats qui est incroyable, je n'ai jamais vu ça. Même un camouflé n'aurait pas mieux fait. Et les chatrix ont refusé de suivre sa trace, il semble qu'elles n'aiment pas son odeur.

Tara fronça les sourcils tandis que les derniers événements lui revenaient en mémoire.

— Les gardes sont toujours à notre recherche ?

— Nous non. Toi oui. Toute la garnison est à ta poursuite. Le Roi a fait une annonce. Il est interdit d'utiliser des Transmitus pour l'instant. Tout contrevenant est puni d'emprisonnement. Les satellites sont braqués sur les alentours, prêts à détecter le moindre Transmitus. Ce qui ne leur servira pas à grand-chose, vu qu'il est impossible de déterminer où un Transmitus envoie son sortcelier, sauf si on l'entend le prononcer.

Si c'était le cas, à quoi donc servait d'activer les satellites pour détecter les Transmitus ? Tara avait un mauvais pressentiment à ce sujet. Qu'elle préféra garder pour elle plutôt que de s'attirer les moqueries de la grande fille.

— Le Roi et la Reine ont autorisé la petite magie. Les Reparus, les Traductus, les petits sorts de tous les jours sont autorisés. Tout le reste est interdit, y compris d'invoquer des Élémentaires d'eau, de feu, de terre ou d'air, en dehors des villes, ou alors sous le strict contrôle des gardes

Hum, les fantômes étaient malins. Les petits sorts ne dégageaient pas beaucoup de magie et tout le monde en avait besoin, il était impossible de ne pas les utiliser. Mais le coup des Élémentaires, ça, c'était subtil. Les voyageurs faisaient forcément du feu et avaient besoin de se laver. Ils seraient faciles à repérer s'ils utilisaient la puissante magie nécessaire pour faire venir un Élémentaire. Et pour le contrôler, notamment ceux du feu qui n'étaient pas réputés pour leur bon caractère.

— Je dois m'enfuir, dit Tara. Et il n'est pas question que vous veniez avec moi. Je suis recherchée partout, vous seriez en danger.

Angelica opina.

— Absolument. C'est la dixième fois que je le dis au beau gosse, là, mais il n'a pas voulu t'abandonner.

On voyait à quel point elle le regrettait.

Tara sourit à Sylver.

— Merci, dit-elle avec un sourire qui resplendissait comme un soleil.

Le garçon tressaillit.

— Bon, on va te laisser maintenant, continua Angelica qui trépignait d'impatience, les gardes ne vont pas tarder à comprendre que tu n'es plus à Travia et lancer leur traque aux alentours. Allons-y, Sylver.

On voyait qu'elle n'avait pas l'intention d'abandonner le magnifique nouveau venu. Elle n'en bavait pas d'envie, mais presque.

Tara se sentit triste, mais comprenait son raisonnement. Elle leur dit adieu et commença à s'éloigner dans le noir. Vers la forêt qui tendait ses frondaisons rouge et bleu vers elle. Les gardes ne la verraient pas sous les branches volumineuses.

Soudain, le garçon bondit en criant :

— Point ne vais vous abandonner, Damoiselle ! Il appert que vous êtes faible encore. Un protecteur vous sera important.

— Ehhhh ! fit Angelica indignée, et moi alors, je n'ai pas besoin qu'on me protège ?

Tara s'était arrêtée.

— Je ne vais pas vous imposer ma présence, dit-elle d'une voix incertaine, d'autant qu'elle ne se sentait effectivement pas très bien.

— Ce n'est pas imposé, contra Sylver, mais notre plein gré s'exerce. Vous ne pouvez marcher, je le vois, vous êtes fatiguée.

Dieu, oui, elle était fatiguée, mais elle ne s'était pas rendu compte que cela se voyait à ce point.

Angelica shoota, de frustration, dans un caillou.

— Ça va, ça va, vous avez gagné ! Revenez !

Tara, qui sentait que la tête lui tournait de plus en plus, revint avec soulagement. S'évanouir en pleine campagne alors que la moitié d'AutreMonde était à ses trousses n'était pas une option de survie très efficace.

— Comme tu voudras, Angelica, dit-elle sincèrement. Et merci de m'avoir sortie de la ville.

La grande fille brune plissa les yeux, cherchant l'insulte cachée, et n'en trouvant aucune regarda Tara avec encore plus de suspicion.

— Merci à vous aussi, Sylver Claquétoile, fit Tara avec reconnaissance, c'est très généreux de m'aider ainsi.

Sylver s'inclina prudemment, comme s'il n'était pas sûr de son équilibre. Il avait l'air loyal et vraiment gentil, en dehors de son étrange langage. Tara réfléchit à tout ce qui s'était passé.

— Si cela est possible, proposa-t-elle, soyons prudents et n'utilisons que de la petite magie, celle qui est autorisée. En revanche, si nous avons besoin de nous enfuir, alors nous utiliserons les Transmitus.

Angelica croisa les bras, la défiant.

— J'utiliserai ce que je veux quand je veux, ce n'est certainement pas toi qui m'en empêcheras.

Tara avait trop mal à la tête pour se disputer avec la peste, mais sentait que sa patience allait s'émousser très vite.

Le garçon, toujours avec sa drôle d'allure un peu raide, s'accroupit, interrompant leur dispute.

— Point ne connais bien les coutumes et les us de ces contrées. Comment puis-je vous soutenir dans votre noble quête ?

— Hein ? Dites, vous ne savez pas parler comme tout le monde ? maugréa Angelica qui lui en voulait, je ne comprends pas la moitié de ce que vous baragouinez. Faites simple, OK ?

Le garçon souffla et réfléchit.

— Tuer fantômes, moi aider ?

— Trop simple, fit sèchement Angelica.

— Ne savez point ce que voulez, Damoiselle, protesta le garçon, l'air sincèrement désemparé.

Sylver montrait clairement sa volonté d'aider les deux fugitives. Tara ne voulait pas décourager d'aussi bonnes intentions. Et puis, elle le trouvait gentil et elle avait besoin de gentillesse en ce moment.

Elle se pencha vers lui et il recula si brusquement qu'il faillit tomber. La jeune fille fronça les sourcils et renifla discrètement. Elle sentait mauvais ou quoi ?

Angelica tapota le sol du pied, impatiente.

— Écoutez, dit sèchement la grande fille brune, en cas de problème, on doit pouvoir vous comprendre et là, c'est impossible. Je peux vous envoyer un sort de traduction instantanée pour transformer le lancovien ancien en moderne. C'est un tout petit sort, il ne nous fera pas remarquer. Mais il faut que votre espèce de magie défensive, là, le laisse passer. Vous pouvez faire ça ?

Le beau visage du garçon se tordit un instant d'appréhension, mais il se reprit très vite.

— Il appert que votre voix est sage, Damoiselle. Faites, je rends mes défenses.

— Je n'ai rien compris, mais je suppose que ça veut dire « oui ». Par le Traductus, que l'on se comprenne, sans aucune peine !

La magie frappa le garçon, qui laissa échapper un gémissement d'angoisse, mais résista à la tentation de s'y opposer.

— Allez-y, parlez, lui intima Tara, curieuse.

— C'est bizarre, je n'ai pas l'impression d'être différent, dit le garçon.

— Votre façon de penser n'a pas changé, ce sont juste les mots qui sont transformés par le sort. Vous pensez « sicaires » et j'entends « assassins », vous pensez « mânes » et j'entends « fantômes » ou « esprits ». Faites-moi confiance, ça fonctionne. Et pardon.

— Quo... Comment ?

Ah ! il avait noté la réflexion d'Angelica sur les kroas. Pas de « quoi » mais un « comment ». Intéressant.

Tara lui tendit la main.

— Pardon de vous avoir agressé, je n'aurais pas dû, mais dans le feu de l'action...

Le garçon regarda sa main comme si c'était une araignée venimeuse. Et recula encore.

— Je vous... je vous en prie, ce n'est rien.

Tara laissa tomber la main, satisfaite. Ah ! c'était bien ce qu'elle pensait. Il ne voulait pas la toucher.

Pourquoi ?

Elle mit ce petit problème dans un coin de son esprit avec l'étiquette « à ressortir pour examen plus tard » et se concentra.

— Où sommes-nous par rapport à Travia ?

— Au nord de la ville. Il est incroyablement fort, roucoula Angelica avec un regard admiratif vers Sylver. Il t'a portée pendant des heures !

Sylver lui jeta un regard surpris.

— Pas pendant des heures, je ne pouvais pas vous porter très longtemps, Damoiselle Duncan, car mes g... (il se rattrapa) ce n'était pas possible. Et j'avoue, ajouta-t-il piteusement, que j'ai beaucoup trébuché.

— Ça tombait bien, j'en avais assez de marcher, alors j'ai fait du stop, précisa Angelica.

— Elle a assommé le marchand qui s'était arrêté pour la secourir, reprit Sylver d'un ton plein de reproche. C'est mal de voler !

— Ouais, ben c'était lui ou nous. On n'avait pas le choix puisque vous ne vouliez pas laisser cette stupide fille sans intérêt, répliqua Angelica. (Elle se tourna vers Tara.) On a piqué le tapis volant du marchand. Et on a filé. Il est pas rapide rapide, parce qu'il transportait une cargaison de choux bleus, mais personne d'autre n'était passé depuis des heures, probablement parce que les fantômes ont bouclé la ville.

— Qu'est-ce que vous avez fait du marchand ?

— On l'a attaché et bâillonné après avoir dissimulé son corps. Avec l'Assommus que je lui ai collé, il ne devrait pas se réveiller avant plusieurs heures. Et je lui ai ajouté un Mintus, comme ça, il ne se souviendra de rien. Il était lui aussi assez loin de la ville, il lui faudra du temps pour donner l'alerte. Et puis la campagne est suffisamment obscure pour nous dissimuler.

Effectivement, les nuages continuaient à masquer les lunes par intermittence, même s'il ne pleuvait plus.

Tara secoua la tête... et le regretta aussitôt. Son corps allait lui faire payer ses efforts des dernières heures. Cher. Et elle allait devoir lui en demander plus encore.

— Parfait, mais nous devons partir maintenant. Les gardes ont des lunettes à infrarouge, ils s'en fichent qu'il fasse nuit ou pas. Notre chaleur nous trahira.

Angelica pointa le menton, arrogante.

— C'est évident qu'il faut partir. Mais pour aller où, Mademoiselle-je-sais-tout, parce que je te signale que pour l'instant, la Résistance est fichue.

Tara ferma les yeux, combattant de toutes ses forces. Non, elle n'allait pas transformer Angelica en un gros tas de gelée. D'autant que malheureusement, la grande fille brune avait raison. Ils ignoraient qui avait été capturé ou pas. Donc, impossible de contacter les résistants.

— Nous devons aller nous réfugier chez les inhumains, réfléchit-elle à voix haute en rouvrant les yeux. Ce sont les seuls qui pourront nous protéger des possédés.

— Excellente idée, s'exclama Angelica d'une voix mauvaise, allons donc chez la Reine des elfes, je suis sûre qu'elle te fera un excellent accueil, vu qu'après avoir permis que son monde soit envahi par les fantômes, tu as aussi réussi à décapiter la Résistance qu'elle avait péniblement construite durant les deux derniers mois. T'es vraiment une catastrophe ambulante, toi !

Tara ignora l'insulte pour la regarder avec méfiance. Comment la peste savait-elle qui était la responsable de la catastrophe ? Elle activa discrètement sa magie, sans la laisser affleurer sur ses mains, dissimulée afin que personne ne puisse la repérer. Angelica était-elle possédée ? Malheureusement, il ne faisait pas suffisamment noir pour que Tara puisse voir si elle luisait.

Mais si cela était le cas, Tara aurait alors une excellente excuse pour lui lancer un Supplicius ou un Electrisus bien corsé.

OK. Finalement, elle ne savait plus ce qu'elle préférait. Qu'Angelica soit possédée ou qu'elle ne le soit pas.

— Comment sais-tu que c'est moi qui étais suivie ? demanda Tara d'une voix calme.

— J'ai bien vu qui menait l'assaut des gardes, c'était ce morveux de Caliban Dal Salan, ton copain. Et MontagneCristaux nous avait prévenus que Cal était possédé. J'en ai déduit qu'il t'avait suivie. Ce qui prouve que tu n'es pas douée, parce que tu les as conduits direct chez nous !

Parfait, elle n'était pas possédée, aucun fantôme ne pouvait imiter son sale caractère à ce point. Tara désactiva sa magie.

À regret.

— Oui, confirma-t-elle, et son ton trahissait son chagrin, il a été possédé. Et Robin aussi. Mais Robin, lui, en est... en est (elle avait du mal mais se força à continuer), Robin en est mort.

Il y eut un instant de silence. Puis Angelica sifflota doucement.

— Ça, le triton n'en a pas parlé. Du moins pas à moi. Tu veux dire que tu as tué ton petit copain ? Dis donc, dis donc, je t'ai souvent souhaité d'aller en enfer, mais j'ignorais que tu te débrouillerais pour y aller toute seule.

Il n'y avait aucune pitié dans sa voix, juste une réelle surprise.

Tara souffla pour évacuer sa tristesse et continua :

— Nous rendre chez les elfes, non, je n'y ai pas vraiment d'alliés, contrairement aux nains. Fafnir Forgeafeux est l'une de mes meilleures amies. Nous pouvons nous réfugier chez elle. Et c'est suffisamment loin du continent omoisien et du Lancovit pour que nous soyons tranquilles. De plus, les Portes de transfert ne fonctionnent pas bien dans les montagnes du Tasdor, ce qui nous met à peu près à l'abri des attaques. Et si, pour une raison ou pour une autre, nous ne pouvons pas nous réfugier chez les nains, les vampyrs de Krasalvie me doivent une faveur. Eux aussi accepteront de nous héberger.

— « Nous » ? sourit Angelica d'un air carnassier, comment ça, nous ? Il n'y a pas de « nous », il n'y aura jamais de « nous ». Il n'y a que « je ». Pourquoi irais-je chez des nains poilus et puants ? Ou me geler chez les snobinards aux dents longues ? On va aller dans la maison de campagne de mes parents. Ils n'y vont jamais.

— Je me suis branché sur les informations, dit soudain Sylver, le front plissé de perplexité, une boule de cristal dans sa main gantée, projetant des images, qui, curieusement, étaient saccadées. M'est avis que la maison n'est pas une bonne idée, vous devriez rester avec nous.

Hum, en dépit du sort de traduction, certaines tournures de phrase restaient désuètes. Et Tara se demanda de quelle partie d'AutreMonde venait un garçon trop beau, qui parlait comme dans les livres, était gentil, ne voulait pas toucher les gens et avait une peau qui scintillait au clair de lune.

Angelica se tourna vers lui, tout sourire.

— Pourquoi, ronronna-t-elle, vous préférez m'emmener chez vous ? Dans votre li… chambre ?

Le garçon la regarda, les yeux écarquillés.

— Je ne peux retourner chez moi, répondit il, une infinie tristesse dans la voix, mais il semble que votre image ait été prise lors de votre fuite. Celui dont vous parliez, Caliban, avait posté des scoops autour de la maison. Beaucoup de résistants sont masqués, mais vous aviez oublié de remettre votre masque, Damoiselle. Vous êtes particulièrement reconnaissable.

Effectivement, on voyait très bien Angelica, échevelée et soufflante, filer à toute vitesse dans une ruelle, les gardes à ses trousses. La scoop devait avoir l'ordre de ne pas bouger, car, très vite, l'image était remplacée par celle d'un autre fuyard. Bien qu'il fasse nuit, l'image était suffisamment claire.

— Slurk, jura Angelica, j'avais les gardes aux fesses, du coup je n'ai pas vu la scoop. Saloperie de Cal !

— Ce n'est pas Cal, lui rappela Tara. Je suis désolée, Angelica.

La grande fille s'affaissa.

— Je savais que c'était une mauvaise idée de faire de la Résistance, maugréa-t-elle, je le savais. Bon. Il semble que je n'aie pas trop le choix, pour l'instant, parce que, contrairement à toi, moi, je ne fréquente pas les pouilleux, je n'y ai donc aucun allié. Mais crois-moi, tu vas me le payer !

Rageuse, Angelica tourna les talons et se dirigea vers le grand tapis qui flottait paisiblement, accroché à une branche d'arbre, sa remorque pleine de choux derrière lui. Il avait dû être majestueux, ce grand tapis bleu-vert et or de plusieurs mètres de long, mais là, il vivait ses derniers moments. Ses fauteuils montraient leurs ressorts, la boule qui alimentait le flux magique était presque noire, il flottait de travers, parce que l'un de ses six stabilisateurs était grillé, et on voyait presque le jour à travers les fils déchirés de sa trame.

— Dépêchons-nous, gronda Angelica, il va nous falloir plusieurs jours pour traverser le pays avec cette serpillière, surtout si nous devons éviter les axes de circulation les plus fréquentés !

— Où veux-tu que nous allions ? demanda calmement Tara, afin d'endiguer la fureur d'Angelica.

— Chez tes copains les nains pouilleux. Au moins, ils savent se battre. Bien mieux que ces arrogants vampyrs aux dents longues, qui discutent pendant des heures du pourquoi et du comment avant de lever le petit doigt.

Elle ne l'aurait admis pour rien au monde, mais Angelica avait peur des vampyrs.

Tara soupira. La grande fille brune venait de prendre la tête de leur petit groupe. Et elle se sentait bien trop fatiguée et endolorie pour lui disputer ce titre.

Sylver ramassa la couverture sur laquelle il avait étendu Tara, puis sauta à bord. Le tapis vacilla et les deux filles, surprises, durent s'accrocher à leur fauteuil pour ne pas tomber. Tara plissa les yeux. Le garçon devait avoir un corps incroyablement dense, car le tapis était fait pour supporter des tonnes sans bouger. C'était un nouveau mystère à ranger avec les autres, nombreux, concernant l'étrange Sylver. À qui elle ne faisait pas le moins du monde confiance. Sylver se débarrassa de ses deux haches en les arrimant à portée de main.

Ils décidèrent de ne pas larguer les choux. C'était un bon camouflage, du moins tant que le marchand ne signalerait pas son vol.

— Sylver, vous conduisez, dit Angelica en se dissimulant à l'arrière, sous un ample drap caméléon.

— Ce n'est pas une bonne idée, refusa Sylver. La magie semble avoir d'anormales réactions avec moi. Parfois, elle ne fonctionne pas du tout. Je ne veux pas vous mettre en danger, Damoiselles.

Ah ! cela expliquait pourquoi sa boule de cristal fluctuait tout à l'heure.

— Mais vous n'êtes pas recherché, rétorqua Tara. S'il y a un contrôle, vous êtes le seul de nous trois qui pourra répondre aux gardes sans se prendre une flèche entre les deux yeux. Et puis devant, il n'y a que le volant, le levier de vitesses et le frein, puisque que le vitomoteur est à l'arrière. Le flux magique est assez loin, ça devrait le faire.

— Faire quoi ?

Tara roula des yeux.

— C'est une expression. Ça va le faire, cela signifie que c'est tout bon, ça l'fait, quoi.

Vu la tête qu'il faisait, non, ça ne le faisait pas du tout. Il eut une grimace dubitative, du genre « elle est gentille, mais elle parle bizarrement », et obéit à contrecœur.

Ils n'avaient oublié qu'un léger détail.

Sylver n'avait jamais conduit de tapis volant. Pour ne rien arranger, la remorque de choux, lourde, massive et lente, modifiait le comportement du module de lévitation.

Il démarra trop vite. La remorque, derrière lui, réagit nettement plus lentement, ce qui bloqua le tapis et envoya une violente secousse faisant basculer Sylver en arrière, qui se rattrapa involontairement au levier de vitesses. Soudain poussé à fond, le tapis bondit vers le ciel, et la remorque aussi. Les deux filles s'accrochèrent aux montants en hurlant, le corps à moitié en dehors du véhicule.

— Sylver, cria Tara, on tombe en arrière ! Mets-nous à l'horizontale, viiiiiiite !

Sylver appuya sur le frein comme un fou. Là non plus, ce ne fut pas une bonne idée. Le tapis s'arrêta sur place. La barre en fer de mauvaise qualité qui reliait le tapis à la remorque plia sous le poids.

Et la remorque percuta le tapis.

Sylver heurta violemment le volant de la tête, le basculant vers le bas, puis fut éjecté de son fauteuil, parce qu'il n'avait pas fermé sa ceinture de sécurité. Il tomba vers le sol, dans le noir, sans un son.

Suivi du tapis.

Tara et Angelica avaient vu venir le choc et s'étaient cramponnées de plus belle. Mais elles étaient coincées dans les sacs de choux, dont certains s'étaient ouverts, les bombardant de feuilles bleues et malodorantes.

— Ahhh, cria Angelica, on va mourir ! Je vais utiliser la magie pour ralentir le tapis !

— Non, s'exclama Tara, surtout pas ! On va se faire repérer tout de suite. Galant, vole jusqu'au volant et bascule à l'horizontale, vite !

Galant, qui s'était accroché de toutes ses griffes à l'épaule rembourrée de Tara, hennit et s'envola. Le tapis fonçait à toute vitesse vers le sol. Et il faisait trop noir pour qu'elles puissent voir à quelle distance il se trouvait.

— Je te préviens, hurla Angelica, je lui donne trois secondes et je lance ma magie !

Tara ne répondit pas, trop occupée à regarder si Galant s'en sortait.

Le pégase avait quelques difficultés à tirer le volant. Il était trop petit et pas assez lourd. Pourtant, il parvint à redresser l'engin, et la vitesse et l'angle de la descente se réduisirent, jusqu'à reprendre une horizontalité à peu près normale. Pendant qu'il se battait avec les commandes, Tara avait rampé, suivie par Angelica, jusqu'au tapis de tête, escaladant l'attache, au-dessus du vide, terrifiée à l'idée de tomber.

Les cheveux dans tous les sens, essoufflées, les deux jeunes filles s'affalèrent dans les fauteuils de conduite en soupirant, soulagées.

C'est alors qu'une énorme colline surmontée d'une épaisse forêt, se matérialisa devant elles, surgie de nulle part.

Tara et Angelica n'eurent pas le temps d'activer leur magie. Angelica hurla et tendit les mains devant elle. Il y eut une lumière d'une incroyable intensité, elles s'écrasèrent contre la colline... qui disparut.

Purement et simplement.

Complètement éblouie, Tara avait des feux d'artifice dans les yeux. Elle ne voyait plus rien. Le tapis tangua violemment tandis que le souffle de la dématérialisation de la colline projetait les arbres dans tous les sens, les frappait et les retournait. La remorque s'écrasa, le tapis par-dessus. Les jeunes filles atterrirent sur un épais matelas de choux qui amortit leur chute. Le tapis les recouvrit.

— Ah, la vache ! murmura Tara, étonnée d'être encore vivante, mais qu'est-ce qui s'est passé ?

Elle repoussa le tapis, le faisant basculer et il se remit à flotter bien gentiment à côté d'elle.

Une lueur la fit sourciller. Angelica émergea du tas de choux, des feuilles sur le crâne, regardant sa main droite qui luisait comme un petit soleil.

— La Main-de-Lumière, répétait-elle sans cesse, la Main-de-Lumière !

Le truc éclairait à au moins dix tatrolls à la ronde. Tara en avait mal aux yeux.

— Euuh, si tu pouvais éteindre ce machin, Angelica, ce serait bien !

— La Main-de-Lumière ! La Main-de-Lumière !

— Ouiiiiiiiiiii, certes. Reçu 5 sur 5. Si ça pouvait être la Main-de-l'Obscurité, ça m'arrangerait, là.

Angelica se tourna vers elle, un grand sourire aux lèvres.

— C'est la Main-de-Lumière !

— À ce stade, je crois que j'avais compris, persifla Tara. Tu sais comment on coupe le courant ?

Son ironie finit par percer l'ahurissement d'Angelica. Elle fronça les sourcils.

— Tu ne vois pas ? C'est la…

— … Main-de-lumière, l'interrompit Tara, si si, je t'assure, je vois tout à fait. C'est même lumineux. Et comme je te le disais, si tu pouvais l'éteindre, je serais ravie. Très contente, absolument. Heureuse. Limite extatique.

Elle trouva enfin une bonne raison de détourner l'attention d'Angelica.

— Et tu as des feuilles de chou sur la tête.

Angelica renifla et ferma les yeux. La lueur s'éteignit comme une chandelle qu'on mouche. Puis elle retira les feuilles de chou d'un air dédaigneux et revint à sa préoccupation première.

— J'ai la Main-de-Lumière ! répéta-t-elle, incrédule, en regardant sa main sous tous les angles comme si elle avait totalement changé en l'espace de quelques secondes.

Tara se mordit les joues pour ne pas répondre. Elle se contenta d'un très sobre :

— Et qu'est-ce que c'est ?

— C'est une sorte d'arme. Elle a été créée pendant la Grande Guerre des Failles. Par l'un de mes ancêtres, un Brandaud. Il l'a incorporée à notre patrimoine génétique, mais elle n'était jamais réapparue dans notre famille. Et c'est moi qui en ai hérité ! Père va en faire une jaunisse ! Elle réagit sans que le sortcelier ait besoin de l'activer. Et elle est puissante, oh oui, tu as vu comment elle a volatilisé cette colline ?

Oui, ça, Tara l'avait vu. Le truc de lumière leur avait sauvé la vie. Vive Angelica ! Elle n'en revenait pas de penser une chose pareille.

Elle descendit du tas de choux, se souvenant brusquement de Sylver. Pourvu que le garçon ait réussi à léviter ! Même si elle ne voulait pas utiliser la magie, dans ce cas précis, elle espérait du fond du cœur que Sylver l'avait fait. Elle plissa les yeux, forçant l'obscurité. On ne voyait pas grand-chose, mais les rayons des lunes tombèrent soudain sur quelque chose qui scintilla brièvement.

Tara fonça, remorquant le tapis derrière elle. Elle ne s'était pas trompée. C'était bien Sylver. Enfoui dans ce qui ressemblait à un gros cratère, son corps était immobile et un très léger filet de sang coulait de son front pâle.

Elle s'approcha. L'apparence du garçon avait quelque chose de bizarre, comme s'il avait doublé de volume. Elle se pencha et voulut toucher sa carotide afin de voir s'il était encore vivant. Elle ne fit qu'effleurer sa peau.

Et s'entailla jusqu'à l'os. Incrédule, elle regarda sa main ensanglantée. Puis la douleur surgit, vive et tranchante, lui arrachant des larmes.

— Angelica, cria-t-elle en serrant son poignet de toutes ses forces pour contenir l'hémorragie, viens vite !

Angelica, encore sous le coup de la surprise, obéit sans réfléchir et descendit du tapis. Puis elle écarquilla les yeux lorsqu'elle vit la main de Tara.

— Qu'est-ce que tu as encore fait ?

— Rien, se défendit Tara, je l'ai juste effleuré. Sa peau est incroyablement coupante, regarde, je suis entaillée très profondément. J'ai besoin d'un Reparus.

Angelica la regarda sans bouger, savourant sa souffrance.

— Angelica, dit Tara d'une voix posée, les seules personnes qui apprécient de voir d'autres êtres souffrir sont de dangereux psychopathes, qui arrachaient les ailes des mouches et les pattes des insectes lorsqu'ils étaient petits, avant de passer aux chats et aux chiens, puis aux êtres humains.

— Je ne savourais pas ta souffrance, mentit la grande fille. Et puis je croyais qu'on ne devait pas faire de magie ?

— Petite magie, répondit Tara entre ses dents serrées par la souffrance, si on peut. Reparus, Traductus, tout ça, on peut. Qu'est-ce que tu attends ?

— Je me disais juste, répondit la grande fille d'un ton suffisant, que j'allais devoir utiliser la main gauche, avec la main droite, je risquerais de te désintégrer au lieu de te soigner.

— Fais ce que tu veux, mais fais-le vite, j'ai super mal !

Angelica prolongea un peu le plaisir, histoire de voir Tara grimacer encore quelques secondes, puis appliqua un Reparus. Les plaies se refermèrent, seul le sang resta.

— Ouf ! souffla Tara lorsque la douleur disparut, merci, c'est mieux.

À son tour, elle appliqua un Reparus à Sylver, ne sachant pas très bien s'il était vivant ou mort. À leur grand soulagement, la plaie sur son front disparut et l'opalescence de sa peau s'accentua. Il gémit et commença à bouger. Puis il ouvrit les yeux et, l'espace d'une très fugitive seconde, Tara eut l'impression que ses pupilles étaient fendues.

Comme celles d'un serpent.

Puis ses pupilles redevinrent rondes. À moins que, trompée par l'éclairage incertain, elle ne se soit leurrée, le cas Sylver devenait de plus en plus bizarre. Et quel être humain possédait une peau tellement coupante qu'il était impossible de le toucher ?

Aucun.

Elle n'avait plus de doute. Silver n'était pas un être humain. Même s'il en avait la forme.

Comme pour confirmer ses soupçons, Sylver eut comme un frémissement et sa peau sembla rétrécir.

Se tenant prudemment à distance, elle ne l'aida pas lorsqu'il tenta de se redresser. Il porta la main à son front.

— Ouch, dit-il, j'ai l'impression d'avoir été renversé par un mammouth. Que s'est-il passé ?

— Je crois, dit lentement Tara en adoptant un tutoiement plus naturel, que tu as été assommé par le volant lorsque tu as freiné. Tu n'avais pas attaché ta ceinture et tu as été éjecté du tapis. Tu n'as pas repris conscience avant de heurter le sol ?

Le jeune homme secoua la tête.

— Je... je n'en sais rien, je ne m'en souviens pas.

Tara savait qu'il mentait. Le cratère autour de lui témoignait de la violence de l'impact. Il avait heurté le sol en tombant d'au moins mille mètres de hauteur.

Il aurait dû être en bouillie. Or, à part la plaie peu profonde sur son front, il ne paraissait pas avoir quoi que ce soit de cassé.

— Évidemment qu'il a repris conscience, lança Angelica d'un ton méprisant, parce que, dans le cas contraire, il serait un petit tas sanguinolent et écrabouillé.

— Cela m'arrive tout le temps, confessa-t-il, je suis l'être le plus maladroit au monde. Si je n'avais pas une peau aussi dure, cela ferait longtemps que je serais mort.

Il se releva en vacillant et tâta machinalement son dos. Il écarquilla les yeux.

— Où sont mes haches ? demanda-t-il d'une voix affolée.

Pour quelqu'un qui venait de s'écraser d'une hauteur de mille mètres, il avait des préoccupations curieuses.

— Sur le tapis derrière moi, indiqua Tara.

— Bon, on s'en fiche de ses haches, protesta Angelica. Parlons plutôt de ma Main-de-Lumière !

— Oui, parlons-en ! répliqua une voix que Tara connaissait trop bien.

Des formes sombres, équipées de lunettes à infrarouge et de combinaisons camouflées, surgirent de l'ombre, les cernant. Des carreaux d'arbalète se braquèrent, aigus, acérés, mortels. Trop rapides pour être évités. Une ombre se démasqua, dévoilant un visage souriant et deux yeux gris perçants.

Cal les avait retrouvés.

Ils étaient une dizaine, armés et les mains étoilées de magie pour ceux d'entre eux qui n'avaient pas d'arbalète. Tara, Galant, Angelica et Sylver n'avaient aucune chance. Ils se figèrent.

— Si vous bougez, dit clairement Cal, si j'ai le sentiment que l'un d'entre vous essaie d'utiliser sa magie, il se prendra une flèche entre les yeux, c'est clair ?

C'est tout juste si Angelica respirait. Pas de doute, pour elle, c'était même lumineux.

— Comment nous as-tu retrouvés ? demanda froidement Tara.

— Alors ça, ça a été un énorme coup de bol, répondit le fantôme avec un sourire sarcastique, tant que vous ne faisiez pas de grande magie, vous étiez invisibles.

Tara ne commenta pas, vu que c'était exactement ce qu'ils tentaient de faire. Être invisibles. C'était raté.

— Nous n'avions aucune idée de l'endroit où vous étiez, continua le fantôme, en dépit des recherches, et nous allions rentrer, lorsqu'une grande lumière a tout éclairé sur des tatrolls.

Tara grinça des dents. Elle avait bien dit à Angelica d'éteindre sa foutue main !

— Pourtant, sur nos magicodétecteurs, il n'y avait aucune indication d'un flux magique, précisa Cal d'un ton étonné, du moins pas de ce niveau. Intrigués, nous avons décidé de venir voir ce que c'était. Vu votre non-maîtrise légendaire de la magie, Héritière d'Omois, nous pensions que vous en étiez peut-être la responsable, en dépit du faible niveau de magie. Mais il semble que non, finalement. Je pense que cela va beaucoup intéresser mes compatriotes fantômes d'apprendre que la célèbre Main-de-Lumière a réapparu sur AutreMonde.

Angelica, qui n'aimait déjà pas Cal sous sa forme habituelle, détesta encore plus sa forme fantomatique. Elle en oublia les arbalètes.

— Espèce de... espèce de nabot atrabilaire, si tu penses que je vais utiliser ma précieuse main pour tes copains fantômes, tu rêves !

Cal considéra son corps mince et compact avec une mine chagrinée.

— Pas d'attaque sur le physique, Damoiselle, je n'y peux rien si j'ai intégré ce corps plutôt... euh... malingre. Et si vous pensez avoir le moindre choix, abandonnez cette espérance tout de suite. Votre corps sera possédé, comme l'est celui que je porte en ce moment.

Angelica pâlit et des gouttelettes de sueur perlèrent sur son front. Tara n'aimait pas la grande fille brune, mais se sentit mal pour elle.

Cal fit signe aux gardes d'attacher les mains des prisonniers derrière leur dos, afin qu'ils ne puissent pas lancer leur magie. Tara savait que sa magie ne serait pas plus rapide qu'un trait d'arbalète. Elle se soumit donc docilement. Ils auraient d'autres occasions.

Enfin, elle l'espérait. Heureusement, sa magie ne dépendait ni des incantations ni de sa liberté de mouvement. Le fantôme n'avait, Dieu merci, pas accès aux souvenirs de Cal, sinon il l'aurait assommée sans hésiter.

— Vous nous emmenez au Château Vivant ? demanda-t-elle en gommant soigneusement toute note d'espoir de sa voix.

Cal eut un mauvais sourire.

— Non, je sais que l'entité de pierre tenterait immédiatement de vous faire évader. Et il n'est pas facile de lutter contre... contre cette chose. Nous irons à la Porte de transfert internationale, qui se trouve sur la place du marché principal en face du Château. Cela va me coûter une fortune de nous transférer tous, mais c'est plus sûr. Et puis, après tout, ce n'est pas moi qui paie !

— Et nous allons où ? demanda Angelica, dédaigneuse.

— À Omois. Des tas de gens sont très impatients de revoir l'Héritière, surtout un certain fantôme, le prince Bandiou, qu'elle aurait expédié au fond d'un puits. Depuis qu'il est mort, il semble lui en vouloir terriblement.

Tara pâlit. Le Taragang avait effectivement affronté le redoutable oncle de l'Impératrice, le prince Bandiou. Elle n'en avait pas gardé un bon souvenir. Le prince était un monstre qui avait enlevé des femmes de gnomes afin d'en faire ses esclaves. Tara et ses amis avaient réussi à délivrer les gnomes bleus et Fafnir, la naine rousse guerrière, amie de Tara, avait tué le prince

Bandiou, assez involontairement (à son grand chagrin, elle n'était pas sûre de pouvoir mettre le prince sur la longue, longue liste de ses adversaires défunts, vu qu'il était tombé dans le puits et s'était brisé le cou tout seul).

Tara tira sur ses liens. Slurk, ils étaient bien serrés et, même si elle ne sentait aucune magie, elle ne doutait pas qu'ils étaient ensorcelés.

À côté d'elle, Sylver fit de même. Il ne dut pas avoir beaucoup plus de résultats, car il s'approcha de Cal, les mains toujours liées dans le dos.

— Je ne voudrais pas vous faire de mal, annonça-t-il doucement, mais je n'hésiterai pas si vous refusez de nous laisser partir. Les fantômes n'ont rien à faire sur notre monde.

Il trébucha, ce qui amenuisa considérablement son attitude bravache, et se rétablit avec une admirable dignité.

Cal ne rit pas. Habituellement, les méchants dans les films éclatent de rire lorsque le petit gars en mauvaise posture leur explique qu'il va leur flanquer une raclée... et qu'il les laisse sur le carreau après beaucoup de cris et de hurlements de douleur.

Le fantôme, lui, se tint sur ses gardes. Il devait avoir vu les mêmes films que Tara.

Mais Sylver n'attendit pas sa réponse. Son approche n'avait été qu'une diversion. Il fit quelque chose de très, très étrange.

Il cracha à la figure de Cal.

Un gros jet de salive transparente, bien plus abondant que chez un humain normal, aspergea le visage du petit Voleur.

— Très... commença Cal en voulant s'essuyer.

Puis, soudain il se mit à hurler, faisant sursauter les gardes et les deux filles. Il se prit le visage à deux mains et hurla de plus belle lorsqu'elles entrèrent en contact avec sa figure. Il les laissa retomber et Tara et Angelica cessèrent de respirer. Le visage du petit Voleur était en train de se dissoudre. Et ses mains aussi.

La salive de Sylver était acide !

Affolés, les gardes détournèrent les arbalètes des deux jeunes filles et tirèrent sur Sylver. C'était exactement ce qu'il voulait. Les traits d'arbalète ricochèrent sur sa peau comme sur de l'acier, l'entaillant à peine. Une secousse, et ses mains furent libres. Il avait fait semblant d'être toujours attaché, mais cela faisait longtemps que ses écailles avaient tranché ses liens. Un bond, et il sauta à bord du tapis et s'empara de ses haches. Un autre bond, et il se retrouva au milieu de ses ennemis. Le reste fut exactement conforme à sa déclaration. Il évitait de tuer, ne le faisant que pour se défendre, assommant ceux qui lui résistaient. Les jets de magie se reflétaient sur lui, et retournaient aussi sec aux envoyeurs, les pétrifiant. Très vite, il y eut plein de statues stupéfiées sur le champ de bataille.

Le plus bizarre était qu'il se battait comme un nain. Pour avoir vu Fafnir, Tara reconnut le style sans hésiter. Seul un nain ayant manié une hache depuis sa naissance avait cette indéniable aisance.

Elle n'avait pas le choix. Elle devait l'aider et se transformer en vampyr, comme elle l'avait déjà fait contre les dragons. Elle se concentra et son corps changea.

Ses yeux virèrent au rouge, ses dents se transformèrent en crocs cruels, ses ongles en griffes tandis qu'elle grandissait, son visage devenant glacial et sculptural. D'un coup de griffe, elle trancha ses liens, puis invoqua un bouclier afin de les protéger, Angelica, Galant et elle. Sa magie devait éclairer comme un feu vif dans la nuit, mais tant pis, ils n'avaient pas trop le choix, puisque les gardes utilisaient la magie eux aussi. Bien lui en prit, parce que des tas de carreaux d'arbalète et de magie fusèrent vers elle dès que les gardes comprirent que Sylver était à peu près invulnérable.

Angelica trépignait.

— Laisse-les-moi, laisse-les-moi, ma Main va les volatiliser !

— Ils ne font qu'obéir aux ordres, grinça Tara, les dents serrées pour résister au feu des gardes. Ce n'est pas une raison pour les désintégrer. Sylver va s'en charger.

La mine boudeuse, Angelica obéit à regret. Tant que Tara n'aurait pas retiré son bouclier, elle ne pourrait pas actionner son nouveau joujou sous peine de se désintégrer elle-même. Elle soupira. Quel rabat-joie, cette fille !

À côté d'elles, Cal était tombé à genoux et, sentant que le garçon était en train de mourir de douleur, le fantôme, paniqué, ne voulut pas risquer de partager son sort.

Au moment où Sylver assommait le dernier garde, le fantôme s'envola du corps de Cal. Il était d'un rouge boursouflé de noir, luisant au milieu des étoiles.

— Slurk, jura Tara, il va s'échapper et prévenir les autres ! Je dois l'arrêter !

Instantanément, elle oblitéra le bouclier. Sous les yeux stupéfaits d'Angelica, elle fit un bond d'au moins trois mètres de haut et crocheta le fantôme de ses crocs avant qu'il ait le temps de s'envoler. Galant, transformé en pégase vampyr, mordait et griffait de bon cœur à l'unisson de Tara.

— Espèce de saleté ! hurla le fantôme en se débattant, lâche-moi, lâche-moi ou je t'arrache la tête !

Tara savait qu'il ne pouvait rien faire contre eux. Galant et elle furent sans pitié. Ils le déchiquetèrent, absorbèrent son essence et sa puissance, se gorgeant de son étrange magie. Dans un grand cri de désespoir, le fantôme se dissipa.

Il était mort... enfin, il était encore mort. Mais définitivement cette fois.

Angelica regarda Tara avec méfiance et recula lorsque la jeune fille, toujours vampyr, s'approcha, Galant posé sur son épaule qui se léchait les babines.

Satisfaite, Tara ignora la grande fille brune et se pencha sur Cal. Son sourire disparut aussitôt. Le visage de son ami fumait, laissant à nu les os et les orbites. La douleur devait être épouvantable. Il n'avait même plus la force de gémir.

— Laissez-le, ordonna une voix ferme derrière lui. Moi seul peux neutraliser mon poison et, si vous le touchez, vous serez contaminée.

Tara leva les yeux vers Sylver. Le jeune homme essuyait le sang de ses haches d'un air tourmenté. Blesser des gens ne lui plaisait apparemment pas du tout. Et Tara remarqua que son hésitation et sa maladresse disparaissaient totalement lorsqu'il combattait.

La jeune fille s'écarta. Sylver la dévisagea, notant les longues dents, les griffes rétractiles et la puissance nouvelle de son corps, mais ne fit pas plus de commentaires, même si Tara sentait qu'il était troublé. Il approcha ses mains très près du visage de Cal, sans le toucher, puis incanta dans une langue que le Traductus ne devait pas connaître, car Tara ne comprit rien.

Le visage de Cal cessa de fumer, ses muscles et sa peau se reconstituèrent, ses yeux se reformèrent et les pupilles grises si familières plongèrent dans les yeux bleus de Tara.

— Sa… salut ma vieille ! parvint-il à articuler.

Puis il s'évanouit.

Avec hésitation, priant pour ne pas être de nouveau coincée dans son corps de vampyr, Tara se retransforma, ainsi que Galant. Il lui fallait un peu de temps pour s'habituer aux longues canines pour parler et elle n'aimait pas zozoter. De plus, elle n'avait pas l'intention de mordre quelqu'un et, sous sa forme de vampyr, l'odeur du sang autour d'elle lui donnait faim.

À sa grande satisfaction, cela fonctionna parfaitement.

— Oh, Cal, murmura-t-elle, je suis tellement désolée !

Avec toute la magie et le boucan qu'ils avaient faits, tous les détecteurs devaient être braqués sur eux. Ils devaient partir, et vite. Tara soigna les blessés, puis ils disposèrent tous les gardes sous un bosquet d'arbres, après avoir activé leurs combinaisons de camouflage. Enfin, Sylver statufia ceux qui ne l'étaient pas encore. Et Tara leur appliqua un très joli Mintus, sort d'amnésie. Celui ou celle qui voudrait faire remonter ses souvenirs devrait y passer du temps. Beaucoup de temps.

Ils se débarrassèrent des choux en les remettant sur la remorque, puis en noyant le tout dans un lac proche.

Enfin, ils essayèrent, parce que contrairement à ce qu'ils pensaient, les choux ne coulèrent pas tous. Les glurps, qui mangeaient tout ce qui bougeait, n'eurent pas l'air de beaucoup apprécier ce nouveau régime. Après avoir massacré des dizaines de choux innocents, ils recrachèrent les feuilles d'un air dégoûté. Tara espéra que personne ne trouverait bizarres tous ces choux flottant sur l'eau claire.

Sylver, méfiant, mania le tapis allégé comme s'il était fait en cristal. Les deux jeunes filles s'assirent près de lui, prêtes à se tapir derrière les fauteuils au moindre signe de danger. Cal fut allongé à leurs pieds, bien dissimulé. Ils le laissèrent dormir. Après ce qu'il avait subi, il le méritait.

Au loin, ils entendirent les sirènes des brigades d'intervention. Leur petit feu d'artifice magique avait fini par attirer du monde. Sylver fit plonger le tapis au ras du sol. Il pilotait comme s'il voyait parfaitement dans le noir. Et, pour ce qu'en savait Tara, c'était peut-être le cas.

Les deux lunes brillaient sur ses écailles, le vent chaud les effleurait, le tapis glissait dans le noir de la nuit. Enfin glissait…

montait et descendait brutalement plutôt, car la conduite du pauvre Sylver était assez chaotique. Il était trop brusque avec les commandes, incapable de doser sa propre force.

Le premier quart d'heure se fit dans un grand silence. Enfin, dans un grand silence ponctué de temps en temps par les cris affolés d'Angelica ou de Tara lorsque Sylver frôlait le sol ou les arbres d'un peu trop près et s'en détournait dans un grand sursaut du volant. Elles finirent par le supplier de reprendre de la hauteur. Avec soulagement, il accepta. Le vol fut un peu plus paisible.

Puis le silence fut brisé par Angelica, dont la curiosité était immense, et qui finit par craquer.

— Tu... tu es quoi, au juste ? demanda-t-elle.

Tara dissimula un sourire, c'était justement la question qu'elle allait poser. Elle avait bien fait d'attendre.

— Lorsque je me suis réveillé tout à l'heure, observa Sylver sans répondre à sa question, il y avait du sang sur ma gorge et sur mes vêtements, qui ne venait pas de mon front. Ai-je blessé l'une de vous ?

— Moi, répondit Tara, j'ai voulu vérifier que tu étais toujours vivant. J'ai effleuré ta carotide.

— Et cela vous a coupé si profondément que vous avez abondamment saigné. Je comprends. Je suis désolé. J'ai essayé de... Je suis désolé.

— Qu'est-ce qui m'a coupée ? demanda Tara.

Sylver n'était pas d'un tempérament très bavard. Elles crurent bien qu'il ne répondrait jamais. Puis ses épaules se voûtèrent.

— Mes écailles, murmura-t-il comme s'il ne voulait pas qu'on l'entende. Mes maudites écailles.

Tara, comme Angelica, écarquilla les yeux. Maintenant qu'il le mentionnait, elles comprenaient que si sa peau scintillait dès que la lumière le frappait, c'était parce qu'elle était couverte d'écailles. Mais ces écailles étaient tellement fines et si imbriquées les unes dans les autres que, contrairement à celles des poissons, on ne pouvait quasiment pas les voir. Pourtant, elles étaient longues et tranchantes comme des couteaux.

— Tu... tu as des écailles, répéta Angelica, l'air fascinée. Tu es un triton ?

Mais Sylver s'était renfoncé dans son mutisme. Tara doutait de cette option. Le corps du garçon était si lourd que si on le mettait dans la mer, il coulerait immédiatement. Et il n'avait pas de branchies... du moins pas apparentes, couvert comme il était de la tête aux pieds.

Angelica resta sourde à l'amertume qui émanait de Sylver. Elle posa une autre question :

— Ces écailles donnent une couleur incroyable à ta peau. Est-ce pour cela que tu es si beau ?

Sylver fronça les sourcils, surpris.

— Je ne suis pas beau, je n'ai même pas de barbe !

Tara sentit un petit déclic s'enclencher dans son esprit. Le fait qu'il refuse d'utiliser la magie, son habileté avec ses haches, le fait qu'il regrette de ne pas avoir de barbe...

— Tu es un nain ! s'exclama-t-elle.

Sylver ne sourit pas, même si les commissures de ses lèvres se relevèrent légèrement.

Et de nouveau, il ne répondit pas, comme s'il désirait conserver un trop lourd secret.

— Tu as déjà vu un nain qui ne ressemble pas à une serpillière avec une barbe ? déclara Angelica, méprisante. Il est bien trop beau et bien trop grand. Si tu dois diriger un empire un jour, espèce d'idiote, tu devras t'intéresser un peu plus à tes futurs sujets ! Un nain ! C'est vraiment du grand n'importe quoi !

Tara avait compris depuis longtemps que discuter avec Angelica ne servait à rien. La peste possédait l'art de la rhétorique au plus haut point. Lui clouer le bec demandait plus d'efforts que Tara n'était prête à en consentir.

— Mais si ta salive est empoisonnée, continua Angelica, songeuse, en s'adressant à Sylver, et que ta peau est coupante, tu ne pourras pas m'embr... comment tu fais pour... tu ne peux toucher personne ?

Sylver se voûta encore un peu plus. Son silence était éloquent. Il leur tournait le dos, attentif à conduire le tapis, mais la tristesse qui émanait de tout son être était presque tangible. Et Tara ressentit de la compassion pour cet étrange garçon qu'elle venait de rencontrer.

— Ben mon vieux, ça doit pas être facile facile avec les filles, dit une voix éraillée sous leurs pieds.

— Cal ! s'exclama Tara en se précipitant vers lui, comment te sens-tu ?

Le petit Voleur se redressa, encore étourdi, et, aidé de Tara, s'assit sur un siège.

— Comme si j'étais passé sous ces machines, là, sur Terre, des banks ?....

— Des tanks, rit Tara. Tu n'as plus mal ?

— Non, ça va. Le Reparus a arrangé ça, même si ma peau me tiraille un peu, je suis content d'en avoir encore sur le visage, merci. Et pourquoi je suis sur un tapis qui sent le chou ?

Son nez froncé fit de nouveau rire Tara.

— Angelica l'a piqué à un marchand, c'est tout ce qu'elle a trouvé. De quoi te souviens-tu au juste ? Le fantôme ? Tu te souviens du fantôme ?

Cal frissonna.

— Pas exactement, tout me semble très flou. Je me souviens surtout de l'impression tenace qu'il fallait que je t'avertisse que je n'étais pas moi. Je n'avais pas accès aux souvenirs du fantôme, pas plus qu'il n'avait accès aux miens, mais, quand il est parti, il a presque effacé ce qui s'était passé. Tu vas bien ? Je ne t'ai pas trahie ?

Il était angoissé à cette idée, alors que Tara était responsable de leur terrible malheur. Elle se jeta à son cou et l'embrassa sur les joues avec fougue.

— Cal, sans toi je serais morte ! Jamais tu ne m'as trahie. Tu es mon ami, pour toujours !

— Wow ! sourit Cal, presque étouffé par l'étreinte de Tara qui faisait une bonne tête de plus que lui. Tout va bien alors.

Et il donna de petites tapes rassurantes dans le dos de la jeune fille à moitié en pleurs.

— C'est vraiment dégoûtant, grogna Angelica en passant devant avec Sylver. Ces deux-là sont répugnants.

Cette fois, le mystérieux Sylver réagit.

— Montrer que l'on aime quelqu'un n'a rien de répugnant, indiqua-t-il calmement.

Angelica était peut-être une garce, mais elle était intelligente. Et elle avait l'intention de séduire ce garçon si beau qu'elle en perdait la tête... même si elle allait également devoir trouver une solution pour ces histoires de peau et de salive. Bah, elle n'avait rien d'autre à faire pour l'instant.

— Tu as raison, Sylver, dit-elle gravement en braquant ses yeux noirs sur le visage radieux du garçon, mais dans ma famille, montrer son amour est une faiblesse. Donc, j'ai appris à dissimuler.

Elle ne continua pas. Et baissa la tête, laissant ses longs cheveux noirs masquer l'expression de son visage.

Au bout de quelques secondes, une main gantée se posa brièvement sur la sienne. Gagné, elle l'avait ému. Troooop facile ! Elle se garda bien de toute expression de triomphe, releva la tête et rencontra le regard compatissant de Sylver. Elle plongea dans les profondeurs vert doré de ses yeux incroyables. Dieux d'AutreMonde, qu'il était beau !

Oui, il allait falloir trouver une solution pour ces écailles. Pour faire disparaître des choses gênantes, elle savait très bien s'y prendre. Restait juste à convaincre Sylver que ces machins coupants ne lui servaient à rien du tout... Il y avait aussi le problème de la salive. Cela n'allait pas être aussi facile.

Tara vint s'installer devant après avoir parlé avec Cal.

— Peux-tu poser le tapis... délicatement, s'il te plaît, Sylver, Cal veut retourner à Travia. Puis à Tingapour. Il doit retrouver son Familier, cela fait plus de deux mois qu'ils sont séparés, la douleur commence à être difficile à supporter.

— C'est idiot, réagit Angelica, dès qu'il sera capturé, il dira où nous sommes !

— Je n'ai pas l'intention de me laisser capturer, assura Cal. Maintenant que je sais que ma famille est possédée, je ne peux pas rester sans rien faire, je dois les aider.

Tara ressentit un pincement... d'accord bien plus qu'un pincement... en prenant conscience que, anéantie par la mort de Robin, elle avait tout simplement abandonné sa mère. Et le reste de sa famille.

Sylver posa le tapis et Cal en descendit, suivi par Tara qui l'étreignit de toutes ses forces.

— Whoua ! plaisanta le petit Voleur, deux câlins en l'espace de dix minutes, je devrais me faire posséder par un fantôme plus souvent !

Tara essuya ses larmes et sourit bravement.

— Cal, tu vas horriblement me manquer, qui va me sauver si tu n'es pas là ?

Elle plaisantait, mais Cal le prit très sérieusement.

— Je suis désolé, Tara, mais...

Tara l'interrompit, embêtée de voir qu'il réagissait de cette façon.

— Cal, stop, jamais je ne te demanderai de choisir entre ta famille et moi, tu es dingue ! Je plaisantais, juste pour rendre la séparation moins pénible. Tu vas me manquer, mais je m'en sortirai, ne t'inquiète pas. Je ne te dis pas où je me rends, parce que je ne veux pas faire courir de risques à mes alliés si tu es capturé, mais je prendrai de tes nouvelles le plus souvent possible.

Cal poussa un soupir de soulagement, puis un éclat rusé éclaira sa prunelle grise.

— Si j'étais à ta place, je me réfugierais chez les nains. Braillards, pas discrets discrets, poilus, mais bon guerriers. Fafnir est notre copine et tu lui as souvent sauvé la vie.

Tara sourit mais ne répondit pas. Le Voleur était parfois trop intelligent pour sa santé. Elle espéra très fort que personne ne le capturerait, car il était le seul capable de la retrouver facilement.

— Fais bien attention à toi, dit-elle affectueusement. On se revoit très vite.

Mais Cal, en dépit de l'urgence, avait besoin de quelques renseignements.

— Attends. Au sujet des alliés et des ennemis, comment as-tu su que j'étais un fantôme ? Je me souviens du soulagement que j'ai éprouvé lorsque tu t'es enfuie sans me prévenir, même si le foutu fantôme s'en est rendu compte tout de suite. Il a fait ou dit quelque chose qui l'a trahi ?

— Pas du tout, dit Tara en souriant, il luisait !

Cal regarda ses mains, qui n'émettaient pas la plus petite lumière.

— Comment ça ?

— Dans le noir complet, les fantômes luisent. Lorsque nous avons été sur le point d'être découverts par un autre fantôme, le Château Vivant a éteint toutes les lumières. Mais le fantôme luisait. Et lorsque tu es arrivé dans les ténèbres, à ton tour, tu t'es mis à luire. C'est comme ça que j'ai compris que tu étais possédé.

— Ahhh, oki, c'est un renseignement précieux, surtout pour les fantômes qui ont eu accès aux souvenirs de leurs hôtes, ils sont plus difficiles à démasquer. Mais s'il suffit de les mettre dans le noir... je...

Son regard gris se perdit dans le vide et il se mit à réfléchir à la façon dont il allait débarrasser non seulement sa famille, mais également tous les gouvernants de son pays, des fantômes qui les infectaient.

Et il comprit soudain qu'il n'avait qu'une seule solution. Il entraîna Tara à l'écart. Il savait qu'ils devaient faire vite, mais c'était trop important.

Sous le regard ébahi de Sylver, Angelica sauta à terre et les suivit discrètement. Pas question de laisser Tara mijoter quelque chose sans qu'elle soit au courant.

Elle ne fut pas déçue.

— Tu dois me transformer en vampyr, dit Cal avec une terrible intensité. Tara, c'est la seule solution.

Tara le regarda, bouche bée.

— En vampyr ? se ressaisit-elle. Mais pourq... Oh, je vois, tu veux délivrer ta famille en tuant les fantômes, c'est ça ?

— Oui. Je sais que c'est une transformation compliquée et douloureuse. Je sais aussi que boire le sang de mes parents pour les sauver fera de moi un prédateur, probablement comme Selenba, mais je n'ai pas le choix. C'est le seul moyen d'échapper aux fantômes et de sauver les miens.

Tara tressaillit. Le Voleur était déjà assez dangereux comme ça, en vampyr, pire, vampyr buveur de sang humain, il serait carrément terrifiant.

Elle secoua la tête.

— Non. Je suis désolée. Tu penses que c'est « compliqué et douloureux » ? Cal, tu es vraiment loin du compte. La douleur est telle que tu pourrais t'en arracher les cordes vocales. Et c'est un peu plus que « compliqué ». C'est foutrement dangereux. Je peux te tuer ! On ne modifie pas l'ADN des gens comme ça.

Cal lui prit les mains. Les serrant à lui faire mal.

— Tu l'as fait sur toi. Tu t'en es sortie. Tara, si tu n'acceptes pas, je devrai essayer tout seul. Et crois-moi si je te dis que ce sera bien plus dangereux pour ma santé que si tu me guides !

— Cal, je t'en prie, supplia la jeune fille en le forçant à la lâcher, ne me demande pas ça !

Cal se contenta de la contempler de ses yeux gris, implacable. Tara capitula :

— Très bien. Après tout, c'est de ta peau qu'il s'agit. Même si je persiste à dire que c'est une SMI.

— Une quoi ?

— Une Spéciale Mauvaise Idée. Tu sais, comme celles qui paraissent une super bonne idée au départ et tournent en catastrophe. Rappeler les fantômes est une SSMI. Une Super Spéciale Mauvaise Idée. Ce que tu veux que je fasse n'en est pas loin.

— Tant pis. Fais-le, Tara. J'en ai besoin. Je comprends les risques.

— C'est plutôt quelque chose que je peux te montrer que quelque chose que je peux faire.

Angelica décida d'intervenir avant que ne se produise un autre désastre.

— C'est une très mauvaise idée, dit-elle, surgissant du noir, ce qui fit tressaillir Tara. Je regrette de le dire, mais pour une fois la catastrophe ambulante a raison.

Cal ne réagit pas. Cela faisait longtemps qu'il avait repéré la jeune fille.

— De plus, nous sommes pressés, nous perdons du temps et si tu émets autant de magie pour le transformer, tous les détecteurs de magie à dix tatrolls à la ronde vont s'illuminer comme des brillantes. Donc, double mauvaise idée.

Cal plongea ses yeux gris dans les yeux bleus, ignorant Angelica.

— Tara, dit-il, son souffle effleurant le visage de la jeune fille, tu sais que c'est la seule solution. Vas-y !

— Elle n'a pas tort, objecta Tara, cherchant la moindre échappatoire, ma magie va nous faire repérer, c'est trop dangereux !

— J'en suis conscient, Tara. Il leur faudra au moins une heure entre le moment où ils détecteront le flux de magie et celui où ils enverront des gardes pour enquêter. En dépit de l'interdiction, beaucoup de sortceliers continuent à faire de la magie, souvent involontairement, par habitude. Ils ont beaucoup de travail. Mais ils sont consciencieux. Ils viendront, c'est sûr. Surtout qu'ils auront perdu le contact avec le foutu fantôme et le groupe de soldats que vous avez neutralisés. Pour détourner les soupçons, dès que ce sera fait, j'incanterai un Transmitus, ainsi les détecteurs me suivront. J'irai près de la montagne rouge, là où nous avons trouvé le collier de sopor. Là, ils devraient perdre ma trace, ça m'étonnerait que des satellites soient braqués sur cet endroit désertique. Ensuite, j'irai à Travia délivrer ma famille. Les vampyrs sont forts pour se camoufler. Je m'en sortirai.

Tara s'inquiéta :

— Mais je croyais que les satellites détectaient bien les Transmitus mais ne pouvaient pas les suivre ?

— Si. Je n'ai pas beaucoup de souvenirs, mais celui-ci est assez clair. Les services secrets d'Omois ont un laboratoire de recherche très perfectionné. Ils ont mis au point un nouveau gadget qui permet de suivre la « signature » de la magie du Transmitus et de le repérer instantanément lors de sa rematé-rialisation... à condition qu'un satellite soit braqué sur cet endroit au même moment. Près de la montagne rouge, j'échap-perai aux détecteurs. Et vous, surtout, n'utilisez pas de Transmitus pour aller chez les nains, vous seriez tout de suite repérés.

— Quoi ? s'écria Angelica folle de rage, qui avait raté ce bout de la conversation entre les deux amis. Espèce d'imbécile d'Héritière à la manque, tu lui as dit où nous allions ?

— Du calme, la peste, ce n'était pas utile, répondit froide-ment Cal, j'ai deviné tout seul. (Il se tourna vers Tara, suppliant, ignorant Angelica :) Tara, j'ai besoin de ce sort. Je t'en prie. Transforme-moi.

Tara avait peur, mais elle ne le montra pas. Opérer sur elle-même ou sur les vampyrs malades était une chose. Transformer l'ADN de l'un de ses meilleurs amis en était une autre. Elle inspira profondément et dit :

— Ce n'est pas un sort... enfin, pas exactement. Je n'ai jamais fait ça sur quelqu'un qui ne soit pas moi ou un vampyr. Cal, je peux te tuer par mégarde !

Pour une fois, Cal ne plaisanta pas. Il était sérieux.

— Je ne renoncerai pas. C'est un risque à prendre. (Il ne put résister :) Mais si cela ne t'ennuie pas, essaie de ne pas me tuer, je préférerais.

Tara ne sourit pas. Elle était trop inquiète.

— Tu ne comprends pas, Cal, ce sera très douloureux. J'ai vu Selenba souffrir lorsque je l'ai guérie. Crois-moi, Cal, tu auras l'impression d'être plongé dans un bain d'huile bouillonnante. À l'intérieur *et* à l'extérieur.

Cal déglutit et hocha la tête. Il était prêt.

— Qu'est-ce que je dois faire ?

Tara resta si longtemps silencieuse qu'il crut qu'elle allait refuser. Elle poussa un profond soupir.

— Je vais m'accorder à ton esprit, précisa-t-elle lentement, se concentrant sur le processus pour évacuer sa peur. Ouvre-le afin que je puisse modifier ton ADN avec toi, ce sera plus facile et tu pourras peut-être inverser le processus tout seul. Et, Cal…

— Oui ?

— Ne montre pas ceci à tout le monde. Je ne pense pas que transformer toute la planète en vampyrs soit la bonne solution. Même pour lutter contre des fantômes.

— Promis, grimaça le jeune Voleur, je le garderai exclusivement pour moi. Vas-y, je suis prêt.

Avec douceur, instruite par l'expérience, Tara pénétra dans l'esprit de Cal. Contrairement à ce qu'elle avait fait pour Selenba, où elle avait besoin de renseignements que possédait la belle et sanguinaire vampyr, Tara ne fouilla pas dans les souvenirs de Cal. Mais l'aperçu qu'elle eut de son esprit fut chaleureux et amical.

— *Regarde,* dit-elle mentalement, *accompagne-moi.*

Le petit Voleur obéit et plongea dans son corps avec elle. Ils passèrent la barrière des cellules, Tara lui montra ce qu'il fallait faire pour modifier son ADN et devenir un véritable vampyr. Puis elle se mit au travail.

Ce ne fut pas facile. Fascinés, Angelica et Sylver virent le petit Voleur se transformer à plusieurs reprises, passant de vampyr à humain, puis d'humain à vampyr, puis en quelque chose qui tenait des deux et était assez affreux et tout à fait inhumain.

Et cela avait l'air horriblement douloureux, car Cal hurla à s'en arracher la gorge, à plusieurs reprises, tandis que ses membres se tordaient, que ses os se brisaient pour se reconstituer et que ses ligaments se distendaient. Cela dissuada définitivement Angelica de demander la même chose à Tara.

Enfin, le processus se stabilisa. En mode vampyr.

— *C'est... arrrgh, par les crocs cariés de Gelisor, qu'est-ce que ça fait mal*, dit Cal mentalement tandis que la vague de douleur diminuait. *Je me fais taper dessus par mon frère, posséder par un fantôme, liquéfier par un acide et maintenant, ça, mais qu'est-ce que j'ai fait aux dieux ?*

— *Comment te sens-tu* ? demanda Tara en essayant de ne pas rire devant le ton plaintif de son ami.

— *Aïe. Ouille, gargle, c'est à peu près ce que je ressens*, plaisanta Cal, *mais je crois que cette fois-ci, je le tiens. Regarde.*

Et il voulut se métamorphoser en humain.

Cela ne fonctionna pas du tout.

Il réessaya.

Sans plus de succès.

— *Ouille*, finit-il par admettre, *je crois que je ne peux pas le faire sans ton aide, Tara.*

— *Oui*, soupira la voix de la jeune fille dans son esprit, *c'est bien ce que je craignais. Cal, tu vas devoir rester vampyr jusqu'à ce que je te retransforme. Tu es sûr de ce que tu fais ?*

— *Oui, j'en suis sûr. Merci à toi.*

Tara lui lança une onde amicale puis sortit de la tête du petit Voleur.

Qui avait grandi.

Nettement.

À présent, il avait la taille d'un vampyr classique. Comme eux, il ressemblait à un grand lévrier maigre et anguleux. Ses courts cheveux noirs avaient poussé et lui descendaient dans le dos comme une crinière bouclée. Ses yeux d'un rouge vibrant étincelaient.

— Pfff, tout ça pour ça, grinça Angelica, quel vampyr de pacotille !

Cal pencha la tête et eut un sourire de prédateur.

Celui avec les crocs.

Les sarcasmes d'Angelica s'étranglèrent dans sa gorge. Cal sentit sa peur et s'en reput.

Puis il activa son charisme. Le charme des vampyrs. Celui qu'ils utilisaient pour séduire leurs proies humaines et calmer leurs proies animales.

Tout son corps s'illumina et l'être qu'ils eurent devant eux devint intolérablement splendide.

Avant la transformation, le petit Voleur avait un visage d'ange innocent. À présent, il avait un visage d'ange des ténèbres.

Attirant.

Angelica, qui le regardait dédaigneusement, écarquilla les yeux. Elle n'avait jamais été soumise au charisme d'un vampyr, car ils avaient la stricte interdiction de l'utiliser en dehors de la Krasalvie. Émerveillée, elle s'approcha sans réfléchir de la statue d'albâtre et d'ébène qui lui faisait face, scintillante sous les deux lunes. Comme Sylver, Cal étincelait, mais les lunes n'y étaient pour rien. La lumière venait de sa peau, illuminée, magnifique.

Ainsi que l'avait fait maître Dragosh pour avertir Tara du danger du charisme des vampyrs, il reprit ses yeux humains, troquant le rouge contre le gris, et braqua le feu de ses somptueuses prunelles couleur de brume sur Angelica, tout en murmurant d'une voix ensorceleuse :

— Belle Angelica, viens à moi, embrasse-moi !

Complètement hypnotisée, Angelica s'approcha. Au moment où elle se penchait pour embrasser les lèvres fines du garçon, Cal éteignit son charisme. Elle cligna des yeux, puis, constatant qui elle était sur le point d'embrasser, elle recula d'un bond, muette d'indignation.

Cal émit un ricanement méphistophélique[1]. Il souffrait encore beaucoup et tous ses os et ses tendons le tiraient effroyablement, mais cela valait le coup.

— Espèce de… espèce de… rhhooooo ! finit par crier Angelica qui n'arrivait pas à trouver de qualificatif assez fort pour insulter le Voleur.

Celui-ci l'ignora et se tourna vers Tara. Qui avait beaucoup de mal à cacher son hilarité.

— Rien que pour ce moment… unique, je te remercie, chère Tara, dit le facétieux Voleur en s'inclinant élégamment devant la jeune fille.

---

1. Vient de Méphistophélès, principal lieutenant de Lucifer, prince des Enfers. Lorsque Faust donne son âme au diable, Méphistophélès entre à son service.

— Je t'en prie, répondit gracieusement Tara, en réprimant son envie de glousser. Va, maintenant, il ne nous reste plus beaucoup de temps avant qu'ils envoient quelqu'un enquêter pour savoir qui émet de la magie. Nous devons partir.

Cal le vampyr lui sourit, puis incanta et disparut.

Tara remonta à bord du tapis, derrière Angelica, et ils décollèrent. Sylver ne parlait pas, Angelica boudait.

Tara put donc repenser tranquillement à ce que lui avait dit le petit Voleur. Et de nouveau elle ressentit une pointe de douleur en pensant à la ravissante Selena, sa mère, qu'elle avait abandonnée. Mais retourner à Omois ne servirait à rien. Il fallait d'abord qu'elle trouve une façon d'éliminer les fantômes pour sauver Selena. Ensuite, elle lui demanderait pardon.

En attendant, Tara espérait du fond du cœur que sa mère allait bien.

9

Selena

ou lorsqu'on a des tas de fiancés,
le tout est de choisir le bon... enfin, d'essayer.

Selena se sentait nauséeuse. Elle ferma ses jolis yeux dorés tirant sur le vert pour ne pas voir les fantômes qui passaient en vrombissant autour d'elle, réfrénant avec peine leur terrible envie de posséder un vrai corps.

La ravissante mère de Tara frissonna jusqu'à la pointe de ses longs cheveux bruns. Pourquoi faisaient-ils ce bruit en se déplaçant alors qu'ils n'avaient pas de corps, justement ? Un fantôme, c'était censé être silencieux, non ? Près d'elle, Sambor, son puma doré, essayait de se faire tout petit.

Tout avait basculé depuis l'invasion. Selena pensait avoir retrouvé un semblant de vie normale (enfin, compte tenu du fait que sa fille avait été transformée en vampyr, que son ennemi était amoureux d'elle, voulait la kidnapper et tuait ses petits amis), lorsque les fantômes avaient fait irruption sur AutreMonde.

Elle se trouvait en compagnie de sa belle-sœur l'Impératrice d'Omois, la très spectaculaire Lisbeth, et du baron Various Duncan, son lointain cousin, lorsqu'un fantôme (une fantôme ?) lui était littéralement tombé dessus. À part une sensation de faim dévorante, Selena ne se souvenait pas très bien de ce qui s'était passé.

Mais le fantôme qui avait pris possession de Lisbeth avait immédiatement ordonné que Selena soit dépossédée. Elle avait retrouvé son corps et son libre arbitre quelques heures à peine après l'invasion.

Elle était seule dans son corps pour le moment.

Seule était bien le mot tant elle se sentait isolée au milieu de tous ces gens. Ses deux filles avaient disparu. Elle ne savait pas où se trouvaient Tara et Mara. Son fils Jar était sur Terre, hors de portée tant que les fantômes auraient le contrôle de la Porte de transfert.

Elle se sentait horriblement inutile et s'inquiétait pour ses enfants.

Elle tressaillit de nouveau lorsqu'un fantôme la frôla.

Même si elle ne comprenait pas très bien pour quelle raison elle était l'exception, celle-qu'il-était-interdit-de-posséder, elle en était reconnaissante au fantôme de Lisbeth. Pour le reste, elle se sentait horriblement mal à l'aise en présence de sa belle-sœur.

Derrière les magnifiques yeux bleu marine, si semblables à ceux de sa fille, Selena sentait s'agiter l'esprit étranger qui possédait le corps de l'Impératrice.

À l'instant, Selena se trouvait pourtant près d'elle, de lui... d'eux deux.

Majestueuse, l'Impératrice trônait sous l'emblème d'Omois, le Paon Pourpre aux Cent Yeux d'Or. À ses côtés, un spatchoune gloussait avec désespoir, agitant les ailes.

Le baron Various Duncan, seigneur de Tri Vantril. Mercenaire sans pitié. En chair et en o... en chair, en os et en plumes.

Quelques mois plus tôt, Lisbeth l'avait déjà transformé en dindon géant et doré, parce qu'il avait demandé la main de Selena alors que Lisbeth pensait qu'il était amoureux d'elle, l'Impératrice.

Le nouveau propriétaire du corps de Lisbeth avait trouvé l'anecdote très drôle.

Au lieu de faire posséder Various par un fantôme, il avait préféré le transformer en spatchoune et le mettre dans une cage d'or et de rubis, juste à côté de lui.

Enfin, pas trop près, parce que, exaspéré, le volatile lui avait balancé un méchant coup de bec. Le pauvre Various avait failli terminer plumé et rôti ce jour-là.

Lisbeth était vêtue d'une superposition de deux longues robes, l'une rouge et l'autre noire, tissées dans une matière qui ressemblait à de la brume, mouvante, chatoyante. Parfois, on avait l'impression d'entrevoir son corps, mais c'était aussi fugitif qu'illusoire. Ses cheveux, qu'habituellement elle teintait d'une couleur assortie, étaient restés blonds et coulaient comme une rivière dorée jusqu'à ses petits pieds chaussés de rubis. Sa mèche blanche étincelait, comme celle de tous les descendants du premier empereur d'Omois, le Très Haut Mage Demiderus.

Le fantôme qui la possédait devait être impatient, parce qu'il tapotait le bras de velours rouge du trône d'un air agacé.

Tout autour d'eux, le Palais d'Omois. À éviter pour les allergiques à l'or, aux joyaux gros comme des têtes et, en général, à la décoration… chargée.

Des vrrirs, félins blanc et or, enchantés pour ne pas voir les courtisans, passaient en feulant. Les statues, dont certaines étaient animées, décoraient le plus petit recoin, comme les tapisseries et les tableaux encombraient le moindre bout de mur. Les arbres enracinés grouillaient d'oiseaux bariolés et un sort de propreté protégeait les courtisans des fientes. Ce jour-là, l'Impératrice avait fait ouvrir le toit et les deux soleils d'Autre-Monde illuminaient la scène.

Selena renifla. Elle préférait infiniment le charmant Lancovit à l'ostentatoire Omois.

Et là, elle aurait bien donné sa main droite pour être là-bas plutôt qu'ici. Prisonnière.

Une ombre passa et elle leva les yeux.

Quatre cercles de gardes thugs à quatre bras veillaient.

Revêtus de l'uniforme pourpre et or d'Omois, ils étaient postés sur des chemins qui couraient au-dessus des courtisans, magiquement maintenus en lévitation. D'autres patrouillaient en tapis volant. Cela afin d'éviter qu'ils n'utilisent leur propre magie, facilement épuisable, pour léviter. Les sorts étaient alimentés par des gadgets magiques puisant leur force dans le sous-sol d'AutreMonde, riche en fluide magique.

Rigides, le visage fermé, les thugs restaient en alerte, leurs armes et leur magie prêtes à tuer.

Et Xandiar était à leur tête. Le grand garde impérial avait été possédé en aidant Tara à s'enfuir. Et son fantôme semblait aussi efficace que son hôte pour diriger les redoutables thugs.

Dès que quelque chose attirait leur attention, ils lévitaient, quittant les chemins qui les supportaient, et ils entouraient celui ou celle qui avait eu le malheur de les intriguer.

Parfois, c'était juste une fausse alerte.

Parfois, ils emmenaient le malheureux. Qu'on revoyait rarement.

Plus haut se tenaient les Hauts Mages, flottant comme de rouges vautours. Ceux-là étaient tous possédés, l'Impératrice ne leur faisant pas confiance. Ils veillaient, eux aussi, à prévenir de toute attaque magique.

Ce nouveau dispositif était plus performant que l'ancien pour protéger l'Impératrice.

Hélas !

La Résistance avait envoyé plusieurs assassins le tester. Tous avaient échoué.

Et Selena frissonna en pensant à leur sort.

Enfin, tout autour, prêts à fondre sur leurs proies, les fantômes attendaient. Impatients.

Juste Derrière Selena, Plusieurs Fantômes Commentaient Ce Qu'ils Voyaient. D'une Curieuse Façon, Ceux-là, Ou Plutôt Celles-là, Car C'étaient Toutes De Vieilles Femmes, Semblaient Différents Des Autres Fantômes.

— Elle est vraiment très jolie, caqueta une vieille Impératrice morte depuis quelques siècles, en désignant Lisbeth.

— Mouais, bof, jugea une autre qui dévisageait l'Impératrice Lisbeth à travers un lorgnon et ressemblait à une botte de foin. Sèche et jaune. Je ne la trouve pas si jolie que ça. Dans ma jeunesse, les hommes et les elfes se battaient pour un regard de moi !

— Ah bon, ils étaient myopes ?

— Je faisais du 110 bonnet E, vieille chouette. Croyez-moi, ils savaient où regarder !

Il y eut un « plop » et une somptueuse jeune femme aux... euh... poumons vraiment très développés apparut à la place de la vieille Impératrice.

— Par mes ancêtres, murmura l'autre Impératrice, les yeux écarquillés, et vous arriviez à marcher ? Avec des machins pareils, vous ne deviez même plus voir vos pieds !

La jeune femme haussa les épaules, ce qui provoqua des mouvements proches du choc entre deux plaques sismiques, puis reprit sa forme de vieille dame.

— Tout est une question d'équilibre. Et cela fascinait des tas de gens, du coup, grâce à mes... atouts, j'ai pu signer des contrats avantageux avec des garçons délicieux, pendant mon règne...

— Ah oui ? Vous vous penchiez et les assommiez avec ?

Selena retint un gloussement. Oui, définitivement, ces fantômes-là avaient l'air très différents des autres.

Elle recentra son attention sur la scène devant elle.

—Alors, alors, dit l'Impératrice, railleuse, personne n'est volontaire aujourd'hui ?

Pour une mystérieuse raison, l'Impératrice avait interdit aux fantômes (qui, pour une tout aussi mystérieuse raison, tendaient à lui obéir) de posséder les gens sans leur autorisation. Enfin, sauf ceux qui étaient indispensables à l'invasion. Ceux-là n'avaient pas le choix.

Dans l'immense salle, les courtisans chamarrés, colorés, emplumés, étaient tout pâles dans leurs beaux costumes. Certains d'entre eux avaient même emmené leurs enfants, comme une sorte de protection, de talisman, car les fantômes ne possédaient pas les enfants.

Selena trouvait leur attitude irresponsable, mais ceux qui avaient trop peur, qui évitaient les fantômes et ne venaient plus, avaient perdu de leur pouvoir et les faveurs du Palais. Comme partout ailleurs, survivre, payer son steak de traduc quotidien primait sur le risque.

Alors ils étaient revenus, attirés par le pouvoir, en dépit du danger.

Et parfois, ils en payaient le prix.

—Je sens que je vais m'énerver, martela l'Impératrice, que les volontaires fassent un pas en avant. Maintenant !

Il y eut une soudaine bousculade et une grosse dame à l'air effaré fut projetée en avant.

—Mais… mais, balbutiait la pauvre femme, je… je ne suis pas volontaire ! On m'a poussée !

Derrière elle, son mari ricana sans discrétion. Il n'était pas bien difficile de deviner qui l'avait poussée.

—Pas grave, allez-y les fantômes, cria-t-il, y a au moins la place pour deux ou trois là-dedans !

Avant que la pauvre femme puisse protester, vif comme l'éclair, un fantôme fondit sur elle.

Toute la cour recula comme un seul homme… enfin, façon de parler, parce qu'il restait encore quelques inhumains, Tatris à deux têtes, centaures, licornes, représentants et diplomates de certains des peuples d'AutreMonde.

La possession fut rapide et indolore, car la femme capitula sans condition. Elle se ratatina dans sa robe ridicule parsemée de petites miams rouges, puis, avec la vivacité d'un serpent, se redressa soudain.

Elle fit face à son mari.

Ce fut à son tour de reculer.

Car dans les yeux de sa femme brasillaient les feux de l'enfer.

— Je n'aime pas beaucoup les gens qui profitent de la faiblesse des autres, dit la femme, alors que la colère durcissait ses traits poupins. Et encore moins les sadiques, ce que tu sembles être, petit homme.

Stupéfait, l'homme la dévisagea.

— Mais... mais, Esmeralda, ma Mimine ?

— Esmeralda est d'accord avec moi, d'ailleurs, cesse de l'affubler de ce surnom ridicule. Nous allons très bien nous entendre toutes les deux. Esmeralda, sommes-nous d'accord pour châtier ce pompeux imbécile ?

Le corps d'Esmeralda hocha la tête. Apparemment, le fantôme acceptait de le partager avec elle, ce qui était très inhabituel.

— Me châtier ? se ressaisit l'homme, agacé. Tu as à peine assez de magie pour avoir droit au nom de sortcelière !

— Elle, peut-être, rétorqua le fantôme avec un mauvais sourire. Mais moi, non ! « Que l'imbécile se disperse en ballons, qui partout feront des bonds ! »

Un très puissant jet de magie jaillit de ses mains, frappa l'homme avant qu'il ait le temps de réagir et, l'instant d'après, une explosion de ballons jaillit, fragmentant son corps, faisant crier les courtisans.

Lisbeth disparut de son trône.

Stupéfaits, les courtisans furent submergés par une mer de ballons de toutes les couleurs qui rebondissaient sur les têtes, les bras ou les tentacules et repartaient de plus belle. Heureusement qu'un champ de force protégeait le plafond ouvert. Les ballons s'accumulèrent contre le toit invisible.

— Ne les crevez pas, cria le fantôme, sinon, nous ne pourrons pas le réassembler et cela chagrinerait mon hôtesse... même si je ne vois pas très bien pourquoi. Et maintenant, allez-y, attrapez-les !

Cette dernière phrase était empreinte d'une telle autorité que les courtisans obéirent sans réfléchir. Ils se mirent à bondir et à sauter après les ballons. En très peu de temps, la solennelle assemblée avait dégénéré en une totale cacophonie.

Lisbeth réapparut. Elle avait l'air assez agacée. Apparemment, elle avait mis au point une sorte de Transmitus automatique qui la mettait hors de danger aussitôt que quelqu'un utilisait la magie trop près d'elle. Celui-ci s'était déclenché sans qu'elle s'y attende.

Elle observa le chaos, les yeux écarquillés, et commença à froncer les sourcils. On sentait que l'orage s'amassait derrière le front ravissant et que quelqu'un allait se prendre un gros coup de foudre dans les dix secondes.

Esmeralda donna un coup de pied dans un ballon qui traînait, puis s'avança vers Lisbeth.

C'était étrange, elle semblait se parler à elle-même. En fait, le fantôme n'avait pas éradiqué la personnalité d'Esmeralda, comme l'avaient fait les autres fantômes. Mieux, il conversait avec elle.

— Je… je vais récupérer mon mari entier, quand même ? s'inquiétait la légitime propriétaire du corps.

— Oui, dès que tous ces imb… ces gens auront rassemblé les ballons, tu récupéreras ton mari. Maintenant, si cela te convient, puis-je avoir la maîtrise de notre corps ?

— Avec plaisir, répondit gracieusement Esmeralda.

C'était fascinant de voir les deux personnalités se parler ainsi. Fascinant et assez angoissant.

La grosse femme se tourna vers Lisbeth, et croisa les bras.

— Tu sais, dit-elle d'un ton déçu, j'aurais vraiment pensé que tu parviendrais à résister. Je te croyais plus forte, ma fille.

À ces mots, Lisbeth se redressa brusquement et tout son corps se raidit.

Puis un nom sortit de ses lèvres. Un seul.

— Elseth !

Le nom courut de lèvres en lèvres et les courtisans interrompirent leur chasse au ballon.

Avant que Lisbeth ait eu le temps de réagir, toute la cour s'était inclinée devant sa mère, Elseth'tylanhnem, l'ancienne Impératrice d'Omois !

— Vous n'êtes plus l'Impératrice, fit remarquer Lisbeth en se rasseyant sur le trône. Qu'est-ce que vous faites ici ?

— Avec certaines de mes amies, répondit Elseth en désignant les vieilles Impératrices qui caquetaient dans les airs, nous surveillions ceux d'entre vous qui voulaient revenir sur Autre-Monde. Mais le vortex nous a prises par surprise et nous a expédiées ici. J'ai attendu afin de voir ce qui allait se passer. Je ne sais pas qui tu es, fantôme, mais tu es en train de te mettre à dos tous les peuples inhumains d'AutreMonde. Et je te signale que les empires, royaumes et républiques humaines ne seront pas de taille à résister si les vampyrs, les nains, les elfes et surtout les loups-garous se mobilisent contre nous. Tu vas finir par faire massacrer mon peuple !

Lisbeth fronça les sourcils.

— *Ton* peuple ? Jusqu'à preuve du contraire c'est *mon* peuple pour l'instant.

Elles se fusillaient du regard et Lisbeth finit par baisser les yeux. Elle se justifia :

— De plus, le président des loups-garous, T'eal, m'a fait parvenir un message indiquant que les loups-garous, par respect pour Tara qui les a délivrés du joug de la Reine Rouge, n'interviendront pas dans les affaires d'Omois.

— Mais il y avait un codicille à cette déclaration, précisa Elseth, parfaitement informée. Ils ont indiqué qu'ils n'entreraient pas en négociation avec vous tant que Tara Duncan elle-même ne serait pas votre représentante. Et ils ont bien précisé « représentante unique, non possédée ». Or je ne vois cette enfant nulle part. Et il me semble bien qu'il y avait une date limite dans cette déclaration. De trois mois, si ma mémoire est bonne.

Lisbeth refusa d'entrer dans le débat.

— Cela se réglera. Je la fais rechercher. Tara Duncan va bientôt rentrer, après tout, sa famille est ici, c'est également sa place.

Le sous-entendu était clair. Le fantôme de Lisbeth utiliserait la mère de Tara pour la faire tenir tranquille.

— Les loups-garous sont plus ou moins sous contrôle pendant encore un mois, admettons. Mais les elfes ne seront pas si faciles à convaincre, rétorqua Elseth. Pas plus que les vampyrs.

— Les elfes sont retournés chez eux et les vampyrs ont normalisé leurs relations avec nous. Alors, vieille femme, ne viens pas essayer de m'apprendre ce qu'est la politique, je la connais parfaitement.

— Pauvre sot ! explosa Elseth, tu crois tout maîtriser ? Les inhumains n'accepteront jamais la domination des fantômes sur AutreMonde !

Lisbeth semblait s'être totalement ressaisie.

— Peut-être, nous verrons bien. En attendant, tu n'as rien à faire ici, vieille femme. Gardes !

Mal à l'aise, les gardes entourèrent Elseth/Esmeralda. Celle-ci secoua la tête puis pointa le menton. Immédiatement, des dizaines de fantômes se réunirent autour d'elle, menaçant les thugs. Ceux-ci se figèrent. Le fantôme de Lisbeth grinça des dents.

— Bien essayé, fantôme, ricana Elseth, mais comme tu peux le constater, tu n'es pas le seul à avoir des... alliés. Je vais donc rester ici. Et je vais voir comment tu t'en sors pour diriger mon... notre empire. Et sache que je ferai tout ce qui est en mon pouvoir pour libérer ma fille de ton emprise, qui que tu sois.

Fou de rage, le fantôme se redressa, perdant tout contrôle.

— Tu veux savoir qui je suis, vieille femme ? Eh bien, tu vas l'apprendre. J'avais l'intention de l'annoncer demain, mais vingt-six heures de plus ou de moins ne changeront pas grand-chose. Alors, vois et pleure !

Son corps se mit à enfler et à grandir, ses épaules s'élargirent tandis que ses cheveux rétrécissaient. Une cape d'un gris si foncé qu'elle paraissait noire, marquée d'un cercle rouge, remplaça les longues robes de l'Impératrice. Un masque voila le fin visage, dissimulant les yeux bleus.

Tous le reconnurent et la frayeur fit reculer les courtisans.

Magister.

Selena fut si choquée qu'elle faillit en vomir.

Son ennemi ! L'homme qui la pourchassait de son amour maudit depuis des années ! Et elle était en son pouvoir ! Elle comprenait maintenant pourquoi il avait ordonné qu'elle soit dépossédée.

Et elle prit soudain conscience de ce que cela signifiait.

Cela signifiait que Magister était mort !

L'esprit bouillonnant, elle tentait d'évaluer les conséquences pour elle comme pour l'empire, lorsqu'une porte dérobée qui menait aux appartements privés de l'Impératrice s'ouvrit sur un signe de Magister.

En sortit une silhouette que Selena identifia tout de suite.

Fabrice.

Le jeune Terrien blond aux larges épaules avait beaucoup changé. Ses traits s'étaient durcis, il avait maigri. Et ses yeux noirs étaient hantés de chagrin et de culpabilité. A la place de la robe de sortcelier bleu et argent du Lancovit, royaume au service duquel il était attaché depuis son arrivée sur AutreMonde, il portait une robe grise. Avec un unique emblème, celui de son Familier mort, Barune le mammouth bleu.

Entouré d'un cercle orange sur la poitrine. Le cercle des adeptes.

Et Selena, comme le reste de la cour, prit conscience que le meilleur ami de l'Héritière d'Omois, Tara Duncan, était devenu un terrible ennemi. Un sangrave. Inféodé à Magister.

Derrière lui, une souple silhouette à la maigreur de lévrier affamé, aux longues dents, aux yeux rouges et à la peau blafarde, émergea de l'ombre. Son visage somptueux, comme sculpté dans l'albâtre la plus pure et la plus froide, fut fugitivement illuminé par les soleils d'AutreMonde avant qu'elle ne se tapisse auprès de son maître. Dans l'ombre du trône.

Son nom fut chuchoté. Selenba, le Chasseur, la redoutable vampyr. La foule frissonna. Certains des courtisans décidèrent que, même au risque de perdre leur emploi, ils avaient mieux à faire ailleurs. Les gardes ne les empêchèrent pas de partir. Mais les scoops enregistrèrent soigneusement leur départ.

Fabrice ignora sa terrifiante compagne et s'avança.

—Alors, mon jeune adepte, explique à nos amis ce qui s'est passé, comment, grâce à toi, je suis devenu un fantôme, ordonna Magister de son insupportable voix de velours.

—Lorsque Tara a blessé mon Seigneur, je venais de perdre mon Familier, tué par les wyverns, obéit Fabrice, docile.

Un murmure compatissant roula dans la salle. Les sortceliers étaient indéfectiblement attachés à leurs Familiers, animaux qui se liaient à eux pour la vie. Perdre son Familier, c'était comme s'amputer d'un bras. On pouvait survivre, mais c'était difficile.

—J'ai voulu… j'ai cru… j'ai sauvé mon Seigneur. Je voulais plus de pouvoir, qu'il me donne plus de puissance afin que je sois capable de protéger ceux que j'aime. Mais le transfert s'est mal passé. Ma magie était défaillante et, lorsque j'ai suivi ses consignes, les trois Transmitus ont eu raison de ses dernières forces.

—Et je suis mort, conclut Magister sur un ton jovial. Mon esprit est passé dans l'OutreMonde, juste après que j'ai donné des consignes à mes adeptes.

Il fit un autre signe et une demi-douzaine de sangraves apparurent au fond de la salle, entourant un énorme cercueil de cristal flottant dans lequel reposait un corps. Celui de Magister.

—Le corps de mon Seigneur a été mis en stase, quelques secondes après sa mort, précisa Fabrice de la même voix morne. Le cercueil est en train de reconstituer les cellules abîmées afin que le corps de mon Seigneur puisse revivre. Il le réintégrera dès que cela sera fait, libérant l'Impératrice qui, cependant, restera sous sa tutelle.

—Évidemment, je ne m'attendais pas à revenir aussi rapidement précisa Magister d'une voix pleine de bonne humeur. J'avoue que cela a été une heureuse surprise. Et pour cela, je dois remercier celle qui m'a tué, cette chère Tara Duncan, Héritière de l'empire d'Omois !

Magister n'avait pas l'intention de gâcher sa magie pour recréer longtemps l'illusion de son véritable corps. Il lâcha prise et l'Impératrice réapparut lentement sous le masque du sangrave. Elle redressa sa magnifique tête blonde et fixa l'assemblée de son regard étincelant.

— Donc, le provoqua Elseth, si je comprends bien, il nous suffira de détruire ce corps inanimé pour être tout à fait débarrassés de toi, c'est ça ?

Magister siffla de colère.

— Tu continues à me tenir tête, vieille femme ? Tout en sachant qui je suis ?

Elseth haussa les épaules.

— J'ai vaguement entendu parler de toi ces derniers mois, mais sans plus. Tes exploits sont loin d'être un sujet de conversation aussi important que le prix du pain ou des céréales !

Selena retint sa respiration, elle était dingue, cette ex-Impératrice, de défier Magister ainsi. Elle n'avait aucune idée de ce qu'elle risquait de déclencher ! La cruauté de Magister était réelle, Selena pouvait en attester.

— Et pour l'instant tu es comme nous, continuait Elseth, impavide. Un fantôme qui a dérobé le corps de quelqu'un de vivant. Je n'ai aucune raison de te craindre, tu ne peux rien contre moi. Et je sais bien pourquoi tu as réussi à réunir tous ces imbéciles prétentieux de fantômes autour de toi, c'est parce que tu leur donnes des conseils sur la façon de parvenir à posséder un corps. Ils ont été très impressionnés que tu sois arrivé à briser la volonté de ma fille, la puissante Impératrice, alors qu'ils avaient tant de mal à faire de même avec les Hauts Mages les plus talentueux !

Bien que toujours effrayée par sa témérité, Selena approuva silencieusement. Elseth disait vrai. Si les Hauts Mages avaient été possédés aussi rapidement, c'était grâce à Magister. Par reconnaissance et par prudence, les autres fantômes avaient décidé de se fier à celui qui était apparemment le plus puissant d'entre eux.

Magister tremblait de rage. Il pointa son doigt vers Elseth.

— Cela suffit ! Nous avons découvert que les vampyrs, en nous mordant, pouvaient nous tuer. Tu viens de prononcer tes dernières paroles, vieille femme. Selenba !

— Sombre Seigneur.

— Tue cette femme.

— Avec plaisir, Sombre Seigneur.

Comme un félin, la vampyr découvrit ses crocs et se ramassa pour bondir.

L'ex-Impératrice aboya un ordre et cinq fantômes s'unirent, afin d'amplifier leur magie, trop faible sans le support d'un corps. Avec leur pouvoir, ils tissèrent un lien en un éclair, attrapèrent la vampyr et s'envolèrent avec elle. Elle se débattit, griffa et mordit, blessant un fantôme, puis deux, mais les autres eurent le temps de la balancer... au travers d'une fenêtre, afin d'éviter le champ de force au-dessus de leurs têtes.

Qu'elle soit fermée ne les arrêta pas. Le cristal vola. On entendit un cri furieux. Puis un choc sourd qui fit écarquiller les yeux de ceux qui étaient présents.

— Je crois qu'elle va mettre un moment à revenir, lança une des vieilles Impératrices, en frottant ses mains fantomatiques avec satisfaction, elle s'est cassé les deux jambes en atterrissant et pour l'instant il n'y a personne pour lui appliquer un Reparus. Vas-y Elseth, tu as un peu de temps devant toi.

Elseth/Esmeralda se planta fermement devant Magister. À la grande surprise de ce dernier (et, admettons-le, d'Elseth aussi, qui ne s'y attendait pas), plusieurs des courtisans vinrent se mettre à côté et derrière elle, lui apportant leur soutien silencieux, les bras croisés et les sourcils froncés.

Le fait qu'ils aient les mains pleines de ballons joyeux atténuait un peu la gravité de la scène, mais pas tant que ça.

Elseth sourit.

— Je vais rester ici. Et je vais te surveiller, Magister ou qui que tu sois. Crois-moi, tu vas regretter d'avoir quitté l'OutreMonde !

— Je ne crains aucun des tiens, grimaça Lisbeth. Éliminer votre opposition ne sera qu'une question de temps, vous êtes des traîtres à votre propre cause !

— Des traîtres ? reprit pensivement Elseth. Non, je ne crois pas. Le bien-être de mon peuple est plus important que le mien. Et je n'ai jamais demandé à être ici. OutreMonde est un endroit très agréable pour vivre.

— Puisque c'est si formidable, vieille kroa desséchée, je vais t'y renvoyer et plus vite que ça !

— Cela va être intéressant de te voir essayer, petit homme, oui, vraiment.

Magister décida de l'ignorer. Il devait trouver un moyen de chasser cette vieille peste d'AutreMonde, sinon, elle allait lui empoisonner la vie. Et il y avait plusieurs autres fantômes, dont le vieux prince Bandiou, oncle défunt de l'Impératrice, qui affichait des ambitions un peu trop similaires aux siennes, qu'il verrait bien disparaître avec Elseth. Oui, son objectif le plus important venait de changer. L'élimination de certains fantômes devenait prioritaire.

Pendant qu'il réfléchissait, Elseth alla s'asseoir confortablement dans un fauteuil qui se précipita pour la soutenir. Elle croisa le regard de Selena. La jeune femme mit toute la puissance de sa colère et de sa peur dans cet échange. « Je suis une alliée, dit-elle de façon muette, aidons-nous ! » L'Impératrice ne réagit tout d'abord pas, puis, lentement, très lentement, cligna d'un œil. Personne ne la vit, à part Selena. Celle-ci soupira. Il allait falloir qu'elle trouve une solution pour parler à Elseth/Esmeralda. Seules à seule.

Les courtisans continuaient à réunir le malheureux mari d'Esmeralda. Quelqu'un avait invoqué des ficelles et, au bout de quelques minutes, un gros tas de ballons flottait joyeusement au milieu de l'immense salle d'audience. Les thugs volants avaient récupéré ceux qui s'étaient collés au champ de force. Par miracle, aucun n'avait été crevé. Le plus difficile fut de récupérer le dernier, accaparé par une petite-cousine éloignée de Lisbeth, qui avait cinq ans, d'immenses yeux bleus prêts à se remplir de larmes dès qu'on essayait de lui retirer son ballon et une voix incroyablement aiguë. Sa mère, inquiète de voir Magister tourner sa redoutable attention vers le minidrame, lui recréa vite fait un ballon. La petite, enchantée d'avoir deux beaux ballons, voulut garder les deux. Il s'ensuivit une courte bagarre mais le ballon fut enfin rendu.

La petite quitta la salle derrière sa mère, tout son corps raidi d'indignation, avec son beau ballon.

Gracieuse, Esmeralda/Elseth accepta de reconstituer son mari. La magie du fantôme jaillit, recouvrit les ballons, et un homme tout nu se tint devant eux, avec un sourire idiot.

— Flllbbblll, dit-il, flllbbblll.

Puis il s'écroula.

Parce qu'il n'avait qu'une jambe.

On comprit après que la mère en bataillant s'était trompée de ballon. Elle avait rendu le mauvais à Esmeralda. Du coup, un bout de son mari était composé de ballon et sa jambe flottait joyeusement derrière une petite fille, quelque part dans le Palais. Le malheureux fut emporté en attendant qu'on puisse la lui remettre.

Les courtisans, très amusés par l'incident, se divertirent beaucoup à imaginer à quel endroit le ballon s'était greffé[1]...

Tandis que Selena nouait des complicités, que Magister ruminait et que les fantômes attendaient impatiemment que reprenne le rythme des possessions, Fabrice faisait face à la personne qu'il redoutait le plus de voir.

Moineau.

Mais ce n'était pas sa ravissante petite amie qu'on venait d'amener devant lui. C'était une Bête à demi folle d'angoisse et d'épuisement, dont les menottes en fer d'Hymlia avaient entaillé les poignets, laissant croûtes et blessures enflammées.

Sheeba, sa magnifique panthère, n'était pas avec elle. Les fantômes savaient très bien à quel point le lien entre les sortceliers et leurs Familiers étaient importants. Alors, les Familiers avaient été enfermés dans le zoo, loin de leurs compagnons d'âme.

— Fabrice, grogna la Bête. Je te croyais mort.

— Moi aussi, je me croyais mort, répondit Fabrice très sérieusement. Pourquoi es-tu sous ta forme de Bête ?

Descendante de la Belle et la Bête, Moineau avait découvert par hasard qu'elle était capable d'appeler la malédiction à volonté. Et de se transformer de ravissante adolescente aux yeux noisette et aux cheveux bouclés en une Bête monstrueuse avec trop de dents, de griffes et de sauvagerie pour la bonne santé de ses adversaires.

Rares au demeurant.

— Lisbeth... je veux dire, Magister a ordonné que je sois possédée, murmura la Bête, d'une voix rauque d'épuisement, la fourrure poissée par la sueur. Mais les fantômes ne veulent pas m'approcher lorsque je suis sous cette forme.

— Tu... tu veux dire que tu es sous cette forme depuis deux mois ? s'étrangla Fabrice, atterré.

— Pas tout le temps, dès que je suis seule, je reprends ma forme humaine. Mais ils doivent le sentir, car ils arrivent très vite et je dois me retransformer.

---

1. Pas à l'endroit que ceux d'entre vous qui ont l'imagination mal placée ont... imaginé. Mais à la place de sa langue, raison pour laquelle il ne pouvait pas parler à part pour dire : « Flllblll Flllblll ».

— Je n'en savais rien, avoua Fabrice. Magister m'a consigné dans la forteresse des sangraves afin de compléter ma formation. Il ne m'a fait venir au Palais qu'hier, en prévision de sa grande annonce. Que la vieille Impératrice a un peu avancée d'ailleurs.

Moineau planta ses yeux dorés de fauve dans les yeux noirs de Fabrice.

— Pour ce que tu as fait, pour ta trahison, pour t'être allié à notre pire ennemi, je ne te demanderai pas pourquoi, parce que je le sais. Je sais aussi que la perte de Barune t'a rendu fou. Je comprends. Être loin de Sheeba m'affaiblit terriblement, donc j'imagine ô combien à quel point cela doit être douloureux. Mais je veux juste savoir une chose. Est-ce que ça en valait la peine, Fabrice ? Nous trahir, tous. Est-ce que ça en valait la peine ?

Fabrice tourna la tête, fuyant son regard si douloureux. Il appela la magie. Un feu noir couronna sa main qu'il lança sur le corps poilu en face de lui. Stupéfaite, Moineau se sentit rétrécir. Sa fourrure disparut et sa robe de sortcelière s'empressa de masquer son corps nu. Les menottes rétrécirent aussi, meurtrissant encore et toujours les poignets graciles.

Il l'avait retransformée. Avec une telle facilité ! Jamais l'ancien Fabrice n'en aurait eu le pouvoir. Le feu noir se dirigea vers les menottes et, en dépit du fait que le fer d'Hymlia était censé résister à toute magie, celles-ci s'ouvrirent et tombèrent à ses pieds en cliquetant.

Et ses blessures disparurent. Soignées en une seconde.

Fabrice stoppa le flot noir, l'air satisfait. Puis son visage se crispa alors que sa main se posait sur sa poitrine.

— Oui, murmura-t-il. Cela en valait la peine. Mais le prix à payer est élevé, oh, Gloria, la pression de la magie noire sur mon corps et sur mon esprit est terrible. Je… je souffre beaucoup.

Épuisée par la tension, la jeune fille vacilla. Il la prit dans ses bras, la soulevant avec facilité. Les fantômes se mirent à voleter autour de lui, tentant de s'approcher de Moineau. Furieux, Fabrice se changea en loup-garou et les fantômes s'éparpillèrent comme une volée de vv'ols[1] effarouchés. Il sourit de tous

---

1. Petits moineaux d'AutreMonde, capables d'agir comme un seul organisme devant un danger, en reproduisant la silhouette de redoutables prédateurs qui font fuir leurs attaquants. Exemple, si des vv'ols sont attaqués par des faucongyres, ils se massent et forment le corps d'un aiglelong, qui attaque les faucongyres. Ceux-ci, trompés, s'enfuient et le nuage de vv'ols se défait.

ses crocs. Depuis qu'il avait été mordu sur le Continent Interdit, il avait acquis cette faculté de muter à volonté. Parfois, c'était ennuyeux, surtout quand les odeurs étaient fortes comme ici, où la foule s'était généreusement parfumée.

Et puait la peur.

Parfois, cela avait du bon. Il guérissait instantanément de toute blessure, seuls l'argent ou la décapitation pouvaient le tuer et il était bien plus fort et bien plus rapide que les plus puissants inhumains d'AutreMonde, à l'exception peut-être des dragons.

De plus, les fantômes avaient peur de lui. Bien.

Soudain, un grand remue-ménage se fit près de la porte de la salle. Selenba, dents sorties, ensanglantée, écumante de rage, se dirigea vers Elseth/Esmeralda, avec la manifeste intention de lui faire passer le goût du pain.

Magister l'arrêta de justesse, avant que les fantômes ne l'attaquent.

— Cela suffit, tu auras d'autres occasions. Laisse-la tranquille… pour l'instant.

Fabrice grimaça. Le Chasseur n'était déjà pas facile facile, là, elle allait être carrément insupportable. Il se dirigea vers le trône, portant toujours Moineau sous sa forme humaine. Il devait montrer ce qu'il avait fait à Magister. Lorsqu'il avait décidé de suivre ce nouveau maître, il n'avait pas imaginé à quel point sa laisse serait courte.

Et son collier serré.

Lisbeth se redressa lorsqu'elle le vit avec Moineau dans les bras, à moitié inconsciente.

— Qu'est-ce qui se passe ?

Gommant soigneusement toute colère dans sa voix, Fabrice baissa ses yeux jaunes de loup et répondit :

— Si elle reste trop longtemps sous sa forme de Bête, mon Seigneur, elle deviendra une Bête, uniquement guidée par des instincts primaires. Elle perdra toute intelligence et ne nous sera plus utile à rien.

— Mais tu as réussi à la convaincre de se retransformer, je vois, convint Magister. À peine es-tu ici que tu montres, de nouveau, ton indéniable efficacité. Je vais la faire posséder immédiatement, merci.

Tout cela était étrange. Le pouvoir de Magister pouvait forcer Moineau à se retransformer en humaine, aussi facilement si ce n'est plus, que celui de Fabrice.

Pourquoi ne l'avait-il pas utilisé ? Faire posséder Moineau par un fantôme n'avait rien de compliqué. Mais Magister plaçait ses pions tellement en avance que l'affronter revenait à jouer aux échecs en trois dimensions, les yeux bandés.

— Si cela vous convient, j'aimerais en faire une alliée, osa Fabrice toujours sans relever la tête, car il avait appris, dans la douleur, que provoquer Magister était dangereux. La convaincre de nous rejoindre. Librement.

— Mon adepte, susurra Magister, je ne crois pas t'avoir donné ce genre de liberté. La réponse est non. Elle sera possédée, je ne lui fais pas confiance.

Et à moi non plus, constata le jeune homme avec dépit.

Moineau ouvrit des yeux fiévreux et grimaça.

— Tu auras essayé, au moins, dit-elle.

Puis, avant que Fabrice ait le temps de protester, elle se retransforma, le faisant ployer sous son poids en dépit de la puissance de ses muscles de loup-garou.

Elle se dégagea et se tint fièrement devant Lisbeth.

— Je préfère être morte qu'esclave, cracha-t-elle. Je ne céderai pas.

— Tu n'as que quinze ans, petite princesse, riposta Lisbeth, tu n'as aucune idée de ce qu'est la mort. Ou la douleur.

L'Impératrice se re-adossa et eut un sourire cruel.

— Fabrice ?

— Mon Seigneur ?

— Quelques coups de fouet me semblent indiqués pour mater cette jeune rebelle. Une fois inconsciente, elle se retransformera et, alors, elle sera possédée.

Fabrice serra les crocs, retenant une réaction furieuse.

Il s'inclina.

— Bien, mon Seigneur.

— Et... Fabrice ?

— Mon Seigneur ?

— C'est toi qui appliqueras les coups de fouet.

Cette fois, Fabrice releva les yeux et rencontra ceux de Lisbeth, pleins d'une joie malveillante.

Il s'inclina de nouveau, vaincu.

— Bien, mon Seigneur.

— Chasseur ?

— Sombre Seigneur ?

— S'il ne met pas suffisamment de cœur à l'ouvrage, c'est toi qui t'en chargeras.

La vampyr qui foudroyait Elseth du regard se détourna et braqua son attention sur le corps frémissant et poilu de Moineau. Elle sourit, dévoilant ses longs crocs blancs.

— Avec plaisir, Sombre Seigneur.

— Mais ne la mords pas, Selenba. La petite pourrait m'être utile pour la succession du Lancovit, même si elle n'est pas en ligne directe. J'ai besoin d'elle. Vivante. Compris ?

La vampyr soupira, déçue.

— Bien, Sombre Seigneur.

Elle fit signe aux gardes qui encadrèrent Fabrice et Moineau. Ils remirent ses menottes à la Bête, qui, épuisée, se laissa faire, les épaules tombantes et la queue basse. Fabrice ne disait rien, son visage était de marbre, mais ses yeux exprimaient à quel point il était déchiré.

Lorsqu'il avait choisi cette voie, il ne devait pas imaginer ce qu'il lui en coûterait. Selena, qui observait la scène avec répulsion, sentait pourtant qu'il ne reviendrait pas sur sa décision. Envers et contre tous, il continuerait. La mère de Tara espéra que l'orgueil du garçon n'allait pas tous les faire tuer.

Avec un peu de chance, la terrible épreuve qui l'attendait allait peut-être convaincre Fabrice de se révolter contre son maître.

Car Magister venait de commettre une erreur en pesant à ce point sur la loyauté de Fabrice, avec ce choix cornélien[1] : soit fouetter Moineau jusqu'au sang, soit laisser faire la vampyr qui en profiterait pour lui arracher la peau du dos.

Furieuse, Selena fit face à Magister alors que Fabrice sortait avec Moineau encadrée de deux thugs.

— Espèce de monstre ! gronda-t-elle. Quelle joie éprouves-tu donc à faire souffrir des adolescents ? Attaque-toi à des adversaires à ta taille !

---

1. Vient de Corneille, auteur qui avait le chic pour mettre ses héros devant des choix impossibles, genre *Le Cid*, où, sur l'ordre de son père, Rodrigue doit tuer le père de celle qu'il aime et donc la perdre à jamais, ou perdre son père.

— Ma douce, sourit Lisbeth, ce qui faisait bizarre, ne te mêle pas de tout cela, je ne voudrais pas te faire souffrir. Et puis, tu vas avoir à t'occuper pendant ces prochains mois.

— À m'occuper ? demanda Selena, méfiante. À m'occuper de quoi ?

Enfin, à part fomenter complot sur complot pour abattre son ennemi ?

L'Impératrice arrangea ses robes avec affectation autour d'elle, puis releva son magnifique visage et claironna, histoire que tout le monde l'entende bien :

— Mais de notre mariage, bien sûr !

10

La Chose

ou se transformer en machine à tuer tout le monde
n'est pas une bonne façon de se faire des amis...

Angelica n'avait pas desserré les dents depuis qu'elle avait failli embrasser Cal le vampyr. C'était la deuxième fois que le petit Voleur la trompait. La première fois, lorsqu'il s'était présenté à elle sous une fausse forme (une sorte de Dieu vivant, avec pectoraux d'enfer, flanqué d'un lion rouge comme Familier) et une fausse identité (Bond, mon nom est Bond. James Bond) et qu'elle en était tombée amoureuse, et aujourd'hui.

C'étaient deux de trop. Elle ne savait pas encore comment, elle ne savait pas quand, mais elle trouverait un moyen de se venger.

En attendant, elle regardait sa main avec émerveillement, tentant de se souvenir de ce qu'elle avait appris à propos de la Main-de-Lumière dans sa famille.

À l'époque de la Grande Guerre des Failles, la Main-de-Lumière était possédée par son ancêtre, Cyprien Brandaud. Avec l'aide de Demiderus, Cyprien, qui était un sortcelier de talent, avait créé cette arme. Puis l'avait incorporée dans le génome de sa lignée. Le jeune homme en avait découvert les immenses pouvoirs en se défendant contre des démons, alors que Demiderus et lui venaient tout juste de terminer les premiers tests. Il avait failli en mourir. Lors de l'attaque qui avait coûté la vie à la Reine Dragonne, Cyprien avait utilisé la Main-de-Lumière, alors que tout semblait perdu. La légende n'était pas très précise, mais disait qu'il avait réussi à refermer les failles et détruit l'Atlantide, rien que ça.

C'était une arme dangereuse.

Puissante.

Tout à elle.

Mais était-elle aussi puissante que la magie de Tara ? L'autre peste l'énervait tellement avec ses mines de première de la classe, ses grands yeux bleus innocents et son air angélique. Elle… elle avait envie de la pulvériser par moments.

Hum, d'ailleurs, maintenant qu'Angelica avait ce pouvoir, qui sait ce qui pouvait arriver ?…. Un accident. Une mystérieuse désinté… disparition. Oui, cela pouvait se faire.

À présent loin de la capitale, ils survolaient des champs bien entretenus et des pâturages remplis de vaches, de mooouuus, de bééés et de traducs. Angelica se fit un instant la réflexion qu'il y avait longtemps qu'elle n'avait pas vu la campagne et que cela ne lui avait pas manqué du tout, puis reprit la contemplation adoratrice de sa main.

— Elle ne va pas s'en aller, tu sais, observa une voix qui la fit sursauter.

— Quoi ?

— Ta main, continua Tara en se glissant près d'elle, elle ne va pas s'envoler, inutile de la fixer comme ça !

Furieuse, Angelica pointa un doigt vengeur vers Tara.

— Moi, à ta place, je ne me risquerais pas à me provoquer.

— C'est ça. En attendant, pointe ton doigt ailleurs, je te prie.

La grande fille se crispa, mais replia son doigt.

— Tu aimes jouer avec ta vie, hein ?

— Angelica, crois-moi, je ne joue pas. Jamais. Surtout avec ma vie. (Tara désigna la main d'Angelica.) Tu sais t'en servir ?

Angelica fut déconcertée. Tara changeait de sujet à la vitesse de la lumière et c'était déstabilisant.

— Évidemment que je sais m'en servir, répondit-elle dédaigneusement, ça n'a rien de bien compliqué. Je la mets devant moi, j'envoie ma magie et paf ! tout est désintégré.

— Non, ce n'était pas ta magie, la reprit Tara. Dans mes cours…

— Tu prends des cours ? l'interrompit Angelica, surprise.

Tara haussa les épaules.

— Ben oui, des cours de maths, de physique, de philo, d'histoire, de géographie et de géopolitique, de micro- et macroéconomie…

— Mais… pourquoi ? Il suffit de lire les livres une fois et on s'en souvient !

— Oui, la magie, c'est très utile pour ça. Sauf que dans mon cas, j'ai des professeurs qui m'enseignent, comme à mon frère et à ma sœur, des choses qui ne sont pas forcément dans les livres d'une part et, d'autre part, ils m'entraînent aussi à les utiliser sur le terrain. Alors, j'ai également des cours de sciences naturelles (ce cours-là, elle ne l'aimait pas beaucoup, certains spécimens étant à la fois vivants et agressifs), de combat, de sabre et d'épée, de lancer de poignard (elle était nulle, le professeur avait failli terminer avec une oreille en moins), de cuisine (avec son arrière-grand-père, Manitou, qui consommait avec délectation le produit de leur travail), de protocole (elle détestait, et puis, franchement, qui voulait savoir que les épouses/gardes du corps du Grand Edrakin de Patrok devaient être placées autour de lui lors des banquets et derrière lui pendant les bals ?) et, bien sûr, des cours de magie. Et justement, dans ces derniers cours, j'ai le vague souvenir que mon prof avait parlé d'une arme, lors de la Guerre des Failles, qui ne dégageait pas de magie. Qui restait indétectable aux démons. Je me demande si ce n'est pas de ta fameuse main dont il parlait, parce que Cal a dit que le niveau de magie dégagée était négligeable. Or ce que tu as utilisé pour anéantir cette colline aurait dû illuminer son détecteur à fond. Mais il n'a vu que la lumière, pas la magie.

Angelica écarquillait les yeux.

— Tu crois qu'elle est indétectable ? (Elle se reprit, peu désireuse de montrer que son ennemie savait quelque chose qu'elle ignorait.) Je veux dire, c'est évident. Ma Main-de-Lumière est à la fois puissante et discrète, c'est une arme parfaite !

Et tu vas en expérimenter les effets plus vite que tu ne le penses, jubila la grande fille brune mentalement en toisant Tara.

— Tu devrais faire des essais, proposa Tara, un peu inquiète de savoir une telle puissance entre les mains... enfin, la main... d'Angelica.

La réponse fusa :

— Sur toi ?

— Euh... non, si ça ne t'ennuie pas, plutôt sur un truc inanimé. Un rocher, un arbre mort, une cabane en ruine, des choses de ce genre-là, tu vois ?

Tara avait raison bien sûr, mais Angelica aurait préféré mourir plutôt que de l'admettre.

— Je n'ai pas besoin de m'entraîner, répondit-elle avec dédain. La magie, c'est naturel chez moi, ce n'est pas comme pour toi !

Puis elle renifla bruyamment et fronça les sourcils.

— Mais qu'est-ce que c'est que cette odeur ?

Sylver se retourna à cet instant et cria :

— Il y a beaucoup de lumières devant, je crois que nous arrivons à G'luan't, enfin, d'après le GPS du tapis. Que faisons-nous, nous entrons ou nous contournons la ville ?

— Nous entrons ! ordonna Angelica.

— Nous contournons ! s'exclama Tara.

Les deux réponses avaient jailli et les filles se regardèrent d'un œil noir.

— J'ai besoin de me laver, de me restaurer et de me reposer ailleurs que dans cette campagne pourrie, déclara Angelica.

— Nous ne pourrons pas utiliser la magie, les gardes ont des lunettes spéciales afin de voir la véritable forme des gens, rétorqua Tara. Et nous sommes toutes les deux parfaitement reconnaissables. Ce sera un trop grand risque. Il faut envoyer Sylver faire les courses dont nous pourrions avoir besoin et rester en dehors. Angelica, le sort de ce monde repose sur nous, je ne vais pas le mettre en danger parce que tu as envie d'un lit !

Sylver hocha la tête.

— Vous avez raison, Damoiselle Tara, il ne me semble pas très judicieux d'entrer dans cette ville ensemble. Je vais acheter ce dont nous avons besoin et je vous rejoins. Nous la contournerons.

Angelica grommela quelque chose d'indistinct, mais qui ne devait pas être aimable.

— Je vais poser le tapis sur cette petite colline, précisa Sylver qui finalement ne devait pas si bien voir que ça dans le noir, car il écarquillait les yeux.

À son tour, Tara sentit l'odeur et ouvrit la bouche.

— Attends, cria-t-elle, ce n'est pas…

Trop tard. Sylver venait de poser le tapis.

Sur un magnifique, gigantesque, gargantuesque tas de bouse de traduc.

Le tapis s'enfonça immédiatement. Avec un glapissement dégoûté, Angelica sauta sur le fauteuil alors que la fange puante se déversait à l'intérieur, alourdissant le tapis. Et les submergeant.

— Redécolle, hurla Tara, viiiiite !

Sylver essaya, mais le poids de la fange et l'eau avaient détrempé le pauvre tapis. Après un bref combat où il se redressa quelques secondes, celui-ci rendit l'âme et s'enfonça avec des glouglous désespérés. Sylver et les deux jeunes filles n'eurent pas le choix. Ils sautèrent.

Les Cultiveurs[1] avaient posé des barrières de contention magiques tout autour des tas de bouse, mais pas au-dessus, car ils avaient besoin de l'eau pour décomposer le fumier et l'épandre au mieux. Sylver, Tara et Angelica eurent de la chance, car ils sautèrent juste à temps pour glisser le long des barrières jusqu'au sol. Ils virent le tapis s'engloutir.

Un silence abasourdi salua sa fin. Tara fut saisie de tremblements, non pas parce qu'elle avait eu peur, mais parce que la changeline, furieuse d'avoir été mouillée et salie, se secouait dans tous les sens pour se débarrasser du fumier.

— Merde, finit par jeter Tara.

— C'est le cas de le dire, répliqua Angelica dans un rare accès d'humour.

Sylver s'efforçait de respirer par la bouche. L'odeur le rendait malade. Il hésitait entre s'évanouir, ce qui n'était pas très guerrier, ou vomir partout, ce qui ne l'était pas non plus. Dans les histoires que lui racontait sa mère, les héros ne se retrouvaient pas couverts de bouse dès le début de leurs aventures. De sang, de boue lors de périlleuses évasions, oui.

De bouse, non, définitivement.

Il retint un soupir. Comme il l'avait fait remarquer plus tôt, ce genre de choses lui arrivait tout le temps. Les deux jeunes filles commençaient tout juste à s'en rendre compte. Elles le regardèrent avec une inquiétude qui lui serra les tripes.

— Cela règle la question, constata Angelica. Il va nous falloir entrer dans cette ville entourée de champs qui puent autant que nous.

— Malheureusement, répondit Tara, navrée de devoir faire plaisir à son ennemie, tu as raison.

---

1. Les Cultiveurs sont les paysans d'AutreMonde, ils cultivent les plantes, les élèvent, ainsi que le bétail.

Angelica la regarda, surprise.

— Mais je croyais que tu ne voulais pas...

— Nous n'avons plus de tapis, l'interrompit Tara. Et faire de la magie en pleine campagne n'est pas une bonne idée. Invoquer des Élémentaires d'eau pour nous nettoyer pourrait nous faire prendre. Il vaut mieux entrer en ville pour nous laver, nous reposer et acheter un nouveau tapis. De toute façon, il aurait bien fallu nous en séparer à un moment ou à un autre. Le marchand a dû signaler son vol à présent.

Sylver hocha la tête sans parler. Tout pour se débarrasser de cette horrible odeur. Son nez était en train de déclarer forfait. Or sa mère lui avait bien dit qu'il devait être prudent. Ne jamais perdre l'un de ses précieux sens. L'odorat, le toucher, le goût, la vue, l'ouïe. Parce que c'étaient les seules choses qui lui permettaient de rester humain... de ne pas devenir quelque chose... d'autre.

Au moins, l'horrible émanation avait l'avantage de lui masquer l'odeur des filles. C'était terrible. Dès qu'il s'approchait d'elles, leur odeur l'emplissait, délicieuse, tentante, ensorcelante. Elle le faisait saliver, lui donnait envie de mordre. Il grogna. Il ne devait pas y penser. Jamais.

Et puis, de toute façon, sous cette forme, s'il tentait de les approcher, il s'assommerait sans doute bien avant.

— Le seul truc qui m'ennuie, c'est que je ne sais pas comment nous allons expliquer dans quel état nous sommes, se demanda Tara à voix haute.

— Nous ne l'expliquerons pas, répondit Angelica, hautaine. Tu as de l'argent ?

— Dans ma changeline, oui, j'en ai toujours, au cas où.

— Beaucoup ?

— Suffisamment, répondit Tara, prudente.

En fait, elle avait de quoi acheter un petit pays, sa tante lui avait expliqué que l'argent était le garant de sa sécurité si elle était en dehors d'Omois.

— Alors c'est parfait. Les gens qui ont de l'argent peuvent tout se permettre. On nous prendra juste pour des excentriques à qui il est arrivé une mésaventure.

Oui, c'était également le cas sur Terre. En pensant à la planète sur laquelle elle avait vécu la majorité de sa vie, et qu'elle considérait comme son vrai foyer, Tara eut une idée. Elles ne pouvaient pas utiliser la magie. Mais sur ce monde, les sort-celiers oubliaient souvent qu'il existait d'autres moyens.

— Nous allons nous déguiser pour entrer dans la ville, proposa-t-elle en fouillant ses poches, et je sais comment changer ton apparence sans utiliser la magie, Angelica.

La grande fille brune ne lui prêta aucune attention.

— Nous allons prendre les meilleures chambres du meilleur hôtel de la ville, déclara-t-elle avec délice.

— Et les meilleurs gardes de la meilleure police vont immédiatement nous arrêter, persifla Tara.

— Non, ils n'imagineront jamais que deux fugitives pourraient se réfugier dans un grand hôtel, fais-moi confiance. De plus tu vas te transformer.

— Cela ne servira à rien, répondit Tara patiemment, je t'ai dit que les gardes avaient des lunettes pour...

— En vampyr. Comme ton stupide copain Cal.

— Mais tu as vu, sur les panneaux de cristal, il y avait les deux portraits. Celui où je suis sous ma forme humaine et celui où je suis sous ma forme vampyr. Rares sont ceux qui savent que je me suis retransformée en humaine, je te rappelle qu'il y a encore deux mois j'en étais absolument incapable !

— Évidemment, répondit Angelica avec mépris, je ne suis pas stupide ! Mais les lunettes ne détectent que les illusions, pas la métamorphose d'un vampyr en animal, car il devient réellement cet animal. Donc, si tu entres dans la ville sous ta forme de loup ou de chauve-souris, tu passeras inaperçue. On te prendra pour un Familier.

Tara hocha la tête. Angelica, toute crispante qu'elle était, avait raison, c'était une bonne idée.

— Et vous, Damoiselle, demanda Sylver en interrogeant Angelica, comment allez-vous vous déguiser ?

— Avec des boules de coton... répondit Tara à la place d'Angelica, en sortant le paquet qu'elle cherchait dans sa poche.

Elle brandit une sorte de truc informe et mou de l'autre main. Le Château Vivant avait été efficace. Il lui avait même donné de quoi passer de cinquante kilos à quatre-vingt-dix en une seconde.

— ... et un rembourrage sous sa robe de sortcelière. Elle n'aura pas transformé sa silhouette avec de la magie, donc les gardes ne la perceront pas à jour avec leurs lunettes.

Angelica recula, une lueur d'effroi dans le regard.

— Quoi ? Tu veux dire que tu veux faire de moi une... une grosse ?

— Exactement, répondit Tara ravie de sa trouvaille. Crois-moi, personne ne te reconnaîtra lorsque la changeline en aura fini avec toi.

Tara sortit plusieurs boules et tiges de coton qui allèrent grossir les joues d'Angelica. La changeline modifia le maquillage de la grande fille brune afin de lui arrondir les yeux et de les éclaircir, sans faire appel à la magie, puis quelques rides bien appliquées la vieillirent de plusieurs années. Ils tirèrent ses cheveux en un chignon très serré, ce qui dégagea son visage. Grâce à un fond de teint, la changeline modifia également sa peau mate qui devint d'un blanc d'albâtre. Sous la robe, ils placèrent des rembourrages habilement répartis, qui donnèrent à Angelica l'apparence d'une petite montgolfière.

— Euh, ch'est un peu exagéré, crachota-t-elle, à travers le coton, ch'est impochible d'être auchi groche !

— Si si, rigola Tara, c'est parfait, je peux te jurer que personne ne va te reconnaître !

— Pffff, ch'est chuper pénible de voyager avec toi ! grommela Angelica, furieuse. Donne-moi de l'argent, comme cha, chi on est chéparées, je pourrai payer l'hôtel en vous attendant.

Ah, elle la trouvait pénible quand ça l'arrangeait ! Tara savait qu'Angelica dissimulait certainement de l'argent sur elle, mais ne répliqua pas. Elle lui donna une bourse confortablement garnie de crédits-muts d'or. Elle fit de même avec Sylver, qui à sa grande surprise refusa.

— J'ai ce qu'il faut, merci Damoiselle, répondit-il poliment.

Pendant qu'Angelica s'éloignait en se dandinant vers la ville, Tara se transforma. C'était de plus en plus facile. Bien qu'elle ne se soit jamais changée en buveuse de sang humain, l'ADN modifié de Selenba était gravé dans sa tête et elle savait ce qu'elle devait faire. Elle ne se transforma donc pas uniquement en vampyr. Elle se transforma en une clone de Selenba, en une vampyr qui aurait bu du sang humain et était donc aussi différente d'un simple vampyr qu'un diamant taillé l'était d'un caillou.

Sylver sursauta lorsqu'elle apparut en une splendide vampyr, très différente de celle qui avait tué le fantôme de Cal. Sa peau était blafarde, ses yeux étaient d'un rouge étincelant, mais plus sombres que ceux de Cal, ses cheveux, blancs. Et, comme Cal, elle avait grandi, frôlant les deux mètres.

Et elle avait l'air affamé.

—Waaah, dit Tara en se léchant les babines, ce n'est pas du tout comme chez un vampyr ordinaire. C'est… c'est bizarre. Plus… plus violent.

Elle renifla. Il y avait une odeur dans l'air qui… Elle écarquilla les yeux. L'odeur venait de Sylver. S'il avait été du pain, il serait sorti tout chaud d'un four. D'un mouvement fluide, elle avança d'un pas vers lui et pencha la tête, pensive.

—Tu sens super bon, dit-elle.

Sylver recula. Avec son armure d'écailles, il savait ne pas craindre grand-chose, mais là, pour la première fois de sa vie, il ressentit un sentiment étrange. Cette fille lui faisait peur. Il s'éclaircit la gorge et s'inclina sans commenter la déclaration de Tara.

—Après vous, Damoiselle, nous avons encore un long chemin à faire avant d'arriver à la ville et il est tard.

L'étrange Tara huma l'air pendant un inconfortable moment, puis, d'un mouvement si fluide qu'il mit une fraction de seconde à se rendre compte qu'elle avait bougé, elle se lança sur les traces d'Angelica. Derrière elle, son pégase feula comme un félin, et ses ailes claquèrent dans la nuit.

Et c'étaient bien des crocs qui dépassaient de ses babines.

Sylver essuya la sueur qui perlait sur son front. Si jamais il devait affronter Tara sous cette forme vampyresque, il n'était pas sûr de gagner. C'était… c'était perturbant.

L'ombre devant lui rapetissa et soudain courut à quatre pattes. Tara avait utilisé ses gènes de vampyr pour se transformer en loup blanc. Elle surgit comme un fantôme plein de crocs juste à côté d'Angelica, qui hurla de terreur. Il lui fallut quelques secondes pour reconnaître Tara.

La grande fille brune se mit à l'insulter tandis que le loup riait silencieusement.

—Echpèche de chtupide crrouiiik, cha va pas de me faire peur comme cha ! Dégage !

Elle essaya de lui balancer un coup de pied, que le loup évita agilement, et, emportée par son élan et le rembourrage, elle s'écroula par terre. Incapable de se relever, elle se mit à piailler en battant des pieds et des mains comme un scarabée retourné.

Sylver soupira, soupçonnant que le voyage allait lui sembler bien plus long que prévu. Il dut utiliser une bonne partie de sa force pour relever Angelica, tandis que le loup se tordait par terre de rire et ne faisait pas mine de l'aider.

Malheureusement, il tira trop fort et en se relevant brusquement, le front d'Angelica et le sien se rencontrèrent violemment.

Il y eut un « crac ». Les yeux de la grosse fille se révulsèrent et elle retomba en arrière, assommée. Blessé par les écailles, son front saignait abondamment.

— Par mes ancêtres, quels qu'ils puissent être, murmura le garçon horrifié, mais qu'est-ce que j'ai fait ?

Ce n'était pas très gentil, mais Tara pleurait carrément de rire. Elle riait encore lorsque Sylver soigna Angelica avec un Reparus, et repartit de plus belle lorsque la grande fille brune se réveilla et commença à insulter Sylver qui se tortillait, mortifié.

Ni Angelica ni Sylver ne pouvaient le savoir, mais Tara riait parce que, pour la première fois depuis la mort de Robin, elle sentait l'horrible chape de tristesse se dissiper. Et découvrait que voir Angelica se faire transformer en petite montgolfière, puis assommer était un dérivatif très efficace.

Ce n'était pas très gentil, mais bon sang, ce que ça faisait du bien !

Elle se redressa sur ses quatre pattes. Et trottina devant Angelica et Sylver. Puisqu'elle était loup, autant partir en éclaireur.

Très vite, elle distança les deux autres. Tout à la joie de sentir son corps puissant répondre à la moindre de ses sollicitations, elle bondissait, savourant la vitesse.

Un moment, elle poursuivit un kré-kré-kré, qui faillit bien périr d'une crise cardiaque lorsque le grand loup se contenta de le dépasser sans le manger. Ses muscles, ses griffes qui mordaient la terre grasse, l'odeur des animaux sauvages, tout l'emplissait d'exaltation. Il, ou plutôt elle, n'avait pas envie de s'arrêter pour le dévorer.

Galant fut moins prévenant. Il avait faim. Il plongea sur le kré-kré-kré qui ne bougea pas une oreille, tout le monde sachant que les pégases sont végétariens.

Ce fut la dernière certitude de sa courte vie.

Galant termina son repas, se lécha les babines, puis fonça à la poursuite de Tara et ils firent la course, se perdant dans l'ivresse de la vitesse. Il ne leur fallut pas très longtemps pour arriver à la ville. Tara s'assit sur son arrière-train et laissa pendre sa langue. Les loups ne pouvaient pas transpirer, comme les humains, et évacuaient la chaleur par la bouche, en haletant.

Elle leva la tête vers Galant et lui lança un ordre muet. Si elle avait été à la place des fantômes, elle aurait insisté sur le fait que l'Héritière d'Omois qu'ils recherchaient était accompagnée d'un pégase argenté. Étant la seule sur la planète à avoir lié son âme avec un pégase, elle ne serait pas si difficile à retrouver. À regret, Galant s'éloigna et fila se percher sur un arbre dans le noir.

Tara reprit sa patiente observation. Les alentours de G'luan't étaient animés. Des gardes à pégase et tapis volant patrouillaient. Zut ! Les fantômes étaient efficaces, un peu trop à son goût. Elle fut survolée plusieurs fois et chaque fois dut prendre sur elle pour ne pas détaler.

Il fallut presque une demi-heure à Sylver et Angelica pour la rejoindre. L'une restant prudemment loin de l'autre.

— Où ech que tu étais pachée ? postillonna Angelica, furieuse. Tu aurais pu te faire capturer !

Tara se retransforma en humaine… enfin, plutôt en vampyr terrifiante, pour parler confortablement. Elle s'appliqua à ne pas zozoter.

— Vous étiez trop lents, je voulais voir si des gardes patrouillaient autour.

— Et alors ?

— La mauvaise nouvelle, c'est que oui, pour patrouiller, ça, ils patrouillent. La bonne, c'est qu'ils sont passés devant moi à plusieurs reprises sans me prêter attention. Ils ne recherchent pas un loup. Nous allons pouvoir entrer. Le seul problème, c'est Galant.

— Galant ? Pourquoi ton chtupide pégaje est un problème ?

Tara lui expliqua ce à quoi elle avait pensé. Angelica proposa de laisser Galant dans la campagne, mais le pégase refusa fermement. Finalement, Angelica, qui contrôlait mieux sa magie que Tara, opéra en limitant au maximum son émission de magie et créa un masque à oxygène. Car, si les robes de sortcelier pouvaient contenir un petit univers, il était impossible d'y respirer. Puis Galant plongea dans la changeline, avec assez d'oxygène pour tenir une semaine.

Tara décida de se retransformer en loup plutôt qu'en chauve-souris (elle ne maîtrisait pas très bien les subtilités du vol) pour accompagner Sylver et Angelica. Elle se retrouva vite à quatre pattes, la changeline lui faisant un simple collier autour du cou. Par prudence, elle avait modifié sa couleur, les pourpre et or impériaux, pour un bleu très modeste.

Des tapis volants, lits volants, fauteuils volants, et même baignoires volantes entraient et sortaient de la ville en un flot continu. Contrairement à eux qui avaient évité les chemins balisés, les sortceliers et les nonsos suivaient sagement les routes illuminées par des milliers de brillantes. Pas d'embouteillages ici, si une route était encombrée, il suffisait de passer sur celle du dessus.

Mais il n'y avait pas uniquement des véhicules. Des gens flânaient dans la campagne, à pied, à dos de pégase, de mammouth, de cheval, de tigre ou de traduc.

Tara, Sylver et Angelica entendirent beaucoup de grommellements lorsque les sortceliers voulaient utiliser des Transmitus pour rentrer chez eux et qu'ils se souvenaient tout à coup qu'ils ne devaient pas.

Les fantômes n'étant déjà pas très populaires, cette interdiction n'allait pas les rendre plus sympathiques auprès du public.

Le cœur battant, Tara, Sylver et Angelica se mêlèrent au flux et personne ne prêta attention à une grosse femme, un ado et un loup s'approchant de la ville. La surveillance était bien plus intense à l'approche des premières maisons. Partout, sur les axes principaux, des gardes munis de lunettes observaient attentivement tous ceux qui entraient dans la ville. Une femme ravissante, aux formes indéniables et à la longue chevelure blonde, se fit arrêter. Sous le choc, l'image se dissipa, révélant une maigre fille brune aux yeux écarquillés de terreur. Les trois profitèrent de l'incident pour se faufiler au-delà des gardes.

Très vite, ils comprirent le pourquoi d'autant de contrôles. Tous les panneaux de cristal flottant dans les airs au-dessus de leur tête racontaient la même histoire. La Résistance prenait de l'ampleur. Ils avaient fait sauter l'une des plus grosses centrales électricomagiques du Lancovit et des millions de foyers avaient été privés de courant et de fluide. Le prix des brillantes avait grimpé en flèche depuis l'incident. De plus en plus de gens, dans la population, se rebellaient contre les ordres des fantômes.

Et aidaient la Résistance. Alors les gardes étaient vigilants, ce qui n'arrangeait pas les affaires des trois fugitifs.

Dès qu'ils eurent franchi le premier cercle de maisons, des dizaines de personnes se précipitèrent sur eux et, effrayés, ils reculèrent. Mais les gens se contentèrent de leur montrer des tas et des tas de produits joyeusement emballés avec des sourires enjôleurs en parlant tous en même temps.

Ils reculèrent bien vite en se heurtant à l'effroyable odeur des trois arrivants.

— Merde, jura Angelica tout bas, ch'est une Pubchity !

— Une quoi ?

— Une Pubchity. Tout peut être gratuit ichi. Mais chi tu accheptes un produit, tu dois impérativement dire che que tu en as penché, et acchepter tous les techts de chatisfaction, chinon ch'est une rupture de contrat et tu es jeté en prijon.

Partout ils étaient agressés. Par des bonbons, du dentifrice, des sucettes, des couches-culottes, des brosses à dents, de la lessive, des tapis à réaction, des tapis-camions, des machines magiques à laver, des lanternes tout aussi magiques, des paillassons, des livres, des cristaléos. Puis par des déodorants, des savons, des shampooings et des parfums au fur et à mesure de leur progression… odorante.

La ville était éclairée comme en plein jour par des soleils artificiels et les publicités bombardaient tout le monde. Ils passèrent au travers d'un krok-requin qui vantait ses « dents plus blanches que blanches grâce au dentifrice Blanblanblan », un draco-tyrannosaure faillit faire hurler Tara lorsqu'il se matérialisa devant eux et déclara : « Au bon boucher TyRex, la meilleure viande à des tatrolls à la ronde ! » Une bééé détacha son gigot et l'agita sous leur nez en rigolant qu'elle « avait une belle jambe », c'était effarant. Des messages fusaient dans tous les sens, les lumières vrombissaient, il y avait de quoi devenir fou. Dès qu'ils repérèrent Tara sous sa forme de loup, les testeurs se précipitèrent. Croquettes pour chien, laisses, colliers, muselières, rien ne leur fut épargné. Furieux, les testeurs de savons et de déodorants les poussèrent. Les croquettes pour chien résistèrent, soutenues par les muselières. Cela risquait de tourner à l'émeute, les pubeux de Pubcity n'ayant pas souvent l'occasion d'essayer leurs produits sur des étrangers. La plupart des gens, n'étant pas fous, évitaient ces villes où les fabricants testaient leurs produits « en live » avant de les mettre sur le marché.

Soudain, un homme qui semblait très affecté par toutes les lumières et les publicités agressives se mit à hurler. Il activa sa magie et se mit à tirer sur tout ce qui bougeait. Angelica et Tara plongèrent par terre, Sylver, lui, ne broncha pas. Tara, n'ayant pas de montre sur ses pattes de loup, se mit à compter les secondes :

— Un crocodile borgne, deux crocodiles borgnes (elle devait ajouter un mot, car les secondes étaient plus longues sur Autre-Monde et il en fallait cent pour faire une minute), trois crocodiles borgnes...

Il fallut cent crocodiles borgnes pour que l'équipe d'intervention, toutes sirènes hurlantes, arrive sur les lieux.

Les policiers neutralisèrent l'homme qui se débattait frénétiquement. Une équipe de chamans emporta l'homme, ainsi que les blessés les plus atteints. Ils s'éloignèrent, escortés par les cris de l'homme :

— Éteignez-les, hurlait-il, il faut les éteindre !

Les gardes lui mirent sur la tête un curieux végétal rouge qui agitait ses longs pétales roses et lui couvrit les oreilles et les yeux. L'homme s'apaisa. Si subitement que Tara se demanda ce qu'était cette plante.

Les résidus de son attaque grésillaient, mais déjà des pouf-pouf et des nettoyus reconstruisaient à grands jets de magie les bâtiments endommagés.

Ah ! ça, c'était bien. Ils utilisaient la magie et pas qu'un peu...

Tara se remit sur ses pattes et Angelica, avec l'aide de Sylver, qui la traitait comme si elle était en cristal soufflé, se releva, secouée par la scène. Vivre dans une ville consacrée à la publicité n'était apparemment pas sans danger. Tara fit la grimace et laissa pendre sa langue, comme un gros chien. Les policiers n'avaient pas mis plus d'une minute d'AutreMonde. Était-ce leur meilleur temps ou leur plus mauvais ?

Elle espéra que c'était leur meilleur temps. Car, en dépit des interdictions, ici, la magie était partout. En choisissant involontairement cette ville, ils étaient bien tombés. Où mieux cacher de la magie qu'au cœur de la magie ?

À sa grande surprise elle vit à plusieurs reprises d'autres personnes avec le végétal sur la tête. Était-ce une sorte de filtre vivant ? Qui leur épargnait le bruit et les lumières des publicités agressives ? À propos d'agressivité, leur odeur allait poser un problème.

— Avec cette odeur de bouse de traduc, on va finir par se faire remarquer, grogna Tara discrètement, masquant le mouvement de sa mâchoire. Angelica, trouve une borne qui nous indiquera un bon hôtel. Payant s'il te plaît. Et vite !

— Je ne chuis pas ta bonne, se rebella Angelica.

Intrigués par l'affluence autour d'eux, des gardes qui étaient intervenus pour neutraliser l'homme se rapprochèrent, balançant nonchalamment leurs matraques assommantes. Le cœur de Tara se serra dans sa poitrine de loup.

— Qu'est-ce qui se passe ici ? demanda l'un d'entre eux.

Angelica se recroquevilla, comme si elle avait une centaine d'années au moins.

— Rien, rien, monchieur le garde, répondit-elle d'une voix chevrotante. Nous arrivons de la campagne, nous avons eu un petit acchident avec notre traduc. Nous cherchons un…

— Regardez, les interrompit Sylver, c'est une publicité pour un hôtel !

Effectivement, devant eux, un groom souriant venait de se projeter et leur proposait de passer le meilleur séjour de leur vie dans l'hôtel de la Reine des Camhboums. Dès que l'image eut conscience qu'elle intéressait les deux futurs pigeo… clients… et leur chien (elle leur précisa que l'hôtel acceptait les animaux, Familiers et autres), elle se transforma en une flèche clignotante qui leur indiqua le chemin.

— Cet hôtel n'est pas mal, confirma le garde, qui, voyant que Sylver était très à l'aise, sentit s'évanouir ses soupçons. Passez une bonne nuit.

Sylver, laconique, et Angelica, morte de peur, les saluèrent, puis suivirent la flèche, frissonnant lorsque les gardes les croisaient. Mais si les lunettes spéciales dont les gardes étaient équipés les effleurèrent, jamais ils ne furent inquiétés. À deux reprises, Tara utilisa ses crocodiles lorsque d'autres personnes perdirent leur sang-froid face à l'agression des pubeux. Les interventions des gardes ne variaient pas beaucoup. Entre cent et cent cinquante crocodiles borgnes. Elle allait devoir se contenter de ça.

Elle remarqua cependant que les gardes à l'intérieur de la ville étaient assez nonchalants. Nettement plus qu'à Travia. Ici, ils intervenaient pour neutraliser les gens qui perdaient la boule. Pas pour rechercher une Héritière au pouvoir trop puissant.

Bien.

Dès qu'ils se trouvèrent devant l'hôtel, la flèche se retransforma en groom qui s'inclina devant eux avec un grand sourire, même si son image vacillait un peu.

— Quel service désirez-vous ? demanda-t-il. Le service Pubcity ou le service payant ?

— Le cherviche payant, précisa Angelica. Nous voulons trois chuites avec bain et chalon.

Le sourire du groom vacilla.

— Ah, malheureusement, il ne nous reste plus qu'une seule suite. La plus chère. Tellement chère, d'ailleurs, que personne n'a pu la payer jusqu'ici. Et heureusement que vous avez demandé le service payant, car les chambres Pubcity sont complètes. Dans toute la ville. Nous sommes en plein congrès publicitaire, les gens sont venus du monde entier pour cette convention.

Tara se demanda pourquoi il leur avait proposé les deux dans ce cas.

— Une seule chambre pour nous tous ? s'effraya Sylver à leur grande surprise, non, non, ce n'est pas possible.

Le groom pianota sur une tablette qu'il venait de faire apparaître devant lui et releva un visage désolé. Le mot complet clignotait en rouge dessus.

— Mais si, vous voyez, tout est complet. Si vous voulez dormir rapidement, soit vous incantez un Transmitus pour aller jusqu'à V'iskeu, ce qui n'est pas recommandé car le gouvernement a imposé un blocus sur les Transmitus, soit vous louez un taxi pour y aller. C'est à une heure d'ici.

Angelica avait faim, elle était fatiguée, elle puait et les rembourrages étaient lourds à porter.

— Tant pis, décida-t-elle sans consulter les deux autres, on la prend.

— Parfait, s'inclina le groom, veuillez entrer dans l'hôtel, je vous prie.

Sylver ouvrit la bouche pour protester, l'air vraiment effrayé, mais Angelica l'ignora. Il finit par la suivre à contrecœur, trébuchant sur les marches lisses.

Tara l'observa avec attention. Elle « sentait » que le garçon avait peur. La question était : de quoi et pourquoi ? Et elle ne comprenait toujours pas pourquoi il était aussi maladroit.

L'entrée se modifia. Ils avaient choisi le service payant et, par conséquent, toutes les publicités s'effacèrent, leur laissant les oreilles sifflantes et les yeux papillonnants.

— La vache, gronda tout bas Tara, qui avait envie de se frotter les yeux avec ses pattes, ça fait du bien quand ça s'arrête !

Ils eurent l'impression d'entrer dans un temple grec. Des colonnes, des pilastres, des arcades, le tout dans une pierre dorée par le temps, c'était très beau. Une petite fontaine glougloutait dans un creux de mur et des oiseaux s'envolaient dans la fresque bleu clair du plafond.

Le double vivant de l'image du groom les attendait en haut d'un petit escalier, masqué par un rideau de velours bleu.

— Bienvenue, chers clients payants, s'exclama-t-il, nous avons si peu d'hôtes payants dans notre ville que votre venue est un véritable événement. Voulez-vous passer aux journaux de ce soir et de demain matin ? Nos cristallistes seront ravis de vous interviewer, riches étrangers !

— Non, répondit sèchement Angelica. Montrez-nous notre chambre.

— Certainement, Dame… ?

— Pakado, répondit Angelica avec aisance. Et c'est Damoichelle.

— Parfait, Damoiselle Pakado. Veuillez me suivre.

L'ascenseur lévita jusqu'au dernier étage, dont les larges vitres donnaient sur la ville. Tout l'étage était occupé par la suite, il n'y avait aucune autre chambre. Le groom donna à Angelica et à Sylver un passe qui déverrouillerait l'ascenseur jusqu'à leur étage.

— Combien de temps désirez-vous rester, Damoiselle ? demanda-t-il poliment en leur montrant la suite qui était effectivement magnifique, toute d'argent et de bleu, les couleurs du Lancovit.

Plusieurs sofas de velours bleu, deux tables et des chaises posées sur un sompueux tapis de soie de spalendital rouge meublaient le salon. Des fleurs aux parfums capiteux embaumaient l'air, des boissons frémissaient au frais en les attendant et les brillantes éclairaient le tout de leurs couleurs adorables.

— Pour l'inchtant, une cheule nuit, répondit Angelica. Nous verrons enchuite.

— Cela fera donc quinze crédits-muts d'or, indiqua le groom avec le sourire d'un requin. Payables d'avance, la suite restera à votre disposition jusqu'à 14 heures demain.

Angelica paya sans broncher. Avec l'argent de Tara.

Celle-ci devait se retenir pour ne pas mordre le groom. Quinze crédits-muts d'or ! C'était du vol pur et simple. C'était comme payer une chambre d'hôtel douze mille euros sur Terre !

— Je vous laisse vous installer, s'inclina le groom en empochant les crédits, n'hésitez pas à me sonner si vous avez besoin de quoi que ce soit. La salle à manger payante est à votre disposition.

— Nous prendrons notre dîner ichi, répliqua Angelica, impériale. Tenez-vous à notre dichposichion pour nous faire monter des plats chauds.

— La carte est sur votre bureau, Damoiselle. J'attends vos ordres.

Et il sortit de la pièce. Angelica alla fermer la porte à clef avec le passe qu'il leur avait donné. Tara en profita pour se retransformer en elle-même, plutôt qu'en vampyr, et fit sortir Galant de sa robe. Le pégase fut soulagé. Il s'était à la fois ennuyé et angoissé à l'idée que sa compagne puisse être capturée.

De son côté, Angelica se débarrassa des cotons et des rembourrages avec soulagement.

— Il est nul ce déguisement ! s'exclama-t-elle en jetant les rembourrages par terre. Et il pèse une tonne !

— Mais nous avons échappé à l'attention des gardes. C'est le plus important. Sylver, je crois que tu nous as sauvées.

— Qui ? Moi ? demanda Sylver d'un air surpris.

— Oui, tu as détourné les soupçons des gardes grâce à l'hôtel. Un coupable n'aurait pas été aussi décontracté. Bravo !

Le jeune homme eut l'air tout à fait déconcerté. Il n'avait pas fait attention. Et bien sûr n'avait pas eu peur des gardes.

— Si vous voulez bien m'excuser, dit-il en fronçant le nez, je voudrais me laver.

— Il y a au moins trois salles de bains, indiqua Angelica qui était en train de consulter le plan de la suite.

Sylver se dirigea vers la salle de bains la plus proche et s'enferma.

— Il y a deux chambres, ronronna Angelica, satisfaite, ça tombe bien, Sylver et moi, on va dormir dans une chambre et toi, Tara, tu dormiras dans l'autre.

Tara haussa les épaules. Tant qu'elle n'aurait pas identifié ce qu'était le mystérieux et maladroit garçon qui les accompagnait, elle préférait qu'il dorme loin d'elle. Et puis elle devait continuer à lire le Livre des Sombres Secrets et ne pouvait pas le faire s'ils étaient dans la même chambre.

Angelica s'apprêtait à combattre ferme, et fut donc surprise lorsque Tara acquiesça docilement.

La grande fille brune sourit. Tara était idiote de laisser le jeune homme à sa merci. Angelica allait en faire un bééé à ses ordres.

Et cela commencerait dès ce soir.

Ils prirent une douche et les Élémentaires lavèrent les vêtements salis. Tara sentit la changeline pousser un imperceptible soupir de soulagement. Elle détestait tout ce qui pouvait maculer son beau tissu. Un Élémentaire d'air sécha les rembourrages d'Angelica afin qu'ils soient prêts le lendemain. Ils avaient été obligés de les laver aussi. Bien qu'ils n'aient pas été mouillés par le fumier, l'odeur les avait imprégnés.

Tara et Angelica s'arrangèrent pour rester hors de vue lorsque la sirène de service livra leur repas. Sylver le prit en charge et paya pour elles. Curieusement, le repas était abondant et peu cher. Vu tous les champs et les pâturages alentour, il ne devait pas être bien difficile de s'approvisionner dans le coin. Tara prit une Kidikoi comme dessert. Les sucettes prophétiques créées par les lutins P'abo donnaient parfois de bonnes indications sur l'avenir. Dès que son cœur fut à découvert, la Kidikoi afficha une phrase : « Il n'est pas ce qu'il croit et, lorsque tu le sauras, tu l'abattras. »

— Super, grommela Tara, j'adore ces sucettes, elles sont totalement incompréhensibles.

— Alors, pourquoi tu les manges ? se moqua Angelica.

— J'aime leur goût, à défaut de leurs prédictions.

Une fois le dîner terminé et les assiettes débarrassées, Tara sortit une carte de sa poche.

—Ah! ce n'est pas trop tôt, grommela la Carte Vivante. Jamais vous n'avez l'idée de m'ouvrir, comme ça, de temps en temps, juste histoire de voir si je n'ai pas été dévorée par les mites?

—Nous voulons aller à Hymlia, indiqua Tara, ignorant la mauvaise humeur de la Carte (qui, de toute façon était toujours de mauvaise humeur). Montre-nous le chemin et indique-nous le temps que cela prendra, s'il te plaît.

—D'ici, avec un Transmitus et partant du principe que vous voulez aller à la capitale, point que vous n'avez pas précisé, environ un centième de seconde, dit la Carte avec la plus grande mauvaise foi.

—Euh... si je pouvais utiliser un Transmitus, je n'aurais pas besoin de toi, contra Tara. Donne-moi le renseignement, en supposant que nous serons en tapis volant.

—Deux mois, dix-huit jours, vingt-cinq heures et trente-huit minutes, déclara la Carte.

Angelica jeta un glapissement horrifié en dévisageant Tara.

—Quoi? Deux mois? Je refuse de voyager avec toi pendant deux mois! Il va falloir trouver une autre solution!

—Si vous avez un tapis à réaction, cela prendra moins de temps. À peine trois jours, précisa la Carte. Et si vous avez un tapis stratosphérique, avec atmosphère artificielle intégrée, cela ne prendra que quelques heures.

—Nous sommes assez pressés, dit Tara. Carte vivante, sais-tu combien coûte un tapis stratosphérique?

—Je suis une carte, indiqua la Carte d'une voix pincée. Je peux vous dire qui vend des tapis stratosphériques dans cette ville, et où les trouver, mais certainement pas combien ils coûtent, ce n'est pas ma fonction! Et puis il y en a peu, ils ont été inventés récemment par les vampyrs, qui en commencent tout juste la commercialisation.

Ah, Tara se doutait de qui dirigeait la société. Probablement Kyla Drakul, la fille du président vampyr, la seule personne au monde à avoir réussi à faire vomir une troll...

—OK, OK, se rendit Tara, pardon! Dis-nous où trouver ces fameux tapis s'il te plaît.

La Carte afficha l'adresse et Tara l'enregistra sur sa boule de cristal. C'était dangereux, mais ils allaient devoir s'y rendre le lendemain. Au rythme où ils dépensaient leur argent, ils allaient se retrouver sans un sou d'ici très peu de temps, en dépit des réserves de Tara.

Elle était épuisée après toutes ces émotions et ne rêvait que de dormir.

Elle salua les deux autres, ignorant le sourire satisfait d'Angelica, les yeux fixés sur Sylver avec la mine du chat qui va déguster le canari de la voisine. Tara fila dans sa chambre, puis dans la salle de bains attenante afin de se laver les dents.

Elle ne savait pas très bien de qui elle devait avoir le plus pitié. De Sylver qui allait devoir subir les allusions peu discrètes d'Angelica, ou d'Angelica, frustrée par les écailles tranchantes de Sylver.

OK, elle ne pouvait pas avoir de compassion pour Angelica, c'était vraiment une peste. De nouveau, elle se surprit à songer à Sylver. Trop beau, trop mystérieux, trop... inquiétant. Avec ses haches, il avait l'air tout droit surgi d'un livre d'heroic fantasy. L'étrange et inquiétant héros qui sauve tout le monde grâce à ses aptitudes de guerrier. Et en général se révèle être le prince/roi/héritier perdu depuis longtemps qui reprend son trône au vilain grâce à son courage et sa force.

Sauf que cela ne marchait que dans les livres. Sur Autre-Monde, les héros mouraient aussi. Et celui-ci paraissait capable de s'assommer tout seul bien avant d'avoir à affronter les méchants.

Une fois ses dents propres et ses longs cheveux coiffés par la changeline, Tara s'allongea, presque détendue.

Presque.

Car avant de fermer les yeux, elle devait continuer ses recherches. Et tenter d'imaginer un raccourci pour détruire les fantômes grâce au Livre des Sombres Secrets. Elle l'ouvrit et annonça tout d'abord le mot détruire, puis le mot fantôme. Ainsi, le nombre d'occurrences tombait à huit mille. Elle sourit. Bien évidemment, ses ancêtres avaient pu utiliser d'autres mots. Annihiler, tuer, massacrer, renvoyer, anéantir. Si elle ne trouvait pas avec le premier, elle allait devoir essayer tous les autres. C'était une tâche longue et fastidieuse. Et elle se prit à regretter que ses ancêtres aient décidé de décrire en détail leurs moindres gestes.

Elle constata qu'elle avait du mal à se concentrer. Sans cesse ses pensées revenaient vers Sylver. Il y avait tellement de choses étranges chez le jeune homme qu'elle allait bientôt pouvoir écrire un livre entier sur son cas.

Lorsque les mots se brouillèrent devant ses yeux, elle se prépara pour la nuit, bloqua soigneusement la fenêtre, mais laissa la porte entrouverte afin de pouvoir intervenir rapidement s'il y avait un problème.

Elle finit par s'endormir en s'interrogeant toujours sur Sylver, sans se rendre compte que c'était la première fois depuis deux mois qu'elle ne s'assoupissait pas en pensant à Robin.

Sylver avait sommeil.

Cela le terrifiait.

Jusqu'à présent, il n'avait jamais fait de mal à quiconque.

Enfin, qui ne soit pas un animal. Mais la Chose en lui prenait de la force de jour en jour. Et, dès qu'il perdait le contrôle ou s'endormait, elle réclamait du sang et de la chair. Il s'efforçait de chasser le plus possible afin de la rassasier. Car manger de la viande cuite ne la satisfaisait pas. Et il soupçonnait que l'excitation de la chasse comme la mise à mort étaient aussi importantes pour la Chose que la consommation de sa victime.

Mais il n'osait pas révéler son noir secret aux deux filles. Alors, depuis qu'il les accompagnait, il avait arrêté de chasser. La Chose avait donc faim.

Et là où Sylver voyait deux jolies jeunes filles, la Chose ne voyait que deux jolis repas.

Il aurait dû dire à Tara de rester sous sa forme de vampyr buveuse de sang humain. Elle aurait sans doute pu lui résister s'il l'attaquait.

Il inspecta la suite où ils résidaient tous les trois. Il devait trouver un moyen de s'attacher. Et vite. Mais pas avec de la corde. Avec ses infernales écailles, capables de presque tout couper, seul le fer d'Hymlia pouvait résister à l'usure.

D'ailleurs, les filles ne s'en étaient pas rendu compte, mais tous ses habits étaient doublés par du fer d'Hymlia à l'intérieur.

C'était sa mère qui avait eu cette merveilleuse idée, après qu'il avait réduit en pièces son ixième pantalon et sa énième chemise. Elle lui en avait cousu plusieurs, car, en dépit de tous ses efforts, ses écailles finissaient toujours par user ses vêtements.

Il détailla ses maigres biens. Il avait des menottes, mais rien à quoi les fixer.

Le lit ? Avec sa force, il ne résisterait pas très longtemps. Une nuit, il avait essayé de contrôler la Chose en s'attachant à un pilier, dans une grange. Lorsqu'il s'était réveillé, le pilier était toujours là.

Mais pas la grange.

Dans son sommeil, il avait emporté l'énorme poutre de bois avec lui, et la grange s'était effondrée. Heureusement, il était le seul à y dormir ce soir-là. Il avait copieusement dédommagé le propriétaire, tandis que celui-ci cherchait partout l'une de ses vaches qui avait disparu.

Sylver avait mis l'équivalent du prix de la vache en supplément.

Il savait très bien où était l'animal. Il était parti sans se retourner, avant qu'ils ne retrouvent le cadavre. Du moins ce qu'il en restait.

Il ne pouvait pas dormir non plus dehors, dans la rue. Les passants ne seraient pas en sécurité. Il se résigna. Cette nuit, encore, il ne se reposerait pas. Il regretta la cage si solide que lui avait fabriquée son père lorsqu'il avait échappé à son contrôle la première fois. Il avait pris l'habitude, depuis qu'il avait quitté la maison de ses parents, de dormir en pleine campagne, loin des villes et des villages. Mais ici, il était coincé.

Fatigué, il ferma les yeux, puis, sentant la torpeur le gagner, les rouvrit aussitôt. Il ne devait pas s'endormir, c'était la seule solution.

Mais il était exténué. Pour le préserver des blessures lors de sa longue chute, son corps avait dû puiser dans ses réserves. Il avait refusé de partager la chambre d'Angelica, ce qui avait prodigieusement agacé la grande fille brune. Il s'était réfugié dans le salon. D'un bond souple, il se leva. Ne pas s'endormir, ne pas s'endormir…

Il arpenta le salon en long et en large. Il y avait des livres et des cristaléos dans une alcôve sur le côté. Il descendit l'écran et choisit un film d'action où des elfes prenaient d'assaut une forteresse tenue par des géants pour délivrer une belle princesse.

Cela lui fit penser à Tara. Il la trouvait vraiment intéressante, cette humaine. De tous les gens qu'il avait rencontrés, c'était la seule qui ait réussi à l'impressionner. Et même à lui faire peur lorsqu'elle s'était transformée en vampyr buveuse de sang. Son cœur battait un peu plus vite lorsqu'elle lui souriait.

Lui, si maladroit, si empoté, trouvait la grâce de ses mouvements fascinante. La voir combattre était un pur poème. Les nains avaient beaucoup d'admiration pour les guerriers. Ayant été élevé par des nains, Sylver avait pris leurs tics. Il n'aimait pas la magie, même s'il respectait sa puissance. Il évitait de l'utiliser, bien que ses parents aient très vite constaté qu'il était un sortcelier lorsque, à neuf ans, il avait fait léviter un arbre tombé sur la jambe de son père alors que celui-ci le coupait, puis avait guéri ses blessures avec un Reparus. Ni son père ni sa mère n'avaient de pouvoir. Enfin, pas de cette sorte-là. Comme tous les nains, ils étaient capables de liquéfier la terre et les roches, et de s'infiltrer au travers du plus solide granit. Mais, en dehors de cela, son père n'était pas un sortcelier, comme la célèbre Fafnir, l'amie de Tara, vers qui ils se dirigeaient. Rencontrer Fafnir serait un grand honneur pour lui, car la jeune naine rousse était déjà une légende parmi son peuple.

Et Tara aussi. De nouveau, il se prit à penser à elle. Quand elle riait, quand elle ronchonnait. C'était étrange, elle occupait de plus en plus ses pensées, alors qu'il aurait dû se concentrer sur ses problèmes à lui.

Il ne s'en rendit pas compte, mais ses yeux commencèrent à papillonner au moment où, sur l'écran plat de cristal, la princesse flanquait une baffe au chef des sauveteurs, parce qu'elle était tombée amoureuse du chef des géants et voulait rester.

Ce fut la dernière chose qu'il vit. Il s'endormit.

Et la Chose s'éveilla.

11

La Main-de-Lumière
*ou, parfois, posséder un énorme pouvoir
peut poser quelques problèmes.*

La Chose s'étira et ricana. Le petit être avait résisté de toutes ses forces mais avait fini par s'endormir. Être deux à habiter le même corps avait de sérieux inconvénients. Et elle se demandait souvent qui, des deux, était un bout de la conscience de l'autre. Puis un tiraillement de son estomac la détourna de ses grandes pensées philosophiques.

Elle avait faim.

Et elle sentait de délicieux effluves en provenance des deux chambres de la suite. Paaarfaiiit, elle allait bien dîner ce soir.

Tout d'abord, elle transforma le corps de Sylver en une chose monstrueuse, pleine de griffes, de crocs, d'épines et d'aiguillons. Une véritable machine à tuer, noire chitine d'insecte absorbant la lumière. Les vêtements de Sylver disparurent, ils la gênaient. À part le pagne que Sylver, fatigué de se réveiller tout nu, parfois au milieu d'autres gens, lui avait imposé de porter.

Puis elle s'avança, silencieuse comme une ombre. L'une des deux chambres avait sa porte entrouverte. Elle n'hésita pas.

La porte ne fit pas un bruit lorsqu'elle tourna sur ses gonds. La forme endormie dans le lit ne bougea pas.

Elle ne laissa aucune chance à sa proie. En un bond gigantesque, elle fut sur le lit et déchiqueta et broya dans une véritable frénésie meurtrière.

Les plumes volèrent. Incrédule, la Chose souleva la couette lacérée. Elle venait bien d'assassiner…

… trois oreillers.

Jailli de nulle part, un filet collant l'emmaillota si vite qu'elle n'eut pas le temps de réagir. Folle de rage, elle se débattit, mais plus elle se démenait, plus le filet l'enserrait, jusqu'à la douleur.

— C'est impossible à trancher, indéchirable, inusable, précisa une voix qui tentait de garder son calme, en dépit d'un léger vacillement. Rien ne peut le couper. Inutile de vous débattre, quoi ou qui que vous soyez.

La Chose s'apaisa, surprise. Tous ceux qui avaient tenté de la piéger l'avaient amèrement regretté. En général, ils étaient morts en criant : « Non, non, je vous en prie ! » Parce qu'ils avaient utilisé la magie contre elle et que la magie rebondissait sur sa chitine, comme sur les écailles de Sylver. La petite proie était plus maligne qu'elle ne le pensait. Elle lui avait tendu un piège. Et n'avait pas utilisé la magie.

La Chose ouvrit sa gueule pleine de crocs et d'épines.

— Tu ne le tueras pas, dit-elle dans un chuintement plein de malveillance. Ce serait injuste, nous sommes deux dans ce corps pitoyable. Je n'ai pas réussi à avoir ses parents, mais toi et ta copine, je vous aurai. Un jour ou l'autre.

Puis, avant que Tara ait le temps de lui répondre, la Chose ferma les yeux et son corps monstrueux fut entouré d'une sorte de brume écarlate. Lorsqu'elle se dissipa, Sylver était de retour et ouvrait des yeux angoissés. Le fil d'aragne, car c'était ce que Tara avait utilisé, avait suivi le mouvement et l'emmaillotait solidement. Ses écailles frottèrent contre le fil, mais celui-ci ne fut même pas entaillé.

Son corps magnifique était presque nu, à peine couvert par un mini-pagne. Ce dont il ne se rendait apparemment pas compte du tout. Tara devint écarlate. Mais ne courut pas le risque de tourner le dos au danger. Elle concentra soigneusement son regard sur le visage et les yeux de Sylver.

— Damoiselle, dit Sylver d'une voix étranglée, Damoiselle, que... que vous ai-je fait ? Dites-moi, dites-moi que vous allez bien...

Tara n'arrivait pas à croire ce qu'elle venait de voir. Elle avait eu la peur de sa vie lorsque l'espèce de monstre avait agressé son lit, ce qui l'avait réveillée. Elle avait failli utiliser sa magie, instinctivement, avant de se rappeler de justesse qu'elle risquait de se faire repérer. Une fois la Chose neutralisée, elle allait justement appeler Sylver et Angelica afin de s'assurer qu'ils n'avaient rien.

Pas la peine apparemment, Sylver était déjà là.

— À... à moi rien, répondit-elle encore sous le choc. (Elle désigna le lit.) Mais vous avez massacré mes oreillers.

Elle en avait repris son vouvoiement. Après tout, il semblait qu'elle s'adressait à deux personnes dans le même corps. C'était ce que le truc avait dit.

Sylver jeta un regard vers le lit. Sa respiration s'arrêta un instant lorsqu'il vit le carnage.

— Vous vous y attendiez ! comprit-il. Vous saviez que la Chose était là ?

— Ah non, pas du tout, répondit franchement Tara. Mais pas du tout du tout. Je vous prenais pour un garçon... truc... machin spécial, mais pas à ce point, je vous le jure !

Elle caressa Galant, perché sur son épaule, qui hochait la tête, tout à fait d'accord. Lui aussi avait eu très peur.

— Alors comment ? demanda Sylver.

— Comment je vous ai échappé ? J'ai été enlevée plusieurs fois quand je me pensais en sécurité. Depuis, j'ai pris l'habitude, lorsque je me trouve à l'extérieur du Palais, de ne pas dormir dans des lits. J'utilise les oreillers pour former une silhouette dans le lit. Je tresse un hamac, je l'accroche au plafond et je dors dedans. C'est collant, alors, je ne risque pas de tomber. C'est ce que j'ai jeté sur vous lorsque vous m'avez attaquée.

— Ce n'était pas moi, répondit sombrement Sylver. C'était la Chose.

Tara s'approcha et planta ses yeux dans les magnifiques yeux dorés de Sylver.

— Qu'est-ce que vous êtes ?

Sylver hésita un instant, mais il avait tenté de tuer Tara. Il devait être honnête.

— Je ne sais pas.

Ce n'était pas la réponse à laquelle Tara s'attendait.

— Comment ça, vous ne savez pas ?

— Je ne peux pas vous donner mieux comme réponse, Damoiselle. Je ne sais pas. J'ai cherché partout des cas identiques au mien. Je n'en ai trouvé aucun. Pas même parmi les loups-garous. Je suis unique. Le seul.

Et toute la peine de sa solitude transparaissait dans sa voix. Tara en frissonna, par solidarité.

— Je ne comprends pas, dit-elle, touchée. Et vos parents ?

— J'ai été confié à ma mère et à mon père alors que j'étais bébé.

— Et vous ne savez pas qui sont vos parents ?

— Non, mes parents adoptifs ne m'ont révélé la vérité que lorsque j'ai eu huit ans et que j'ai commencé à grandir, au point de les dépasser. Puis à neuf ans, lorsque j'ai acquis mes pouvoirs de sortcelier. Ils voyaient bien que je me posais des questions.

Oui, les nains détestaient la magie. Ce qui appelait la question suivante :

— Des nains, c'est ça ? Vous vous battez comme un nain.

— Oui, vous avez bien deviné. De l'argent arrivait tous les ans, une grosse somme, qui a permis à mes parents de ne plus vivre en ville, de créer leur propre ferme et de développer leurs cultures, car, contrairement à beaucoup de nains, ils n'étaient forgerons que pour leurs propres armes, pas pour les vendre à d'autres.

— Ils ne savaient pas que vous étiez différent ? Enfin, différent non pas d'eux, mais des autres humains ?

— À l'époque, mes écailles ne coupaient pas. Et ma mère adoptive ne pouvait pas avoir de bébé, car leurs gamètes n'étaient pas compatibles. Ma mère m'appelait son « cadeau du ciel », dieux qu'elle me manque !

Et au grand embarras de Tara, Sylver se mit à pleurer. Tara ne se risqua pas à lui tapoter l'épaule en murmurant « là, là, ça va aller », d'une part parce qu'elle ne voulait pas se déchirer la main jusqu'à l'os, d'autre part parce qu'elle ne voyait pas comment cela allait s'arranger.

— Vous avez dit « ce n'était pas moi, c'était la Chose ». Vous ne contrôlez pas cette Chose, c'est ça ?

Sylver secoua la tête… enfin, tenta, parce qu'il était solidement immobilisé.

— Non, elle n'apparaît que lorsque je suis endormi, et encore, pas toujours. Elle aime la chasse. Alors, je la rassasie autant que je peux.

Il y avait un mot qui définissait des cas comme celui de Sylver sur Terre. Schizophrénie, dédoublement de la personnalité. Sauf que les gens souffrant de ce mal sur Terre ne se transformaient pas physiquement en machine à tuer, heureusement.

— Dites donc, dit une voix soupçonneuse dans son dos, vous avez des amusements exotiques, à 4 heures du matin, vous autres !

Angelica, la figure verte de jalousie, contemplait le carnage et Sylver ligoté. Et quasiment nu.

Tara rougit. Galant battit des ailes, agacé.

— Si tu voulais Sylver au point de l'attacher, Héritière, tu n'avais qu'à le dire, je te l'aurais laissé bien volontiers !

Et avant que Tara puisse se défendre, Angelica tourna majestueusement les talons et claqua la porte.

— Sylver… dit Tara.

— Damoiselle ?

— La Chose aurait dû choisir l'autre chambre.

— Damoiselle !

— OK, OK ! Disons que je n'ai rien dit. Bon, je vous laisse ligoté, histoire de confirmer les soupçons de la peste, ou je vous délivre ? Vous n'allez pas me sauter dessus… (Elle rougit de plus belle.) Enfin, vous voyez ce que je veux dire !

— Je vous jure, Damoiselle, répondit sérieusement Sylver, rigoureusement immunisé contre les doubles sens, que je n'ai l'intention de sauter sur personne. Comme je vous l'ai dit, je contrôle la Chose lorsque je suis réveillé.

— Ben dites donc, ça doit être risqué de dormir avec vous, ne put s'empêcher de faire remarquer Tara, tout en se disant que c'était vraiment une réflexion à la Cal et que son ami déteignait sur elle.

— Je ne sais pas, Damoiselle, répondit aussitôt Sylver, depuis que mes écailles sont devenues aussi tranchantes, je n'ai jamais dormi avec personne. Et pour la sécurité de mes parents, il y avait la cage, bien sûr.

— Vos parents dormaient dans une cage ?

— Non, pas mes parents, moi. Mon père me l'a fabriquée lorsque j'ai perdu le contrôle de la Chose pour la première fois il y a un an. Heureusement que notre ferme était très isolée. J'ai massacré un spatchounier entier. Nous avons eu du spatchoune grillé, bouilli, poché, froid, chaud, rôti, pendant des semaines.

Tara sourit à peine à sa faible tentative d'humour.

— Ainsi donc, vous dormiez dans une cage. Intéressant.

— Une très jolie cage, s'empressa de préciser Sylver. Damoiselle ?

— Oui ?

— C'est… c'est un peu inconfortable. Pourriez-vous… ?

Il se contorsionna, montrant ses liens.

Tara hésita un peu, une très claire image du monstre flottant dans sa mémoire.

— Vous êtes sûr que c'est sans risque ?

— Je vous en donne ma parole. Et si je devais vous attaquer, voici ce que vous devrez faire pour me vaincre. Le torse de la Chose est protégé par la chitine composée par les écailles recombinées. Mais ses genoux sont trop articulés pour posséder une bonne protection. Il vous suffira de les briser pour que je sois à votre merci. La magie ne rebondira pas sur une surface aussi ténue.

Tara fut surprise qu'il lui révèle spontanément une telle faiblesse. Mais apprécia à sa juste valeur. Le garçon lui faisait une confiance totale. Elle ne pouvait pas faire moins.

Elle tira trois fois sur la corde et celle-ci se délia. À son grand soulagement, les vêtements de Sylver réapparurent dès que la corde le libéra. Il se redressa, voulut se lever, trébucha sur les draps et s'étala de tout son long. La chambre résonna d'un choc sourd.

— Mais qu'est-ce que vous fabriquez encore ! hurla Angelica de l'autre pièce, y en a qui ont envie de dormir, ici ! Faites vos trucs en silence !

Cette fois, Tara et Sylver rougirent avec un bel ensemble. Le garçon se releva et resta immobile. Il avait peur de causer encore une catastrophe.

— Pourquoi… pourquoi perdez-vous l'équilibre tout le temps comme ça ? demanda Tara, qui l'observait avec curiosité.

Sylver secoua la tête, désolé.

— Je n'en sais rien. Mes pieds vont toujours dans la direction opposée à celle que leur dicte ma tête. Et comme je suis très fort et très lourd, j'ai beaucoup de mal à contrôler mes mouvements. Et puis j'ai peur de blesser quelqu'un, alors je préfère tomber.

Il eut un pauvre sourire.

— Les murs et les meubles protestent nettement moins que les gens.

Oui, évidemment.

Sans le quitter des yeux, Tara commença à rembobiner sa toile.

— C'est très étonnant, observa-t-il en la regardant ranger la corde lisse et grise dans sa poche, c'est la première fois que je rencontre une matière qui résiste à mes écailles comme à la chitine de la Chose. Qu'est-ce que c'est ?

— Un cadeau, répondit sobrement Tara, voulant éviter de donner trop de détails à un être qui pouvait se transformer en machine à tuer dès qu'il avait sommeil.

— Cette matière pourrait m'être utile pour confectionner mes vêtements si elle peut se tisser. (Il désigna ses vêtements de la main.) Ceux-ci s'usent très vite en dépit du fer d'Hymlia à l'intérieur.

Vu que c'était du fil d'aragne, que Drrr avait spécialement préparé et enchanté pour lui en faire cadeau, oui, on pouvait le tisser, même si la corde n'avait pas pour vocation première d'habiller qui que ce soit. Mais Tara n'avait pas l'intention de répondre à Sylver.

— Pour l'instant, c'est le seul truc qui puisse vous immobiliser en cas de « problème », et sans vous abîmer outre mesure, exposa-t-elle calmement. Alors, je suis désolée, mais je ne vous dirai pas ce que c'est. Ce serait trop facile pour vous de trouver le moyen de vous en débarrasser.

Sylver s'inclina, très raide tout à coup.

— Vous avez raison, Damoiselle, je n'y avais pas pensé. Veuillez me pardonner.

Tara voyait bien qu'il était honnête, cet étrange garçon. Elle lui sourit.

Sans perdre de vue une seconde que, sous le regard franc, il y avait un monstre qui aurait adoré la dévorer toute crue.

— Vous expliquez la situation à Angelica ou je m'y colle ? demanda-t-elle.

Sylver ne recula pas devant l'épreuve.

— Je vais le faire, Damoiselle, dit-il bravement.

Il se réinclina et sortit de la chambre. Tara contempla le plafond. Puis s'assit sur le lit. Enfin sur ce qui restait du lit. Aïe aïe aïe, l'hôtel allait probablement leur faire payer une fortune.

Elle n'osa pas incanter un Reparus pour faire disparaître les dégâts et se mit à réfléchir. Maintenant que la Chose connaissait la façon dont Tara se cachait pour la nuit, elle ne se ferait pas surprendre une seconde fois. Elle allait devoir trouver autre chose. Et, en attendant, deux graves questions se posaient. La première, combien de temps le garçon pouvait-il tenir sans sommeil ? Et la seconde, pouvait-elle se permettre de voyager en sa compagnie alors qu'il était aussi dangereux ?

Un cri de terreur retentit. Affolée, Tara se précipita dans le salon.

Angelica, dos au mur, faisait face à la Chose retransformée en machin plein de crocs, et brandissait la main. La main droite.

— Angelica ! Non ! hurla Tara.

Trop tard. La Main-de-Lumière s'illumina et traversa Sylver, les canapés, le mur de la chambre, le mur de la maison voisine, son toit, le bout d'un château d'eau rempli d'Élémentaires qui faillirent bien bouillir, une demi-douzaine de nuages, pour finir par se perdre dans la nuit.

Ne restèrent que Sylver, un bout de plancher et, en face d'eux, une sortcelière stupéfaite d'avoir vu disparaître son mur, son lit, sa chemise de nuit et son toit, et qui les contemplait, la bouche ouverte.

Sylver, aussi étonné que les filles d'être encore en vie, dissipa l'illusion qu'il avait invoquée pour montrer à Angelica à quoi il ressemblait quand il s'endormait.

Mais cette fois, il n'avait même plus son pagne. La Main-de-Lumière avait tout fait disparaitre. Horriblement gêné, il incanta à toute vitesse pour se couvrir.

La grande fille brune regardait sa main avec stupeur.

— Ça n'a pas marché, murmura-t-elle d'une voix étranglée. Par les crocs cariés de Gélisor, ça n'a pas marché !

— Si, je t'assure, dit Tara en essayant de ralentir les battements effrénés de son cœur, ça a super bien marché. Tu as tout détruit autour de nous.

— Non, ça n'a pas marché, se rebella Angelica. Ton précieux Sylver aurait dû être atomisé ! Pourquoi il est encore vivant ?

Ça, c'était une curieuse question. Elle se fichait d'avoir failli tuer Sylver, mais s'inquiétait de n'avoir pas réussi.

Tara passa sur le « ton précieux Sylver » et courut dans la suite pour récupérer les affaires des uns et des autres et les mettre dans leurs robes de sortceliers. Enfin, celles d'Angelica et les siennes, parce qu'elle n'aurait approché Sylver pour rien au monde.

— Je crois que ton truc, là, la Main-de-Lumière, expliqua-t-elle à toute vitesse, ne fonctionne que sur de l'inanimé (elle attrapa Galant, lui colla son masque et le plaça dans sa poche). Tu as vu, lorsque la colline a été détruite, ta main n'a pas touché aux arbres, c'est d'ailleurs bien ce qui nous a fait tomber (elle fourra les rembourrages d'Angelica dans les bras de la grande fille brune). Et pourquoi tu as essayé de tuer Sylver, tu es dingue ?

— Il m'a fait peur, répondit Angelica, maussade, en regardant sa main comme si elle l'avait trahie. J'étais dans ma chambre lorsqu'il m'a demandé d'en sortir (elle ne précisa pas qu'elle avait espéré autre chose). Il m'a expliqué qu'il avait essayé de te tuer, comment et pourquoi et, soudain, pouf ! il s'est transformé pour me montrer à quoi il ressemblait sous son autre forme. Je ne m'y attendais pas, j'ai cru qu'il avait perdu le contrôle de nouveau, j'ai réagi instinctivement. C'est nul (Elle secoua sa main, laissant tomber ses rembourrages), elle aurait dû le détruire !

— Je ne crois pas qu'en la secouant cela change grand-chose, précisa Tara, qui avait bien envie d'étrangler ses deux compagnons. Nous avons fait tout ce qu'il fallait pour nous faire remarquer. (Elle ramassa les rembourrages et les fourra de nouveau dans les bras d'Angelica.) Et la sorcelière qui nous fait face, là, ne va pas tarder à se rendre compte qu'on a détruit son appartement.

Effectivement, les yeux exorbités, la sorcelière avait fini par retrouver sa voix que la stupeur avait coupée. Elle agitait les bras en hurlant au meurtre.

Tara n'osa pas intervenir. Elle aurait pu tout reconstruire, mais, si les fantômes étaient capables de reconnaître sa magie, une aussi grande quantité risquait de la faire repérer très vite.

— Sylver, demanda-t-elle, pouvez-vous reconstruire ce qu'Angelica a détruit ?

— Pas tout seul, déclara le garçon, ma magie est assez imprécise, je l'avoue.

— Ah, ricana Angelica, je comprends maintenant pourquoi vous allez si bien ensemble ! (Elle jeta de nouveau les rembourrages, au grand agacement de Tara.) Regarde, fais comme moi et apprends !

En grimaçant parce que c'était tout de même difficile, Angelica reconstruisit les deux murs, celui de l'hôtel et celui de la maison d'en face, soutenue par le flux de magie de Sylver. La sortcelière, stupéfaite, arrêta de crier. Puis ils reformèrent le toit et le bout du château d'eau. Enfin ils firent de même avec leur malheureux plancher. Heureusement, le flux n'avait pas complètement traversé et s'était contenté de faire disparaître les lattes de bois sans toucher aux solives. Ah ! et il avait aussi lacéré le très joli tapis rouge en soie de spalendital brodée.

Si les fantômes avaient le pouvoir de retrouver les gens à partir de leur magie, ils étaient fichus. Ils venaient de signaler leur position comme s'ils avaient agité une grande pancarte illuminée avec marqué dessus « Nous sommes ici ! ».

— Vite, Angelica, fonce ! ordonna Tara à la grande fille brune qui souriait à Sylver, contente de leur harmonie magique. Remets tes rembourrages, il ne nous reste qu'une demi-minute avant que les policiers débarquent !

— Comment tu sais ça, toi ?

— J'ai compté. Ils mettent une minute environ pour intervenir, on a déjà perdu cinquante secondes[1]. Vite, vite !

Angelica attrapa ses rembourrages et le coton pour ses joues, qu'ils lui fixèrent à toute vitesse. Ils récupérèrent leurs affaires, Tara se transforma et ils foncèrent. L'ascenseur descendit avec la lenteur d'un escargot et ils débouchèrent en courant dans la spacieuse entrée. Sylver faillit exploser une colonne, mais parvint de justesse à garder son équilibre. Un gros triton était de garde. Angelica lui jeta une bourse pleine de crédits-muts en criant :

— Nous avons abîmé deux ou trois trucs dans la chuite, nous chommes prechés, nous devons partir !

Le triton ouvrit la bouche.

Et au même moment une marée de gardes envahit l'hôtel, les submergeant.

---

1. Pour ceux qui n'auraient pas bien suivi, ou imagineraient que, vu ma totale nullité en maths, je ne sais pas compter, merci beaucoup, les minutes d'AutreMonde sont plus longues. Cent secondes pour une minute.

Ils avaient été trop lents.

Angelica, effrayée, se figea. Tara et Sylver aussi.

— Le triton, là, réponds-moi, dit l'un des gardes en s'avançant avec arrogance vers le comptoir. Nous avons détecté une forte activité magique, probablement encore un dingue qui ne supporte pas la pub, mais on ne sait jamais. Tu as entendu ou vu quelque chose, l'inhumain ?

Et dans sa bouche, ce dernier mot sonnait comme une insulte.

Le triton, qui avait l'intention d'obtempérer, se raidit dans sa bulle d'eau et plissa les narines.

— Je ne sais pas, répondit-il froidement en rangeant la bourse que lui avait donnée Angelica, je n'ai rien entendu.

— Vous, là, grogna le garde, dépité, en s'avançant vers Angelica et Sylver, qu'est-ce que vous faites là à cette heure de la nuit ?

Angelica, qui se tassait déjà, allait ouvrir la bouche lorsque le triton intervint :

— Ils sont clients dans notre hôtel. Ils viennent tout juste de rentrer.

Angelica referma la bouche, surprise par son mensonge. Le triton resta impassible.

— Ah… bon, grogna le garde. Nous allons inspecter les étages alors. Allez-y, les gars. Trouvez-moi ce nouveau dingue !

Les gardes foncèrent vers les escaliers et l'ascenseur tandis que d'autres lévitaient pour aller plus vite. Ne resta qu'un seul garde qui se postait près de la porte, mais trop loin pour les entendre.

— Pourquoi nous avez-vous aidés ? murmura Sylver, curieux.

— Je n'aime pas beaucoup ce qui se passe au Lancovit depuis que les fantômes nous ont envahis, répondit honnêtement le triton. Et encore moins le ton de ce garde. Les humains nous traitent de haut depuis quelques semaines. Cela ne me plaît pas, non, pas du tout. Alors, je crois que je vais démissionner, prendre cette jolie bourse que vous m'avez donnée et laisser les gardes se débrouiller avec mon patron. Je vais occuper celui-là. Profitez-en pour filer.

Sylver le remercia sincèrement. Le triton appela le garde et celui-ci s'avança, curieux. Tara, Angelica et Sylver passèrent à côté de lui sans qu'il leur prête grande attention. Ils eurent beaucoup de chance que la sortcelière en face soit trop étonnée d'avoir vu son mur se reconstruire aussi facilement pour songer à mentionner que la fille brune et le garçon étaient en compagnie d'une fille qui ressemblait fichtrement à l'Héritière disparue. Avec ces histoires de fantômes, la sortcelière n'avait pas trop envie d'avoir affaire aux autorités. Sans compter que de toute façon, elle voulait changer sa décoration intérieure. La seule chose qu'elle regretta fut sa très jolie chemise de nuit.

À peine dehors, Sylver, Angelica et Tara filèrent à toute vitesse, histoire de mettre le plus de distance possible entre l'hôtel et eux.

Le milieu de la nuit était déjà bien dépassé. Pourtant, il faisait presque jour avec les illuminations des panneaux publicitaires, et, dans le ciel, les deux lunes affichaient aussi d'énormes réclames pour tel ou tel produit. La nuit, les projections étaient si nombreuses qu'ils passaient au travers d'une véritable foule de personnages animés. D'une certaine façon, c'était pas mal pour éviter les gardes. Le cœur battant, ils se dissimulaient autant que possible chaque fois qu'ils voyaient un uniforme. Tara avait demandé à la Carte Vivante les horaires d'ouverture des magasins, notamment de celui des tapis volants.

— Vingt-six heures sur vingt-six, évidemment, avait répondu la Carte, dédaigneuse. C'est une Pubcity ici, rien ne s'arrête jamais !

Effectivement, lorsqu'ils débarquèrent, essoufflés, un vendeur habillé d'une étrange combinaison brillante, collante et tout à fait rose les accueillit avec effusion, entouré de tapis flottant de bas en haut de l'immense magasin.

— Bienvenue, bienvenue chers client et clientes ! Ici, vous êtes au Roi du tapis ! Si vous ne trouvez pas votre bonheur ici, c'est qu'il n'existe pas ! Nous avons tout et bien plus encore ! Des merveilles des quatre coins d'AutreMonde, ou de la Terre, adaptées à notre monde et à sa gravité. Des petits, des grands, des rapides, des lents, plus confortables les uns que les autres. Que désirez-vous ? Le service Pubcity ou le service payant ?

Il rayonna lorsqu'ils lui confirmèrent qu'ils voulaient le service payant et se lança dans une grande démonstration volubile de tous les modèles présentés.

Au bout de trois minutes, Tara avait envie de le mordre, non seulement parce qu'on avait l'impression qu'il voulait leur fourguer tout le magasin, mais surtout parce que sa voix nasillarde agressait ses oreilles sensibles de loup. Même le courtois Sylver esquissait des grimaces angoissées.

Tara se demanda si la Chose ressortait aussi lorsque Sylver était agacé. Pour cette fois, elle l'aurait presque souhaité. Elle aurait dévoré le vendeur et ils auraient eu la paix.

Il y avait toutes sortes de tapis à vendre. Du plus simple, une petite carpette qui ne dépassait pas le trente tatrolls à l'heure, pour ceux qui s'étaient fait retirer leur permis, aux engins stratosphériques capables de passer d'un continent à l'autre en moins d'une heure. Hélas ! ils ne pouvaient pas acheter ces petites merveilles, car il fallait un permis spécial pour les conduire sans compter la déclaration particulière à remplir. Les pays ne badinaient pas avec des engins capables de franchir leurs frontières en un éclair.

Tara n'était pas très familière avec les tapis et puis, sous sa forme de loup, elle ne pouvait pas trop négocier, et Sylver n'en savait pas plus. Angelica était donc toute désignée pour acheter leur tapis. Son choix se porta tout d'abord sur un luxueux modèle de sport. Très voyant. Rouge, magnifiquement carrossé. L'équivalent d'une Ferrari sur Terre. Tara se mit à grogner. Angelica comprit le message et soupira. Puis elle se tourna vers un modèle plus neutre, à huit places, tissé de gris, avec des volutes d'argent et de rouge, qui possédait également un vortex toilettes et une minidouche incorporée avec Élémentaire d'eau. Sans oublier une minikitchenette et un tout petit Élémentaire de feu. Les placards étaient conçus sur le même modèle que les poches des sortceliers et pouvaient contenir des années de provisions qui ne se gâteraient jamais.

— Rapide, confortable, indémodable, leur assura le vendeur. Les fauteuils se replient et se positionnent dans tous les sens, y compris en lits, et vous pouvez le mettre dans votre poche très aisément.

— Très bien, nous le prenons, confirma Angelica en lui lançant quelques pièces.

— Parfait, parfait, dit le vendeur en se frottant les mains. Nous avons un délai de livraison de deux semaines...

Angelica lui glissa une pièce d'or dans la main.

— D'une semaine, reprit le vendeur.

Angelica agita deux pièces d'or supplémentaires sans les lui donner.

— Je vous l'emballe tout de suite ? demanda le vendeur en tendant la main.

Angelica secoua la tête.

— Ch'est pour une conchommachion immédiate. Remplichez les papiers et nous décollons.

— Tout de suite, Damoiselle.

Angelica lui glissa les deux pièces d'or qui disparurent.

— Désirez-vous également notre service « Je n'aime pas cuisiner » ? proposa-t-il avec un sourire enjôleur. En plus du tapis, nous vous fournissons des vivres pour un an, comprenant une fine sélection de huit mille huit cents plats, fruits, légumes, boissons, fromages, pâtisseries, etc.

Il fit un geste, le mur du fond coulissa et un traiteur apparut, tout vêtu de vert, des centaines de plats flottant autour de lui.

Tara sentit qu'il allait leur expliquer la moindre épice du plus petit plat et émit un grognement d'avertissement.

— Ch'est parfait, approuva Angelica. Qu'il charge tout cha tout de chuite.

Le traiteur, arrêté net dans son élan, eut l'air déçu, mais fit vite. Volant à une vitesse effrayante, les plats s'engouffrèrent dans les placards du tapis. Angelica donna une pièce d'argent pour le tout.

— Et notre service « Tout est propre et sent bon mais je n'y suis pour rien » ? continua l'excellent vendeur, vous fournissant serviettes, papier toilette, détergents, tout ce dont vous pouvez avoir besoin sans avoir à utiliser votre propre magie ?

Il était malin. Il savait que les autorités avaient ordonné de ne pas utiliser la magie et s'en servait pour vendre tout ce qu'il pouvait. Angelica acheta et paya sans broncher. Puis ils l'arrêtèrent avant qu'il ne leur vende l'autre moitié de la ville.

Il restait une formalité à laquelle ni Angelica ni Sylver n'avaient pensé. Pendant que le vendeur établissait les papiers du véhicule au nom fantaisiste donné par Angelica, Tara la prit à part et lui dit, masquant les mouvements de sa mâchoire.

— Demande-lui de débrancher le truc qui permet de repérer le véhicule et de le retirer.

Angelica la regarda. Puis sourit.

— Tu n'es pas aussi stupide que tu le parais, petite Héritière, tu as raison, je n'y avais pas pensé.

Waaah ! Tara en laissa pendre sa langue de surprise. Qu'Angelica reconnaisse qu'elle n'avait pas pensé à quelque chose avant Tara était une sorte de miracle.

La grande fille brune n'eut aucun mal à convaincre le vendeur de désactiver puis de retirer le système. Il devait avoir l'habitude, car il fit vite. Et une nouvelle pièce d'or disparut dans le puits sans fond de ses poches.

Un instant après, ils avaient les papiers du véhicule et volaient hors de la boutique.

Au moment où ils allaient quitter la ville, les panneaux affichèrent le visage gonflé par les cotons d'Angelica, celui du triton et celui de Sylver, qui avaient été filmés par les scoops de sécurité de l'hôtel. Ils n'avaient pas remarqué Tara, la prenant sans doute pour un Familier.

En dessous, un avertissement : « Ces personnes sont dangereuses et recherchées pour destruction de biens privés et activité magique prohibée. »

Sylver baissa la tête sous sa capuche noire et, coup de chance, put sortir le tapis alors que les gardes regardaient en l'air pour mieux lire si l'avertissement s'accompagnait d'une récompense ou pas.

Du coup, ils volèrent au maximum de la puissance du tapis en direction d'Hymlia, pendant plusieurs heures, puis s'arrêtèrent pour un très rapide petit-déjeuner. L'étau se resserrait. Ils avaient peur, sursautaient au moindre bruit.

Enfin, Angelica et Tara, parce que Sylver, lui, n'avait pas l'air capable d'avoir peur d'autre chose que de blesser quelqu'un.

Heureusement, AutreMonde était une immense planète assez peu peuplée. La campagne et les bois étaient souvent sauvages, bien plus que sur Terre. Ils n'avaient croisé que de très rares tapis ou pégases, et chaque fois étaient passés trop vite pour que les autres voyageurs puissent les voir. De plus, après avoir lu le mode d'emploi du tapis, Sylver avait relevé les vitres et le toit, et avait découvert une très intéressante option qui permettait de les opacifier, si bien qu'il était impossible de distinguer quoi que ce soit de l'extérieur. Cela avait occasionné quelques déboires, parce qu'il mit une bonne dizaine de minutes à comprendre comment désopacifier suffisamment pour voir à l'extérieur.

Le tapis ne fut que très peu abîmé.

Ils auraient pu déjeuner dans le tapis, mais ressentaient le besoin de se dégourdir les jambes, raison de leur arrêt. Ils trouvèrent une jolie clairière, bien dissimulée au milieu d'un bois rouge touffu.

Comme il n'y avait personne aux alentours, Tara reprit sa forme humaine normale. Elle évitait sa forme vampyresque, et encore plus celle héritée de Selenba, parce qu'elle lui donnait trop faim de sang humain.

Et le mystérieux Sylver devait être humain en partie, car, dès qu'elle le sentait, elle se mettait à saliver. Curieusement, ce n'était pas le cas d'Angelica. Tara en déduisit que la désagréable jeune fille n'était humaine que d'aspect, et qu'au fond c'était probablement un démon des Limbes… ou plus probablement qu'elle ne l'aimait pas suffisamment pour avoir envie de son sang.

Il y avait une carte des menus disponibles avec les milliers de plats et condiments qu'ils avaient chargés. Ils firent leur choix et avalèrent leur petit-déjeuner avec plaisir.

Tara remarqua qu'Angelica, qui ne ratait pas une occasion, avant, de se tenir près de Sylver, s'était ostensiblement écartée. Et le regardait d'un air méfiant. Elle avait déposé le coton obstruant sa bouche afin de pouvoir manger, ainsi que les rembourrages, dont elle n'avait pas besoin pour l'instant.

— Il va falloir trouver une solution, déclara soudain la grande fille brune. Je refuse de voyager avec un type aussi dangereux…

Le fait était qu'elle avait raison et que Tara se demandait justement comment aborder le problème.

Sylver baissa sa tête magnifique. Et ne répondit pas, parce que la peine de se voir rejeter aurait fait trembler sa voix.

Tara aussi resta silencieuse. Pendant qu'ils fuyaient, elle avait réfléchi. Et sa conclusion n'était guère plus optimiste.

Angelica croisa les bras.

— Cette… Chose. Dès que Sylver s'endort, elle ressort, c'est cela ?

Sylver leva ses yeux dorés et hocha la tête.

— Alors, c'est trop dangereux. Il suffit d'un moment d'inattention, d'un coup de fatigue, et nous serons des proies. Je refuse de courir le risque.

Sylver se raidit. Puis il se leva d'un bond, vacilla parce qu'il avait trop poussé sur ses jambes, faillit retomber sur Angelica qui cria et se stabilisa enfin.

— Vous avez raison, Damoiselle, articula-t-il lentement, comme si chaque mot lui était arraché de la gorge, nouant celle de Tara tant il paraissait désespéré, je vous prie de m'excuser pour les désagréments que je vous ai causés. Je vais retourner à Travia afin d'apporter mon aide aux résistants. Merci de m'avoir accompagné pendant aussi longtemps. Et pardon d'avoir menacé votre vie.

Puis, avant qu'elles puissent réagir, il tourna les talons et partit. Troublées par son départ soudain, elles restèrent silencieuses jusqu'à ce qu'il ait disparu.

— Slurk alors, s'exclama Angelica, il aurait pu résister un peu quand même !

Tara cligna des yeux, luttant contre un curieux chagrin, tandis que les deux soleils d'AutreMonde se levaient, nimbant la campagne d'une glorieuse lumière.

— Il nous a mises en danger, souligna-t-elle, et il le sait très bien. C'est un pur hasard qu'il ne m'ait pas tuée cette nuit. Mais je regrette, Angelica, qu'il ne puisse venir avec nous. Même si je ne suis pas sûre que les nains auraient apprécié d'avoir la Chose parmi eux.

— Ils l'auraient réduite en charpie, ce n'est pas leur genre de laisser une bestiole aussi dangereuse en vie si elle les attaque.

— C'est une personne consciente, Angelica, pas un truc qu'on peut éliminer sans réfléchir.

Angelica écarta l'argument d'un geste agacé de la main.

— Peu importe, qu'il soit une Chose ou un trop joli garçon, il aurait pu quand même protester. Il n'est pas très courageux, ce type !

Vu que Sylver leur avait sauvé la vie lors de l'attaque de Cal quelques heures plus tôt, Tara trouvait quand même qu'Angelica avait la mémoire courte.

Surtout, elle fut surprise du sentiment de tristesse et de perte qui l'habitait depuis son départ. Et son entraînement d'Héritière d'Omois lui chuchotait qu'il était tout de même très curieux que Sylver les ait quittées aussi rapidement.

Elles se remirent en route. À tour de rôle, elles se relayèrent pour piloter le tapis afin d'avancer le plus vite possible vers les pays des nains, des trolls, des vampyrs et des géants.

Hymlia se trouvait dans les montagnes du Tasdor. Tara suspectait les montagnes d'avoir été baptisées par un nain. Cela dit, elles portaient bien leur nom, car elles regorgeaient d'or, que les nains revendaient aux humains et aux Tatris.

Elles évitèrent les villes, se contentant de dormir sur le tapis volant dont les sièges se rabattaient en des lits très confortables. Il faisait chaud, mais les rivières étaient froides, et Tara, comme Angelica, fut bien contente de pouvoir utiliser la minidouche du tapis.

Sans s'en rendre compte, Tara reprenait des forces. Elle mangeait bien, consciente du fait qu'elle avait perdu trop de poids et de muscles. Et s'entraînait une heure chaque jour pour faire jouer ses muscles rouillés. À sa grande surprise, Angelica, qu'elle pensait paresseuse et futile, en faisait autant. La technique de la grande fille brune se rapprochait pas mal de celle enseignée par l'Imperator. Rapide, brutale, efficace. Tara ne commit pas l'erreur de proposer à Angelica de s'entraîner contre elle. Elle savait que l'une des deux risquait d'y laisser sa peau. Tout cet exercice était épuisant, mais vidait son esprit des images de Robin, et elle accueillait ces moments avec une sorte de soulagement.

Et, chaque nuit, Tara s'usait les yeux sur le Livre des Sombres Secrets pour trouver le moyen d'éliminer les fantômes.

De fait, elles étaient vraiment coupées du monde. Tara ne pouvait pas risquer de se faire repérer en consultant la Pierre Vivante, faite de quartz, véritable réservoir de magie. Aussi n'avait-elle même pas le réconfort de pouvoir discuter avec la Pierre, comme elle en avait pris l'habitude depuis trois ans.

Heureusement pour Tara, et pour leur survie à toutes les deux, Angelica avait sombré dans un étrange mutisme. Elle avait l'air de mauvaise humeur mais ne parlait pas du tout à Tara. La jeune fille le supporta sans broncher, elle venait de passer deux mois sans prononcer un mot, ce n'était pas difficile.

Cependant, elle sentait que la grande fille brune l'observait avec attention, et cela la rendait nerveuse.

Aussi, après six jours de silence, sursauta-t-elle lorsque Angelica lui adressa la parole.

Elles se trouvaient au centre d'une clairière éclairée par des brillantes sauvages et traversée par un frais ruisseau. Dans le « service toilette », elles avaient découvert des antipiqqq et antimoustiques qui les protégeaient des bestioles indésirables.

Il faisait nuit et Galant avait attrapé une brillante afin que Tara puisse lire. Une fois assurée que le pégase miniature n'allait pas la manger, la petite fée ailée s'était posée sur son dos et éclairait le Livre des Sombres Secrets.

— C'est là-dedans, n'est-ce pas ? interrogea Angelica.

Surprise, Tara mit un moment à répondre.

— Qu'est-ce qui est là-dedans ?

— C'est là-dedans que tu recherches le moyen de tuer les fantômes, c'est cela ?

Tara referma son livre d'un geste protecteur. Il y avait de très brûlantes informations dans ce livre et elle n'avait pas envie qu'Angelica vienne y fourrer son nez de fouine.

— Peut-être, répondit-elle prudemment. Pourquoi ?

— Parce que ça fait une semaine que je suis obligée de voyager avec toi et qu'à chaque instant tu sors ce stupide livre comme si ta vie en dépendait. Aucun livre ne peut être aussi passionnant. Ce n'était pas bien difficile de deviner. Et encore moins difficile de déduire que tu n'as rien trouvé.

Tara serra les dents. Elle oubliait souvent que son ennemie était méchante, mais loin d'être stupide.

— Je trouverai, c'est juste une question de temps.

— C'est un livre magique ?

— Euh… oui.

— Combien de pages a-t-il ?

Tara n'en avait aucune idée. Elle n'avait pas regardé.

— Va à la fin et tapote sur la dernière page en demandant le nombre de pages, le livre devrait te l'afficher.

Tara obéit, consciente qu'il y avait encore des milliers de choses qu'elle ne savait pas sur son monde natal… mais ô combien étranger.

Elle faillit s'étrangler.

— Cinq millions six cent cinquante-deux mille huit cent dix-huit pages ! C'est… c'est impossible !

— Non, c'est normal. Souvent, les livres magiques incluent également d'autres livres que les auteurs citent en exemple. Ceux-ci les mettent ainsi à la disposition de leurs lecteurs. Tu vas en avoir jusqu'à la fin de tes jours si tu veux trouver une solution. Il y a des moyens bien plus simples. J'ai vu que sur la couverture, il y avait noté « Livre des Sombres Secrets ». Je connais ce livre. Il est dit qu'y sont compilées toutes les expériences, toutes les vies de tous les empereurs et impératrices d'Omois depuis le début de l'Empire. Tu espères que l'un de tes ancêtres aura combattu les fantômes et les aura vaincus, c'est ça ?

Mince, Angelica était fichtrement bien renseignée. Vu que son père se voyait en maître suprême d'AutreMonde et n'en faisait pas mystère, Tara aurait dû se douter qu'Angelica connaîtrait tout ce qui relevait du pouvoir. Et indéniablement, ce livre suait le pouvoir.

— Oui, répondit-elle franchement, c'est un peu l'idée.

— Hum, tu as de la chance, je veux autant que toi que ces foutus fantômes soient vaincus.

— Pourquoi de la chance ?

— Parce que, si je n'avais pas peur de le détruire en tentant de te le prendre, je t'aurais tuée sans hésiter.

Tara déglutit. Ça avait le mérite d'être clair.

— De plus, continua Angelica, la Main-de-Lumière est très surfaite. Elle ne détruit que l'inanimé. Et malheureusement, je reconnais que tu es plus puissante que moi. Alors, comme je n'ai pas le choix, je dois bien coopérer. Je vais t'aider.

— C'est… euh… très gentil, Angelica, mais seul un Héritier d'Omois peut lire le Livre des Sombres Secrets.

La grande fille eut un mouvement impatient.

— Évidemment ! Tu me prends pour une gourde ? Tu n'y connais rien. Mais moi, je sais comment utiliser les livres magiques. Tu sais que tu peux allier deux mots afin de retrouver les occurrences dans le livre ?

— Oui, se défendit Tara, j'ai déjà mis « fantômes » et « détruire », mais pour l'instant, tout ce que je trouve, c'est « le fantôme *a* détruit », « les fantômes *ont* détruit », etc., mais pas du tout « le fantôme *est* détruit ».

— Tu as essayé avec une phrase entière ?

— Euh… non. Pas encore.

— Essaie avec « comment détruire les fantômes et les renvoyer chez eux ». Puis tu appelles « fonctions secondaires » et tu enregistres « toutes déclinaisons, y compris détruits, ont détruit, ont été détruits, avaient détruit, détruisent, détruisaient, détruiront, etc. ».

Tara obéit, le cœur battant. Elle ne savait même pas qu'elle pouvait activer des fonctions secondaires. Cela marcherait-il ?

Le livre afficha les résultats. Les occurrences tombaient à moins de mille. Cela réduisait considérablement son travail. Avide, elle ouvrit à la page de la première occurrence : « Foutus fantômes, disait la phrase, ils ont tout détruit, et impossible de les renvoyer chez eux ! » Déçue, elle passa à la deuxième : « Comment réussir à détruire les fantômes et à les renvoyer chez eux ? »

Elle faillit jeter le livre.

— Bon sang, grommela-t-elle, ils devraient donner des formules au lieu de s'interroger tout le temps ! J'ai l'impression qu'ils passaient toutes leurs journées à se poser des questions ! Moi, ce que je veux, ce sont des…

Soudain, elle se redressa, l'œil brillant.

— Dis donc, tes livres magiques, là, ils ont des recettes ?

Angelica la regarda, étonnée, puis railleuse.

— Pourquoi, tu as décidé de renoncer au trône et de devenir cuisinière ?

— Oui, j'adore cuisiner les Angelica au gril, répliqua Tara aussi sec. Non bien sûr, mais ce livre m'a donné beaucoup d'explications sur les attitudes à avoir dans telle ou telle situation. Alors, peut-être que mes ancêtres ont été malins et ont mis un addendum, un truc, quelque chose, que leurs descendants pourraient consulter en cas de danger ? Genre « Si les démons des Limbes attaquent, fabriquer une bombe anti-démon avec du poil de chat et pulvériser tous les matins pendant quinze jours »…

— Bon sang, marmonna Angelica, je donnerais cette foutue Main-de-Lumière tout entière pour avoir ce livre. Ce sont toujours les mêmes idiotes qui ont de la chance. (Elle éleva la voix.) Ton exemple est débile, mais va dans Index et demande « formules et solutions ».

Tara consulta le livre et trouva très vite ce qu'elle cherchait.

Puis gémit :

— C'est pas vrai, ça indique qu'il y a plus de cent mille pages de formules !

— Remets la phrase « comment détruire les fantômes et les renvoyer chez eux », tu verras bien. Sinon, tu seras condamnée à lire ce livre jusqu'à la fin de tes jours... qui seront très courts, si les fantômes parviennent à envahir aussi les inhumains.

Tara pria très fort, du fond de son cœur. Tapota le livre, enregistra la phrase et ses déclinaisons. Aussitôt, un texte s'afficha :

« Comment détruire, annihiler, tuer, massacrer, abattre, démolir, anéantir, exterminer, assassiner, descendre, occire, annuler, terminer les fantômes et les renvoyer chez eux, en OutreMonde, au diable, dans les Limbes, ou ailleurs, on s'en fout du moment qu'ils partent. »

Apparemment, l'auteur des indications pour se débarrasser des fantômes avait voulu être sûr que ses descendants trouveraient, quelle que soit la façon dont ils formuleraient leur requête.

Brave garçon.

Le texte continuait :

« Prends garde à toi, descendant d'Omois, car dans le terrible et chaud pays des Edrakins se trouve une machine. Ses émanations vont te ronger, rien ni personne ne pourra te soigner. Sous le tumulus d'Arrutchir, sous la terre, ce qui les fera périr se terre. Les ondes les disloquent, les transforment en loques. Sur tout AutreMonde et si les portes sont ouvertes aussi sur d'autres mondes. Un seul coup. Et c'est tout. »

— Yeaaah, cria Tara, faisant sursauter Angelica, j'ai trouvé !

— *Nous* avons trouvé, la reprit Angelica d'un ton acide. Vas-y, lis-moi ce qu'ils disent. C'est facile à préparer ?

— Oui, faut juste aller chez les Edrakins dans un endroit qui s'appelle Arrutchir, déterrer une machine et hop ! un seul coup et le tour est joué, ça détruit tous les fantômes, partout. Merci, Angelica, sans toi...

Tara s'interrompit, prenant conscience qu'Angelica la regardait avec horreur.

— Qu'est-ce qu'il y a ?

— Tu as dû te tromper, s'exclama Angelica, lis-moi le texte !

Tara obéit. Quand elle eut fini, Angelica s'était entourée de ses bras, comme si elle avait froid.

— Nous sommes perdus, annonça-t-elle d'un ton funèbre. Tout est fichu.

Tara sentit son enthousiasme s'effilocher d'un seul coup.

— Comment ça ?

Angelica releva les yeux.

— Sais-tu ce que sont les Edrakins, petite Héritière ? Sais-tu quels monstres ils sont ?

— Euh, je n'ai pas encore étudié ce peuple, mes cours ont commencé d'abord avec les peuples avec qui Omois commerce. Je sais juste que le Grand Edrakin doit être accompagné de ses épouses-gardes du corps partout où il va et qu'elles sont disposées à chaque occasion d'une façon très particulière.

Angelica plissa les yeux, montrant à quel point elle trouvait l'éducation de Tara incomplète. Elle prit un ton presque sépulcral pour décrire les Edrakins. Et Tara en eut froid dans le dos.

— Ce sont des animaux, des espèces de félins mâtinés d'humains, presque sans narines, les yeux étirés vers l'arrière, à la crinière rase et au poil court, gris, noir ou blanc. Ils sont vicieux et dangereux. Deux fois, ils ont tenté de conquérir AutreMonde et deux fois, nos ancêtres du Lancovit se sont alliés aux autres peuples pour parvenir à les contenir. Ce sont de très grands sortceliers, mais la magie est uniquement réservée à leurs Grands Prêtres. Celui qui fait de la magie les attire par milliers en quelques secondes. Et n'a souvent pas le temps de le regretter. Quand il a de la chance, il est sacrifié à des dieux auprès de qui Brenduc le Hideux ressemble à un gentil petit garçon inoffensif et vaguement benêt. Ces dieux-là emportent ton âme, Tara, et te font souffrir dans une éternité de feu et de douleur. Vous avez un enfer et un paradis dans vos religions sur Terre ?

— Euh… oui. C'est un lieu où les âmes des pécheurs sont torturées sans fin par des démons, dans une éternité de souffrance. En fait, ça ressemble bigrement à ton truc.

— Non, pas du tout. Imagine que ton enfer, ce soit un paradis en comparaison. Parce que là, peu importe que tu aies péché ou non. En fait, ils préfèrent les victimes innocentes, ce sont celles qui souffriront le plus. Pas d'échappatoire possible en OutreMonde pour leurs victimes, une fois qu'ils te tiennent, ils ne te relâchent jamais. C'est la raison pour laquelle aucun sortcelier disons « normal » n'ira sur cette île maudite. Les Edrakins sont sanglants et sans pitié. Ils commercent avec les marchands, mais, si tu décides de mettre le pied sur leur île sans autorisation de leur gouvernement, tu ne représentes qu'une proie. Comme tous les chats, ils aiment chasser, mais surtout torturer leurs prises. Si tu es capturée, tue-toi tout de suite, parce que ce que tu endureras ensuite sera si terrible que tu regretteras du fond du cœur de n'être pas morte. Leur île est une forteresse, trop chaude, trop humide, parce que, grâce à la magie des Grands Prêtres, ils font régner une température qui favorise l'élevage de leurs plantes démentes. Afin de contrôler leur population, seuls les Grands Prêtres et les Tueurs ont le droit de circuler. Pour cela, ils possèdent une potion dont ils s'aspergent pour que les plantes les laissent passer. Rien ni personne ne pourra jamais me convaincre de mettre… non, même pas de mettre… juste d'évoquer l'ombre de l'idée de mettre un pied sur cette île maudite.

Elle dut s'arrêter car elle était à bout de souffle. Tara était abasourdie. Ça, c'était un cours qu'elle avait manqué, apparemment. Et le nom de leur police, les « Tueurs », n'augurait rien de bon.

Angelica inspira profondément et reprit :

— De plus, je ne sais pas si tu as remarqué, mais il y a un passage, très clair, qui dit que les émanations de la machine tuent celui qui va l'actionner.

— Oui, j'avais remarqué, déclara Tara sombrement. C'est le point qui est le moins important. Je n'avais pas l'intention de revenir de toute façon.

À son doigt, l'anneau sursauta… enfin, façon de parler. C'était quoi encore, cette histoire ? Il pensait pourtant avoir retiré toute envie de devenir un fantôme de l'esprit de Tara.

Apparemment pas.

Tout aussi surprise, Angelica plissa les yeux.

— Comment ça ?

Tara répondit clairement :

— Me faire tuer pour rejoindre Robin serait improductif, surtout avant d'avoir réparé l'erreur qui l'a anéanti. C'est ce que j'ai failli faire en me laissant mourir de faim.

Angelica en eut le souffle coupé. Ça, c'était une information intéressante ! Puis elle releva le terme employé par Tara, « improductif », hein ? La stupide Héritière tentait de rationaliser sa décision. Elle ne s'en rendait sans doute pas compte, mais elle n'avait pas tant envie de mourir que ça. Il allait falloir la surveiller, pas question qu'elle se défile à la dernière minute. Comme ça, Angelica ferait d'une pierre deux coups. Éliminer deux des plus importants adversaires de son père, Tara et Magister, en une seule fois. Ooh, il allait adorer ça !

Inconsciente des pensées meurtrières d'Angelica, Tara continuait :

— En revanche, périr en sauvant AutreMonde, ce n'est pas interdit. *Il* ne l'a pas interdit.

— « Il » ? Qui ça, il ?

— Robin.

— Robin ? Tu veux dire que tu as parlé avec lui ? Après sa mort ?

Angelica avait l'air de penser que Tara avait pété un câble.

— Oui, son fantôme m'est apparu. Il m'a interdit de me laisser mourir. Mais il ne m'a pas interdit de mourir tout court pour le rejoindre. Alors tu vois, je n'ai pas peur. Je suis même impatiente.

Ah ? Finalement si, la stupide Héritière avait vraiment envie de devenir un fantôme. Pour la première fois de sa vie, Angelica fut incapable de trouver ses mots. Elle resta coite, stupéfaite.

— Tu veux aller vivre avec les fantômes ? Tu es complètement dingue, finit-elle par articuler.

Tara sourit joyeusement. Mais, sous le sourire bravache, on voyait bien l'ombre de sa terrible peine.

— Voui ! Mais c'est pas grave, c'est pas contagieux, tu ne risques rien.

Angelica ouvrait la bouche pour une remarque bien cinglante, lorsqu'un terrible hurlement les fit sursauter toutes les deux.

Avant qu'elles aient le temps de réagir, un crouiccc éventré fut lancé dans la clairière, dans une gerbe de sang, et s'écrasa devant elles, avec un grand jaillissement d'entrailles graisseuses, suivi par un être qu'elles connaissaient bien.

La Chose.

— Ça va être rigolo de leur expliquer que vous n'y êtes pour rien, sourit-elle en dévoilant des crocs pleins de sang. Je pense qu'ils vont faire le boulot pour moi. Tchao, les filles !

Et elle disparut d'un bond de la clairière.

Tara, comme Angelica, avait sauté sur ses pieds, le cœur au bord des lèvres. Entendant des bruits tout autour d'elles, elle se transforma vite fait en vampyr. À peine avait-elle terminé qu'une dizaine de Cultiveurs très énervés les encerclaient.

En agitant des tas de fourches. Acérées, les fourches. Manquait plus que les torches et un médecin fou ayant volé le mauvais cerveau[1].

— Voleuses, voleuses ! postillonna l'un d'entre eux, fou de rage. Vous m'avez volé mon crouiccc, mon pauvre Rossinet, que j'engraissais pour la fête des six cent douze dieux et demi ! Vous allez payer !

Et en plus, le crouiccc avait été baptisé ! Elles étaient fichues.

Mais c'était compter sans Angelica.

— C'est exact, répliqua la grande fille brune d'un air très dédaigneux. Nous allons payer. Et nous sommes désolées que notre animal de compagnie vous ait causé un quelconque désagrément. Voici un crédit-mut d'or. Je pense que cela doit couvrir dix fois la valeur de votre crouiccc. Oh ! et avant de partir, comme j'ai payé cette viande, je veux que vous me prépariez quatre côtes et un jambon. Nous les ferons cuire en chemin.

Le ton froid d'Angelica et la pièce d'or qu'elle faisait négligemment passer entre ses doigts, très Jack Sparrow dans *Pirates des Caraïbes*, subjuguèrent les Cultiveurs. Les fourches se baissèrent. Plusieurs d'entre eux ôtèrent leur bonnet.

— Votre... votre animal de compagnie ? articula faiblement le Cultiveur qui n'arrivait pas à quitter la pièce des yeux. Par les mânes de mes ancêtres, mais qu'est-ce que c'est donc ? Un monstre tout droit échappé des Limbes ?

Angelica inventa à toute vitesse, toujours aussi glaciale.

— C'est une... expérience de laboratoire. Mon père aime bien croiser les espèces. Nous le mettrons en laisse la prochaine fois, ne vous inquiétez pas. De plus, nous aurons quitté vos terres d'ici quelques heures. Mon amie ici présente est bien plus dangereuse pour vous que mon animal de compagnie, croyez-moi.

---

1. Oui, je confirme, je fais bien allusion à Frankenstein. Et aussi à Van Helsing, la scène du début, avec le croquemort et Dracula. Des gens, des fourches, des torches et un château à brûler.

Le Cultiveur déglutit lorsqu'il croisa le regard sanglant de Tara, qui fit de son mieux pour avoir l'air implacable, laissant dépasser ses longs crocs.

Cela dut réussir, car il recula.

Dieu merci, il ne se rendit pas compte que Tara essayait surtout de ne pas baver partout, elle qui ne maîtrisait pas toujours son nouveau dentier.

— Avons-nous un deal ? demanda Angelica.

— Oui, oui, Damoiselle. Nous allons vous préparer Rossinet tout de suite. Merci, Damoiselle.

Angelica lui lança la pièce que le Cultiveur testa aussitôt. Tara n'en revenait pas de l'aplomb de la grande fille. Elle n'aurait jamais eu l'idée de ce stratagème, mais c'était bien dans l'esprit d'Angelica de penser que tout le monde avait son prix.

Qu'il soit d'or ou d'autre chose.

Ce ne fut pas long. Afin d'éviter d'attirer les prédateurs, les Cultiveurs enlevèrent la carcasse, laissant quatre belles côtes et un jambon à Angelica. Puis ils disparurent dans l'ombre, commentant l'aventure avec excitation.

— Angelica ?

— Tara ?

— Il va falloir le capturer, tu sais ?

— Je nous ai sauvées des Cultiveurs. Débrouille-toi avec le joli Sylver.

Et avant que Tara ne réponde, Angelica entra dans le tapis, rabattit le toit et les parois, et s'enferma pour la nuit.

Tara soupira. Le mot peste était trop faible pour qualifier Angelica.

Des hurlements la firent se lever d'un bond. Décidément, cette forêt était vraiment bruyante. L'Imperator lui avait expliqué un demi-millier de fois qu'il ne fallait pas se précipiter vers la source d'un danger potentiel avant d'avoir évalué ledit danger potentiel. Aussi, elle tapota la vitre, attirant l'attention d'Angelica.

— Il y a un problème, laisse-moi entrer, j'ai besoin du tapis.

À contrecœur, Angelica lui ouvrit.

— Quel problème ? demanda-t-elle pendant que Tara élevait le tapis au-dessus de la cime des arbres.

— Ce problème ! indiqua Tara en désignant la Chose, cernée par les Cultiveurs de tout à l'heure.

Apparemment, ils avaient pour habitude de piéger les animaux sauvages de la forêt et la Chose était tombée dans un de leurs pièges. Une cage dissimulée qui à présent se balançait au bout d'une corde, en l'air.

Quelque chose clochait.

— Pourquoi ne se libère-t-elle pas ? murmura Tara, perplexe, cette cage ne lui résisterait pas très longtemps.

— Elle attend que les Cultiveurs soient sûrs que la cage la maintiendra prisonnière quoi qu'elle fasse, indiqua Angelica. Une fois rassurés, ils se rapprocheront, et là…

— Là elle se libérera ! continua Tara, atterrée.

— Oui. Et en massacrera beaucoup plus. Voire tout le monde, ils n'auront pas le temps de s'enfuir. C'est une maligne, cette Chose. Et je te parie dix mille crédits-muts d'or qu'elle a fait exprès de tomber dans ce piège.

— Ouais, je ne prends pas le pari, parce que je pense exactement comme toi. Et comme tu as dit que c'était notre animal de compagnie, c'est sur nous que ça va retomber. Mauvais. Je voudrais essayer quelque chose. Ne t'en mêle pas.

— Si tu te fais tuer, je rappellerai à ton fantôme que c'est toi qui m'as dit de ne pas m'en mêler, assura Angelica avec un mauvais sourire.

Tara fit atterrir le tapis, sauta dans la clairière et hurla :

— Fuyez, la cage va céder, fuyez, je m'en occupe !

Les Cultiveurs d'AutreMonde n'étaient pas comme les Terriens. Ils savaient que la magie n'était pas toujours contrôlable. Ils ne se posèrent pas de questions. Ils filèrent comme des fous au travers des arbres, sous le regard furieux de la Chose.

— Tu commences à m'énerver, petite humaine, cracha-t-elle. Tu t'obstines à me gâcher toutes mes surprises, c'est crispant.

D'un geste désinvolte, elle écarta les bords de la cage, la démantibulant complètement. Puis se laissa tomber avec un choc sourd sur les feuilles et l'herbe. Bien que Tara sous sa forme de vampyr frôlât les deux mètres, la Chose la dominait d'un bon demi-mètre supplémentaire. Tara leva les yeux et déglutit.

Et quand la Chose ouvrit les bras, exposant son torse chitineux, Tara eut l'impression d'avoir devant elle un bloc d'épines, d'aiguillons et de griffes.

Bien trop longues, acérées et terrifiantes à son goût.

Elle ferma brièvement les yeux à l'idée de ce qu'elle allait faire.

— Tu ne peux pas pratiquer ta mauvaise magie contre moi, petite humaine, grogna la Chose en se léchant les babines, et cette fois-ci ton vilain filet collant et toi, vous ne m'aurez pas par surprise. Dommage pour toi.

— Sylver, tu n'es pas une Chose sans esprit, affamée, répondit Tara le plus calmement possible compte tenu de sa trouille intense. Et elle ne te contrôle pas. J'ai confiance en toi. Je te confie ma vie.

Elle laissa tomber les bras le long de son corps et s'immobilisa.

Ce fut probablement l'un des actes les plus courageux de sa jeune vie.

— Tu as tort, ricana la Chose.

Et avant que Tara ait le temps de réagir, elle lui sauta dessus.

Les yeux de Tara s'agrandirent. Mais elle ne bougea pas. N'essaya même pas d'esquiver la patte mortelle et la gueule avide.

Malgré elle, Angelica cria.

Tara fut ensevelie sous la masse épineuse. Si elle n'avait pas été sous sa forme de vampyr, sa nuque aurait été brisée sous le choc. Et si la changeline n'avait pas improvisé une sorte d'armure sous le cuir de son costume, elle aurait été transpercée.

Au-dessus d'elle, la Chose se mit à trembler et à grogner. Du tapis, Angelica poussa un hoquet horrifié.

La Chose était en train de dévorer Tara !

Elle n'aimait pas beaucoup l'Héritière, mais ça, c'était vraiment une mort horrible.

Puis, comme un cauchemar qu'on efface, le corps de la Chose disparut, et Sylver se retrouva couché de tout son long sur Tara, sa bouche à toucher la bouche de la jeune fille, en train de loucher dans des yeux d'un bleu magnifique. Les yeux dorés et les yeux bleus s'interrogèrent, s'affrontèrent.

Tara voulut parler.

Prit conscience de quelque chose.

Et se mit à hurler.

— Sylver, ouille ouille ouille, tes écailles !

Affolé, le garçon roula sur le côté. Tara se releva en une seconde et sautilla sur place, fouettée par la douleur. Sur tout son corps, la changeline avait été transpercée par les écailles du garçon.

Qui faisait réapparaître ses vêtements à toute vitesse. Il n'avait pas pensé qu'il était tout nu, à part le pagne que portaient conjointement la Chose et lui. Ses écailles avaient fait le reste.

La changeline avait réussi à résister aux épines et aiguillons de la Chose, mais le choc avait été si violent qu'elle avait dû absorber l'énergie cinétique afin d'éviter que Tara ne meure sur-le-champ. Voyant que Sylver réapparaissait, la changeline avait affaibli l'armure afin d'absorber plus facilement l'énergie résiduelle, qui l'avait abîmée. Elle avait tout simplement oublié les écailles de Sylver. Qui s'étaient vite chargées de se rappeler à son (à leur !) bon souvenir.

Le garçon incanta un Reparus à toute vitesse, horriblement gêné. Sa magie frappa Tara qui soupira de soulagement tandis que la douleur refluait. La changeline profita aussi du Reparus car les trous disparurent de son costume de vampyr.

Sylver balbutia, les yeux agrandis d'horreur devant les vêtements couverts de sang de Tara.

— Elle… vous… il ne… vous… je… suis désolé, je suis désolé !

Il se rendit compte que ses propos étaient incohérents et prit une profonde inspiration.

— Vous êtes téméraire, Damoiselle, parvint-il enfin à articuler, prenant conscience de ce qui s'était passé. La Chose aurait pu vous dévorer en un instant !

Tara se laissa tomber par terre, les jambes fauchées par l'émotion.

— La vache, j'ai vraiment eu peur. (Elle regarda le trop beau garçon bouleversé.) Dis, si tu pouvais me tutoyer et m'appeler Tara, ce serait plus pratique.

— Vous m'avez laissé vous attaquer !

— Mais tu ne m'as pas tuée. Tu t'es arrêté avant.

— Mais vous m'avez laissé vous attaquer !

— Je ne l'aurais pas fait en étant juste Tara. Mais ma forme de vampyr est plus solide.

— Mais vous m'avez laissé vous attaquer.

Le cerveau de Sylver paraissait bloqué sur cette phrase. Il avait encore les yeux vitreux, sous le choc.

Tara essaya d'éviter un nouveau « Mais vous m'avez laissé vous attaquer ».

— C'est parfaitement, totalement et définitivement exact, confirma-t-elle, espérant arrêter le flot.

— Mais vous m'avez lai...

Raté.

— Stop, l'interrompit Tara. Il fallait que je tente le coup, sinon nous n'aurions jamais pu voyager sans risque avec toi. Tu vois ! Tu peux contrôler cette Chose ! Autant qu'elle te contrôle. Et tu ne la laisseras pas nous faire du mal. Nous venons de le prouver. Sylver, c'est génial ! Tu peux rester avec nous ! Cela vaut tous les mauvais coups du monde, crois-moi.

Il y eut un très bref instant de silence. Les neurones de Sylver, un peu mis à mal, se reconnectèrent.

— Damoiselle, avec tout le respect que je vous dois, vous êtes totalement folle, déclara-t-il, le visage gris et les mains tremblantes.

Ouf, il avait changé de registre. Bieeeenn...

— Non mais t'es complètement dingue ! hurla Angelica dans son dos, tout en restant prudemment sur le tapis.

— Ah, vous voyez ! renchérit Sylver. Damoiselle Angelica est d'accord avec moi.

Il réfléchit une seconde et ajouta :

— Sauf qu'elle crie plus fort.

— J'ai cru que tu étais morte ! vociféra Angelica de plus belle. Et si tu meurs quel autre imbé... stup... qui d'autre ira chez les Edrakins activer la machine antifantômes ?

Ahhh, Tara se disait aussi. Un instant, elle avait cru qu'Angelica s'était fait du souci pour elle.

— Ça va, ça va, je vais bien, déclara-t-elle en se relevant et en s'époussetant ostensiblement, juste histoire de gagner un peu de temps avant d'avoir à marcher, vu que ses jambes étaient en coton. Bon, si on quittait cette forêt avant que les Cultiveurs reviennent. Je crois que j'ai eu assez d'émotions fortes pour ce soir. Et je vous signale que Sylver a dû faire de la magie pour me réparer. Les gardes mettront sans doute du temps parce que ce n'est qu'un Reparus, mais ils viendront. Je préfère être loin à ce moment-là.

Sylver hocha la tête, l'air toujours aussi malheureux.

Ils rejoignirent Angelica qui fulminait de plus belle, montèrent dans le tapis et, après avoir récupéré leurs affaires de camping, allèrent se poser dans un champ, plusieurs dizaines de tatrolls plus loin. Mais toujours en lisière de la forêt apparemment infinie.

Ils avaient largement la place de tous dormir dans le tapis, mais Angelica refusa de rester à la portée de Sylver. Même quand celui-ci lui eut assuré qu'il n'avait pas envie de dormir et ne se transformerait pas en monstre.

Heureusement, le tapis était conçu pour les gens qui voyageaient. À l'intérieur, ils trouvèrent la liste de ce qui était fourni. Dont deux petites tentes et lits incorporés. Tara et Sylver les dressèrent dans la clairière. Avant qu'Angelica ne s'enferme pour la nuit, Tara prit sa douche et se lava les dents, puis alla s'asseoir devant sa tente, le Livre des Sombres Secrets dans la main. Elle lisait tout ce qu'elle pouvait sur les fantômes.

Mais ce soir, Tara n'avait pas envie de lire. Et des tas de questions mettaient sa cervelle à ébullition.

Dont une notamment. En affrontant la Chose, elle s'était mise en danger de mort. Consciemment. Avec le fol espoir que le fantôme de Robin se matérialise comme la dernière fois. Pas pour la sauver, elle avait bien conscience qu'il ne pouvait rien faire, mais au moins pour lui parler.

Il n'était pas venu ! Non. Il n'était pas venu. Elle n'avait probablement pas été assez en danger.

Pourtant, elle... elle avait espéré. Est-ce qu'il n'apparaissait que quand elle ne trichait pas ? Parce que, soyons honnête, elle avait triché. Elle se doutait bien que la Bête lui sauterait dessus et la blesserait. Peut-être la tuerait. Mais elle n'en était pas sûre. Elle essuya une larme qui pointait.

Elle... elle avait tellement de peine ! Parfois, cela la prenait alors qu'elle ne s'y attendait pas, comme un fouet cruel qui meurtrissait son cœur. Elle renifla, puis se moucha, misérable.

Ce qu'elle faisait était minable. Faible.

Pathétique.

Elle ne provoquerait pas de nouvel incident. Avoir envie de parler avec Robin au point de risquer sa vie était stupide. Lorsqu'ils seraient des fantômes tous les deux, ils auraient tout le loisir de parler... pour l'éternité. Elle se demanda comment était OutreMonde. Ce ne devait pas être si bien que ça puisque tous les fantômes avaient l'air d'en être partis. Mais avec Robin, tout lui paraîtrait parfait, elle en était sûre. Elle rangea le livre avec son mouchoir, elle ne serait bonne à rien ce soir.

À son doigt, l'anneau tentait de se remettre du choc. Tara ne le savait pas, mais il avait en grande partie amorti la collision avec la Chose. Sans lui, la changeline aurait été transpercée.

Et sa porteuse serait morte. Il réfléchit. Il ne pouvait pas la laisser faire.

Ou alors, il devait trouver un autre porteur. Vite.

Soudain, Tara entendit un tintement, suivi par un bruit de chute, et leva les yeux, en alerte.

Sylver se tenait devant elle. Il avait encore des feuilles dans ses longs cheveux couleur d'orge grillée. Il tombait tellement souvent qu'il n'y faisait même plus attention.

Il tenait un collier entre les doigts, muni d'une longue chaîne. En fer d'Hymlia. Il fit mine de ne pas remarquer son nez et ses yeux rouges.

— L'histoire de la laisse, c'est tout de même une bonne idée, dit-il, indiquant ainsi qu'il avait entendu leur altercation avec les Cultiveurs. Si vous m'attachez autour d'un gros arbre, je ne pourrai pas m'enfuir. Et encore moins vous faire du mal. Je n'en ai pas besoin ce soir, car je n'ai pas sommeil, mais demain ou après-demain, cela sera utile pour contrôler la Chose, en dépit de toute votre confiance en moi. Vous ne vous en rendez pas compte, Damoiselle, mais vous avez couru un risque terrible.

Tara rougit, horriblement mal à l'aise. Elle n'allait certainement pas dire qu'elle avait fait exprès, parce qu'elle aimait un fantôme à la folie et ne s'en était rendu compte qu'à sa mort. D'un autre côté, elle était reconnaissante à Sylver de la tirer de sa sombre humeur.

— Dis, tu ne veux pas t'asseoir ? Tu es grand et je commence à avoir mal au cou, là.

Sylver la dévisagea si attentivement qu'elle se demanda un instant si elle avait quelque chose de bizarre sur le visage. Enfin, à part le fait qu'elle venait de pleurer comme une madeleine. Puis il s'assit, sans casser quoi que ce soit, et recommença à la dévisager.

— Vous m'avez fait confiance, dit-il, et on sentait dans sa voix à quel point cela l'étonnait, le ravissait et l'atterrait à la fois. Comment ?

— J'ai appris à réfléchir, répondit Tara. Depuis trois ans, l'Imperator et l'Impératrice m'ont formée. Ils m'ont obligée à développer mon intuition et à utiliser mon cerveau. À rechercher ce qui est invisible, toutes les opportunités, tous les chemins de traverse pour se sortir d'une situation. Sylver, depuis combien de temps nous suis-tu ?

Sylver s'attendait à une réponse, pas à une question. Il mit quelques secondes à réagir, tant il était concentré sur Tara.

— Tout de suite après mon départ, je me suis transformé en Chose, répondit-il docilement. C'est la première fois que je le fais volontairement et elle a été très surprise. Nous avons couru, elle est incroyablement rapide et résistante, nous n'avions même pas besoin de nous arrêter pour dormir ou pour manger, nous chassions en cours de route. Je me suis dirigé vers le prochain point d'arrêt que vous aviez planifié avant mon départ. J'y suis arrivé quelques minutes avant que vous redécolliez. Heureusement que vous vous arrêtiez pour la nuit, et parfois même longtemps (oui, Angelica avait tout de la marmotte, la réveiller le matin tenait de l'exploit), sinon, je ne vous aurais pas rattrapées. Même ainsi, vous alliez vite. La Chose est rapide, pourtant, ce n'est qu'au bout de quelques jours que j'ai réussi à arriver en même temps que vous.

— Oui, je m'en doutais. Pourquoi ne nous as-tu pas attaquées ? Nous n'étions pas vraiment sur nos gardes, tu aurais pu tuer ou blesser gravement au moins l'une de nous.

Les yeux dorés de Sylver cillèrent, incertains.

— Je n'en sais rien, la Chose a trouvé plus amusant de vous faire peur.

— C'est exactement cela qui m'a fait l'affronter. Tu ne nous avais pas attaquées ! J'ai pensé qu'inconsciemment, tu contrôlais sa sauvagerie. J'ai décidé de courir le risque. Et à ce sujet, je te dois des excuses.

— Pardon ?

— Pour ce qu'a inventé Angelica. L'animal de compagnie.

— Ce terme vous gêne, fit-il remarquer. Pourquoi ?

— Hrrmm (Tara s'éclaircit la gorge), parce que ce n'était pas très gentil de t'appeler comme ça.

— Mais Damoiselle Angelica a eu raison. Et après tout, je venais de vous jeter un cadavre à la tête pour vous faire attaquer par les Cultiveurs. Donc, la façon dont elle me traite n'a pas d'importance, non ?

Il n'était pas susceptible, ce garçon. Tant mieux.

— Non, ça n'a pas d'importance, reconnut-elle. J'ai une question. Comme dit mon demi-oncle, c'est mieux d'avoir un maximum d'informations sur les gens, comme ça, on peut comprendre lorsqu'ils ont des réactions inattendues, et parfois les anticiper.

— Oui, mon père aussi utilise ce genre de maximes : « Si tu comprends les gens, tu te comprendras toi-même ».

Ils échangèrent un sourire.

— Donc, tu comprendras ma question. Je sais pourquoi je pars à la recherche de la machine à détruire les fantômes à Patrok.

Sylver l'interrompit :

— La machine antifantômes dont parlait (en fait, elle hurlait, mais il eut le tact de ne pas insister) Damoiselle Angelica tout à l'heure ? Elle se trouve à Patrok ? Chez les Edrakins ?

Son magnifique visage s'était assombri. Tout le monde sauf elle connaissait les Edrakins, apparemment.

— Ah ! oui, tu n'étais pas là. Nous avons trouvé le moyen de détruire les fantômes. Ça, c'est la bonne nouvelle. La mauvaise, c'est que la machine se trouve sur l'île des Edrakins. Il va donc falloir que nous y allions, que nous activions la machine et qu'elle détruise les fantômes tandis que des dizaines ou des centaines de prêtres furieux tenteront de nous exterminer. Je disais donc, je sais pourquoi j'y vais, je dois réparer mon horrible erreur. Je sais pourquoi Angelica y va, elle veut sauver ses parents. Mais toi ? Tu es avec nous depuis plusieurs jours alors que nous sommes des hors-la-loi. Je sais à quel point les nains ont horreur d'enfreindre les lois. Alors, je ne te comprends pas. Quelle est ta motivation ? Pourquoi nous suis-tu ? Dès le départ, tu as décidé de me protéger. De devenir une sorte de garde du corps. Pourquoi ?

Sylver se releva, sans vaciller du tout tant il était excité par l'annonce de Tara.

— Parce que vous allez courir un mortel danger, Damoiselle ! Vous avez besoin d'un paladin !

— Hein ?

— C'est pour cela que je vous ai suivies. Je voulais vous protéger, en dépit de la Chose, mais je ne savais pas que votre quête serait aussi grandiose ! Tout cela donne un but à ma vie !

Tara lui dédia un magnifique sourire, comme un soleil, et il se sentit bouleversé. Il y avait quelque chose d'innocent et d'éclatant chez cette jeune fille, qui faisait qu'on avait envie de la suivre jusqu'au bout du monde.

— Voui, certes, dit-elle, un quoi ?

— Lorsque j'ai préféré quitter mes parents, parce que j'estimais représenter un danger pour eux, en dépit de la cage, je me suis demandé quel métier je pouvais faire. J'ai appris à forger et ma force est supérieure à celle d'un nain. Mais qui achèterait des armes à un nain qui ne serait pas un nain ? *Idem* pour la joaillerie, pour laquelle, d'ailleurs, je ne suis pas très doué. Puis je me suis souvenu des épopées que me racontait ma mère lorsque j'étais petit. Des quêtes, de preux chevaliers, de sombres adversaires. J'ai donc décidé de devenir un paladin.

Le mot disait vaguement quelque chose à Tara. Devant son air interrogateur, Sylver expliqua :

— Un chevalier qui se bat au nom du bien. Et porteur de la foi, sur Terre, même si moi, je me bats pour le bien, pas pour une foi quelle qu'elle soit. Et votre quête contre les fantômes est exactement une aventure pour un paladin. Vous vous battez contre les forces du mal, Damoiselle ! C'est… c'est bien mieux que ce que je pouvais espérer en vous rencontrant.

Son visage s'était éclairé, ses yeux dorés brillaient d'enthousiasme, ses cheveux caramel encadraient son corps puissant, il était si beau que Tara sentit soudain sa gorge se serrer. Elle se força à se concentrer sur ce qu'il venait de lui dire.

— Revenons à cette histoire de paladin. Donc, si je comprends bien, tu as décidé de participer à notre quête par… soif d'aventure ?

— Oui.

Il s'accroupit agilement, comme si toute sa maladresse s'était évaporée, planta ses somptueux yeux dorés dans les yeux de Tara et murmura :

— Je vais vous garder. Et le premier qui tentera de vous faire du mal le regrettera amèrement.

Tara sentit son souffle sur sa bouche et tenta une sortie humoristique. Il était trop proche, cela la mettait mal à l'aise.

— Hum, elle te mettait quoi dans ton biberon, ta mère adoptive ? Parce que ça devait être fort quand même.

— Dans les livres...

— Nous ne sommes pas dans un foutu livre, intervint Angelica, qui avait rabattu subrepticement le toit du tapis et les écoutait. Nous sommes dans le monde réel. Et personne n'entreprend de quête, parce que, grâce aux Diseurs de Vérité de Sentivor, les méchants sont punis par les gouvernements et que personne n'opprime personne sur notre planète, à part les Salterens, sous peine de se retrouver transformé en crapaud. Personne n'a de dragons à vaincre, parce que les dragons sont plus civilisés que nous, et la seule chose à combattre serait les draco-tyrannosaures qui sont une espèce protégée !

Sylver se raidit, oubliant qu'il était accroupi, et... bascula en arrière. Le temps qu'il se redresse et s'assoie, Tara sentit que l'étrange pression s'était atténuée.

— Nous avons une quête, protesta-t-il. Nous devons bannir les fantômes et restaurer l'ordre.

— Ce n'est pas plus un foutu livre qu'une foutue quête. Écoute, joli cœur, à la seconde où Tara activera la machine, elle aura toute la nation Edrakin ou plutôt ses membres les plus terrifiants sur le dos. Et ils viendront suffisamment nombreux pour la submerger. Elle ne pourra pas résister, c'est tout simplement impossible. C'est donc une foutue mission suicide. Là, tu comprends maintenant ?

Sylver trouvait qu'Angelica utilisait beaucoup le mot « foutu ».

— Ah ! dit il, mais nous sommes trois.

Angelica plissa les yeux.

— Et alors ?

— Dans les quêtes, le chiffre trois est un bon chiffre. Je suis très content d'accomplir ma quête en votre compagnie. Merci.

— Grrrrrrrrrr ! ragea Angelica. Tara, je te le laisse, mignon ou pas, il est aussi dingue que toi !

Et elle rabattit furieusement le toit sur sa tête. On entendit un « blong » étouffé parce qu'elle avait été trop rapide et une succession de jurons.

Tara sourit, et Sylver esquissa un sourire timide en retour. Toute sa maladresse était revenue et il n'avait pas l'air à l'aise avec elle. Elle se demanda si c'était par crainte de la blesser ou pour une autre raison.

— Ainsi, constata-t-elle pensivement, tu viens risquer ta vie avec nous par... idéal?

— Oui, Damoiselle.

— Hum, ce n'est pas plus idiot que de le faire par amour ou par devoir. Parfait, te voilà embarqué dans notre quête, bienvenue!

Elle lui tendit la main qu'il effleura avec précaution pour reculer aussitôt.

— Et maintenant que nous sommes officiellement compagnons d'armes, tu peux me tutoyer, hein!

Bien qu'assis, il inclina le buste pour la saluer. Et continua à la vouvoyer. Tara avait l'impression d'être une vieille dame.

Les premières heures passèrent, silencieuses, juste troublées par le cri-cri de quelques stridules trompées par la riche lumière des deux lunes.

Et Sylver se leva au milieu de la nuit.

Tara dormait, mais Galant veillait. Ils avaient décidé de se relayer toutes les quatre heures. Prudents.

Silencieux comme une ombre... en fait, non... faisant autant de bruit qu'un draco-tyrannosaure vu qu'il rentrait à peu près dans tous les arbres, branches, bosquets et obstacles divers et se cassait la figure sur les racines et autres trous, Sylver disparut dans la forêt. D'un bond, Tara fut sur ses pieds et le suivit.

Il se rendit jusqu'à la forêt toute proche. Les lunes, Tadix et Madix, éclairaient une clairière autour de laquelle des brillantes sauvages avaient fait leur nid. Quelqu'un avait dû reconnaître l'harmonie magique de cet endroit, car un ravissant petit temple en ruine, recouvert d'un tapis de fleurs multicolores, éclairait le bleu des arbres de son marbre blanc.

Sylver s'immobilisa au centre, et sa robe de sortcelier disparut, ne le laissant vêtu que d'un court caleçon.

Tara faillit s'étrangler et murmura une courte prière d'excuse à Robin, tant Sylver était une statue d'une impossible beauté, brillant de tous ses feux. Il attacha ses longs cheveux en une natte de guerrier, qui dégagea son sublime visage au point qu'on avait l'impression qu'il les avait courts. Il inspira et détendit ses puissantes épaules. Ses hautes pommettes accrochèrent la lumière des lunes.

Et, sous leurs rayons, ses yeux semblaient plus dorés que jamais.

Il se lança dans une série d'échauffements, faisant doucement travailler ses muscles avec étirements et exercices.

Et là, il n'était plus du tout maladroit. Il était même si vif, si agile, que Tara se demanda vraiment pourquoi il était si empoté lorsqu'il ne s'entraînait pas.

Puis, à peine essoufflé, il marmonna quelque chose et sa robe de sortcelier se transforma en une armure de plates.

Ce que Tara trouva un peu redondant, vu qu'il était protégé également par ses écailles.

Soudain, surgi de nulle part, un magnifique sabre, constellé de pierres et de symboles brillants sur sa lame, apparut dans sa main. Sylver s'inclina, puis se mit en position, le sabre à ses côtés, reposant dans une gaine attachée à l'armure. Il y eut une succession de mouvements et le sabre se matérialisa dans sa main, trancha une tête ou un membre virtuel, puis revint à ses côtés, comme un serpent qui se détend.

Tara écarquilla les yeux. Ce qu'elle voyait était tout simplement impossible.

Il était en train d'exécuter le N'a-ka-Rim. La Voie du Sabre.

Sylver était un Impitoyable.

Sauf que ce n'était pas possible. Seuls les plus puissants des nains de pure souche étaient des Impitoyables. Or même s'il avait été élevé par des nains, Sylver n'avait rien d'un nain.

Fafnir, son amie la naine rousse guerrière, lui en avait parlé un jour, alors que Tara évoquait les justiciers sur Terre. Sur AutreMonde, chaque peuple avait ses brigades, chargées de surveiller et de contrôler les rares malfaiteurs ayant réussi à échapper aux Diseurs de Vérité. Les elfes avaient leurs elfes guerriers ou leurs elfes chasseurs. Les vampyrs, leurs Brigades Noires.

Et les nains avaient les Impitoyables. Ces guerriers suivaient la Voie du Sabre depuis leur plus jeune âge. Tous les nains savaient se battre avec des haches, des épées, des poignards. C'était dans leur culture. Ils aimaient se battre et étaient tellement résistants que les morts étaient exceptionnelles. Mais les Impitoyables, c'était une autre histoire. Choisis parmi les plus grands des nains, souvent fils d'autres Impitoyables, ils combattaient moins qu'ils n'exerçaient un art. Un art si difficile qu'il leur fallait des années et des années pour le maîtriser. Parce qu'à la base, les nains n'étaient pas vraiment taillés pour se battre avec des sabres.

Pourtant, Sylver avait dit qu'il était aussi jeune qu'elle. Ce qui signifiait qu'il n'avait eu que quinze, seize ou dix-sept années pour étudier la Voie.

Tara savait par expérience à quel point acquérir ce savoir était lent et douloureux, car elle avait été entraînée par l'Imperator lui-même depuis trois ans, à raison de plusieurs heures par jour. À présent, elle était capable de se battre quasiment avec n'importe quelle arme… enfin, elle était raisonnablement sûre de toucher quelque chose avec son arme à un moment ou à un autre.

Le mur.

Une statue.

Une tapisserie.

Son pied.

Et, accessoirement, son adversaire.

Elle reconnut donc facilement la perfection dans les mouvements martiaux de Sylver. Perfection qui demandait au moins une centaine d'années d'entraînement aux jeunes Impitoyables. Quant au style, elle le reconnut parce qu'elle l'avait déjà vu. Les nains étant de grands pragmatiques, aimant beaucoup l'or, et ne crachant certainement pas sur la célébrité, plusieurs Impitoyables avaient joué dans des films produits sur Autre-Monde… et parfois aussi sur Terre, comme *Le Seigneur des Anneaux.*

Contre des cachets faramineux.

Après que Fafnir lui avait parlé des Impitoyables, Tara avait demandé à voir plusieurs de ces films avec son demi-oncle. Celui-ci fut ravi de lui montrer comment les Impitoyables se battaient avec leurs sabres, et comment ils affrontaient victorieusement des races bien plus agiles et grandes qu'eux. Diplomatique réflexion sur le fait qu'avec son mètre soixante-dix, Tara était en général bien plus petite que ses adversaires.

À l'époque, lorsque Tara avait vu un nain sauter partout et finir par vaincre son adversaire, elle avait failli mourir de rire tellement la scène lui avait rappelé la surprise qu'elle avait eue, lors de la Guerre des Clones, de voir maître Yoda sauter comme un marsupilami avec son sabre laser. L'effet était le même avec les Impitoyables. Sauf qu'ils étaient plus poilus. Et moins verts.

Bien que les films soient évidemment romancés, Tara s'était dit à l'époque qu'elle espérait bien ne jamais croiser la route d'un Impitoyable. Et voilà qu'elle en avait un devant elle. Incroyable !

Elle savait aussi qu'aucun nain, jamais, n'aurait entraîné un hum... quelqu'un d'autre qu'un nain. Pourquoi risquer de donner des techniques de combat à un membre d'un autre peuple qui pouvait devenir un ennemi ? Ce n'était pas interdit (lorsqu'il s'agissait d'or, les nains avaient peu d'interdits), c'était juste impossible. Ou du moins tellement hors de prix que personne n'avait pu se le payer à ce jour.

Une fois de plus, Tara était en présence d'un mystère. Cela commençait à faire beaucoup.

Lorsque de nouveau il dégaina son sabre, ce fut d'un mouvement si souple et fluide qu'on eut l'impression d'une sorte de danse. Puis il fit lentement un tour sur lui-même, traçant une sorte de cercle invisible autour de lui. Son cercle intérieur. Le Kin. Personne ne devait entrer dans ce cercle tant qu'il aurait son sabre.

En fait, contre un Impitoyable, personne ne le pouvait. Celui qui le tentait terminait en général en plusieurs morceaux. Même un thug à quatre bras n'aurait pas affronté un Impitoyable.

Sa lame était sur le côté de sa cuisse, son bras détendu. Tara cligna de l'œil. Soudain, la lame était en l'air. Tara n'eut pas le temps de voir, clic, la lame était de nouveau sur le côté. C'était si rapide qu'elle en devenait floue. Sylver utilisait à la fois la force incroyable de son corps et toute l'agilité et la souplesse de son art. Le mouvement suivant fut plus rapide encore. Déplacement des pieds, le sabre en arrière, rabattu vers l'avant, en arrière encore, dans un mouvement extrêmement vif. Sylver entreprit de se battre contre un ennemi invisible. Si quelqu'un l'avait affronté réellement, il aurait terminé en chair à pâté en moins de quelques secondes. La Voie du Sabre enseignait qu'il fallait terrasser son adversaire le plus vite possible. Ne pas lui laisser le temps de réagir. Le cercle était inviolé. La lame volait, virevoltait, implacable. Tara en avait la gorge nouée d'émotion tellement c'était beau.

Cela dura une heure. Une heure de chorégraphie impeccable.

Tara se dit soudain que le talent de Sylver pourrait bien leur sauver la vie. Enfin, pas celle de Tara, puisqu'elle serait empoisonnée par la machine, mais celle de Sylver et d'Angelica, oui. Ne pouvant utiliser leur magie contre lui, les Edrakins ne s'attendraient pas à devoir affronter une telle machine de guerre. Et ils seraient vaincus. À moins d'être plusieurs dizaines et de disposer d'armes lourdes, personne ne pouvait affronter un Impitoyable. À part un autre Impitoyable. En faisant confiance à la Chose, Tara avait mis un formidable guerrier de son côté.

Oui, c'était bien. Et cela lui ôtait le poids d'emmener un innocent vers une mort certaine, même si l'innocent en question était suffisamment dingue pour le lui demander. Poliment.

Quant à Angelica, c'était plus compliqué. Elle avait compris, en discutant avec la grande fille brune, que sa Main-de-Lumière et son savoir pouvaient faire la différence entre la victoire et l'échec. Savoir que Sylver pourrait la protéger lui ôtait un grand poids... même si Angelica restait bien plus vulnérable.

La séance se terminait enfin.

Avant de ranger son sabre, Sylver fit quelque chose de surprenant. Il s'entailla le doigt en dressant les écailles de son autre main et laissa tomber quelques gouttes de sang sur la lame. Celle-ci les absorba comme le papier absorbe l'eau, faisant sursauter Tara.

Allons bon, non seulement le mystérieux Sylver était un Impitoyable mais en plus il avait une lame sang ! Il y en avait plusieurs à l'armurerie du Palais d'Omois. Chacune valait plus qu'un petit royaume. Il fallait nourrir régulièrement les lames avec un peu de sang pour qu'elles ne meurent pas. En échange, elles ne s'ébréchaient jamais, ne s'émoussaient pas et restaient acérées et mortelles. Seul un enchantement puissant, ou le feu d'un dragon, poussé à son maximum pendant au moins dix minutes, pouvaient rompre une lame sang.

Tara nota encore soigneusement que les écailles de Sylver pouvaient entailler sa peau, contrairement aux poignards ou aux arbalètes.

Puis elle se posa la question : certes, il lui avait parlé de sa quête à cœur ouvert. Alors, pour quelle raison lui avait-il caché ses aptitudes de guerrier ? Non, il ne les avait pas exactement cachées. Mais, contre les gardes, il n'avait utilisé que ses talents à la hache, pas au sabre.

Silencieusement, elle repartit vers le campement et se recoucha. Lorsque Sylver revint, après, ruisselant de sueur, s'être lavé dans le torrent d'eau claire, elle semblait dormir profondément. Mais elle avait laissé sa porte entrouverte et l'observa. Son sabre avait disparu et il avait l'air... apaisé.

Le lendemain matin, il se comporta tout à fait normalement. Il aida Tara à préparer le petit-déjeuner, se brûla, fit tomber les pancakes dans le feu, s'assomma en voulant rattraper une pomme qui lui avait échappé, s'étala sur une racine en revenant vers elle, faillit transpercer Galant en laissant échapper un couteau, la routine, quoi.

Tara ne savait pas si elle devait rire ou s'apitoyer, mais il accomplissait toutes ces maladresses avec une telle bonne humeur que cela paraissait presque normal.

Enfin, une fois tous les éléments à peu près maîtrisés, ils s'assirent autour du feu (avec la cuisine intégrée du tapis, ils n'en avaient pas vraiment besoin, mais Sylver aimait l'odeur du bois brûlant), suffisamment paisibles (enfin, surtout Tara, qui avait eu du mal à se rendormir et somnolait à moitié) pour discuter.

Il se passa quelque chose de curieux. Tara allait mordre dans sa tartine de pain grillé au beurre de balboune et au miel de bizzz lorsque soudain l'odeur du pain chaud, unique, délicieuse, lui envahit le cerveau. Elle avait perdu le goût en même temps que son envie de vivre. C'était la première fois depuis des semaines qu'elle prêtait attention à la nourriture, elle qui normalement était gourmande. Elle huma le pain avec délice, mordit dedans, et ferma les yeux de bonheur lorsque les riches arômes explosèrent dans sa bouche.

Elle était vivante. Elle avait survécu. Robin était toujours présent dans sa mémoire, mais la peine, petit à petit, s'estompait, peut-être parce qu'elle était certaine de le retrouver bientôt.

Elle s'étira et respira profondément. Elle se sentait presque joyeuse, comme si un magnifique cadeau l'attendait, pas très loin.

Bien sûr, elle ne se rendait pas compte qu'elle n'était pour rien dans cette plénitude. Enfin, pas totalement. L'anneau avait décidé de la rendre le plus heureuse possible. Il minimisait ses crises d'angoisse et de déprime, effaçait l'image de Robin dans son esprit, du mieux qu'il le pouvait compte tenu de sa résistance, et maximisait toutes les occasions de bonheur ou de joie. Il avait un peu de mal avec le concept, étant à la base un anneau démoniaque, mais entre se laisser aller à sa nature profonde, qui était de détruire, et apporter bonheur et joie afin de ne pas perdre sa puissante porteuse, il n'avait pas trop le choix.

Une fois le petit-déjeuner terminé, Tara étudia le nouveau cap sur sa Carte Vivante, puis expliqua à ses compagnons la route qu'ils allaient suivre. Ils connaissaient mieux la planète qu'elle et, si elle faisait une bêtise, ils le lui diraient. Surtout Angelica. Mais la grande fille brune resta silencieuse. Elle avait des cernes sous les yeux. Et ses cheveux, qu'elle portait lâchés d'habitude, avaient été tressés en une natte serrée. Elle paraissait sévère et décidée.

Elle inspira, jeta son morceau de pain dans le feu et déclara :

— J'ai réfléchi. Toute la nuit. Je continue vers Hymlia. Avec l'argent qui reste, j'achèterai un tapis dans la prochaine ville. Dépêchez-vous de régler le problème avant que mes parents ne… avant que mes parents ne deviennent obèses !

Tara détesta dire ça, mais elle le dit pourtant :

— Nous avons besoin de toi, Angelica.

La grande fille brune s'immobilisa et lui lança un regard méfiant.

— Pas pour activer la machine, la rassura Tara. Mais nous avons besoin de toi pour le tumulus. Tu as dit que faire de la magie sur l'île des Edrakins attirerait les prêtres. Or ta Main-de-Lumière en produit très peu. Si j'utilise ma magie pour déterrer la machine, en moins de quelques secondes, nous aurons la moitié de la nation Edrakin sur le dos. Si, pour une raison ou une autre, il faut du temps pour déclencher la machine, nous serons morts pour rien. Tu dois détruire le tumulus. La machine est enterrée à trente ou quarante ou je ne sais pas combien de mètres sous terre, et celui qui a écrit ça vivait il y a deux mille ans. Qui sait combien d'humus les arbres ont déposé entre-temps ? La taille a peut-être doublé. Tu es la seule, Angelica, l'unique.

Angelica regarda sa main, les lèvres retroussées en un rictus amer.

— Je pensais que c'était un don magnifique, si puissant, constata-t-elle avec dépit, mais en fait, c'est une malédiction qui va finir par me faire tuer !

— Sans toi, nous n'avons aucune chance, insista Tara. Avec toi, disons que nous avons une chance sur deux. C'est déjà mieux.

Angelica les regarda puis prit sa décision :

— Non.

Et elle tourna les talons.

Tara cria :

— NON ? Comment ça, NON ? Tu ne peux pas faire ça, Angelica !

La grande fille brune fit volte-face, l'air mauvais.

— Oh mais si je peux. Regarde, je prends mes affaires et je m'en vais. Il n'y a que toi et ce… ce paladin comme il s'appelle, qui êtes suffisamment stupides pour être attirés par des aventures périlleuses. Moi, je suis pragmatique. C'est dangereux. Je n'y vais pas. Et c'est tout.

Et sans plus se préoccuper de la réaction de Tara et de Sylver, Angelica prit ses affaires, les salua d'un mouvement sec du menton et partit. Ils la regardèrent s'éloigner au milieu des champs de… quelque chose, qui ondulaient et ployaient sous les soleils d'AutreMonde.

Tara faillit lui courir après, mais une main gantée se posa sur son épaule, très brièvement.

— Nous ne pouvons pas obliger un guerrier à se battre s'il ne le désire pas, dit Sylver d'un ton grave. Laissez-la partir, Damoiselle, elle en a le droit.

Tara faillit crier qu'Angelica était une grosse égoïste vicieuse, mais se retint. Sylver n'aurait pas compris sa colère, avec sa curieuse conception de l'honneur. Elle se contenta de hocher la tête et d'acquiescer.

À regret.

Elle venait de perdre un très gros atout. Sans Angelica, la partie devenait plus compliquée. D'un autre côté, elle n'aurait pas sa mort sur la conscience.

Avant de partir, Sylver décida de regarder les informations. Il n'en avait pas eu le temps alors qu'il était une Chose, et ils avaient besoin de savoir ce qui se passait dans le monde. Tara, elle, voulant rester concentrée sur Patrok, se résigna à activer la boule de cristal du tapis.

Sylver choisit la chaîne information, vingt-six heures sur vingt-six.

L'écran se déploya et une foule de courtisans et de représentants de différentes nations, dont le Roi et la Reine du Lancovit accompagnés de leurs suites, apparut devant eux. Tara fronça les sourcils. Bizarre… il lui semblait reconnaître…

Puis quelque chose lui fit oublier ce qu'elle venait de voir.

L'image d'un homme au visage dissimulé par un masque miroitant, aux côtés d'une ravissante brune aux longs cheveux et à l'air angoissé, apparut sur l'écran projeté.

Tara se leva en hurlant, faisant sursauter Angelica qui s'éloignait :

— MAGISTER ! MAGISTER ! IL EST AVEC MA MÈRE ! IL A ENLEVÉ MA MÈRE !

Sylver faillit se boucher les oreilles tant le cri avait été aigu. Il écouta attentivement ce que disait le communiqué.

— Je ne crois pas, Damoiselle, cela ne dit pas que ce Magister a enlevé qui que ce soit, cela dit que son fantôme a possédé l'Impératrice et qu'il va se marier avec une certaine Selena Duncan. Votre mère, je suppose ?

Bouleversée, Tara se laissa tomber, jambes coupées, devant l'écran.

— Je… je ne comprends pas. Qu'est-ce qui s'est passé ? Mais… mais alors, cela signifie que Fabrice a tué Magister ?

Puis la seconde partie de ce qu'avait dit Sylver finit par pénétrer son cerveau anesthésié par le choc.

— Comment ça « se marier avec ma mère » ? Repasse-moi ce passage s'il te plaît.

Au loin, Angelica hésita. Elle comprenait bien qu'il se passait quelque chose, vu la puissance du cri de Tara. Tiraillée entre la curiosité et la peur, elle finit par revenir sur ses pas.

— Si c'est un stratagème pour me faire revenir, je te préviens que…

Elle s'interrompit devant le visage de Tara.

— Qu'est-ce qui se passe encore ?

— Angelica ! cria Tara, les yeux flamboyants de rage, Magister est mort !

— C'est plutôt une bonne nouvelle, non ? répondit Angelica, étonnée.

— Tu ne comprends pas ! Il est mort ! C'est un fantôme !

Ce fut au tour d'Angelica de s'asseoir brutalement.

— Quoi ?

— Il a possédé Lisbeth ! Et il a annoncé son mariage avec ma mère il y a deux jours !

Sylver écoutait toujours attentivement.

— Ils disent dans le communiqué que ce Magister a été tué, mais que son corps est en réparation, ce qui va permettre à son âme de le réintégrer. C'est alors qu'il épousera Dame Duncan.

Tara sauta sur ses pieds.

— Je pars pour Omois !

Angelica bondit sur les siens.

— Hors de question ! Tu ne peux pas y aller !

Tara montra les dents, et ce n'était pas une figure de style. Bouleversée, elle s'était instinctivement transformée en vampyr. Et pas la version civilisée. Plutôt celle qui disait : « Si tu me contraries, je t'arrache la tête et je joue au basket avec ».

Angelica ne recula pas.

— Si tu vas à Omois, tu vas te faire capturer ! scanda-t-elle, en colère. Par les mânes de mes ancêtres, Tara, il a toute la puissance de l'empire à son service ! En revanche, si tu détruis les fantômes, tu te débarrasseras de lui à jamais.

Tara s'avança, furieuse.

— Tu ne comprends pas. C'est ma mère !

Angelica s'avança, elle aussi, son visage contre celui de Tara.

— Et c'est aussi le sort de la mienne qui se joue ! Toi seule peux les sauver, Héritière. Toutes les deux !

Elle était courageuse, la grande fille brune. En dépit de tous ses défauts, on ne pouvait pas lui retirer cette qualité, à cet instant précis.

Tara la regarda, impuissante. Puis une expression mauvaise passa sur son visage. Elle se sentait ligotée. Angelica la mettait devant le fait accompli. Parfait, elle allait lui rendre la pareille.

— Très bien. Je ne vais pas à Omois. Tu ne vas pas à Hymlia. Nous allons toutes les deux à Patrok.

Elle se pencha, à faire loucher Angelica.

— Et n'espère même pas discuter un instant ou je vous plante là et je pars pour Omois délivrer ma mère. Compris ?

Angelica ouvrit la bouche. Et la referma. Elle était comme Tara. Prise au piège.

— Tu n'es pas si gentiment innocente que tu veux bien le faire croire, constata-t-elle, amère. Toi aussi, tu sais manipuler les gens pour obtenir ce que tu veux. Très bien. Nous irons ensemble détruire tous ces fantômes. Et si je meurs, crois-moi, je te hanterai jusqu'à la fin de tes jours !

Soudain, Tara la regarda, le visage non plus satisfait de sa victoire, mais défait et consterné.

— Les fantômes. Mon Dieu ! Tu as raison, tous les fantômes ! Et donc Robin aussi ! Je ne peux pas activer la machine avant de dire à mon amour qu'il doit retourner m'attendre en Outre-Monde !

— Si c'est un fantôme, c'est un ennemi pour nous, répliqua Angelica.

— Robin ? Jamais. Il m'a empêchée de mourir, Angelica, il m'aime, jamais il ne me trahira.

— Mais c'est dangereux. Tu as entendu ce qu'a dit le président des vampyrs ? Ce qu'un fantôme sait, tous les autres le savent aussi, s'il est dématérialisé. Informe Robin de ce que nous tentons de faire et tu feras tout capoter ! Nous ne pouvons pas prendre le risque.

— Robin savait où je me trouvais, réfuta Tara, je pense que les fantômes peuvent garder leurs secrets, tout comme les humains. Il faut que je le prévienne, quoi qu'il en coûte.

— Non !

— Si !

— Je t'en empêcherai !

— Et comment, avec ta ridicule Main-de-Lumière ? Qui ne peut me faire aucun mal ?

Sylver vit la magie commencer à affluer aux mains de Tara et s'empressa d'intervenir avant que les deux filles ne fassent exploser la forêt, les champs et probablement un bout du village voisin.

— Et si vous faisiez cela à la dernière minute ? proposa-t-il. Juste avant d'activer la machine. Vous convoquez votre amour défunt, vous lui expliquez. Vous lui laissez le temps de repasser en OutreMonde afin de ne pas être détruit.

— Ensuite, tu actives la machine ou on l'aura activée avant, en fonction de son mode de fonctionnement, continua Angelica très vite, avant que Tara n'ait le temps de trouver un argument impa-rable, et tu la déclenches. Une fois en marche, si tout se passe bien, tu devrais pouvoir rejoindre le demi-elfe en OutreMonde.

Contrairement à Tara, qui était torturée par les scrupules de les entraîner vers de terribles dangers, le fait de condamner Tara à mort n'avait pas l'air de gêner beaucoup Angelica.

Tara s'apaisa. Le feu reflua de ses mains et s'éteignit. La rage monstrueuse qui avait envahi son âme disparut. Elle inspira, dénoua ses muscles tendus pour la bataille et concéda la vic-toire à Angelica.

— C'est d'accord. On va faire comme ça.

Angelica ne le montra pas, mais elle avait eu chaud. Elle aussi avait vu le feu sur les mains de Tara et savait qu'elle n'était pas aussi forte que la maudite Héritière.

— Tu sais comment le convoquer ? Vous avez mis au point un code ? Un mode de transmission ? Indétectable ?

Tara sourit et son sourire était ironique.

— Oh ! c'est facile, il suffit que je sois au bord de la mort et il apparaît.

Angelica fit la moue. Cette fille était folle. Puis elle mit le doigt sur le vrai problème.

— C'est un voyage horriblement dangereux, assena-t-elle, virulente, crois-moi, tu vas être *souvent* au bord de la mort. Je veux ta parole que tu ne lui parleras de rien tant que nous ne serons pas en présence de la machine.

Tara se mordit la lèvre, oubliant qu'elle était un vampyr, se fit mal, mais hocha la tête.

— Tu as ma parole, finit-elle par dire en léchant le sang qui coulait.

— Puisque tout est réglé, intervint Sylver pour terminer de désamorcer le conflit, Damoiselles, pouvons-nous quitter ce lieu et commencer notre périple vers notre destin ?

Tara lui fit signe que oui.

Ils éteignirent le feu, replièrent les tentes et le tapis s'éleva, direction la côte, pour rejoindre l'île des Edrakins.

À son bord, un garçon qui ne savait pas qui il était, une fille brune qui se demandait encore à qui elle avait bien pu faire du mal… d'accord, dans une autre vie, parce que, dans celle-ci, la liste serait trop longue… pour mériter ça, et une autre blonde, qui ne rêvait que de meurtre, de vengeance, et de partir retrouver son **amour mort**.

Ce n'était pas ainsi que Sylver voyait les exploits héroïques des paladins.

Il songea avec inquiétude que cette aventure ne commençait pas très bien.

12

Les araignées visqueuses

ou lorsqu'on veut faire peur à l'ennemi,
autant prendre la forme la plus déplaisante possible.

L'aventure allait se terminer là. Ici et maintenant. Magister regarda la vieille Impératrice fantôme qui le surveillait, perchée au-dessus de son lit. Il avait conservé la forme de Lisbeth, ne désirant pas gaspiller sa magie pour retrouver son corps d'homme. Et puis, finalement, les chemises de nuit, c'était tout à fait confortable.

Pourrait-il l'adopter une fois redevenu masculin ?

Hum. Non.

En dépit de son agacement envers Elseth, qui s'obstinait à ne pas le quitter d'un pouce, Magister posa un regard satisfait sur la suite somptueuse de l'Impératrice Lisbeth. Cette femme savait vivre. Écran de cristal plat géant, ordmagique super-perfectionné, salles de bains olympiques (il y en avait trois), lit capable d'accueillir une petite armée, recouvert de la plus précieuse des fourrures, celle de la minuscule g'ele d'Arctique. L'animal se nourrissait de poisson, était capable de survivre par moins quatre-vingts grâce à une sorte d'antigel dans son sang et mourait au printemps, dès que la température montait au-dessus de moins vingt. Les Récolteurs arrivaient alors pour prélever la fourrure des animaux. Mais les conditions difficiles, le fait que la fourrure parfaitement blanche soit difficile à repérer sur la glace et que les g'ele avaient tendance à se cacher pour mourir rendaient la tâche ardue, d'où le prix astronomique des fourrures. Une couverture de la taille de celle-ci valait les revenus annuels d'un petit royaume.

Contrairement à la suite de Tara, qui débouchait sur son salon, celle de l'Impératrice possédait une antichambre, où les courtisans pouvaient attendre leur audience.

Les meubles en bois doré frémissaient sur leurs jambes fines et arquées, prêts à être utilisés. Les tapisseries racontaient les exploits passés des ancêtres de Lisbeth, ainsi que de nombreux épisodes plus romantiques. Les chasseurs poursuivaient des animaux, sautant d'une fresque à une autre. Les murs de marbre pourpre étaient égayés des chandeliers et lanternes à brillantes, qui éclairaient la suite comme en plein soleil. Il suffisait d'appuyer sur un bouton et les murs devenaient de cristal, formant une gigantesque fenêtre, ou disparaissant purement et simplement lorsque Lisbeth voulait passer un moment au grand air. Si ses fenêtres débouchaient sur le magnifique parc du Palais où paissaient de ravissantes biches, des mooouuus et autres daims blancs, tous les étages au-dessus et au-dessous étaient habités par les soldats responsables de sa garde. Il fallait les affronter avant de pouvoir arriver jusqu'à elle.

Un mouvement l'alerta.

— Ça va ? demanda-t-il d'un ton ironique en levant les yeux vers le plafond, la vue vous plaît ?

Magister avait refusé de laisser entrer le corps physique d'Esmeralda dans sa chambre et Elseth avait quitté son hôtesse afin de pouvoir espionner tranquillement le chef des sangraves. Très obligeante, Esmeralda avait proposé d'attendre à la porte. Elle appréciait tout à fait sa cohabitation avec l'ancienne Impératrice. Près d'elle, son mari, qui clopinait sur une jambe de bois vivant (sa jambe ballon ayant finalement échappé à l'enfant, elle s'était envolée et personne n'avait réussi à la retrouver pour l'instant), attendait également que la vieille Impératrice ressorte.

Le fantôme de l'Impératrice regarda Magister, méprisante.

— Moins que si c'était ma fille qui habitait ce corps, rétorqua-t-elle avec autant de mordant.

— Puisque vous ne pouvez rien faire pour la délivrer, vous pouvez foutre le camp maintenant.

Elseth eut un sourire sournois.

— Non.

— Comment ça, non ?

— J'ai décidé de vous rendre la vie difficile, petit homme, tant que je le peux. Et, comme vous le savez, les fantômes ne dorment pas. Nous allons passer du temps ensemble. Beaucoup de temps.

Magister serra les dents. À en avoir mal. Et puis tant pis. Il ouvrit le Livre des Sombres Secrets. L'original. Celui qui était conservé au Palais d'Omois et dans lequel Lisbeth consignait sa vie. Le livre ne résista pas, après tout, le corps qui le compulsait était bien celui de la légitime Impératrice.

Très intéressée, la vieille Impératrice fantôme voleta jusqu'à son chevet et regarda par-dessus son épaule.

— Le Livre des Sombres Secrets ! reconnut-elle, furieuse. Saleté de fantôme, il ne t'est pas destiné !

Magister refusa de répondre. Depuis deux jours, il cherchait tous les moyens d'anéantir les autres fantômes. Sans succès, du moins pour l'instant. Même l'omniscient Discutarium d'Omois, l'ordinateur vivant le plus perfectionné de la galaxie, ne connaissait pas la réponse.

Mais il allait trouver. Un jour ou l'autre, il allait trouver.

Et la vieille Impératrice allait mourir définitivement.

Soudain, il sursauta. Sa porte formait un œil et une bouche pour lui annoncer un visiteur, mais elle n'en eut pas le temps et s'ouvrit sur Selena, folle de rage, suivie par son puma. Il l'avait soigneusement évitée depuis l'annonce de leur prochain mariage, parfaitement conscient qu'elle n'allait pas être contente. Il pensait que le temps adoucirait sa colère.

Apparemment, c'était raté. Il en eut la vague intuition lorsque deux jets de magie s'écrasèrent sur son bouclier (qu'il avait prudemment mis en place, pas fou), le faisant virer au rouge.

Trop occupé à éviter à son bouclier de finir en dentelles, il ne vit pas qu'un autre fantôme suivait discrètement Selena et se glissait sous le buffet contenant les petites culottes de Lisbeth, invisible.

— J'AI TRANSFORMÉ TON GARDE EN CRAPAUD DEHORS ! hurla Selena. ET C'EST CE QUE JE VAIS AUSSI FAIRE AVEC TOI SI TU CONTINUES À ME POURRIR LA VIE !

La vieille Impératrice applaudit.

— Ça, c'est bien dit, bravo, jeune fille ! Mais un ton bas et menaçant est plus impressionnant pour ses adversaires que ces grandes exclamations mélodramatiques, croyez-moi.

Selena lui jeta à peine un coup d'œil. Ses mains irradiaient toujours la magie.

— Il avait pour ordre de te laisser passer, répondit Magister le plus calmement possible, il était inutile de le transformer. Il a dû être très étonné.

— Il n'a pas eu le temps, gronda Selena en baissant un peu le volume.

— Et que désire ma douce et tendre fiancée ? demanda Magister, tentant le côté humble, ce qui ne lui allait pas vraiment.

L'Impératrice ricana. Selena n'avait pas vraiment l'air d'une douce et tendre fiancée. En fait, elle n'avait pas l'air d'être une douce et tendre quoi que ce soit. Et on l'imaginait très bien avec un couteau entre les dents.

— Tu veux m'épouser, assena Selena d'un ton dangereusement bas et menaçant (ce qui plut beaucoup à la vieille Impératrice, elle apprenait vite, cette petite). Mais un mariage, c'est l'union de deux personnes qui s'aiment et se respectent. Et moi, je ne t'aime pas ni ne te respecte.

Magister se leva d'un bond et son corps d'homme vint remplacer celui, gracile, de l'Impératrice, masque compris.

— Si nous sommes mariés, tu m'aimeras, dit-il d'un ton curieusement incertain.

Selena se prit la tête à deux mains, leva les yeux vers le ciel… enfin, le plafond de la chambre. Sa voix reprit toute sa vigueur, s'attirant un tss tss tss réprobateur de l'Impératrice.

— JAMAIS, TU M'ENTENDS ? JAMAIS ! FICHE-MOI LA PAIX ET VA AUX LIMBES !

Et elle ressortit en claquant la porte si fort que celle-ci protesta avec vigueur.

Le masque de Magister hésitait entre le bleu et le noir. Ce fut le bleu qui l'emporta.

— Elle était plus douce avant de retrouver sa fille, dit-il d'un ton pensif et presque moqueur.

— Cette dynastie Duncan, que Danviou a unie à la nôtre, m'a l'air de produire des individus vraiment intéressants, commenta la vieille Impératrice, faisant tressaillir Magister qui l'avait oubliée.

— Hum, attendez de rencontrer Isabella Duncan avant de dire cela, là, vous saurez vraiment ce que représente le mot terrifiant, marmonna Magister.

Il laissa son corps se féminiser et se remit au lit. Après avoir ordonné qu'on change son garde et qu'on mette le premier dans l'une des mares du jardin, histoire qu'il soit un peu plus vigilant la prochaine fois.

Il reprit sa lecture, attentif, l'Impératrice, comme un point d'interrogation chevelu et transparent, juste au-dessus de sa tête.

Il chercha.

Et malheureusement, il trouva. Avant que l'Impératrice n'ait le temps de lire (il avait dissimulé le texte autant que possible), il referma le livre. Et se redressa dans son lit, tout excité. Voilà ! Une machine qui se trouvait... Slurk. Chez les Edrakins. Ça, c'était un problème. De plus, la machine n'était pas sélective. Elle détruisait tout le monde, pas uniquement un individu. Il allait falloir qu'il la fasse revenir ici, discrètement, qu'il réintègre son vrai corps, puis qu'il l'active pour se débarrasser des autres fantômes. Il n'avait plus besoin d'eux, maintenant qu'il était à la tête d'Omois. Et si par hasard c'était nécessaire, il serait toujours facile d'en faire revenir de l'OutreMonde.

Surprenant l'Impératrice, il se leva d'un bond, activa sa boule de cristal et ordonna :

— Allez me chercher le Chasseur.

Il hésita un instant et ajouta :

— Et le petit Besois-Giron.

D'un pas énergique, il marcha de long en large dans la suite, échafaudant ses plans. Il réactiva sa boule de cristal et jeta une série d'ordres brefs. Si la surprise paralysa un instant ses interlocuteurs, il ne doutait pas d'être obéi rapidement.

La porte s'ouvrit après avoir annoncé Selenba.

Sinueuse, la vampyr se coula dans sa chambre comme un félin blanc aux yeux écarlates. Elle avait l'air mécontent depuis qu'il avait annoncé qu'il allait épouser Selena. Magister se demanda s'il ne devrait pas mettre deux gardes de plus pour la protection de sa fiancée, histoire qu'il ne lui arrive pas un malencontreux accident... mortel.

— Sombre Seigneur, s'inclina la vampyr.

Cela l'amusa. Ça ne faisait pas très longtemps qu'elle l'appelait ainsi, comme si elle voulait mettre une distance supplémentaire entre elle et lui. Plus de... formalisme.

Sans crier gare, il reprit son corps d'homme et s'approcha de la vampyr. Puis il l'enlaça dans une brûlante étreinte qui la laissa étourdie. Lorsqu'il l'avait embrassée, l'illusion qui dissimulait son véritable visage ne s'était pas effacée. Selenba ne le connaissait toujours pas. Mais elle aimait la saveur de ses baisers.

— Allons, allons, dit-il en effleurant la bouche rouge de la vampyr de son pouce ganté, arrête de bouder. Selena ne sera que ma femme. Toi, tu es mon bras droit. Ma délicieuse exécutrice. Je ne t'abandonnerai pas. Jamais.

Elle le regarda avec amertume, peu dupe. Il était habile à manipuler mots et gens, son Sombre Seigneur. Et elle savait parfaitement pourquoi il venait de l'enlacer. Afin qu'elle pense qu'elle était son unique préoccupation et ne tente pas de faire de mal à sa fiancée.

Ce qui était amusant, c'était qu'elle n'en avait pas l'intention. Du moins pas pour le moment. Devenir buveuse de sang humain l'avait rendue stérile. Son unique regret avait été de renoncer à ce miracle : donner la vie.

Voir son ex-fiancé, le vampyr Safir Dragosh, avec sa sœur, Satila, évoquer leurs enfants avait réveillé un vide dans sa poitrine. Quelque chose qu'elle n'aurait jamais pu imaginer avant.

Si Selena donnait un enfant à Magister, alors, oui, cela était utile qu'elle reste en vie.

Sinon, eh bien, un accident était si vite arrivé…

Inconscient des pensées qui agitaient la silencieuse vampyr, Magister désigna l'Impératrice fantôme.

— Peux-tu me débarrasser de cette vieille fouine, s'il te plaît, je n'ai pas envie qu'elle m'espionne.

— Bien, Sombre Seigneur, répondit froidement Selenba, qui bondit sur la vieille Impératrice.

Celle-ci recula, dépitée. Elle aurait bien affronté la vampyr, mais celle-ci tuait et dévorait ses amies fantômes plus vite qu'elle n'avait le temps d'en faire venir d'OutreMonde. C'était devenu un jeu pour elle, depuis que les fantômes l'avaient envoyée valser par la fenêtre. Elle repérait ceux qui étaient alliés à Elseth et leur sautait dessus. Puis les dévorait.

Pour cette fois, Elseth devait céder le terrain. Elle passa au travers du mur et disparut.

Mais Selenba ne détecta pas le fantôme toujours caché sous le buffet.

— Bien, bien, murmura Magister, je devrais te garder auprès de moi plus souvent, ma magnifique vampyr.

Il allait exprimer son irritation sur le retard de Fabrice, lorsque celui-ci franchit enfin la porte de la suite.

Le garçon devait avoir couru, car il se trouvait sous sa forme de loup-garou. Il s'ébroua et son corps humain apparut. Un fascinant instant, Magister eut l'impression que le loup et le garçon se superposaient, puis l'animal fit place à l'humain.

Fabrice s'inclina.

— Pardon, Seigneur, j'ai fait aussi vite que j'ai pu.

— Tu étais à la prison, c'est ça ?

Fabrice devint blanc. Magister était vraiment fort pour deviner ce que les gens faisaient lorsqu'il les connaissait bien. Et il connaissait bien Fabrice, qu'il avait étudié sous toutes les coutures.

— Oui, répondit-il entre ses dents.

— Comment va-t-elle ?

Fabrice ne fit pas semblant de ne pas comprendre.

— Moineau... je veux dire la princesse Gloria ne va pas bien. Vous avez refusé qu'on lui applique un Reparus. La seule chose dont elle se souvienne, c'est que c'est moi qui l'ai fouettée. Sous sa forme de Bête, qu'elle conserve en dépit de mes supplications, elle ne me voit que comme son tortionnaire. Elle a tenté de m'égorger deux fois. Et réussi une troisième. Heureusement que j'étais sous ma forme de loup, sinon, elle m'aurait arraché la tête.

Et sur son visage transparaissait tout le chagrin que cela lui causait.

— Et si je te disais que je suis prêt à la soigner, à lui permettre de se retransformer en humaine et, surtout, à interdire à mes fantômes de la posséder ?

— Seigneur ?

Fabrice était sur ses gardes, il craignait le piège.

Il avait raison.

— C'est mon nom, plaisanta Magister. Mais ce n'est pas une question. Pose-moi la question, mon garçon, demande-moi pourquoi. Et surtout demande-moi comment.

— Pourquoi, Seigneur, comment ? répéta docilement Fabrice.

— Pourquoi, parce que c'est mon bon vouloir. Comment, cela dépend de toi.

Fabrice s'en doutait. La bonne vieille carotte et le bon vieux bâton. Magister était passé maître dans leur manipulation.

Le jeune garçon y mit les formes. Il posa un genou à terre et baissa les yeux. Sa robe de sortcelier s'étendit comme une cape derrière lui. Comme celles des autres sangraves, elle était grise, mais portait l'emblème de Fabrice. Un mammouth bleu. Son Familier, tué par les dragons et les wyverns. Qu'il haïssait autant que Magister à cause de ce qu'ils lui avaient fait. Leur seul point commun.

— Que puis-je faire pour satisfaire mon Seigneur ? demanda-t-il, le cœur serré.

Si Magister lui demandait de tuer ses amis, alors là, il aurait un gros, très gros problème. C'était le dernier lien. S'il le tranchait, il serait perdu.

À jamais.

Magister le fit attendre un peu, observant avec plaisir sa soumission. Il aimait que les gens aient peur de lui. Après, ils obéissaient nettement mieux.

— Je veux juste que tu partes chez les Edrakins avec Selenba, annonça-t-il de sa voix de velours, et que tu me rapportes une machine. Une machine que tu activeras au Palais, une fois que je serai revenu dans mon corps. Peux-tu faire cela pour moi, mon garçon ?

Il passa sous silence que la machine risquait de tuer Fabrice avec ses radiations. D'une part, il n'avait pas tant besoin de lui que cela, d'autre part, les loups-garous étaient plus résistants que les humains.

À l'instar de Tara, Fabrice, élevé sur Terre, ne connaissait pas bien les Edrakins. Aussi, ce fut avec un grand soulagement qu'il répondit qu'il se chargerait de cette tâche avec plaisir.

Comme il avait la tête baissée, il rata la couleur qui passa sur le masque de Magister. Orange. Il était surpris. Tout comme le Chasseur, qui, elle, savait que Magister venait d'envoyer le garçon dans un piège mortel.

— Tu iras avec lui, continua Magister avec désinvolture en s'adressant à la magnifique vampyr. Et je n'admettrai aucune défaillance. D'aucun de vous deux. C'est compris ?

La rage au cœur, la vampyr s'inclina. Il l'écartait, avec sa mission impossible.

Mais Magister la connaissait bien. Il ne la laisserait pas partir avec une fausse idée en tête.

— Ce n'est pas une mission suicide, continua-t-il, sincère. Le garçon et toi, vous devez vraiment me rapporter cette machine, c'est une question vitale pour notre sécurité. Fais vite, sois alerte et rapide. Reviens-moi.

Selenba ne le montra pas, mais elle était soulagée.

Et, l'espace d'un instant, elle se demanda pourquoi elle était éperdument amoureuse d'un être qui ne savait que la faire souffrir. Ou l'utiliser.

— Vous ne prendrez aucun possédé, indiqua Magister. Juste des thugs qui seront sous vos ordres. Je ne veux pas que les autres fantômes se doutent de ce que je veux faire. Ah ! et pas de tapis. Là où vous vous rendez, la magie est... disons qu'elle est mal vue.

— Je fais préparer nos pégases tout de suite, dit Fabrice, qui se demandait s'il pourrait passer dire au revoir à Moineau.

— Non, le surprit Magister, ce ne sera pas utile. Pour l'endroit où vous allez, les montures normales ne conviendront pas. Il vous en faut des... spéciales, que je vais vous fournir. Suivez-moi. Et pas un mot de tout cela à quiconque. Celui d'entre vous qui osera en parler à une tierce personne n'aura pas le temps de le regretter, c'est clair ?

— Très clair, Seigneur, confirma Fabrice, tandis que Selenba hochait la tête (après tout, à qui pourrait-elle bien parler ?).

Elle, elle préférait mordre, discuter avant n'avait pas un grand intérêt.

Lorsqu'ils sortirent, le fantôme hésita. Devait-il les suivre ? Mais il ne voulut pas courir de risque. Il avait été suffisamment difficile, avec les autres fantômes rôdant partout, de parvenir jusqu'à la chambre de Lisbeth/Magister. Il se lova autour d'un pied du buffet, s'efforçant de se faire de plus en plus sombre, au point de se confondre avec le bois noir.

Ils descendirent dans les sous-sols du palais. Vers les catacombes. Au fur et à mesure de leur progression, Fabrice sentait les poils courts de sa nuque se hérisser. Sa respiration se fit haletante et Selenba lui lança un regard amusé. Elle sentait la peur du garçon comme un chien sent une odeur. Et elle s'en délectait. Fabrice serra les poings. Depuis qu'il était devenu loup-garou, il s'était posé la question de ce qui se passerait s'il affrontait la vampyr. L'un des deux mourrait, probablement. Et tout aussi probablement, ce serait lui. Mais il aurait le temps de la blesser méchamment, et rien que cela lui donnait envie d'essayer.

Selenba lui lança un regard inquisiteur. L'odeur du garçon venait de changer, à présent, il sentait la colère.

Cela fut très utile à Fabrice lorsqu'ils franchirent un mur étonnamment épais, détruit à coups de magie, pour déboucher sur ce qui ressemblait fortement à un énorme charnier. Pour leurs narines sensibles, ce fut comme un coup de trique entre les yeux. Quasiment en même temps ils s'étouffèrent et leurs yeux se mirent à larmoyer.

Magister incanta et une brise fraîche les entoura.

— Pardon, dit-il, son masque se teintant du rose de l'amusement, j'avais oublié à quel point ça puait. Je pense que mes petites amies sont au point à présent.

Il incanta dans une langue sifflante. Les mots étaient si monstrueux et si puissants qu'ils écorchèrent les oreilles de Fabrice et de Selenba, comme s'ils étaient vivants. Si Fabrice ne connaissait pas cette langue, Selenba l'identifia.

C'était la langue démoniaque. La langue des Limbes Maudites.

— Ss t'vi ss't vi, krr ss cchh ssi, stenchss, venchsst't! psalmodiait Magister. Chhhvoul sss't choul!

Lentement, très lentement, des pattes se déplièrent, membres pourris, unis par la magie. Tirées d'un sommeil millénaire, elles se relevèrent, cuirs lacérés, chitine misérable, suintante d'un flot noir qui souillait tout ce qu'il touchait.

Fabrice recula en étouffant un hoquet d'horreur.

Devant lui se tenaient les ancêtres putréfiées des aragnes d'AutreMonde. Araignées titanesques, bien plus grandes, bien plus dangereuses. Leur fourrure grise et poisseuse les recouvrait tout entières, ne laissant à nu que leurs huit petits yeux dans lesquels brillaient des lueurs maléfiques. Leurs mandibules s'agitaient, prêtes à attraper, à broyer, à dévorer. Derrière, leur aiguillon à venin, comparable à celui d'un scorpion géant, laissait suinter le poison qui leur permettait de paralyser leurs proies.

Pas de charades raffinées[1] pour ces aragnes-là. Juste un assaut brutal et une mort affreuse.

---

1. Comme les sphinx, les aragnes aiment bien les devinettes et surtout les charades, qu'elles posent à leurs proies. Si vous trouvez la réponse, vous pouvez passer. Si vous ne la trouvez pas... eh bien, disons que vous allez le regretter jusqu'à la fin de votre vie. Qui sera extrêmement courte.

Avec un atroce cliquetis, l'une des araignées sauta jusqu'à Magister, puis s'inclina devant lui. Elle le reconnaissait comme son maître, lui qui venait de la réveiller de son sommeil.

— Elles seront vos montures, déclara Magister. Ce sont des aragnes de l'ancien temps, qui ont été contaminées par la magie démoniaque de mon ami le roi des démons. Les elfes et les sortceliers ont tenté de les soigner, mais elles ont succombé, les unes après les autres. Elles ont été abandonnées à leur sort, ici. Et emmurées vivantes, par leurs propres congénères, en dépit des protestations de Demiderus. Les aragnes de l'époque lui imposèrent ce fardeau afin de lui rappeler que c'était lui qui les avait embarquées dans sa guerre contre les démons.

— C'est... c'est monstrueux, déglutit péniblement Fabrice, qui se tenait presque incrusté contre le mur, le plus loin possible des horreurs dégoulinantes. Comment... comment allons-nous monter ces... ces choses ?

— Elles auront des selles, ne t'inquiète pas, jeune loup, elles sont tout à fait confortables, une fois qu'on a dépassé le problème de l'odeur. Elles ne dorment pas, n'ont pas besoin de manger, même si un reste de réflexe les pousse à attaquer ce qui est vivant, peuvent passer n'importe quel canyon grâce à leurs toiles et sont quasiment indestructibles. Sans compter qu'elles vous obéiront au doigt et à l'œil, et font de redoutables combattantes. Je les trouve... idéales.

Il se pencha et tapota la tête qui s'abaissait devant lui, tachant son gant.

— Elles inspireront la terreur et, là où vous allez, c'est une denrée précieuse.

Fabrice se dit pour la millième fois depuis qu'il avait fait le choix de rejoindre les sangraves que Magister était totalement fou.

Magister essuya discrètement son gant, puis, en omoisien classique, ordonna aux araignées de les suivre. Fabrice fut fasciné de voir que les aragnes lui obéissaient comme d'énormes toutous visqueux.

Suivis par la cohorte suintante et puante, ils remontèrent. Fabrice nota que Magister avait prévu une vingtaine d'araignées, ce qui signifiait que dix-huit thugs les accompagnaient, sauf si une araignée ou deux étaient utilisées pour porter leurs affaires.

La mission était sérieuse, s'il était nécessaire d'envoyer autant de soldats. Il ferait bien d'effectuer une petite recherche sur ces Edrakins. Tout cela n'était pas rassurant.

En dépit de l'heure très matinale, il y avait déjà du monde dans le Palais. Et les visages pâlissaient au fur et à mesure de leur progression. Les gens s'inclinaient au passage de Magister. Mais leurs yeux hurlaient leur répulsion.

Les pouf-pouf, sortes de boîtes à couvercle chargées de la propreté du Palais, gémirent d'indignation devant la sanie glaireuse qui maculait leur beau sol tout brillant.

Ce fut une véritable cohorte de nettoyeuses hystériques qui les entoura, absorbant tout ce qui était produit par les araignées au fur et à mesure. Plusieurs d'entre elles, couvercle clapotant d'indignation, furent engluées dans les toiles que les araignées avaient tendance à lancer sur tout le monde.

Rapidement, la nouvelle qu'il y avait des araignées zombies géantes dans le Palais se répandit, et les couloirs se vidèrent.

Magister conduisit les araignées visqueuses, ainsi qu'il les nommait, dans la cour d'apparat. Là, les pégasiers[1] et les palefreniers apportèrent des échelles et équipèrent les araignées visqueuses avec de larges selles bien conçues. Ils venaient de les fabriquer apparemment, car ils ajustèrent les sangles nécessaires et clouèrent les derniers clous directement sur les dos des araignées. Elles ne sentaient pas la douleur. Les selles n'auraient pas besoin d'être ôtées.

De nouveau, en dépit de la peur qu'il lui inspirait, Fabrice fut frappé par l'efficacité de Magister. Il avait tout prévu, dans les moindres détails.

Il s'agenouilla, montrant ainsi qu'il avait quelque chose à demander. Magister se tourna vers lui. Il avait retrouvé le corps de l'Impératrice qu'il utilisait lorsqu'il désirait donner ses ordres aux serviteurs du Palais.

— Oui, dit la voix mélodieuse de Lisbeth.

— Je vous obéis en tout, Sombre Seigneur, commença Fabrice.

— Et tu as raison, l'interrompit Lisbeth.

— Je vais me charger de cette mission et vous rapporter cette... ce que vous désirez, continua Fabrice.

---

1. Les palefreniers s'occupent des palefrois, c'est-à-dire des chevaux, les pégasiers s'occupent des pégases, logique.

— Tu ferais mieux.

— Vous avez dit que la Bête serait soignée et pourrait retrouver son aspect humain sans être possédée.

— Une fois la mission accomplie, oui.

— Ce ne sera pas possible.

Cette fois-ci, aucune réponse ne fusa. Il avait réussi à surprendre Magister.

— Et pourquoi ?

— Parce que, si personne ne la soigne, avec l'infection qui est en train de se propager dans son dos, précisa Fabrice d'une voix forte et claire, la princesse du Lancovit mourra dans quelques jours.

Les pégasiers et les palefreniers ne ralentirent pas leur travail, mais Magister savait que tout le monde avait entendu dans la cour. Pas si stupide ce gamin, finalement.

— Très bien, dit-il d'un ton si aimable que Fabrice frissonna, avant de partir, tu as mon autorisation pour soigner la princesse Gloria. Et tant que tu ne seras pas revenu, elle pourra retrouver sa forme humaine, sans risquer de possession.

Il se pencha sur le garçon agenouillé et murmura pour lui seul :

— Mais si tu échoues, petit Besois-Giron, si tu échoues, la possession ne sera pas le seul des problèmes de ton amie Gloria, c'est compris ?

La magie maléfique pesa sur lui. Sa poitrine l'élança. Il crispa une main tremblante sur le devant de sa tunique. Pourtant, sa voix ne frémit pas.

— Je n'échouerai pas. Puis-je aller la soigner à présent ?

— Va !

Le garçon bondit. Et fonça, en dépit de la douleur qui taraudait son cœur, de toute la force de ses muscles renforcés par sa transformation. En quelques minutes, il était dans la prison. Magister avait déjà ordonné que Moineau soit placée dans une cellule en dehors de la zone d'influence de l'annihilateur de magie de la prison. Elle était toujours enchaînée et emprisonnée dans une cage de fer d'Hymlia, insensible à la magie, elle-même entourée d'un champ de force, et ne pouvait donc pas utiliser la magie pour s'enfuir. Ainsi, Fabrice pourrait la soigner sans que l'annihilateur contrarie sa magie.

Un thug accompagné d'un chatrix, hyène noire géante aux dents empoisonnées, montait la garde. Il ouvrit le champ de force et la porte de la cage à Fabrice.

Le cœur serré, celui-ci s'avança. Moineau gémissait sur sa couche. Les blessures de son dos s'étaient terriblement infectées. Dans un endroit où les Reparus étaient capables de vaincre les microbes les plus tenaces, les gens ne se préoccupaient pas de désinfecter quoi que ce soit. Le fouet qui avait servi à corriger Moineau avait été utilisé pour conduire un petit draco-tyrannosaure dans un nouvel enclos quelques jours avant. L'animal avait mordillé cette chose qui le piquait et le guidait contre sa volonté et sa salive, pleine de bactéries, s'était déposée sur le fouet. Lorsqu'il avait déchiré le dos de Moineau, les bactéries, ravies, s'étaient précipitées en criant « À table ! ». Et à présent, elles dévastaient son corps amaigri.

Sa fourrure était poissée de sang et de sueur. Elle sentait horriblement mauvais. Elle avait à peine eu conscience d'avoir été transférée d'une cellule à une autre. Sous la morsure de la souffrance, son esprit humain disparaissait de plus en plus, pour laisser place à la Bête.

Et ce ne fut pas Moineau qui ouvrit ses yeux jaunes de fauve pour découvrir Fabrice à son chevet.

Furieuse, la Bête banda ses muscles pour lui sauter dessus. Elle se souvenait de lui. Il lui avait fait mal.

Mais elle était tellement faible qu'elle retomba sur sa couche, incapable de bouger.

— Là, là, ma douce, dit tendrement Fabrice, ne t'agite pas, je vais m'occuper de toi. « Par le Reparus, que les blessures disparaissent et que la douleur cesse ! »

Le feu noir jaillit de ses mains et frappa le dos de la Bête, qui se cabra de douleur. L'instant d'après, la peau et les muscles mis à nu se régénéraient, la fourrure arrachée par le fouet repoussait. Par précaution, Fabrice lui appliqua également un anti-Microbus et un anti-Bacterius. En quelques secondes, la magie combattait et détruisait l'infection qui la tuait petit à petit.

Épuisée mais guérie, la Bête gisait, encore incapable de réagir.

Fabrice termina par la transformation de Moineau en humaine. Le corps ravissant de l'adolescente surgit au travers des poils, la robe de sortcelier la recouvrit et bientôt la douce Moineau reposait dans ses bras. Il n'aimait pas ce surnom, qu'elle affectionnait pourtant. Pour lui, elle était la belle, la magnifique Gloria, bien éloignée de la simple Moineau.

La jeune fille ouvrit péniblement ses yeux noisette qu'elle plongea dans les yeux noirs de Fabrice.

— Qu'est... qu'est-ce qui s'est passé ? demanda-t-elle.

Il écarta tendrement une mèche mouillée de sueur de son visage.

— Magister m'a ordonné de te fouetter parce que tu refusais d'être possédée par les fantômes, répondit-il, encore secoué par la culpabilité. Puis il a ordonné que tu ne sois pas soignée. Tes blessures se sont infectées. Je viens tout juste d'obtenir l'autorisation de te guérir.

Moineau ferma les yeux.

— Tu m'as retransformée, cela signifie-t-il que je vais être attaquée par un fantôme ? Je suis trop fatiguée pour redevenir la Bête.

— Non, tu ne seras pas l'hôte d'un fantôme, répondit Fabrice en lui caressant doucement les cheveux, j'ai passé un deal avec Magister.

Moineau ouvrit des yeux méfiants. Fabrice lui avait appris ce mot typiquement terrien.

— Un deal ? Quelle sorte de deal ?

— Je dois lui rapporter... quelque chose.

Moineau connaissait bien la politique. Même épuisée, même à moitié morte, son esprit brillant enregistrait les moindres variations de la voix de Fabrice. Et elle sentit qu'il était troublé.

— En échange de quoi ?

Fabrice se rebella.

— Il n'a pas besoin d'échanger quoi que ce soit, Gloria, il lui suffit d'ordonner et il est obéi. Je te l'ai dit. Tu n'as aucune idée de sa puissance.

— Mais cela fonctionne mieux lorsque les gens sont motivés, remarqua Moineau, peu dupe. Alors, vas-y, dis-moi ce qu'il t'a donné en échange de ta loyauté.

Fabrice ferma les yeux. Il savait qu'elle n'allait pas aimer ça.

— Ta vie, répondit-il. Il m'a laissé te soigner. Et ton intégrité. Tu ne seras pas possédée. Tu peux rester sous ta forme humaine. Voilà le marché.

La réaction de Moineau le surprit.

— Ah, dit-elle calmement, oui, c'est logique. Je vais donc faire très attention pendant que tu seras loin, je ne lui donnerai aucun prétexte pour te mettre en difficulté. Où vas-tu ?

— Je n'ai pas le droit de le dire, répondit Fabrice, malheureux.

Moineau se redressa légèrement, échappant à son étreinte. Son visage était fermé.

— Cela ne va pas marcher, tu sais.

— Qu'est-ce qui ne va pas marcher ?

— Notre histoire. Lorsque tu es parti, j'ai cru qu'on m'arrachait le cœur tellement j'ai eu mal.

— Mais tu m'avais largué ! risqua Fabrice, incertain.

— Largué ?

Moineau ne comprenait pas le mot.

— Viré, cassé, jeté, largué, quoi ! Tu étais furieuse contre moi. Tu as dit toi-même que nous ne sortions plus ensemble. « Soit nous sommes ensemble, soit nous ne le sommes pas, as-tu dit. Il ne peut y avoir de milieu et je refuse de souffrir parce que tu ne sais pas ce que tu veux », as-tu ajouté. Je m'en souviens comme si c'était hier !

Pourtant, même à ses propres oreilles, ses protestations semblaient bien pathétiques.

— Ce n'était pas une raison pour t'allier à notre pire ennemi, Fabrice, souligna Moineau. Rien ne peut justifier cela.

— Tu... tu m'aimes toujours ? demanda Fabrice, incertain.

— Je t'aimais. Que les dieux de mes ancêtres aient pitié de mon âme, oui, je t'aimais, même si je n'acceptais plus que tu me fasses souffrir. Et puis tu nous as trahis. Pendant des jours et des jours, je n'ai voulu qu'une seule chose. Te retrouver. À n'importe quel prix. Jusqu'au moment où j'ai compris que je faisais exactement la même chose que toi. Je devenais monomaniaque. Je ne pensais plus à toi, je pensais juste à moi, à apaiser cette douleur. Et c'est précisément ce que tu as fait.

— Quoi ?

Moineau se pencha et planta ses yeux noisette dans les yeux noirs aux longs cils de Fabrice.

— Tu n'as pensé qu'à toi depuis le début, Fabrice, assena-t-elle, impitoyable. C'était tout ce qui t'intéressait. Toi et ta maudite quête de pouvoir. Et maintenant ? Regarde-toi. Tu es puissant, certes, mais tu es devenu le laquais d'un monstre. Un chien couchant qui exécute le moindre de ses ordres. Parce que tu me croyais faible, tu t'es détourné de moi. Mais je suis bien plus forte que toi, Fabrice, et tu sais pourquoi ?

Fabrice avait la gorge tellement serrée qu'il ne parvint pas à répondre.

— Parce que je n'ai pas peur, dit doucement Moineau. Tu comprends ? Ni d'être faible ni de perdre. Je-n'ai-pas-peur ! Et toi, tu es un lâche.

Le garçon sursauta. La colère se dessina sur son visage, puis, parce que depuis deux mois il avait appris à se contrôler, sous peine d'en mourir, il se calma.

Moineau ne lui laissa pas le temps de protester.

— Oui, un lâche, répéta-t-elle, martelant les mots comme un nain son enclume. C'est par lâcheté que tu t'es allié à Magister. Par lâcheté, et, pire, par peur. À présent, tu as tout perdu. Ta famille, car ton père a été tellement blessé de ta défection qu'il s'est retiré de son poste de gardien de la Porte de transfert de Tagon ; ton nouveau pays sur AutreMonde, car au Lancovit, comme à Omois, les sangraves sont hors la loi ; tes amis, qui souffrent de cet abandon mais n'ont guère le choix ; et enfin, tu m'as perdue. Moi. Au début, nous pensions que tu avais fait comme dans un mauvais film. T'allier avec ton ennemi pour mieux le défaire ensuite. Puis, lorsque tu es réapparu auprès de Magister, j'ai compris, tout le monde a compris que ce n'était pas cela. Que tu avais basculé du mauvais côté. Mais est-ce pour toujours ? Es-tu perdu pour nous ? Ou bien es-tu capable de faire la seule chose qui puisse réparer tes erreurs ?

Le garçon serrait tellement les mâchoires qu'il en avait mal. Où la douce, la tendre Moineau avait-elle appris à frapper aussi fort ? Et, surtout, aussi juste ?

Magister l'avait tenu à l'écart des nouvelles. Il ignorait pour son père. Cela le fit souffrir.

Fabrice la contempla et, sur son visage, des tas d'émotions défilaient, angoisse, tristesse... peur. Sa boule de cristal sonna et l'instant passa. Il prit le message et baissa un instant la tête, écrasé par un fardeau trop lourd.

— Je t'aime toujours, énonça-t-il en se levant. Et à propos de ma « lâcheté », tu as parfaitement raison. J'ai commis une monstrueuse erreur. Combattre Magister ne la réparera pas, tout simplement parce qu'il est trop fort. La seule chose que je puisse faire est de tenter de limiter les dégâts. Et prier pour que tu puisses me pardonner. Un jour.

Il se pencha mais ne tenta pas de l'embrasser. Il se contenta de frôler la joue veloutée de Moineau, puis sortit de la cellule tandis que la jeune fille se levait en vacillant un peu, encore très affaiblie en dépit de ses Reparus.

Elle s'approcha des barreaux et s'y agrippa, heureuse du contact du fer froid pour poser son front encore brûlant de fièvre.

— Oh, Fabrice, tu ne comprends pas ? En persévérant sur cette voie, tu mets en danger toute notre planète. Si tu continues, tu vas y laisser ta vie.

Quelques larmes glissèrent sur ses joues pâles.

— Et je ne pourrai rien faire pour te sauver.

Fabrice, rappelé à l'ordre par sa boule de cristal, descendit à toute vitesse, après avoir emporté tout ce dont il avait besoin.

— Voici la carte et les instructions, disait Magister à Selenba, dans la cour. Pas de magie sur place. Passez par la Porte de transfert du temple des six cents dieux et demi, jusqu'à la côte, ensuite prenez des tapis jusqu'à votre destination.

Leur escorte était composée des meilleurs guerriers thugs. Aucun n'était possédé.

Les trompettes sonnèrent, lugubres, tandis que les tambours avertissaient la ville que l'empire envoyait des soldats en mission.

Les lourdes portes du Palais s'ouvrirent lentement et le flot noir et puant se répandit dans les rues comme un pus corrompu. Atterrés, les habitants de Tingapour déjà debout à cette heure très matinale virent défiler les immondes araignées visqueuses, conduites par Fabrice et Selenba. Beaucoup d'entre eux adressèrent une prière à leurs dieux pour les malheureux que le commando prenait en chasse.

Car les araignées étaient rapides et véloces... enfin, tant que rien ne bougeait devant elles.

Elles n'avaient pas besoin de se nourrir, mais, au nom d'un instinct mort depuis longtemps, dès que l'une d'entre elles sentait un mouvement, elle lançait sa soie afin d'attraper ce qui bougeait. Leur progression fut donc entravée par le nombre d'animaux, gens, arbres, fleurs, trucs volants dans le vent, ballon égaré (l'aragne qui l'avait capturé, ravie, refusa catégoriquement de le laisser et le fit flotter, tel un étendard rouge, au-dessus d'elle), oiseaux, chiens, pégases, qu'ils durent délivrer.

Selenba grinçait des dents, ce qui pour un vampyr était assez spectaculaire. Sa bonne vieille méthode de « si tu n'avances pas, je te torture ou je te tue » ne fonctionnait pas du tout sur des araignées mortes qui ne sentaient pas la douleur.

Bientôt, pourtant, ils arrivèrent à la Porte de transfert et disparurent dans le temple qui l'abritait. Leur destination était la côte de Viridis, où deux gros transporteurs les attendaient pour les emmener jusqu'à Patrok, où ils aborderaient au port de Kro.

Le gardien qui les fit passer fut retrouvé, vidé de toute substance, deux trous rouges à la gorge.

Selenba l'avait fait taire. Pour l'éternité. Elle savait que les jeunes fantômes ne revenaient pas tout de suite. Sa mission serait terminée depuis longtemps lorsqu'il donnerait l'information sur leur destination à quelqu'un.

Sur sa boule de cristal, Magister les regarda disparaître, les uns derrière les autres. Selenba tourna sa boule de cristal vers elle-même. Il eut une vue spectaculaire sur ses longues dents et ses yeux sanglants, puis elle le salua et passa en dernier. La transmission s'éteignit.

Il retourna dans son lit. Après avoir pris une douche. Ces araignées puaient vraiment.

Soudain, alors qu'il allait se coucher, une pensée lui vint, dictée par son esprit paranoïaque.

Quelqu'un d'autre connaissait-il le secret de la machine ? Les Edrakins étaient-ils au courant du trésor qu'ils possédaient ? Pouvaient-ils le faire chanter ? Exercer un moyen de pression sur lui ? Si cette machine était activée avant qu'il ne réintègre son corps, il serait détruit, comme les autres.

Il rouvrit le Livre des Sombres Secrets à la fin, afin de voir comment la machine avait été mise en place chez les Edrakins et pourquoi.

Il y passa la moitié de la nuit. Mais finit par comprendre ce qui s'était passé.

Les incursions des fantômes n'avaient pas été de très grandes gênes pour les empereurs et impératrices du passé. Une fois construite par les savants omoisiens et les dragons, la machine n'avait été utilisée que deux fois. Et la dernière datait de plusieurs milliers d'années. La machine était restée longtemps dans les caves du Palais. Son usage avait sombré dans l'oubli. Et un jour, l'idée même de son existence avait disparu.

Mais elle était toujours là. Et ce qu'elle diffusait affectait les vivants. L'un des chamans du Palais avait trouvé curieux toutes les maladies que développaient les servantes, celles qui allaient chercher le vin et l'eau à la cave. Il y avait découvert cette étonnante machine, qui générait des ondes mutagènes. À l'époque, les Edrakins n'étaient pas devenus les monstres dégénérés qu'ils sont aujourd'hui. Ils étudiaient avec passion et attention tout ce qui avait trait au patrimoine génétique des différents habitants d'AutreMonde, en collaboration avec les vampyrs et les dragons. Leurs laboratoires étaient plus modernes et mieux équipés que ceux des Omoisiens.

La machine leur fut donc confiée pour examen. Un centre fut construit, à l'écart des villes, loin dans la campagne, afin d'étudier les effets des ondes sur les êtres vivants. Le lieu s'appelait Arrutchir.

Il fallut des années aux Edrakins avant de comprendre l'action exacte de la machine. Non seulement elle détruisait les fantômes, mais elle corrompait les vivants, les déformant atrocement.

Malheureusement, la Grande Guerre débuta à ce moment-là. Conduits par leur chef fou, délirant à l'idée de conquérir tout AutreMonde, les Edrakins attaquèrent.

Lorsque les Edrakins furent vaincus, les installations et les laboratoires furent les premières cibles des Alliés. Ceux d'Arrutchir furent détruits. Lorsque les armées alliées débarquèrent, les sortceliers en charge de la reconstruction de l'île, en collaboration avec les Edrakins soumis, ne comprirent pas l'importance de la machine. Mais en mesurèrent très bien les effets lorsque les premiers d'entre eux commencèrent à tomber malades.

Plutôt que de rapporter la machine à Omois, ils préférèrent la laisser sur place, profondément enfouie sous la terre. C'était ainsi qu'était né le tumulus d'Arrutchir. Et il était resté inviolé depuis.

Magister souffla et se frotta les yeux. Il était fatigué mais content. Il était le seul à...

Quelque chose interrompit sa satisfaction. Ses yeux étaient tombés sur une phrase dans le livre, qu'il avait continué à feuilleter négligemment.

Une phrase écrite et signée par Lisbeth :

« J'ai donné la copie du Livre des Sombres Secrets à mon Héritière, la jeune Tara Duncan, aujourd'hui. », disait la phrase, « J'espère que cela lui apportera une claire vision de la façon dont les Empereurs et les Impératrices d'Omois ont gouverné et sont morts pour notre patrie. J'ai peur qu'elle ne soit si indépendante et si farouche qu'il ne soit très difficile de lui faire éprouver l'amour que j'ai pour notre peuple. Si je n'y parviens pas, alors notre empire connaîtra de gros ennuis. »

Magister se redressa, toute fatigue envolée.

— Espèce d'idiote d'Impératrice stupide, gronda-t-il, on ne met pas des secrets pareils entre les mains d'une gamine de quinze ans ! Mais qu'est-ce que c'est que cette façon d'éduquer une enfant ?

Il se mit à réfléchir. Jusqu'à présent, il avait eu besoin de Tara, car elle était la seule, avec l'Impératrice, capable d'affronter Ceux-Qui-Gardent et Ceux-Qui-Jugent, les gardiens des objets démoniaques, emplis de la puissance des Limbes. Maintenant qu'il dirigeait Omois et, surtout, possédait le corps de l'Impératrice, descendante de Demiderus, il n'avait plus besoin de Tara. Il pouvait faire le travail tout seul. Et, surtout, il la connaissait bien à présent. Elle menaçait sa survie. Il devait frapper le premier. Après tout, elle l'avait tué.

Il ne ferait que lui rendre la pareille.

Il se promit une seule chose. La mère de Tara, Selena, ne devrait jamais savoir.

Il se transforma, revêtant l'habit et le masque de Magister. Puis il descendit au laboratoire. Il avait besoin d'une certaine fiole.

Contenant du sang.

Une fois de retour dans ses appartements, il tourna l'anneau noir qui ne quittait plus son doigt depuis qu'il avait été tué. Un présent du roi des démons. Utile. Une étrange forme fuligineuse apparut devant lui et se matérialisa bientôt en une ravissante petite fille blonde, au sourire innocent.

Évidemment, le fait que ses yeux soient entièrement noirs et brasillent des feux de l'enfer pouvait soulever un doute sur sa qualité de petite fille.

— Vous avez besoin de moi, Sombre Seigneur ? zozota-t-elle joyeusement.

C'était à cause d'elle que le Chasseur, jalouse, avait commencé à l'appeler ainsi. Parce que la petite fille le nommait de cette façon, avec déférence, là où la vampyr ne voyait qu'ironie.

— J'ai un travail pour toi, Xoarachivanridrovulatrévil, prêtresse des Limbes, bras armé de la vengeance, confirma-t-il. Merci de te montrer sous ta véritable forme, je te prie.

— Vous me priez ? J'aime qu'on me prie. Ne suis-je pas une déesse de mort et de sang ?

À la place de la ravissante petite fille, une démone rouge, dont l'éclat des yeux jaunes fendus de noir faisait mal, apparut. Ses cornes étaient longues et crépitaient d'un feu noir. Sa queue se terminait par un poignard noir également, assorti à ses griffes. Tout en elle n'était que laideur et pourtant, d'une certaine façon, elle était belle. Son corps, très légèrement vêtu, se terminait, non par un tourbillon, comme la majorité des effrits au service d'Omois, mais par des sabots fourchus de biche. Et ses longs membres étaient recouverts d'une fourrure délicatement violette, zébrée de noir.

— Une déesse ? s'amusa Magister. N'exagère pas, Xoara. Voici ce dont il s'agit. Tu te souviens de Tara Duncan ?

— Humaine, quinze ans. Puissante magie. Introuvable depuis plus de deux mois. Vous a tué, récita docilement Xoarachivanridrovulatrévil, oui, je m'en souviens.

Magister souffla, agacé par l'indifférent « Vous a tué ». Il lui tendit la fiole.

— Hum. Pas toute seule. Bref. Voici un échantillon de son sang, que j'ai récupéré dans les laboratoires du Palais. Grâce à ceci, tu devrais pouvoir pister cette effrontée qui ose se mesurer à moi.

— Vous pestez souvent contre elle, Sombre Seigneur, remarqua la démone sans aucun tact après avoir récupéré la fiole.

Magister fit la grimace sous son masque.

— Elle est une épine dans mon pied depuis qu'elle est arrivée sur cette planète. Aujourd'hui est le jour où j'ai décidé de la retirer.

Le chef des sangraves avait oublié un détail : les démones n'étaient pas très à l'aise avec les métaphores.

— Décidé de retirer quoi ?

— L'épine.

— Quelle épine ?

Magister se pinça le haut du nez, ses doigts passant au travers de son masque.

— Hrrrmm, se râcla-t-il la gorge. Je-veux-que-tu-tues-Tara-Duncan. Est-ce clair à présent ?

La démone fit la grimace. À son tour.

— Mais vous avez parlé d'épine. Comment pouvais-je deviner que vous parliez de cette Tara ? Sa mère est une dryade ? Elle descend d'un arbre ? Je peux la faire flamber si vous voulez.

Magister se contraignit à la patience. Il n'avait pas souvent affaire aux démones des Limbes du cinquième cercle, car elles refusaient de traquer leurs proies si elles ne pouvaient pas les tuer. Or les gens qu'il recherchait, en général, il en avait besoin vivants. Ou du moins en état de répondre à ses questions. Le roi des démons l'avait prévenu. Elles étaient probablement les tueuses les plus efficaces de la galaxie, mais il fallait éviter de jouer au plus malin avec elles. D'une part, elles ne comprenaient pas, d'autre part, si elles ne comprenaient pas, elles tuaient celui qui les avait ennuyées.

Et elles s'ennuyaient très vite.

Il revint à l'étrange démone rouge qui attendait sa réponse.

— Elle est probablement plus puissante que toi, Xoara, indiqua-t-il, n'essaie pas de la faire flamber. Et non, elle ne descend pas d'un arbre. Elle est intelligente et rusée. La trouver, puis la tuer, vite, en silence, par surprise.

La démone rapetissa et reprit son apparence d'adorable fillette. Puis elle mit son pouce dans sa bouche, le suçota un instant, le retira et demanda :

— Pourquoi en silence ?

— Comment ?

— Vous avez dit : « La trouver, puis la tuer, vite, en silence, par surprise. » Trouver, tuer, vite, surprise, je comprends. Pourquoi en silence ?

— Pour que ce soit discret, je ne sais pas, moi !

— Il faut que ce soit discret ?

— Non, ça n'a pas d'importance.

— Mais alors, pourquoi vous voulez que ce soit en silence ?

Le masque de Magister commençait à virer au rouge. La démone ne le savait pas, mais elle était à un doigt d'expirer. Bruyamment.

Puis il se reprit. Il avait besoin d'elle. Et soupira.

— Pas en silence si tu veux, capitula-t-il.

— Ce n'est pas moi qui...

— SLURK ! jura Magister. Fais autant de bruit que tu voudras. Mets des trompettes, des cascades, des feux d'artifice, des éclairs et du tonnerre si tu veux, mais fais-le vite. C'est un danger pour moi, comme pour ton maître. Va à présent ! Elle est probablement en route pour Patrok. Tu la retrouveras soit sur notre continent, soit sur l'île directement.

La démone hésita, il n'était pas très clair, cet humain. Il fallait tuer en silence ou en faisant du bruit ? Il faudrait savoir, quand même !

Elle déboucha la fiole de sang et la huma. Puis en déposa une goutte sur sa langue. L'odeur délicieuse se grava dans sa mémoire. Tout de suite, elle fut en mesure de « sentir » tous les endroits où Tara s'était rendue dans le Palais. Cela faisait comme des traits rouges dont les plus récents menaient à la salle de transfert. Il lui faudrait « goûter » régulièrement le sang de la jeune fille afin de la traquer, et elle espéra avoir assez de sang pour cela.

Xoara s'inclina devant Magister, reboucha la fiole et la rangea dans une poche sous sa poitrine parfaite, puis se mit en chasse.

La porte se referma sur elle. Magister soupira, puis laissa le corps de Lisbeth reprendre le dessus. Fatigué, il se coucha et ordonna à la lumière de s'éteindre. C'était déjà le matin, mais il allait tenter de prendre deux heures de repos avant les premières audiences.

Et le premier qui le dérangerait le regretterait pour le restant de sa vie.

Sous le buffet, le fantôme tremblait. Il s'infiltra au travers du mur et déboucha dans le couloir de pierre dorée. Selena. Il devait trouver Selena !

Il ne vit pas la silhouette sombre à quatre bras qui se détacha du mur et se mit à le suivre.

Selena était en train de déguster tranquillement son thé du matin, tout en mastiquant sa tartine au beurre de balboune et à la confiture de miam, lorsqu'un fantôme surgit devant elle en hurlant.

Elle sursauta si violemment que sa tasse sauta en l'air et retomba en se brisant, en dépit du moelleux tapis rose. Son puma cracha vers l'intrus.

Elle bondit sur ses pieds, prête à se battre contre le fantôme, même si elle savait que cela ne servait à rien. Et parfaitement consciente que brandir agressivement une tartine de confiture vers son assaillant n'allait pas l'aider des masses.

— IL VA TUER NOTRE FILLE ! hurlait le fantôme, des larmes coulant de ses yeux pour disparaître avant de toucher le tapis, il va tuer notre fille !

Comme il n'avait pas l'air de vouloir l'attaquer et qu'il se tordait les mains de désespoir, le cœur de Selena redescendit vers un raisonnable quatre-vingt-dix pulsations à la minute et décida de ne pas faire de crise pour cette fois.

Ce que hurlait le fantôme finit par percer la couche de sa terreur.

Et soudain, elle le reconnut.

Danviou. Son défunt mari.

Elle en laissa tomber sa tartine.

Le fantôme était un bel homme, grand, aux cheveux blonds tranchés par la même mèche blanche que Tara. D'habitude, ses magnifiques yeux bleus brillaient de la même ironie, type « mais comment j'ai fait pour me retrouver dans une galère pareille ! ». Ils se ressemblaient vraiment beaucoup. Là, il avait l'air nettement moins ironique et beaucoup plus effrayé.

Ah! et il flottait dans les airs, était assez transparent et très mort. Elle remarqua également que contrairement aux autres fantômes qui étaient souvent de toutes les couleurs de l'arc-en-ciel, Danviou penchait plutôt vers le décoloré.

— Par les mânes de mes ancêtres, s'exclama Selena, furieuse, tu m'as fait la peur de ma vie!

Le fantôme parut surpris par sa réaction. Il cessa de hurler et se planta devant elle.

— Tu as entendu ce que j'ai dit? Notre fille! Notre fille!

— Vu que tu hurlais, oui, j'ai entendu, répondit Selena, sarcastique. Qui va tuer notre fille et laquelle?

Le fantôme en resta bouche bée.

— Laq… comment ça laquelle?

— Ben oui. Tara ou Mara? Jar est ton fils, alors il est apparemment hors de cause.

Stupéfait, le fantôme oublia qu'il était un fantôme, voulut s'asseoir et passa au travers du plancher. Selena se pencha.

— Hé! Oh! Danviou? Reste avec moi, s'il te plaît!

Un peu embarrassé, le fantôme réapparut.

— Pardon, tu as dit quoi exactement?

— En plus de Tara, tu as… enfin, j'ai eu des jumeaux, Jar et Mara. Lorsque tu es mort et que Magister m'a enlevée, j'étais enceinte. De deux semaines. Raison pour laquelle nous ne nous en étions pas rendu compte.

— C'est… c'est… je n'en savais rien! La nouvelle n'a pas filtré sur OutreMonde! Personne ne m'en a parlé! Bande d'idiots! Heureusement que je suis venu sur AutreMonde!

Selena fronça les sourcils.

— Tu veux dire que Magister t'a invoqué? Il t'a fait venir d'OutreMonde? Vu que tu es mon mari et qu'il veut m'épouser, je trouve cela pour le moins étrange…

Danviou eut un sourire rusé.

— Pas… exactement. Disons que je me suis attaché à un convoi qui partait pour AutreMonde. Personne ne sait que je suis là. Enfin, à part toi. Bref, peu importe. Explique-moi tout.

Selena lui raconta sa vie de prisonnière de Magister, comment, pendant dix ans, le sangrave avait élevé les enfants de Danviou, essayant d'en faire ses marionnettes. S'il avait échoué avec Mara, qui le haïssait, c'était moins sûr avec Jar. Actuellement sous l'implacable férule d'Isabella sur Terre.

Le fantôme s'envola vers le plafond, oubliant, dans son excitation, de compatir aux souffrances de son épouse.

— J'ai trois enfants ! Deux filles et un fils ! C'est... c'est...

— Étonnant, oui, je sais, répliqua froidement Selena. Mais tu n'as pas répondu à ma question. Laquelle de mes filles est menacée ? Même si j'ai déjà une petite idée, j'aimerais bien savoir qui et pourquoi.

— Est-ce que l'endroit est sûr ? demanda soudain Danviou, essayant de reprendre le contrôle de la discussion.

— C'est un peu tard pour t'en préoccuper, ironisa Selena, mais la réponse est oui. Chaque jour, lorsque je m'absente, Magister fait planquer des scoops et des micros un peu partout dans ma suite, et, dès que je reviens, je m'empresse de faire tout griller. Cela l'amuse beaucoup. Alors ? Laquelle ?

Danviou lui raconta ce qu'il avait entendu en espionnant Magister. Arrutchir, la machine, Xoara, l'ordre de tuer Tara, tout.

Selena se mordilla le bout d'un doigt, loucha dessus et le retira de sa bouche, agacée.

— Tara, hein ? Pourquoi je ne suis pas étonnée ? Cela dit, je préfère, Mara est plus vulnérable, Tara saura se débrouiller.

Le fantôme en perdit la voix.

— ... ?

— Elle a affronté bien pire qu'une petite démone des Limbes, précisa Selena. Pour l'instant, ce n'est pas notre principal problème.

Danviou n'arrivait pas à en croire ses fantomatiques oreilles.

— Euh, Selena, tu peux répéter s'il te plaît, je ne suis pas sûr d'avoir bien entendu.

— Tu deviens sourd en vieillissant ? Ou est-ce que les fantômes entendent moins bien que les humains ?

Cette fois-ci, ce fut au fantôme de froncer les sourcils.

— Je ne te trouve pas très amicale, Selena. Tu as l'air en colère.

Selena s'avança vers lui et le fantôme recula.

— En colère ? Ah, mais pourquoi donc serais-je en colère ? grinça-t-elle. Après tout, tu m'as menti pendant deux ans, en me dissimulant qui tu étais vraiment, et tu t'es fait tuer, en m'abandonnant à ce... à ce monstre ! Aucune raison d'être en colère, n'est-ce pas ? Ce que, soit dit en passant, tu n'as pas l'air de trouver bien grave ! Vu que tu étais plus intéressé par le fait que tu avais deux autres enfants que par MON EMPRISONNE-MENT !

Le dernier mot frôla le subsonique.

Le fantôme grimaça.

— Tu... tu hurles très fort, ma chérie. Je t'assure, je ne suis pas sourd !

— Sourd, non ! hurla de plus belle Selena, mais idiot, irresponsable et imbécile, alors là oui ! Comment as-tu pu me cacher quelque chose d'aussi important ?

Le fantôme se drapa dans sa dignité.

— Que notre fille était menacée, mais je viens tout juste de l'appr...

— QUE TU ÉTAIS L'IMPERATOR D'OMOIS ! éructa Selena.

Le fantôme eut une petite moue impuissante. Le son approchait la limite de la douleur. Il se reprit :

— Oh, ça ? J'avais de très bonnes raisons et...

— Je les écoute, l'interrompit Selena, glaciale.

Danviou comprit qu'il n'avait pas intérêt à tergiverser.

— Je ne voulais pas retourner à Omois. Au Lancovit, j'étais un parfait anonyme. En dépit des avis de recherche, personne n'avait fait le lien entre l'image de l'Imperator qui avait disparu et celle du peintre qui travaillait pour la cour d'Omois. J'étais juste ton mari. Et Isabella aurait été trop contente que je sois un Imperator au lieu du petit gribouilleur qu'elle voyait en moi.

Selena se rapprocha encore, nez contre nez, au point qu'il dut reculer de nouveau, La voix de la ravissante jeune femme brune baissa de plusieurs décibels, devint froidement aiguisée :

— J'ai été prisonnière d'un monstre sanguinaire pendant dix ans, notre fille a été élevée par Isabella, qui n'est certainement pas un modèle d'amour maternel, Tara est constamment en danger à cause de ton stupide héritage et tout ce que tu trouves comme excuse, c'est que tu ne voulais pas faire plaisir à ma mère ? Mais quel sorte d'imbécile es-tu ?

— Un imbécile qui a payé très cher ses erreurs, répondit Danviou franchement. Au point d'en mourir.

Selena recula à son tour, frappée par ses paroles.

— Hum.

— Et depuis quand fais-tu confiance à notre fille de quinze ans pour affronter une démone tueuse et la vaincre ?

— Depuis qu'elle a tué Magister, empêché un coup d'État chez les dragons, détruit le trône de Silur et le Sceptre Maudit, stoppé la machine de Stonehenge activée par un dragon fou, sauvé la Terre au moins deux fois d'une invasion de démons, démoli la Reine Rouge et libéré les loups-garous du Continent Interdit de millénaires de servage, tout en déjouant un complot visant à détruire AutreMonde dans le feu et le sang. Le tout en jonglant avec ses obligations d'Héritière et ses cours de tous les jours.

Danviou était resté stupéfait par l'énumération de tout ce que Tara avait fait.

— Euh, notre fille ? Tara ?

— Oui, confirma fermement Selena. Notre fille. Tara. Son pouvoir est extrêmement puissant. Elle possède aussi l'étrange faculté de s'attacher des éléments de valeur. Ses amis donneraient leur vie pour elle et vice versa. Nous avons mis au monde une véritable guerrière, Danviou, et même si je sais qu'elle déteste cela, elle s'acquitte de sa tâche avec courage. C'est un amour d'enfant. J'en suis très fière.

Tout son amour et tout son orgueil de mère transparaissaient effectivement dans sa voix. Danviou se sentit ému. Et tout aussi fier, même s'il avait un peu de mal à faire coller l'image de la jolie petite fille qu'il avait revue trois ans plus tôt, alors qu'il avait été appelé par le Juge dans les Limbes démoniaques, avec la terreur que décrivait Selena. Puis il pensa que, comme toutes les mères, Selena avait tendance à exagérer les qualités de son enfant.

Sans savoir qu'en fait, Selena avait beaucoup édulcoré.

Il eut un tendre sourire incrédule.

Auquel Selena ne prêta aucune attention.

— De plus, continua-t-elle, je te signale qu'il est impossible de la contacter depuis déjà deux mois. Elle a tout simplement disparu. Il est évident qu'elle se cache. Je n'ai… nous n'avons… donc aucun moyen de la prévenir.

— Et sa boule de cristal ?

— Danviou, elle n'est pas idiote. Elle l'a déconnectée depuis longtemps. De plus, cette ligne est particulièrement écoutée. Si nous lui laissions un message pour la prévenir, Magister le saurait tout de suite. Il découvrirait que tu es ici. Et je ne donnerais pas cher de ta peau de fantôme.

Danviou la regarda.

— Tu ne m'aimes pas, n'est-ce pas ? dit-il tristement.

Selena posa un regard franc sur le visage de celui qu'elle avait tant aimé.

— Il s'est passé beaucoup de temps, Danviou, trop. Et quel serait notre avenir ? Tu es un fantôme !

Danviou se recroquevilla et vint se poser près de Selena.

— Mais moi, je t'aime toujours, Selena. Chaque instant que j'ai passé en OutreMonde, j'ai pensé à toi. Au moment où tu viendrais nous rejoindre et où, enfin, nous serions réunis.

— Tu voulais que je meure ? s'exclama Selena, choquée.

— Oui ! Enfin, non ! Mais cela serait arrivé un jour et peu m'importe que tu sois vieille et ridée, je...

Selena se leva d'un bond.

— Comment ça, vieille et ridée ?

Danviou comprit un peu tard qu'il avait commis une énorme erreur.

— Non, enfin ! Non, non, je veux dire, *quand* tu seras vieille et ridée, si tu meurs, ce n'est pas grave que tu arrives dans cet état, tu comprends.

— Non, je ne comprends pas, répondit Selena, les mâchoires crispées. Et tu sais quoi, Danviou ?

— Quoi ?

— Je ne me souviens pas du tout pourquoi j'étais amoureuse de toi !

Et avant que Danviou puisse réagir, elle sortit en claquant la porte, ratant de justesse le bout de la queue de son puma qui la suivait.

Le fantôme en resta la bouche ouverte.

— Mais... mais... Selena !

Mais la porte resta close. Et les meubles de la ravissante chambre rose semblaient se moquer de lui dans son dos.

— Flûte, mais quel imbécile je suis ! maugréa Danviou. Comment en sommes-nous venus de « ma fille est en danger » à « je ne veux plus te parler » ! Ah, les femmes ! Bon, qu'elle le veuille ou pas, il faut que je trouve un moyen de parler à ma fille et de la prévenir pour Xoara. Je ne peux pas trouver Tara. Mais la démone, elle, peut trouver Tara. Donc, il faut que je suive la démone...

Il s'enroula sur lui-même, mince toron de fumée, et fila à travers le mur, rasant les plinthes. Il trouva la démone en train d'interroger les gardes de la salle de transfert. Celui à qui elle s'adressait était suspendu par le cou à sa queue, elle l'agitait d'un air agacé.

— Non, non, ce n'est pas ça. Je veux savoir où la petite humaine qui sent si bon est allée. Tara Duncan est son nom.

Le cou du garde émit un alarmant craquement et il devint tout mou. La démone le balança de côté avec dépit.

— Vous êtes vraiment une race très fragile. Je ne comprends toujours pas comment vous avez fait pour vaincre les grands démons des Limbes. Curieux. Alors, à qui le tour ?

— Travia ! cria un garde qui était en train de compulser fiévreusement les archives. Elle est partie à Travia. Nous avons envoyé des escouades de gardes et de fantômes au Lancovit, mais il a été impossible de la trouver. Nous pensons qu'elle a quitté le Château Vivant dès son arrivée.

— Tsss tsss tsss, vous n'êtes pas ici pour penser, garde. Je vais me rendre à ce Château Vivant. Nous verrons bien si elle y est toujours ou pas.

Les gardes activèrent les tapisseries de transfert et l'expédièrent en quelques secondes. Ainsi que le fantôme qui s'était enroulé autour de la ceinture de la démone.

Selena et son puma se glissaient discrètement dans le Palais.

Enfin, le plus discrètement possible, vu que deux gardes et une demi-douzaine de fantômes curieux les accompagnaient, ce qui faisait qu'au niveau discrétion, on pouvait faire nettement mieux. Bien sûr, Selena avait menti. Et la scène qu'elle avait orchestrée devant Danviou était en grande partie fictive.

Comme une violoniste très douée, Selena avait joué de sa colère pour le convaincre.

Et il avait écouté sa musique, oh oui !

Elle n'avait pas hésité à le tromper. Après tout, il était un fantôme. Qui pouvait connaître ses véritables intentions ? Il pouvait avoir dit la vérité sur la machine antifantômes. Pour sauver sa fille ou pour sauver sa peau de fantôme ?

Il pouvait aussi avoir menti. Pour l'obliger à trahir Tara.

Sambor lui lança une image. Celle de Danviou et de Selena enlacés. Le puma avait horreur des conflits. Mais Selena la rejeta.

Tout en marchant de plus en plus vite dans le Palais, elle se dit, se persuada, se convainquit qu'elle ne pouvait courir le risque. Aucun fantôme n'était digne de confiance. Même si elle avait vu que la vieille Impératrice était apparemment de son côté, ce n'était pas une certitude. Et si Danviou l'avait mieux connue, il aurait su que jamais de la vie elle ne pourrait laisser sa fille courir un danger sans tenter de la prévenir.

Alors pourquoi sentait-elle de l'humidité dans ses yeux ? Pourquoi avait-elle tellement envie de pouvoir faire confiance à quelqu'un ? D'une solide épaule sur laquelle pleurer ?

Rageusement, elle essuya ses larmes.

Accéléra encore et fonça vers la prison.

Les fantômes n'aimaient pas trop l'endroit, à cause de la petite statue annihilatrice de magie. Cela ne pouvait les tuer, mais les affectait cependant suffisamment pour qu'ils ne se sentent pas à l'aise.

Bien.

Restait à se débarrasser de ses gardes.

Elle franchit plusieurs points de contrôle et réclama une certaine clef afin de s'entretenir avec une certaine prisonnière.

La responsable de la prison, une magnifique thug à six bras, comme la gouvernante, Dame Kali, la lui donna avec réticence. Et la prévint qu'elle allait devoir en avertir ses supérieurs.

— Je crois savoir que vous avez des tas et des tas de supérieurs, demanda Selena calmement, qu'il faut bien entendu avertir selon la chaîne hiérarchique ? Un par un ?

La thug eut un sourire tordu. Elle avait compris.

— Il faut que j'avertisse mon sergent, qui devra avertir le capitaine, puis le commandant et enfin notre chef, maître Xandiar. Il est encore très tôt. Cela devrait prendre du temps.

Selena lui sourit en retour.

— Parfait. Ma visite ne devrait pas être longue.

Elle ne traîna pas et arriva enfin à l'endroit où la statue n'agissait plus, bien que protégeant le reste de la prison d'un cercle inviolable.

La cellule de Moineau.

Selena ordonna aux gardes de se tenir éloignés et ils obéirent sans discuter. Ils avaient ordre de la garder, pas de l'espionner. Comme la majorité des thugs, ils n'étaient pas possédés. Et conservaient leur affection à la mère de leur Héritière.

Cependant, ils sursautèrent lorsque, d'un geste brusque, Selena carbonisa les scoops qui surveillaient la prison. L'alarme se déclencha, puis se tut très vite. Ah ! la thug continuait à l'aider.

Les yeux écarquillés par la surprise, Moineau s'approcha péniblement des barreaux et sourit à Selena. Elle était sous sa forme humaine, très amaigrie par ces deux mois passés sous forme de Bête.

— Dame Duncan, s'exclama-t-elle, que me vaut cet honneur ?

Selena se sentit tout de suite coupable de n'être pas venue avant. Avec tout ce qui s'était passé, elle n'était venue ni à la prison ni à l'infirmerie où se trouvaient ceux qui avaient été blessés dans l'invasion.

Elle glissa la clef dans la porte et l'ouvrit d'un geste vif.

— Appelle-moi Selena, ma chérie. Et je vais avoir besoin de toi.

Moineau ne fit pas mine de sortir.

— Qu'est-ce que vous faites ? demanda-t-elle d'une voix étranglée par la surprise.

— Là ? Je te libère, pourquoi ?

— Vous... vous me libérez ? Mais...

— Tu dois retrouver ma fille et la prévenir qu'une démone a été envoyée à ses trousses pour la tuer. Elle s'appelle Xoara, peut prendre n'importe quelle apparence, y compris celle d'un proche ou d'une adorable petite fille, son incarnation préférée d'après ce qu'on m'a dit. Tara ne doit faire confiance à personne ! Et elle doit savoir que Magister a envoyé également toute une escouade afin de récupérer une certaine machine capable de détruire tous les fantômes se trouvant sur Autre-Monde. Laquelle machine est enterrée chez les Edrakins, sur l'île de Patrok.

Moineau retint sa respiration. Une machine ?

— Magister est un malin, il n'a pas expliqué aux Edrakins ce que faisait cette machine, continua sombrement Selena, mais il les a prévenus que Tara pourrait bien se rendre sur l'île. Donc, ces derniers feront tout pour tuer Tara. Entre Xoara et les Edrakins, Tara risque de ne pas s'en sortir. Quelqu'un doit lui révéler ce que j'ai appris.

Moineau absorba le flot d'informations comme si elle avait été percutée par un dragon. Puis elle se prit la tête à deux mains, recula dans le fond de la cellule et émit un gémissement désespéré.

— Je ne peux pas partir ! Je ne peux pas !

Alors là, Selena s'attendait à tout sauf à ça. Puis, voyant la détresse de Moineau, elle comprit.

— C'est à cause de Fabrice, c'est ça ?

— Oui, il… je…

— Dis-moi, jeune princesse Gloria, sais-tu ce qu'il se produira si ma fille trouve la machine antifantômes la première ?

Enfin, si Tara avait réussi à découvrir qu'il existait une machine et l'endroit où elle se trouvait…

— Les fantômes seront détruits et…

— … et Magister avec. Oui. Je crois donc qu'il serait bon que tu puisses convaincre ton ami Fabrice que revenir dans le camp des gentils est un bien meilleur choix de carrière.

Moineau la regarda, consternée

— « Je dois rapporter quelque chose » !

— Pardon ?

— C'est ce qu'il a dit : « Je dois rapporter quelque chose. » La mission de Fabrice ! Dont il n'a pas voulu me parler ! L'escouade. C'est ça, il doit retrouver la machine ! Et l'apporter à Magister !

Ah ! ça, c'était un détail que Selena n'avait pas eu l'intention de révéler à Moineau. Mais cela allait peut-être l'aider après tout.

— Oui, répondit-elle fermement. Il dirige cette expédition. Avec Selenba.

Moineau vacilla

— Il a parlé d'un deal. Ma vie, en échange du succès de la mission.

Selena se mordit la lèvre. Magister savait très bien provoquer la loyauté. À coups de chantage, impliquant sang et mort en cas d'échec. Mais celui-ci allait se retourner contre lui si Moineau suivait le même cheminement de pensée qu'elle. Selena retint sa respiration.

La jeune fille ne la déçut pas.

— Mais c'est une catastrophe, explosa-t-elle, si Fabrice et Tara ont le même but, ils vont s'affronter ! Surtout si…

— … surtout si Fabrice croit que son succès est le garant de ta vie, c'est exact.

La surprenant, Moineau bondit et sortit de la cellule, l'air complètement affolée.

— Il faut que je les retrouve !

— Oui, là, nous sommes d'accord.

— Mais comment allons-nous faire ? demanda Moineau en désignant les deux gardes qui fronçaient les sourcils en voyant la prisonnière sortir de sa cellule.

Selena brandit un petit objet et le lui remit.

— Grâce à ceci. C'est un Transmitus automatique. Le service gadget des laboratoires d'Omois m'en a fabriqué plusieurs. J'en ai utilisé un pour échapper à Magister, lorsqu'il m'a attaqué il y a quelques mois. Il a renforcé les anti-Transmitus afin que personne ne puisse pénétrer dans le Palais ou en sortir sans accord. Mais lorsque Elseth a transformé le courtisan en ballons, le corps de Lisbeth a été transféré par un Transmitus automatique. Identique au mien. Je pense donc que Magister n'a pas bloqué ce type précis de Transmitus. Sans l'incident du trône, je ne m'en serais pas rendu compte. Je te donne celui-ci, il te transportera automatiquement au Lancovit, dans la maison qu'y possède encore ma mère Isabella.

Moineau fronça les sourcils.

— Je devrais peut-être la prévenir.

Elle connaissait l'implacable grand-mère de Tara et n'avait pas envie d'être transformée en brochette.

— Inutile. Elle est sur Terre. Une fois au Lancovit, tu devras tout de suite t'éloigner de l'endroit où tu auras atterri. Ils sont capables de repérer les Transmitus grâce aux satellites. Ne te fais pas capturer de nouveau, ce serait trop bête. Essaie de contacter la Résistance, ils savent que tu es une amie de Tara, ils t'aideront. Si tu n'y arrives pas, va sur l'île des Edrakins. Fais très attention, là-bas, tu ne devras pas utiliser de magie.

Moineau hocha la tête. Elle connaissait les Edrakins. Et leurs curieux tabous. Elle prit la petite boule luisante de magie d'un air dubitatif.

— Et si ça ne fonctionne pas ?

— Alors, nous trouverons autre chose, assura Selena, qui n'avait absolument aucune idée de ce qu'elle ferait si cela échouait, mais n'avait pas l'intention de l'avouer à Moineau.

Celle-ci posa la question qui lui brûlait les lèvres :

— Pourquoi ne l'utilisez-vous pas ? Pour vous enfuir ?

— Je préfère vous aider à partir de l'intérieur. Voici une boule de cristal. Son numéro n'est pas répertorié dans les annuaires, je possède sa jumelle, qui vient aussi des labos. Nous pourrons parler sans que personne nous espionne. Je te préviendrai de toute nouvelle importante.

Soudain, Moineau s'affola... enfin, s'affola encore plus.

— Mais... et Sheeba ?

— Certains des gardes sont restés mes alliés, en dépit de la peur que leur inspire Magister. Ta panthère est déjà libre et a été cachée pendant que je venais ici. Magister ne la trouvera pas, le Palais est immense. Je veillerai sur elle. Mais je ne peux vous réunir, car la rejoindre serait trop compliqué.

La jeune fille hocha la tête, peu convaincue, mais obéissante. Elle espérait juste que Sheeba se tiendrait tranquille en sentant le lien se distendre entre elles.

— Va maintenant, intima Selena, je crois que les gardes commencent à se dire qu'il se passe des choses bizarres.

Moineau releva les yeux. Des tas de gens, dont Xandiar, arrivaient à fond la caisse depuis le bout du couloir. Les deux gardes de Selena se rapprochaient, incertains.

Elles n'avaient plus beaucoup de temps. Moineau étreignit très fort Selena.

Puis recula et lança la boule devant elle.

Il y eut un éclair éblouissant et, lorsqu'il se dissipa, Selena, soulagée, vit que Moineau avait disparu. Cela avait fonctionné !

Elle ne prit pas garde à l'ombre qui s'était fondue dans le noir de la prison.

Son magnifique sourire disparut lorsque les gardes se ruèrent sur elle, suivis par le fantôme qui possédait Xandiar, à moitié hystérique. Elle posa la main sur le pelage doré de Sambor afin de se rassurer.

À présent, elle allait devoir affronter Magister.

Et surtout mettre en place le complot qui allait permettre de l'éliminer.

Les choses étaient en train de se compliquer.

13

Cal le vampyr

ou comment faire un truc génial et que personne
ne vous en félicite parce que personne n'est au courant...

La Chose regarda le cadavre de mooouuu et rigola. Enfin, un psychopathe au dernier stade de la démence aurait pu prendre cela pour un rire.

Ahh, ils la bridaient! Ahhh, ils pensaient que tant qu'elle chassait elle était inoffensive pour eux! Eh bien, ils allaient très vite déchanter. Avant la fin de ce stupide voyage, elle aurait réussi à dévorer les deux jolies filles.

Elle se lécha les babines et laissa le minable reprendre les rênes.

Le corps épineux et monstrueux laissa la place au magnifique Sylver. Qui retint un glapissement d'horreur lorsque son regard tomba sur la carcasse éviscérée. Enfin, ce qu'il en restait.

Parfois, il parvenait à maîtriser la Chose, comme lorsqu'elle avait attaqué Tara. Parfois, celle-ci prenait le dessus, parvenant à contrôler son cerveau au point qu'il déconnectait totalement. Il ne reprenait conscience que devant le fait accompli. C'était... crispant.

Près de là coulait un petit ruisseau clair. Il l'utilisa pour se laver. Tout son corps était recouvert d'un vernis de sang rougeâtre.

Et ce qui le dérangeait le plus, c'était... que cela ne le dérangeait pas. Il aimait plutôt l'odeur du sang. Se pouvait-il qu'il soit une sorte de vampyr? À sa connaissance, ils étaient la seule race qui aimait cela au point de s'en nourrir exclusivement.

Il tâta ses dents du bout de sa langue. Non, résolument humaines. Il poussa un soupir frustré. Encore une piste qui s'envolait.

Bon, autant retirer ses vêtements. Sinon, il ne pourrait jamais se laver complètement. Il s'adressa à la Chose, mécontent.

— Espèce d'imbécile, dit-il à voix haute en se déshabillant, tu ne pourrais pas retirer tes vêtements... nos vêtements, avant d'aller décimer les troupeaux ? Ça m'éviterait d'avoir à les laver !

Dans le fond de son esprit, il entendit un ricanement. Non, la Chose n'avait pas l'intention de lui faciliter la vie.

Il était parfaitement nu lorsqu'une voix derrière lui le fit plonger dans l'eau. Les nains sont très pudiques et Sylver ne disposait pas, comme la majorité d'entre eux, d'un système pileux suffisamment développé pour se dissimuler.

— Tu parlais tout seul, Sylver ? disait la voix.

Angelica, ravie d'avoir retrouvé Sylver, se repaissait du superbe spectacle. Les épaules du garçon, musclées par des années d'entraînement à la hache et au sabre, avaient la blancheur de l'albâtre. Sous le soleil, tout son corps brillait, enflammé par la lumière, jusqu'à ses mèches caramel ruisselantes d'eau. Et lorsqu'elle regardait son ventre, Angelica trouvait que le mot « tablettes de chocolat » ne rendait pas hommage à la perfection de ses abdominaux.

Miam miam...

Elle avait fini par s'habituer à la Chose, au cours des derniers jours. Même si elle refusait toujours de dormir en leur compagnie et qu'elle s'enfermait toutes les nuits dans le tapis, elle avait retrouvé tout son allant et cherchait fiévreusement le moyen de séduire Sylver, sans y laisser sa peau. Et pas au sens figuré.

Parce que, contrairement à Sylver et à Tara qui ne connaissaient pas les Edrakins, Angelica ne négligeait pas la possibilité de mourir, bêtement, sur cette île maudite. À la seconde où Tara activerait sa magie, puis celle de la machine, les Edrakins seraient sur eux.

Et ni sa Main-de-Lumière, ni le pouvoir de Tara, ni la machine antifantômes ne pourraient les sauver.

Savoir que son seul et unique acte d'altruisme pour sauver cette foutue planète risquait bien de n'être jamais connu lui donnait des boutons.

Tara, qui avait parfaitement compris à quel point Angelica s'en voulait, évitait prudemment le sujet. Mais se faisait du souci.

Sylver, terrorisé à l'idée de blesser l'une des deux, s'isolait de plus en plus. Or, l'une des forces dont avait parlé son demi-oncle, l'Imperator, lors de leurs leçons quotidiennes, à Tara était l'harmonie.

— Tara, disait Sandor (après lui avoir décrit une escarmouche, un guet-apens ou carrément une guerre gagnée par un petit bataillon de soldats face à une grosse armée), les combattants doivent savoir qu'ils peuvent compter les uns sur les autres, quoi qu'il arrive. Si la confiance n'existe pas, alors la mission n'existe pas.

Et là, de la confiance, il n'y en avait pas des masses.

De plus, en dépit de toute son assurance, Tara sentait les remords ronger ses convictions, jour après jour. Elle savait qu'elle avait besoin de Sylver et d'Angelica. Et priait à chaque instant pour trouver une solution qui lui permettrait de remplir la mission toute seule.

Son unique regret était qu'elle n'aurait sans doute pas le temps de dire au revoir à ses amis et à sa mère. Alors, elle avait décidé de coucher par écrit ses derniers jours et tout l'amour qu'elle éprouvait pour sa famille dans le Livre des Sombres Secrets. Elle n'était pas censée faire cela puisqu'elle n'était pas Impératrice en exercice, mais elle voulait qu'il reste quelque chose d'elle, et le livre était trop précieux pour être détruit. D'une façon ou d'une autre, il reviendrait à Omois. Heureusement, sa copie ne se dupliquait pas automatiquement avec l'original. Sinon, elle n'aurait rien pu écrire.

Peut-être que sa mère se consolerait en apprenant que les dernières pensées de sa fille avaient été pour elle.

En attendant ce moment, elle regarda l'affrontement entre Angelica et Sylver. Sylver voulait récupérer ses vêtements, abandonnés sur la rive. Angelica aussi voulait qu'il les récupère.

Mais ils n'étaient pas tout à fait d'accord sur la méthode. Sylver insistait pour qu'Angelica les lui lance et Angelica trouvait qu'il serait nettement préférable que Sylver vienne sur la rive.

Et, non, cela ne la gênait pas du tout. Au cas où on aurait posé la question. Que personne ne se posait d'ailleurs.

Tara dissimula un sourire, et par hasard son regard se porta sur le mooouuu éventré. Yerk! Elle remonta vers les deux têtes… et retint son souffle.

— Angelica?

— Quoi ? demanda sèchement la grande fille, furieuse d'être dérangée.

— Dis-moi que ce mooouuu n'a pas de collier.

Angelica se détourna un instant, Sylver en profita pour bondir... et replonger aussi vite. Angelica n'eut droit qu'à un éclair de fesses blanches.

— Tu as triché ! lui cria-t-elle pendant que le garçon, satisfait, enfilait tout ce qui lui tombait sous la main... et pas forcément dans le bon sens.

Angelica fusilla Tara du regard. Elle examina l'animal qui gisait, entouré de mouches à sang bourdonnant d'extase.

— Je te confirme. Ce mooouuu a deux colliers. Un à chaque cou.

— Slurk !

Ce juron lui venait de plus en plus spontanément à la bouche.

— Je ne te le fais pas dire. Je pense que nous avons, de nouveau, un Cultiveur à dédommager. Dis donc, Sylver, la Chose, là, elle s'attaque à des animaux sauvages, normalement, je croyais que cela l'amusait plus que d'égorger des animaux domestiques ? Surtout parce qu'elle peut leur courir après ?

— Apparemment non, répondit Sylver, qui tentait de remettre ses chaussures au milieu de la rivière sans se casser la figure. Je pense qu'elle fait cela pour nous ennuyer.

— Ben, tu pourras lui dire que c'est réussi. Elle commence sérieusement à me courir sur le haricot.

Sylver, comme tous les nains, n'était pas à l'aise avec le langage figuré.

— Sur quel haricot ? demanda-t-il poliment.

— C'est une expression pour dire qu'elle me gonfle.

— Qu'elle vous gonfle, Damoiselle ?

Il eut l'air vaguement inquiet, comme si Angelica risquait d'enfler d'un moment à l'autre.

Tara le prit en pitié.

— Qu'elle nous agace. Cela signifie qu'elle nous agace.

— Tu sais, Sylver, je n'en ai rien à faire de tes pieds, ironisa Angelica, alors tu peux sortir de ce ruisseau pour terminer de t'habiller, il ne reste rien de bien intéressant à voir.

Un « plouf ! » retentissant salua sa remarque sarcastique. Sylver, un peu étonné, émergea, tandis que sa chaussure, victorieuse, filait au gré du courant. En un bond il fut dessus, se noya à moitié et remonta sur la rive en crachotant.

— Il va falloir laisser un crédit-mut de bronze au Cultiveur près de ce cadavre, indiqua-t-il, ruisselant, tout en remettant sa chaussure vagabonde.

Tara déplia sa carte, afin de voir où ils se trouvaient exactement. Ils avaient franchi depuis longtemps la frontière entre le Lancovit et Viridis, dépassé Tiran et Osor, les deux plus grandes villes de ce pays heureusement peu peuplé.

Soudain, Sylver fronça son nez parfait.

— C'est… c'est curieux, dit-il, je sens… quelque chose, une odeur que je ne connais pas.

Ils avaient volé bas toute la nuit et s'étaient posés deux heures plus tôt, alors que le jour se levait à peine.

Tara replia sa carte en dépit de ses protestations, marcha jusqu'en haut de la colline qui les surplombait et fit signe à Sylver de la rejoindre. Elle qui avait habité près de la mer, dans le Sud-Ouest, avait reconnu l'odeur.

Ils arrivaient au bout de leur voyage continental. Sous les yeux émerveillés de Sylver s'étendaient les flots infinis de l'Océan des Brumes.

Il en avait la gorge serrée.

— C'est… c'est magnifique, finit-il par dire.

— Mouais, bof, c'est de l'eau. Mouillée. Salée. Qui pique, ronchonna Angelica qui n'avait pas la fibre poétique, Dans laquelle on se noie, avec des tas de bestioles bizarres. Tu t'en lasseras très vite.

Rien de tel qu'une Angelica pour gâcher un merveilleux moment de découverte.

— Maintenant, il faut qu'on trouve un bateau, dit Tara.

Les deux autres la regardèrent d'un air étonné.

— Un bateau ? finit par demander Angelica, pour quoi faire ?

— Ben, pour naviguer jusqu'à Patrok.

— Le tapis sera bien suffisant. J'arrive pas à croire qu'ils veulent faire de toi l'Héritière d'Omois. Tu ne sais rien de cette planète !

Tara ouvrit la bouche. Et la referma. Effectivement, elle n'avait pas encore les réflexes des autres habitants d'AutreMonde. Mais si cela lui jouait parfois des tours, cela lui avait aussi souvent sauvé la vie, parce qu'elle avait fait des choses que les autres pensaient impossibles.

— Donc, résuma-t-elle, nous n'avons pas besoin de nous cacher à bord d'un bateau, au risque de nous faire repérer par le capitaine, jeter aux fers et de terminer comme esclaves à ramer jusqu'à la fin de nos jours ?

Angelica et Sylver ouvraient de grands yeux.

— La magie meut les bateaux, Damoiselle, répondit lentement Sylver, je ne vois pas très bien pourquoi les gens rameraient, même si les nonsos utilisent parfois des canots à rames. Et si vous avez des esclaves sur Terre, alors il m'apparaît que ma quête doit peut-être commencer plutôt sur votre planète.

— Non, non, nous n'en avons pas. Je plaisantais, dit Tara très vite.

L'espace d'un instant, elle avait oublié qu'elle n'était pas avec Fabrice, qui, lui, aurait compris son sens de l'humour.

Elle retint un soupir. Ses amis lui manquaient cruellement.

Ils se déplacèrent à la fois pour se rapprocher de la côte et pour s'éloigner du mooouuu. Après lui avoir glissé un crédit-mut de bronze dans les dents.

Ils ne pouvaient imaginer qu'ils allaient ainsi créer la légende des « crédits-muts magiques », car, par un étrange hasard, plusieurs des animaux tués appartenaient au même village. Et la valeur des crédits-muts était bien supérieure à celle des animaux.

Il y a des petits malins partout. Il y eut ceux qui furent très contents de gagner de l'argent sans rien faire, et ceux qui voulurent forcer la chance.

Évidemment, ceux qui égorgèrent leurs bêtes, espérant trouver un crédit-mut de bronze entre leurs dents le lendemain matin, furent vraiment déçus.

Par prudence, Tara et ses compagnons attendirent la nuit pour s'aventurer sur l'eau. Ils n'avaient pas envie de se faire repérer et il y avait beaucoup d'embarcations et de tapis, pégases et autres machins volants, dans les airs au-dessus, sur, en dessous de l'Océan.

À l'endroit où ils se tenaient, la côte était escarpée et les vagues frappaient le roc avec violence. Ils virent de jeunes sortceliers, nonsos et tritons surfer en poussant de grands cris de joie, volant presque sur la crête mousseuse des grandes vagues bleues.

Un instant, Tara se sentit prise d'une jalousie féroce. Ils avaient son âge et toute la vie devant eux, alors qu'elle n'était que devoir et souffrance. Et, pendant une infime seconde, la mesquine pensée de tout laisser tomber et de se joindre à la bande pour vivre de surf, de soleil et d'eau fraîche lui traversa l'esprit.

Puis cela passa. Surtout lorsque trois d'entre eux se prirent une grosse gamelle et ressortirent de l'eau moulus et crachant de l'eau partout.

Finalement, le surf, c'était très surfait.

Enfin, les deux lunes, Tadix et Madix, se levèrent. La nuit était très différente sur AutreMonde et sur la Terre. AutreMonde était près du centre de la Galaxie et les étoiles s'y pressaient. La nuit flamboyait. Les flots creusaient des lames gigantesques sous l'attraction des lunes et Tara se prit d'admiration pour les courageux pêcheurs qui les affrontaient. C'était magnifique et immense en même temps. Elle regarda ses compagnons pour voir s'ils partageaient son admiration. Sylver lui sourit. Lui aussi était impressionné. Ils partagèrent ce moment de grâce.

Sans Angelica, trop terrorisée par ce qui les attendait pour apprécier le paysage.

Juste avant de partir, ils regardèrent les informations. Une vague d'attentats contre les fantômes avait eu lieu au Lancovit. Le Roi et la Reine du Lancovit en avaient été victimes ou, plutôt, selon leur réaction, les bénéficiaires.

Ils apparurent aux informations, des bandages autour du cou, leurs joues bouffies ruisselantes de larmes de soulagement. Curieusement, ils étaient recouverts d'une couche miroitante qui les enveloppait. Tara comprit tout à coup que c'était du sel.

— C'était un ou une vampyr, annonça le Roi Bear, avec une sauvage satisfaction. La lumière s'est éteinte, nous ne l'avons pas vu, mais il ou elle s'est attaqué au salopard de fantôme qui m'avait possédé, puis il/elle a détruit celui qui possédait ma Reine. Ensuite, il/elle a disparu. Mais il/elle a laissé un mot, à l'intention de ceux qui auraient envie de nous posséder de nouveau.

Le Roi sortit un morceau de papier ensanglanté de sa poche et le plaqua violemment sur l'objectif de la scoop la plus proche. Le texte apparut en gros :

JE SAIS COMMENT VOUS TROUVER
JE SAIS COMMENT VOUS DÉTRUIRE
JE SERAI SANS PITIÉ
TOUCHEZ-LES DE NOUVEAU
VOUS NE VERREZ PAS UN AUTRE JOUR
SIGNÉ : DRACULA

Tara éclata de rire, faisant sursauter ses deux compagnons.

— C'est Cal ! s'exclama-t-elle, morte de rire devant la signature. Il adore les films de la Terre. C'est lui, c'est sûr ! Il a dû délivrer sa famille et en a profité pour faire le ménage au Lancovit. Ohhh, Magister ne va pas aimer, non, il ne va pas aimer du tout !

Effectivement, Magister n'avait pas aimé.

Juste après la diffusion de la vidéo qui tournait en boucle sur toutes les chaînes d'AutreMonde, Omois avait annoncé qu'il fermait ses frontières et rompait les relations diplomatiques avec la Krasalvie. Les vampyrs avaient vigoureusement protesté de leur innocence. Aucun d'entre eux, jamais, n'aurait bu le sang d'un humain, cela les empoisonnait, réduisait leur espérance de vie, etc. De plus, la dépendance au sang humain rendait plus ou moins fou.

Les cristallistes qui avaient afflué en Krasalvie pour interroger le président des vampyrs l'avaient cru. De fait, il disait la stricte vérité. Il y avait deux vampyrs buveurs de sang à Omois, un à Vilain. Mais celui du Lancovit venait de rentrer en Krasalvie, blessé.

Donc, officiellement, le président des vampyrs s'était très sincèrement inquiété de ce vampyr buveur de sang humain, sachant qu'il n'y avait aucun vampyr répertorié présent au Lancovit.

Enfin, à part Tara Duncan.

Ça, c'était un coup d'A'rno et de Kyla, la fille du président des vampyrs.

Mettre « tact, diplomatie et discrétion » dans la même phrase que les noms d'A'rno et de Kyla était un oxymoron. Impossible.

Lorsqu'elle avait été interrogée, Kyla avait souligné que les deux seuls vampyrs qui échappaient totalement au contrôle de la Krasalvie étaient Selenba, alliée de Magister donc forcément innocente du forfait, et... Tara Duncan.

Dès lors, la partie était jouée. Surtout lorsque A'rno, fort de son statut d'elfe apolitique petit ami de la fille du président vampyr, avait renchéri en disant qu'il trouvait la bataille que Tara menait « absolument foooormidabllle ! ».

À la consternation grandissante de Tara au fur et à mesure que les vidéos défilaient, tout le monde avait été convaincu qu'elle était derrière les agressions. Sans compter que des petits malins s'étaient souvenus qu'elle avait été élevée sur Terre. Et que Dracula était une légende terrienne qui avait donné lieu à plusieurs livres, dont le premier, écrit par Bram Stoker, avait été abondamment adapté au cinéma.

Angelica la regarda, un mauvais sourire aux lèvres.

— Ils pensent tous que c'est toi la coupable.

— Oui, j'ai vu, merci !

— Mais l'avantage, fit remarquer Sylver, c'est qu'ils vont vous chercher au Lancovit, Damoiselle, pas ici. C'est une bonne chose.

— Hum, en tant qu'Héritière d'Omois je ne suis pas sûre de trouver adéquat que tout le monde me prenne pour une fille qui boit le sang des gens et dévore les fantômes.

Angelica gloussa. Tara n'avait pas l'habitude de la voir rire, enfin, à part un rire sarcastique ou méchant. Là, son gloussement exprimait une véritable joie. Qui empira, au point qu'elle se roula par terre en se tenant les côtes. Sylver et Tara échangèrent des regards interloqués.

Évidemment, voir les deux adolescents la contempler d'un air étonné n'arrangeait pas les choses. Dès qu'elle levait les yeux vers eux, Angelica repartait dans son fou rire.

— Cal doit être furieux, finit-elle par dire d'un ton ravi en essuyant ses joues couvertes de larmes.

— Furieux ? Pourquoi, il a sauvé le royaume, non ?

— Mais c'est ça qui est génial. Il a réussi à tromper la garde du Lancovit, a bu le sang de ses souverains, les a délivrés des fantômes, ce qui est un véritable exploit, digne d'une médaille, et c'est toi qui en retires tout le crédit ! Ohhhh, quel délice !

Ah ! Tara comprenait mieux sa joie. Et Angelica avait raison. Cal ne devait pas apprécier. Les autres victimes... en quelque sorte... du vampyr furent interrogées par les cristallistes. Toutes avaient des blessures au cou, qui, en dépit des Reparus, cicatrisaient mal. En tout, une quinzaine de membres du gouvernement avaient été délivrés de l'emprise des fantômes. Et les nouveaux fantômes, avertis de ce qui les attendait (ceux qui avaient tenté d'ignorer les avertissements avaient immédiatement été dévorés), avaient en bloc décidé de snober les ordres de Magister et refusé de posséder les gens du Lancovit.

Les fantômes commencèrent à avoir peur du noir. Car le ou la mystérieuse vampyr n'attaquait que dans le noir total.

Tous les services secrets des différentes planètes le savent. Il est tout simplement impossible de protéger quelqu'un vingt-quatre, vingt-six ou trente-deux heures sur trente-deux. Et encore moins d'un vampyr qui n'avait pas besoin de magie pour se transformer et pénétrer les plus efficaces défenses.

Du coup, pas fous, les fantômes fuyaient. Dans très peu de temps, il n'en resterait plus aucun au Lancovit. La plupart d'entre eux avaient finalement trouvé qu'OutreMonde était un endroit nettement plus calme et paisible, où personne ne risquait de se faire dévorer. Et y étaient retournés.

Enfin, une seule question brûlait les lèvres des cristallistes : à quel moment Tara Duncan irait-elle à Omois affronter Magister ? Les paris s'envolaient et les bookmakers faisaient fortune. Ce qui était une invasion majeure était en train de se transformer en quelque chose d'autre.

Un affrontement.

Que Tara avait la ferme intention de gagner en renvoyant Magister au di... ailleurs.

Elle se leva d'un bond.

— Faut qu'on y aille !

Angelica sursauta.

— Ah ! tu ne vas pas recommencer, on t'a déjà dit que...

— Pas au Lancovit ! À Patrok. Plus on lui laisse de temps, plus Magister pourra faire de dégâts. Je suis même étonnée qu'il n'ait pas encore déclaré la guerre à la moitié d'AutreMonde. Rompre les relations diplomatiques, fermer les frontières, c'est vraiment du grand n'importe quoi. Et les échanges commerciaux, il en fait quoi, cet abruti ! Quand il n'aura plus de pain ou de steaks sur sa table, là, il comprendra son erreur, mais ce sera trop tard !

Angelica cligna des yeux.

— Nous allons probablement mourir sur cette île infernale et toi tu t'inquiètes du commerce ?

Embarrassée, Tara fit la grimace. Elle avait été formée par l'Impératrice et l'Imperator à voir le bien de l'empire avant celui des individus. Elle écarta l'objection de la main. Elle aurait bien le temps d'expliquer son point de vue un autre jour.

Elle sauta à bord du tapis et ils partirent pour Patrok.

L'immense océan n'était pas vide, loin de là. Ils survolèrent de nombreuses scènes de pêche ou de traite des énormes balbounes rouges, dont le lait, le beurre et la crème étaient si réputés sur AutreMonde.

Lorsque les pêcheurs saluèrent le tapis qui les survolait, Angelica grinça des dents et le fit s'élever. Plus ils seraient discrets, mieux ce serait. Régulièrement, ils voyaient des plates-formes de repos destinées aux tapis et aux pégases qui se déplaçaient. Comme ils étaient trois, ils pouvaient se permettre de ne pas s'arrêter. Ils enchaînèrent la Chose, qui apprécia peu, chaque fois que Sylver ressentit le besoin de dormir.

Et Galant, Tara ou Angelica (cette dernière en râlant beaucoup, car elle avait peur de la Chose) montaient la garde.

L'Élémentaire d'eau, bien que petit, était suffisant pour des toilettes sommaires et, de temps en temps, ils se baignèrent dans la mer, plongeant à partir du tapis.

Sylver, qui coulait très bien mais nageait très mal, restait à bord, prêt à intervenir si l'une des filles avait des problèmes.

Les baignades se firent plus rares le jour où ils croisèrent un kraken. Enfin, plus précisément, après qu'un « imbécile de kraken les avait confondus avec son petit-déjeuner », comme devait le dire Angelica plus tard.

Lorsqu'elle put retrouver sa voix.

Ils étaient tranquillement en train de survoler les flots agités par une grosse pluie battante, heureusement bien calfeutrés sous la bulle recouvrant le tapis, lorsqu'un énorme tentacule s'éleva et les attrapa. L'instant d'après, sens dessus dessous, les trois compagnons et le pégase plongeaient vers une vision d'horreur : la gueule munie d'un nombre inconcevable de dents d'un kraken affamé.

Ils n'eurent pas le temps de réagir qu'ils étaient déjà dans la gueule putride, en compagnie d'une balboune à l'air étonné, de trois bateaux dont les membres de l'équipage se battaient contre les tentacules à coups de sabre et de magie, et de milliers de poissons agonisants.

Sylver tentait de récupérer son sabre, prêt à affronter son destin, Tara et Angelica hurlaient, leur magie affleurant à leurs mains, lorsque le kraken testa le goût de ce qu'il avait attrapé, ne sentit qu'un truc froid et pas comestible et, très occupé par les trois bateaux, décida qu'ils ne valaient pas la peine d'immobiliser un tentacule.

Il les recracha purement et simplement.

La violence de l'accélération propulsa le tapis haut dans le ciel. Les stabilisateurs étant un peu encrassés par la salive du kraken, le tapis commença à tomber. Angelica bondit et relança la magie.

Pendant une angoissante seconde, ils crurent que le tapis était trop endommagé pour repartir et qu'ils allaient s'écraser sur la mer en furie. Mais ils eurent de la chance. Au moment où ils effleuraient la crête des vagues, le tapis se redressa et redémarra. Prudente, Angelica le plaça suffisamment haut dans le ciel pour qu'aucun kraken ne puisse les attraper.

— Il faut retourner en arrière ! hurla Sylver, les faisant sursauter toutes les deux.

— Quoi ? s'exclama Angelica.

— Ces marins ! Il faut retourner les aider !

Angelica le regarda comme s'il avait perdu l'esprit.

— Tu veux retourner dans la gueule de cette bestiole, ça va pas la tête ?

— Oui ! Il faut les aider ! Ils vont mourir !

Angelica eut un sourire sarcastique et, en s'écartant, lui donna les commandes.

— Si tu arrives à les retrouver, vas-y, Sylver, je t'en prie !

Elle avait raison. Sylver, fou d'angoisse de ne pas pouvoir aider les marins, fit tourner le tapis pendant une heure. Mais le kraken avait dû plonger afin de noyer ses proies… enfin, celles qui n'étaient pas des poissons, parce qu'ils ne retrouvèrent rien du tout.

Sylver dut s'avouer vaincu et, la mort dans l'âme, fit reprendre au tapis le chemin de Patrok. Les deux filles soignèrent les bosses et les contusions du mieux qu'elles purent avec de petits Reparus, surtout Galant qui s'était froissé les tendons d'une aile.

Mais Tara regardait Sylver d'un autre œil. Jusqu'à présent, elle trouvait que le garçon était incroyablement gentil, toujours de bonne humeur en dépit des plaies et des bosses, et d'un optimisme frôlant l'inconscience, même si la tristesse de sa solitude pesait sur lui. Elle constatait maintenant qu'il était profondément humain, sous ses étranges écailles, et que la vie d'autrui était importante au point qu'il était prêt à risquer la sienne.

C'était intéressant.

Puis, avec un pincement de culpabilité, elle s'en détourna. Elle ne voulait pas s'intéresser à un garçon. Non.

Pourtant, lorsque Sylver lui sourit, amical, elle lui rendit son sourire.

Angelica plissa les yeux, soupçonneuse. Elle n'aimait pas Tara, trouvait Sylver stupide, la Chose horrifiante, et ne rêvait que de retrouver son lit douillet au Lancovit. Mais pas question de laisser le joli garçon à la maudite Héritière.

Ils arrivèrent bientôt en vue de l'île. Les bateaux, tapis et autres moyens de transport qu'ils avaient croisés en chemin s'étaient raréfiés jusqu'à disparaître. Ils avaient bien choisi leur moment, les soleils se couchaient déjà et la nuit tombait.

À la grande surprise de Tara, vu l'atroce réputation des Edrakins, une petite demi-douzaine de navires et autres avaient jeté l'ancre dans la baie qu'ils avaient choisie pour accoster sur l'île.

Juste en face d'un minuscule village, à moitié dissimulé par une immense jungle.

— Pourquoi sont-ils ici ? demanda Tara, curieuse. Je croyais que c'était dangereux ?

— Pour les plantes, répondit Angelica, les lèvres amincies par l'anxiété. Les Edrakins font pousser des plantes qui n'existent nulle part ailleurs. Des plantes d'extase, des plantes de rêve, des plantes de joie, des plantes de tristesse, des plantes de souffrance. Et des plantes de mort. Chacune, convenablement traitée, produit des sucs exquis. Ou est utilisable telle quelle. Tu connais le bang-bang ?

Tara frissonna. Oui, lors de son voyage vers la Krasalvie, les trolls l'avaient prise pour une trafiquante de bang-bang.

— Je connais, répondit-elle brièvement.

— La plante vient d'ici, à l'origine. Des Edrakins l'avaient vendue à un marchand qui s'est écrasé dans les montagnes du Tasdor avec son chargement. En très peu de temps, le bang-bang a colonisé une grande partie de la forêt. Les trolls l'utilisent pour soigner leurs problèmes de dents et autres. Les humains, pour l'extase qu'elle leur procure. Jusqu'à la mort.

Sylver grimaça. Avec la malédiction dont il était affligé, il ne pouvait concevoir que quelqu'un puisse vouloir perdre le contrôle de son corps.

— Si je comprends bien, ce sont des sortes de… trafiquants ? suggéra Tara qui avait vu beaucoup de films sur le sujet sur Terre.

— Trafiquants ? Non, ce sont juste des commerçants. Personne ne leur interdit de commercialiser ces produits. Et beaucoup de leurs plantes sont aussi de précieux ingrédients des potions des chamans. Leurs produits tuent, mais ils guérissent aussi. Tu te souviens de ce qu'ils ont mis sur la tête du type qui a perdu les pédales dans la Pubcity ?

Tara hocha la tête. Oh oui ! elle se souvenait.

— C'est une fleur d'Absorb, elle est capable de filtrer les lumières et les sons les plus agressifs, protégeant ainsi ton cerveau. À l'état sauvage, les fleurs d'Absorb utilisent les sons, qu'elles absorbent puis restituent sous forme d'ondes fracassantes, afin de se défendre ou d'attaquer. Elles vivent en groupe. Et sont très dangereuses. Celle de Pubcity a été modifiée pour absorber les sons sans les décharger tout de suite. Mais les ambulanciers n'ont pas intérêt à oublier de la vider, sinon elle va en faire de la bouillie.

— Et cette fleur vient d'ici, c'est ça ?

— Oui. Ce sont aussi les Edrakins qui l'ont créée. Ce ne sont pas des trafiquants, je dirais plutôt que ce sont d'extraordinaires biologistes, dont certains produits sont plus « commercialisables » que d'autres.

Angelica sortit une magnifique broche de sa poche. Les pierres étaient insérées dans les pétales fragiles d'une fleur-insecte dont les ailes vrombissaient délicatement. D'or, d'émeraude, de rubis, la fleur soudain se transforma. L'or s'assombrit, devint cuivre, puis gris argent doux, l'émeraude se transforma en éclatant saphir, tandis que le rubis devenait pur éclat de lumière, diamant étincelant comme une pierre précieuse vivante. Tara avait déjà vu quelque chose dans le même genre, avec l'arbre parasol. L'effet était incroyable.

—C'est l'un de leurs produits expliqua Angelica les yeux brillants. Ils appellent cela une t'hoculine. Une fleur de pierre. Elles sont difficiles à récolter, celle-ci a coûté une fortune à mon arrière-arrière-grand-père, elle est considérée par ma famille comme l'un de ses plus précieux trésors.

Hum. Décidément, cette planète était difficile à comprendre. Et Tara ne se sentait pas beaucoup d'affinités avec les gens qui avaient créé le bang-bang. Même si elle devait reconnaître que la fragile beauté de la fleur de pierre l'émouvait.

Et une autre question pointa dans son cerveau. Pour quelle raison Angelica se baladait-elle avec un tel trésor dans les poches, si celui-ci était considéré par la famille comme un bijou d'une telle importance ?

Elle ne lui fit pas part de sa question. En posa une autre à la place :

—Ils laissent les gens venir à terre ?

Angelica se fit ironique :

—Oh oui, à leurs risques et périls. Les acheteurs ont plutôt tendance à leur demander de se rendre sur leurs bateaux ou leurs tapis. Parfois, quelques pauvres fous n'ayant pas assez d'argent ou de pouvoir pour acheter leurs plantes accostent. Les Edrakins font semblant de ne pas les voir. Puis ils leur donnent la chasse. Certains végétaux sont très, très agressifs. Entre les plantes démentes et les prêtres tout aussi déments, ils ont peu de chances de survivre. Et le récit des survivants ne donne pas envie de faire du tourisme sur l'île, crois-moi.

—On peut survoler l'île ?

—De très haut, oui, sinon, il faudrait modifier tout le trafic aérien. Mais dès que tu essaies d'aller plus bas, les sorts des dieux des Edrakins font tomber ton tapis, comme au Salterens. Nous devrons y aller à pied. Et si j'en juge par la carte, c'est à au moins cinquante tatrolls de l'endroit où nous sommes.

Ils avaient soigneusement repéré l'endroit le plus proche pour accoster. Heureusement pour eux, Arrutchir n'était pas très loin de la mer. Dans une jungle aussi touffue que celle-ci, s'ils arrivaient à progresser de quelques tatrolls par jour, ce serait déjà très bien.

Ils avaient mis dans leurs robes de sortcelier tout ce qu'ils pouvaient emporter comme vivres et eau. Le vendeur avait bien précisé que le tapis pouvait se replier et tenir dans une poche.

Tara se mordilla la lèvre et ouvrit le Livre des Sombres Secrets.

— Traverser la forêt des Edrakins sans se faire manger, tapota-t-elle sur le livre.

Plusieurs occurrences apparurent. Bien moins qu'elle n'en avait espéré. En fait, il n'y en avait que deux réellement intéressantes. Les empereurs et impératrices d'Omois n'avaient pas vraiment eu l'occasion de s'égarer dans l'île. Mais deux d'entre eux y avaient fait une visite officielle, notamment suite à la défaite des Edrakins, et signalaient que l'« huile des dieux » permettait de se déplacer dans la forêt sans être attaqué par les plantes.

Malheureusement, l'« huile des dieux » ne se trouvait que dans les temples. Où vivaient des prêtres sanguinaires, tout prêts à sacrifier celui ou celle qui en franchirait le seuil.

Un plan se dessina dans son esprit. Elle détailla le minuscule village bleu enfoui dans la végétation prodigieusement… bleue. Mais pas d'un bleu sombre. Non. D'un tas de bleus éclatants, du turquoise au vibrant bleu saphir. Elle était très, très vivante, cette forêt. Les arbres s'agitaient nerveusement, et ce n'était pas dû au vent.

Hum. Des plantes. Des tas et des tas de plantes.

Soudain, elle sourit. Mais elle aussi avait une plante ! Et pas n'importe laquelle ! Elle plongea la main dans la changeline et en ressortit le manteau elfique de Robin. Sylver plissa les yeux. Du manteau, Tara extirpa des tas de choses, dont plusieurs totalement étrangères et qu'elle s'empressa de ranger. Elle fut également surprise de sortir de somptueux colliers d'or, de rubis et d'émeraudes, des bagues, des tiares et des diadèmes[1], qui lui valurent un regard acéré d'Angelica. Puis des armes, plus effilées les unes que les autres.

Enfin, elle mit la main sur ce qu'elle cherchait.

---

1. Cadeau de l'esprit de l'arc, Llillandril, qui était quelque peu pilleuse sur les bords. Robin utilisait ces bijoux avec la plus grande précaution, vu que, les elfes vivant extrêmement longtemps, il n'avait pas envie de voir leurs légitimes propriétaires, dont il ignorait tout, lui tomber dessus.

Le bourgeon de l'Arbre Vivant. Quelques années plus tôt, afin d'échapper à un troupeau furieux, Tara, Robin, Fafnir, Fabrice, Moineau et Cal s'étaient réfugiés dans les branches dénudées de l'Arbre. Et avaient été extrêmement surpris lorsque celui-ci leur avait parlé. Seul arbre encore vivant dans la plaine, à cause de la sécheresse, il se dressait comme un squelette solitaire, presque mort. Robin avait détourné une source pour lui.

L'Arbre avait remercié Robin en faisant pousser des bourgeons, des feuilles et des fleurs magnifiques. Puis il avait détaché l'un de ses bourgeons et l'avait donné à Robin : « Utilisez-le pour faire pousser vos cultures, avait-il dit. Il vous suffira de dire "par l'Arbre qui est vivant, que ceci pousse immédiatement". Et merci de m'avoir sauvé la vie. »

Robin, qui comme tous les elfes entretenait un rapport symbiotique avec la forêt, avait testé le bourgeon. Il avait également découvert que celui-ci pouvait le protéger des autres plantes, lors d'une expédition particulièrement dangereuse au sein d'un buisson d'orties de feu.

Tara glissa le bourgeon non pas dans sa poche de changeline, mais dans une petite poche près de son cœur. Puis rangea le manteau. Elle comprenait ce que Robin avait voulu faire. C'était un legs. Son cœur se serra. Même mort, il continuait à la protéger.

Les bâtiments du village étaient bas et longs, sans grâce, au milieu de la fiévreuse beauté de la forêt. Peu de fenêtres, comme si les Edrakins préféraient vivre dans l'obscurité. Les toits en pente luisaient d'humidité. Il faisait chaud sur Autre-Monde, du fait des deux soleils rouge et bleu, mais la jungle semblait incroyablement moite et touffue. Puis Tara se souvint de ce que lui avait dit Angelica. Que les Edrakins jouaient avec le climat pour reproduire une atmosphère tropicale propice au développement de leurs plantes. La nuit était complète à présent, mais les deux lunes se levaient et éclairaient la forêt.

Pendant que Tara cherchait le bourgeon, une escouade d'humains crasseux avait débarqué sur la plage, près de la ville. Immédiatement, une trompe se mit à sonner. Sur le côté, un bâtiment que Tara n'avait pas remarqué s'ouvrit et laissa passer une dizaine d'Edrakins, bien moins nombreux que la cinquantaine de pirates qui avaient mis le pied sur leur île.

—Vite, cria Tara, profitons-en pour nous poser !

— Nous poser ? Aussi près du village ? Tu es folle, on va se faire remarquer !

— Non, nous allons profiter de la diversion, mais nous devons rester près du village !

— Pourquoi ?

Tara se transforma en vampyr et eut un sourire plein de dents.

— Parce que nous allons attaquer le temple !

14

Les dieux des Edrakins

*ou, vraiment, il y a des gens qu'il vaut mieux éviter
de mettre en colère.*

Ce fut un massacre.

Ils furent décimés.

Longtemps, Tara garda en mémoire ce que les Edrakins avaient fait aux pirates, contrebandiers ou qui que soient les fous qui s'étaient attaqués à eux. Forts de leurs cinquante membres, probablement bien plus nombreux que la totalité des habitants du petit village, les humains avaient ricané lorsque les Edrakins s'étaient attaqués à eux. Pourtant, les rudes loups de mer s'étaient préparés. Ils portaient des gilets de protection contre les griffes, qui furent tout à fait efficaces et surprirent les Edrakins. Mais si leurs organes vitaux étaient protégés, ils avaient négligé leurs jambes et leurs bras.

Les Edrakins les traquèrent.

Et les démembrèrent.

Ils étaient très rapides. Lorsqu'ils n'utilisaient pas leurs griffes, ils lançaient de sombres lames noires recourbées qui tranchaient tout sans effort. Les humains parvinrent tout de même à en tuer une grande partie. Et perdirent la moitié de leurs effectifs. Cinq contre vingt-cinq, le ratio n'était pas en leur faveur.

Voyant qu'ils se faisaient tailler en pièces, les pirates se replièrent dans la forêt. Les Edrakins s'interpellèrent dans une curieuse langue sibilante et se lancèrent sur leurs traces, laissant les morts par terre.

Tara en profita pour poser le tapis près de la forêt.

— Vite, vite, chuchota-t-elle aux deux autres, descendez.

Puis elle appuya sur le bouton qui le repliait et le glissa dans sa poche.

Leurs robes de sortcelier s'étaient transformées en tenues de Voleurs Patentés, noires, zébrées de taches, qui se fondaient dans l'ombre et les rendaient presque invisibles. Sylver s'était entièrement emmitouflé, y compris son visage, afin que ses écailles opalescentes ne le trahissent pas.

Il se tenait très près de Tara, si près qu'il faillit la frôler à plusieurs reprises. Depuis qu'il avait posé le pied sur l'île, il paraissait vraiment nerveux. Tara lui fit signe de prendre la tête de leur petit groupe, partant du principe qu'un éclaireur à peu près invulnérable était un avantage. Galant, les ailes zébrées de noir et de gris, les précédait.

La jeune fille avait la nausée en pensant aux pauvres types qui s'étaient fait découper, mais ils avaient représenté une diversion bienvenue. Rien ni personne ne broncha dans la ville lorsqu'ils s'en approchèrent.

Contrairement aux villes humaines, peuplées de Tatris, d'elfes ou de gnomes, les Edrakins n'avaient pas une grande activité la nuit. Ou alors pas dans les rues de Kro, le village côtier.

Comme des ombres, ils se glissèrent vers le temple qui surplombait la ville. Sylver faisait tellement attention à ne pas trébucher ou faire de bruit que Tara sentait ses propres épaules se contracter par sympathie.

Le souffle court, oppressés par la peur d'être découverts, ils atteignirent enfin leur but.

Le temple était une grande bâtisse bleue à la façade nue. Ce qui était curieux, c'était qu'il n'était pas du tout sculpté comme tous les temples que Tara avait pu voir sur Autre-Monde.

Il n'était pas gracieux. Il n'était pas beau, il était lourd de proportions et ne dégageait pas grand-chose. Même pas la sorte d'horreur diffuse que s'attendait à ressentir Tara.

La porte qui avait laissé passer les Edrakins était restée grande ouverte. Ou bien les prêtres n'avaient pas peur des intrus, ou alors les intrus avaient trop peur des prêtres pour essayer de rentrer dans le temple.

— Restez ici pour faire le guet, souffla Tara à ses deux complices, je vais essayer de trouver cette fameuse huile des dieux et d'en voler. (Elle sortit le tapis replié de sa poche et le tendit à Sylver.) Si je ne suis pas revenue d'ici dix minutes, filez sans m'attendre, c'est qu'ils m'auront capturée, et vous ne pourrez plus rien faire pour moi.

Sylver voulut protester, mais Tara ne lui en laissa pas le temps. Elle s'enfonça dans le temple avec rapidité et agilité, Galant se faisant tout petit sur son épaule.

L'intérieur du temple était doucement éclairé par des fleurs blanches qui pendaient du plafond. Tara ne parvenait pas à déterminer avec quelle sorte de pierre le temple avait été construit. Elle semblait très dure… et curieusement tiède. Prudente, elle veilla à ne pas trop s'en approcher. Pas plus que des fleurs, qui éclairaient comme de petits projecteurs.

Si l'extérieur du temple n'était pas sculpté, les artistes s'étaient vengés à l'intérieur.

Et les images n'étaient pas très sympathiques.

Apparemment, les dieux des Edrakins aimaient les tentacules, les crocs, les griffes, les pustules, les furoncles, les fluides visqueux et bouffer tout ce qui existait. Les scènes montraient des Edrakins sacrifiés (volontairement ?) aux dieux. Tara retint un haut-le-cœur. Ceux-ci s'en donnaient à cœur joie et les sculpteurs avaient insisté sur les détails.

Elle décida que les murs et statues ne méritaient pas une observation plus attentive et se concentra sur sa mission. Trouver l'huile des dieux.

Soudain, elle secoua la tête. Elle percevait une espèce de… bourdonnement. Effrayée, elle regarda autour d'elle, cherchant d'où cela provenait. Mais impossible de localiser l'origine du bruit. Elle se concentra. C'était… c'était comme un minuscule murmure.

Cela venait de l'intérieur de son crâne.

Allons bon. Elle était en train de devenir folle. Génial. Au bout d'un moment, comme il ne se passait strictement rien, et qu'elle était un peu pressée quand même, elle se remit en marche. Et bannit le pénible zonzonnement de son esprit.

Il ne semblait y avoir personne dans le temple. Une énorme amphore était posée au pied d'une statue particulièrement repoussante et nettement plus grande que les autres. Ses têtes pleines de tentacules grouillants, comme son corps, touchaient presque le plafond. Elle était entièrement noire, on l'aurait crue sculptée dans du basalte, mais ses tentacules étaient jaunes et rouges. L'effet était curieux. Tout autour de la salle, des milliers de fleurs rouges et noires embaumaient tant l'atmosphère qu'il était presque difficile de respirer.

Tout doucement, Tara s'approcha. Elle ouvrit l'amphore et vit une huile bleu pâle.

Bien, bien. Ou c'était la fameuse huile des dieux, ou c'était de l'engrais pour les plantes, ou du combustible pour les lampes.

Ou encore, un truc horriblement corrosif qui allait lui ronger la peau et les os.

Vu qu'elle n'avait pas spécialement envie de se faire dissoudre par un liquide inconnu, Tara résista à la pulsion qui la poussait à tremper son doigt et prit un morceau de tissu dans sa poche, qu'elle mouilla. Puis, très précautionneusement, elle s'approcha d'une des fleurs lumineuses. Dès que le tissu l'effleura, la plante se rétracta avec un frisson de dégoût.

Gagné !

Elle ignorait combien de temps l'huile agissait et était pressée. Elle ouvrit la poche de la changeline et y introduisit la tête de l'amphore. Immédiatement, la changeline se dilata et avala la totalité.

Paaaarfaiiiiit !

Elle se retourna.

Et se retrouva nez à nez avec un Edrakin.

L'Edrakin montra les crocs.

Tara fit de même.

L'Edrakin eut l'air assez étonné.

— Une vampyr ? chuinta-t-il. Qu'est-ce qu'une vampyr maudite des dieux fait sur notre île ?

— Des courses, ronronna Tara, s'efforçant de montrer l'arrogance de Selenba alors que ses genoux tremblotaient. Et tu ne vas pas m'embêter, hein, petit chat ?

L'Edrakin feula et sortit ses griffes. Tara déglutit. OK, ne pas appeler les Edrakins « petits chats ».

Tara lui sourit… enfin, pointa ses crocs en avant.

— Écoute, sois raisonnable. Tes copains sont dans la forêt en train de croquer… de faire ce qu'ils ont à faire. Laisse-moi passer avant que l'un de nous deux ne le regrette beaucoup.

Enfin, surtout elle.

La confusion se fit jour sur le visage de l'Edrakin. Il fronça son nez presque inexistant.

— Maudite des dieux, accepterais-tu le jugement de nos dieux plutôt qu'un combat ?

Tout plutôt que d'attirer l'attention de la ville sur eux. Mais Tara devait être prudente.

— C'est quoi, le deal ? demanda-t-elle.

— Pardon ?

— Je veux dire : quelles sont les conditions ?

— Nous prions.

Oh ! Un concours. À celui qui aurait le plus vite mal aux genoux ?

— Et c'est tout ?

L'Edrakin eut un vilain sourire.

— L'un des mille dieux qui protègent ce village répondra à celui à qui il désire accorder une faveur.

— OK. Et qu'est-ce qui arrive à l'autre ?

— Il est annihilé.

Tara s'arrêta de respirer un instant. Et n'eut pas à réfléchir très longtemps.

— Cool !

— Donc, vous acceptez.

— Non. Je crois que je préfère le combat finalement.

— Il est trop tard, maudite des dieux, j'ai déjà commencé à prier. (Il se mit à plat ventre et hurla, tout en frottant ses oreilles rondes de félin sur le sommet de son crâne comme s'il allait les décoller.) ENTENDS-MOI, Ô DIEU DES EDRAKINS ! ET FOUDROIE CETTE MAUDITE CRÉATURE !

— Ehhhh, c'est de la triche ! (Tara se laissa glisser sur les genoux.) Et comment on prie les dieux sur cette planète, hein ?

Pour l'instant, les dieux n'avaient pas l'air d'écouter l'Edrakin, parce que celui-ci s'égosillait en vain. Tara leva les yeux vers l'effrayante statue et, machinalement, lui adressa un message :

— Si vous pouviez éviter d'obéir à l'autre dingue, là, ça me ferait assez plaisir.

Une voix tonna dans son cerveau, la faisant grimacer.

— Crois-tu en moi ?

Tara, les yeux écarquillés, trouva qu'il était peu judicieux de répondre « pas des masses », et se retrancha sur un timide :

— Euh… oui ?

Immédiatement, il se produisit comme une monstrueuse déchirure, entre un ailleurs et ici. Elle se boucha les oreilles, car cela évoquait assez une scie géante en train de s'acharner sur une montagne.

Les dieux arrivaient.

Tara se mit à hurler.

La statue du dieu bougea, puis quelque chose surgit d'en haut et s'écrasa devant Tara

Avec un gros « floc ».

C'était un Quelque Chose. Un Tout Petit Quelque Chose.

Avec plein de tout petits tentacules.

Très étonné. Voire un peu meurtri, vu qu'il était tombé de haut.

Tara cessa de hurler et constata qu'il était la copie conforme de l'énorme statue.

Mince alors, c'était l'un des dieux des Edrakins !

— Mais qu'est-ce que c'est que... Pourquoi je suis tout petit ? demanda-t-il.

Tara se pencha, résistant furieusement à l'envie de l'écraser.

— Comment ?

Le dieu ajusta sa voix. Il avait l'air d'avoir mal aux têtes. Enfin, à ce qui lui servait de têtes.

— Je disais : mais pourquoi est-ce que je suis tout petit ?

— Euh... je ne sais pas.

Le dieu se frotta deux de ses têtes, soupira et cessa de loucher. Il regarda autour de lui. Et soupira de nouveau.

— Tu n'es pas très croyante, hein, créature maudite par nous ? constata-t-il en levant ses ye... ses dizaines d'yeux sur Tara.

Tara passa sur le « créature maudite » qui commençait à lui taper sur le système.

— Ben vous n'êtes pas mon dieu, alors, non, j'avoue que non, s'excusa-t-elle.

Le dieu leva l'un de ses tentacules et le regarda d'un air dégoûté.

—C'est pour ça. Nous nous nourrissons de la foi de nos fidèles. Tu ne crois pas en moi, du coup, je suis tout petit. Pffff ! Heureusement que les autres ne me voient pas, j'en aurais pour un millénaire de moqueries. Revenons à nos affaires. Que puis-je faire pour toi ?

Ah ! les dieux étaient censés lire dans la tête des gens. Pas ceux-là apparemment.

—Euh... je dois aller au tumulus d'Arrutchir, répondit-elle machinalement.

—Parfait et pourquoi ?

—Pour déterrer une machine qui va détruire les fantômes qui ont tué mon petit ami.

Soudain, elle sursauta. Mais qu'est-ce qu'elle était en train de faire ? Elle révélait son but à un ennemi mortel. Elle plissa les yeux. Elle ne sentait pas de magie, en revanche, le parfum des fleurs était...

Elle comprit.

Les fleurs. Elles sécrétaient un parfum qui obligeait à dire la vérité. Ces dieux utilisaient donc des subterfuges afin de contrôler leurs fidèles. Maintenant qu'elle le savait, elle serait capable d'y résister.

—Pas de problème, répondit le dieu, très content, je vais t'y emmener.

Tara ouvrit de grands yeux ahuris. Quoi ? Le machin à tentacules était en train de lui proposer de la sortir de la bouse de traduc dans laquelle elle était jusqu'au cou ?

—Non, c'est vrai ? s'étrangla-t-elle, incrédule.

—Oui, bien sûr ! Je te transporte, je détruis le tumulus, tu prends la machine, hop ! tu détruis les fantômes et tout rentre dans l'ordre. Tu repars sur le continent et tu retrouves ta vie. Je peux même réincarner ton petit copain si tu veux, pas de souci.

C'était trop beau pour être vrai. Tara avait appris des tas de choses sur cette planète. Et notamment qu'on obtenait rarement quelque chose pour rien.

Elle plongea ses yeux dans les dizaines d'yeux du petit dieu.

—Et vous voulez quoi en échange ?

Le petit dieu eut l'air ennuyé.

—Rien du tout.

—Rien du tout ?

— Enfin, vous, vous considérez ça comme rien du tout, mais nous, nous y attachons de l'importance. Je veux juste ton âme.

Bien qu'il soit nettement plus petit qu'elle, Tara, effrayée, recula. Ces trucs n'étaient pas des dieux, mais plutôt des démons !

— Mon âme ? Certainement pas, vous êtes dingue !

— Même pas contre la réincarnation de ton petit ami ? susurra le dieu, tentateur. C'est un jeu d'enfant pour moi, tu sais ?

Tara réfléchit un moment, le cœur serré. Puis elle prit conscience qu'il y avait certains sacrifices qu'elle n'était pas prête à faire.

— Non, pour rien au monde. Mon âme est à moi et le restera. Demandez-moi autre chose.

— En fait, c'est la seule chose que tu détiens qui ait de la valeur pour nous.

Il lui tourna le dos, ce qui, en ce qui le concernait, était vraiment une façon de parler, puisqu'il n'en avait pas, et se traîna vers l'Edrakin qui, à moitié redressé, regardait la scène avec des yeux épouvantés.

Dès que le dieu fut plus proche de l'Edrakin, il se mit à grossir, jusqu'à atteindre la taille de Tara.

— Hum, mieux, constata-t-il avec satisfaction. Excellent adorateur, vraiment. Je pense que je ne vais pas t'annihiler tout de suite.

L'Edrakin se jeta de nouveau à plat ventre en une abjecte soumission. Que son dieu ait répondu à la créature maudite plutôt qu'à lui semblait beaucoup le perturber.

Le dieu fit un signe et une sorte de chaise, pleine de trous pour ses tentacules, se matérialisa derrière lui. Il s'y assit avec satisfaction.

— Je suppose que tu as profané notre temple pour avoir de l'huile, vu que l'amphore semble avoir disparu. Je veux bien te la laisser, que proposes-tu en échange ?

— J'ai de l'argent… indiqua Tara d'un ton un peu affolé.

Le dieu écarta la proposition d'un geste des tentacules.

— Que veux-tu que j'en fasse ? Non, il me faut quelque chose de plus… matériel.

Tara n'arrivait pas à croire qu'elle était en train de marchander avec un dieu.

Ça n'allait pas du tout. Sur Terre, on priait afin que ses souhaits, vœux, besoins, espérances soient réalisés. Sur Autre-Monde, il fallait en discuter avec les principaux intéressés. Pour l'instant, Tara préférait nettement le système terrien.

Surtout en ignorant tout des règles qui avaient cours sur cette planète de dingues. Elle devait retourner la situation. Voyons si la franchise fonctionnait.

— Vous savez quoi ? Je n'ai aucune idée de ce que vous voulez, dit-elle tandis que Galant s'agitait sur son épaule, nerveux à l'idée qu'elle était en train de provoquer un machin capable de les annihiler d'une simple pensée, alors, annoncez la couleur, on ira plus vite.

Le dieu sourit et ce n'était pas joli, joli. Pas avec toutes ces dents.

— Vous avez un langage très imagé, vous les humains. Nous les dieux, nous devons éviter les métaphores sous peine de les voir se produire. Je vais donc « annoncer la couleur », comme tu le dis. Je te permets de prendre notre huile. Le paiement sera une phalange. L'huile, plus un transport sur, disons, la moitié du chemin, ce sera deux phalanges. L'huile, plus un transport sur site, un doigt entier.

Tara réprima un haut-le-cœur.

— Vous... vous voulez que je paie vos services avec mes doigts ?

— Ehhh ! protesta l'Edrakin, ce n'est pas cher payé ! Mon cousin a payé une main entière pour sa maison !

L'instant d'après, il mettait la main sur sa bouche, effrayé d'avoir osé prendre la parole. Tara ne se gêna pas.

— Une mai... mais c'est dingue, pourquoi a-t-il payé en... en perdant une main alors qu'il pouvait la construire lui-même ?

— C'est plus rapide comme ça, répliqua l'Edrakin, et c'est une maison construite par un Dieu !

On sentait l'énorme majuscule du mot. Tara était dégoûtée. Mais c'était quoi, ces dieux qui faisaient payer leurs services avec du sang et de la chair ? Surtout quand leurs fidèles n'avaient pas besoin d'eux. À moins que...

Le dieu agita ses tentacules en voyant la réaction de Tara.

— Oh ! je suppose que tu penses que mes fidèles se font repousser les doigts, mains, pieds, etc., que nous leurs prenons ? Non, non, tu n'y es pas du tout. Ce ne serait pas honnête. Seuls nos prêtres ont le droit d'utiliser la magie. Et nos fidèles considèrent comme un grand honneur de nous donner une partie d'eux-mêmes, la faire repousser ne serait pas... honorable. Donc, si tu me donnes ton doigt, tu ne pourras pas le faire repousser, c'est tout à fait interdit.

Tara commença à reculer.

— Je... je suis désolée, mais je ne peux pas. Je ne connais pas bien les mœurs sur votre planète, mais je sais que si vous possédez quelque chose qui m'appartient, sang, chair, salive, cheveux, vous pourrez m'ensorceler.

Le dieu eut l'air surpris. Et un peu vexé.

— Petite, je peux t'ensorceler comme je le veux quand je le veux, je n'ai pas besoin de quoi que ce soit pour ça, je suis un dieu, tout de même !

— Ah ? Ben tant pis, je ne vous donne rien du tout. Et je vous rends votre amphore si vous voulez.

Avant que le dieu puisse réagir, la changeline obéit à l'ordre inaudible de Tara. L'amphore fut projetée hors de sa poche comme une fusée et s'écrasa sur le dieu, le noyant de liquide bleu et huileux, aspergeant Tara, Galant et l'Edrakin. Furieux, aveuglé, le dieu pointa ses tentacules vers Tara, qui se baissa à toute vitesse, et carbonisa l'Edrakin stupéfait qui s'était redressé. Le tuant sur le coup.

Immédiatement, privé de son adorateur, le dieu rétrécit.

— Slurk ! jura-t-il. Ça recommence !

Tara n'attendit pas de voir ce qui se passait pour filer. Elle bondit comme un guépard hors du temple, passa devant Angelica et Sylver stupéfaits et fila vers la forêt. Elle était recouverte de liquide huileux et les plantes turquoise s'écartèrent sur son passage avec dégoût.

Sylver et Angelica ne posèrent pas de questions. Ils coururent derrière elle à toute vitesse. Ils allaient suffisamment vite pour que les plantes n'aient pas le temps de se refermer sur eux.

Tara ralentit un peu. Si Angelica soufflait et râlait derrière eux, Sylver restait au même niveau que la vampyr, sans effort. Enfin, sans effort, c'est un peu exagéré, disons qu'il se rattrapait admirablement lorsqu'il trébuchait.

— Qu'est-il arrivé ? demanda-t-il en passant comme un bulldozer au travers des buissons et des herbes que Tara sautait agilement.

Il évita une branche, se prit une liane de plein fouet, l'arracha et continua sa course, un œil à demi fermé sous le choc.

— J'ai discuté avec un dieu, haleta Tara en s'efforçant de modérer sa course pour qu'Angelica puisse suivre le mouvement.

— Un quoi ?

— Un dieu, un de ceux des Edrakins.

Sylver digéra l'information.

— Et alors ?

— Ça s'est mal passé. Je crois qu'il est fâché.

Comme pour souligner sa phrase, le temple entra en éruption, semblant en proie à une rage intense, et le toit vola à des tatrolls de distance. La forêt fut soudain silencieuse, attentive. Puis la présence du dieu se dissipa. Tara comprit que les dieux devaient être invoqués par leurs fidèles afin d'agir sur le monde réel. Sans un support Edrakin, le dieu ne pouvait rien faire contre elle... pour l'instant.

Sylver écarquilla ses yeux fantastiques.

— Oui, je crois qu'il n'était pas très content. Pourquoi ?

Tara lui raconta ce qui s'était passé dans le temple, tout en observant ce qui se passait autour d'elle. Elle remarqua que, contrairement à Angelica qui les suivait et avait un paquet de lianes très intéressées derrière elle, les plantes évitaient soigneusement Sylver. Comme si son corps les repoussait. C'était très curieux. De nouveau, comme tout ce qui concernait le mystérieux Sylver, elle rangea l'information dans un tiroir de son cerveau, à côté de « a une armure naturelle, pratique la Voie du Sabre, a été élevé par des nains, peut se transformer en un machin terrifiant, ne doit pas être touché, fait même peur aux plantes... est totalement bizarre, mais porte son fardeau avec l'innocence d'un enfant et est très, très gentil ».

Puis, comme elle n'avait aucune idée de l'endroit où elle se trouvait, Tara finit par s'arrêter.

Elle devait se repérer par rapport à Arrutchir. Angelica, à bout de souffle, stoppa elle aussi, la main sur le côté.

— Est-ce... est-ce que... est-ce que quelqu'un peut m'expliquer pourquoi on court comme ça ?

— Tara a fâché un dieu, expliqua Sylver très sérieusement. Il était préférable de s'éloigner, je crois. Même la Chose ne pourrait résister à un dieu. Non que j'aie jamais essayé, d'ailleurs, c'est la première fois que je croise le chemin d'un dieu, donc, je ne sais pas, mais je suppose que même ma carapace ne pourrait contenir la colère d'un dieu.

Angelica ouvrit des yeux ronds.

— Les humains ne te suffisaient pas, finit-elle par ricaner, à moitié courbée pour reprendre son souffle, tu es passée au stade supérieur, c'est ça, l'Héritière ? Maintenant tu affrontes des dieux ? Qu'est-ce que tu planifies après ? Hein ? Parce qu'au niveau ennemi, là, tu vas te retrouver un peu à court ! Au-dessus des dieux, y a plus grand-chose !

L'un des arbres lança un tentacule vers Angelica, qui, le dos tourné, ne pouvait pas le voir.

Avant qu'elle ait le temps de réagir, Tara la prit dans ses bras.

Angelica fut si surprise qu'elle ne bougea pas. Puis l'information parvint à ses neurones et elle se dégagea, indignée.

— Ehhhh, ça va pas, non ? Mais qu'est-ce que tu fais ?

Tara eut un sourire ironique.

— Je te fais un câlin, pourquoi ?

— Un câl… (Angelica, atterrée, se dégagea.) Ne m'approche pas !

Derrière elle, le tentacule, dégoûté, recula.

Après la trouille qu'elle avait eue, Tara ne put s'empêcher d'éclater de rire. Sylver et Angelica la contemplèrent qui se bidonnait, la main sur la bouche pour ne pas faire trop de bruit, les yeux pleins de larmes.

Puis Sylver regarda Angelica, médusée, et remarqua qu'elle était enduite de l'huile des dieux. Et que les plantes s'écartaient d'elle à toute vitesse, alors que, pendant sa progression, elles la suivaient de très près.

— Oh ! dit-il, je comprends, vous avez enduit Angelica pour la protéger, c'est ça ?

Incapable de parler, Tara hocha la tête affirmativement.

Angelica regarda ses vêtements huileux et poussa un soupir de soulagement.

— Par mes ancêtres, tu m'as vraiment fait peur, espèce d'idiote !

Tara n'allait pas dire qu'elle était désolée, parce qu'elle ne l'était pas du tout. Elle se reconcentra sur sa mission, prit une grande inspiration et sortit la Carte. Coup de chance, ils étaient dans la bonne direction. Elle s'efforça de bannir de son esprit la tête stupéfaite d'Angelica, histoire de ne pas repartir dans un fou rire, mais ce fut dur.

Mission, mission, mission. Concentration.

— Pour l'instant, les prêtres Edrakins sont en train de poursuivre les pirates, indiqua-t-elle. Ils ne reviendront pas au temple de sitôt. Et le dieu vient de faire exploser le temple. Je pense que les Edrakins ont suffisamment peur pour ne pas s'en approcher. Mais dès qu'un fidèle passera le seuil pour demander quelque chose à son dieu, là...

— ... là... on aura de gros problèmes, enfin, plus précisément, *tu* auras de gros problèmes, parce que Sylver et moi, on se sera enfuis depuis longtemps, conclut Angelica avec une grimace. Donc, en attendant ce moment intéressant, qu'est-ce qu'on fait ?

— On avance aussi vite que possible. Peut-être qu'il aura plus urgent à faire que de nous carboniser.

— Pardon, la reprit Angelica, de *te* carboniser, je n'ai rien fait, moi !

Tara bondit sans répondre et fila dans la forêt bleue. Sylver la suivit, heurtant branches et racines, et Angelica n'eut pas le choix.

Après tout, ils avaient un dieu à leurs trousses.

15

Fabrice

*ou comment un carnassier devient végétarien
contre son gré.*

Ce fut exactement la raison pour laquelle ils tombèrent dans l'embuscade.

Parce qu'ils couraient. Dans le noir, derrière Tara. Plus préoccupés par le dieu à leurs trousses que par ce qui se passait devant eux.

Mauvaise idée. Oublier un truc sur ce monde était fortement déconseillé.

Car la diversion opérée par les humains quelques instants plus tôt était en train de se retourner contre eux.

Les grands félins n'avaient pas réussi à attraper toutes leurs proies. Si les humains n'avaient pas d'huile pour se protéger, ils semblaient disposer d'autres moyens pour se défendre contre les plantes de la forêt.

Très vite, les Edrakins s'étaient rendu compte que les humains avaient été malins. Ils ne s'étaient pas fait massacrer sans une bonne raison. Ils avaient sacrifié une partie d'entre eux afin de pouvoir plonger dans la jungle en petits groupes éparpillés. Ils savaient exactement les plantes dont ils avaient besoin et les Edrakins avaient grincé des dents en tombant sur des massifs entiers de plantes décimées. Incapables de localiser les humains si ceux-ci n'utilisaient pas leur magie, ils avaient décidé de tendre des embuscades à divers endroits de la forêt.

Des toiles d'aragnes, quasiment invisibles, déployées en travers des quelques « trouées » qui partageaient la jungle. Il est bien connu que les animaux ont tendance à suivre le chemin le plus dégagé s'ils ne sont pas chassés. Dans le noir, en dépit de ses yeux de vampyr, Tara ne fit pas attention lorsqu'une trouée s'ouvrit devant elle. Elle plongea la tête la première dans... la toile d'aragne. Et se trouva proprement immobilisée.

Dès qu'elle se mit à gesticuler pour se dégager, les cordes de soie bougèrent.

Et avec les cordes tintèrent les clochettes. Des tas et des tas de clochettes accrochées un peu partout. Lorsque les Edrakins entendirent les clochettes, leurs exclamations aiguës retentirent dans la forêt.

Sylver s'était arrêté juste à temps. Il brandit les mains, et ses écailles se dressèrent, cruelles, tranchantes.

—Attends ! lui intima Tara en s'efforçant de bouger le moins possible, prends de l'huile de tolis dans ma poche, elle devrait me libérer. Je ne pense pas que tu réussiras à couper cette corde sans te retrouver collé, toi aussi.

Sylver suspendit son geste et, évitant la toile, réussit à sortir l'huile de la poche de Tara.

—Angelica, demanda-t-il, pouvez-vous libérer Tara ? Si je la touche, je vais la blesser.

On sentait dans sa voix combien cela lui pesait. Et en dépit du danger qui les menaçait, Tara fut, de nouveau, sensible à sa douleur. Angelica grogna, mais enduisit la toile et délivra rapidement Tara.

Sylver ne fit aucun commentaire, mais Tara vit bien que son front se plissait alors qu'elle se débarrassait de la soie collante. Il avait fait le rapprochement avec la toile qui avait immobilisé la Chose. Slurk !

Maintenant, il savait que l'huile de tolis neutralisait la soie d'aragne. Tara venait de perdre son meilleur moyen de maîtriser la Chose. Enfin, pour autant que l'étrange animal qui cohabitait dans le corps de Sylver soit capable de trouver des tolis sur cette île.

Ils s'éloignèrent le plus possible des clochettes, mais les Edrakins étaient à leur poursuite. Et les grands félins étaient trop dangereux pour que Tara accepte de les affronter. Même avec Sylver à ses côtés. Elle savait que tôt ou tard elle utiliserait la magie. Et se prendrait la moitié de la nation Edrakin sur la figure dans les trente secondes, annihilant toute chance de sauver AutreMonde.

Alors ils couraient. À en perdre haleine.

Et Angelica souffrait. Tellement qu'elle n'avait plus de souffle pour jurer et protester. Conscient de son calvaire, Sylver confectionna rapidement une sorte d'épaulière de fer d'Hymlia, qu'il cala sur son épaule et sous l'aisselle d'Angelica, afin de pouvoir la soutenir. Cela leur permit d'aller plus vite, mais Tara savait qu'ils ne tiendraient pas très longtemps.

Et les Edrakins gagnaient du terrain.

— J'en... j'en peux plus, grogna Angelica. Ça suffit. Je dois m'arrêter. Maintenant !

Son visage grisâtre montrait qu'elle ne simulait pas. Elle était à bout.

Mais Tara avait entendu quelque chose et stoppa brutalement.

Reconnaissante, Angelica s'affala, presque incapable de respirer. Sylver se penchait sur elle et son visage reflétait toute son inquiétude.

Il se redressa. Tara n'avait pas vu comment, mais son sabre de sang s'était matérialisé dans sa main.

— Je vais rester ici avec Angelica, déclara-t-il. Vous devez continuer la mission toute seule, Tara Duncan. Mon sabre et moi prendrons soin de son corps au péril de ma vie.

— Et c'est maintenant qu'il dit ça ! parvint à haleter Angelica. Tu peux prendre soin de mon corps comme tu veux, même si j'avoue que ton sabre n'entrait pas tout à fait dans ce que j'avais imaginé pour toi et moi !

Elle avait encore la force de plaisanter.

Bien.

Les Edrakins étaient à deux minutes de les rattraper.

Mal.

Il fallait transformer l'équation. C'était ce que lui avait enseigné son oncle, l'Imperator. Faire quelque chose qui allait distraire l'ennemi, le surprendre. Soudain, elle re-entendit le bruit devant elle. Vit que ce qu'elle croyait être un chemin était une travée fraîchement creusée.

Assez large pour laisser passer un groupe important. Elle regarda les traces de ses yeux de vampyr. Des traces curieuses, comme laissées par des... araignées géantes.

Or il n'y avait pas d'aragnes sur Patrok, elle en était sûre. Et ces araignées-là avaient l'air d'être montées, car, un peu plus loin, elle vit une boucle de harnais cassée. Une expédition ? Ici ? En même temps que la sienne ? Mauvais.

Soudain, quelque chose attira son attention, par terre.

Elle se pencha, préleva une touffe de poils blonds, la huma, prit une mine pensive, comme si elle se demandait bien comment ces poils étaient arrivés là…

Elle plongea sur Angelica, qui sursauta, l'enleva dans ses bras comme une enfant et se remit à courir.

— Bon sang, hoqueta Angelica, il va vraiment falloir te débarrasser de cette habitude de faire des câlins à tout bout de champ !

— Je ne te fais pas un câlin, je te sauve la vie, souffla Tara. Tais-toi !

Angelica aurait bien protesté, juste par orgueil, mais elle aussi avait eu un professeur intransigeant. Qui lui avait appris que, parfois, il était bon de faire profil bas. Elle referma la bouche.

Et Tara fonça vers la trace qu'elle avait repérée. Dans sa main brillait une touffe de poils. Des poils blonds.

Des poils de loup.

Quelque chose était en train de courir dans la forêt. Fabrice, ses sens de loup-garou à l'affût, l'entendait. Cela cassait des branches, comme si c'était totalement affolé. Et vu ce qui se passait autour d'eux, oui, Fabrice pouvait le comprendre.

Cette forêt était dingue.

Ces gens étaient dingues.

Toute cette foutue île était dingue.

Le mieux serait qu'un raz de marée submerge le tout, cela ferait du temps de gagné. Il renifla son bras avec dégoût. L'huile bleue maculait tout ce qu'il touchait. L'une des aragnes n'avait pas été recouverte suffisamment à temps et la forêt l'avait engloutie comme si elle n'avait jamais existé. Comment avait-elle fait pour annihiler quelque chose de mort ? Du coup, Fabrice, terrifié, s'enduisait consciencieusement avant chaque départ. Et restait sous sa forme de loup. Pour une fois, il n'avait pas envie, mais alors pas du tout, de chasser.

Pour l'instant, ils se trouvaient dans une clairière qu'ils avaient créée en détruisant les arbres et les plantes, qui s'étaient vigoureusement défendus. Ils venaient de dresser le camp, en dépit de la mauvaise humeur de Selenba, qui ronchonnait parce qu'ils avaient perdu un temps fou avec les Edrakins pour récupérer leurs deux guides.

Fabrice avait l'impression que les arbres allaient se déplacer pour l'étrangler dans son sommeil.

Il adorait cette huile, finalement.

Ils étaient en train de poster les sentinelles, lorsqu'ils avaient entendu le bruit.

Qui se dirigeait nettement vers eux. Selenba l'avait perçu aussi avec ses infernaux sens surdéveloppés.

— Hum, dit-elle, je sens… je sens… du sang. Ce qui vient n'est pas Edrakin, c'est de l'humain.

— De l'humain ? Qu'est-ce qu'un humain viendrait faire sur cette île pourr… (il intercepta à temps le regard de leurs guides Edrakins et modifia de justesse) sur cette île ?

— Des humains, oui, viennent de temps en temps, confirma l'un des deux grands félins d'un air gourmand. Ils ne restent pas.

— Vous les chassez ?

— Nous les mangeons.

Fabrice s'appliqua à ne pas déglutir trop bruyamment.

— Après avoir offert leurs âmes à nos dieux, bien sûr, ajouta le second Edrakin, consciencieux.

— Oui, bien sûr, reprit le premier, tu as raison, les dieux se servent en premier, nous les vénérons !

Ils frottèrent leurs oreilles rondes de félin sur le dessus de leur crâne tous les deux comme s'ils les lavaient vigoureusement, en jetant des regards anxieux autour d'eux.

À ce moment-là, ce qui courait dans la forêt leur rentra violemment dedans.

Les Edrakins crurent que leurs dieux les agressaient. Ou leur envoyaient un message. Ou n'étaient pas contents. Bref, ils eurent la trouille de leur vie. La terreur de l'un des deux guides fut si forte qu'il mourut sur le coup, frappé par une crise cardiaque. Le second, les yeux vitreux, s'accroupit tout en se frottant le crâne à s'en arracher les oreilles.

— Je suis un loyal croyant, je suis un loyal croyant, je suis un loyal croyant...

Avec un rugissement féroce, l'intrus se releva. Constellé de blessures dues aux plantes, il se planta face à Fabrice qui l'avait déjà reconnu, le cœur serré.

Moineau.

— Tiens tiens tiens, dit Selenba en s'approchant avec grâce, mais c'est ta petite amie ? (Elle se pencha et chuchota :) Dis donc, tu crois qu'elle est venue te faire payer tes coups de fouet ? Non mais, parce que moi, je serais en colère contre toi à sa place. Très en colère.

Fabrice n'eut pas le temps de réagir. Moineau le saisit et, d'un mouvement violent, l'expédia dans la végétation. L'instant d'après, ils disparaissaient tous les deux et le bruit de leur combat faisait trembler les arbres.

— Ces gamins ! grogna Selenba d'un ton dégoûté. Finalement, j'ai changé d'avis (elle expédia un coup de pied vicieux dans les côtes de l'Edrakin toujours prosterné), montre-nous le chemin, je veux encore avancer quelques heures, nous avons assez perdu de temps comme ça.

Comme des fantômes, les Edrakins sur les traces de Moineau apparurent. Et repartirent aussi vite, dépités. Leur proie était entre les mains de la vampyr, ils n'allaient pas discuter avec elle pour la récupérer.

Les thugs levèrent le camp.

Personne ne posa de question. Les thugs étaient nerveux. Ne sachant pas très bien qui redouter le plus, la forêt, les Edrakins ou la vampyr, ils n'allaient pas en plus risquer de se faire remarquer en demandant à Selenba pourquoi elle n'attendait pas Fabrice.

Après tout, elle n'avait pas mangé depuis deux jours et ils ne tenaient pas à terminer en casse-croûte.

— Ho ! cria Selenba dans la direction approximative du combat, lorsque vous aurez terminé de vous réduire en pièces détachées, vous nous rejoindrez, je vous rappelle que l'huile ne fonctionne que pendant deux jours ! Si vous voulez survivre, il faudra nous rattraper. Amusez-vous bien, les enfants !

Et elle donna le signal du départ.

Moineau était en train de gagner haut la m... la patte et Fabrice avait l'impression d'être passé à la moulinette. La Bête ne se gênait pas pour utiliser ses griffes et ses crocs, sachant fort bien que Fabrice aurait très mal, mais n'en mourrait pas. Du coup, le combat était assez inégal, parce que Fabrice, lui, savait qu'il pouvait la tuer involontairement et se retenait de son mieux.

En fait, Moineau était folle de rage. Contre à peu près le monde entier. Contre Tara qui avait amené les fantômes sur AutreMonde. Contre son petit ami qui, croyant l'aider, l'avait trahie... et fouettée. Contre Magister, dans la gorge duquel elle aurait bien planté ses crocs. Contre la Résistance dont le bateau l'avait larguée trop loin de l'île si bien qu'elle avait dû nager pendant des tatrolls et qu'elle avait horreur d'avoir la fourrure mouillée. Contre la forêt qui n'avait pas arrêté d'essayer de la manger depuis qu'elle avait posé un orteil dedans. Contre les Edrakins qui la poursuivaient, pensant qu'elle était l'un des pirates. Contre l'univers qui lui avait donné l'amour et le lui avait retiré aussitôt, genre « tu l'as vu ? ben, tu l'auras pas ! ». Alors, pour se passer les nerfs sur quelque chose, elle était en train de massacrer Fabrice.

Qui finit par comprendre que le mieux était de ne plus rien faire. Ne plus bouger, encaisser, comme un boxeur trop sonné pour répliquer.

Moineau continuait à maltraiter le corps mou du loup-garou lorsque l'impression confuse que quelque chose n'allait pas finit par filtrer au milieu de sa rage.

D'une patte dédaigneuse, elle lui balança une dernière baffe qui le propulsa contre un arbre. Une pluie de feuilles et de branches en tomba, mais l'arbre, rendu prudent par ce qu'il venait de voir, décida qu'il allait se tenir tranquille avec ces deux dingues.

Fabrice ne bougeait plus. Ses blessures se refermaient à une vitesse hallucinante, mais il ne bougeait plus. Lentement, la rage qui mettait un voile rouge devant les yeux de Moineau finit par refluer. Méfiante, elle s'approcha. Le loup ouvrit ses yeux dorés, mais ne fit pas un mouvement. Mieux, il offrit sa gorge. Son point le plus vulnérable.

— Pfff!... cracha Moineau en même temps qu'une touffe de poils. Tu n'es pas un loup, m'offrir ta gorge ne m'attendrira pas!

— Tu peux faire de moi ce que tu veux, souffla le loup en cillant, je ne veux pas me battre contre toi. Tue-moi s'il le faut, je suis fatigué de tout ce krokdul[1].

Moineau sursauta. Le mot était vilain.

— Ne te plains pas, répondit-elle, peu encline à pardonner, tu en as provoqué une grande partie en t'alliant à Magister.

— Je n'ai pas fait revenir les fantômes! protesta Fabrice. Si Tara n'avait pas déclenché cette catastrophe, j'aurais été celui qui avait tué Magister. Et son fantôme serait encore dans les Limbes d'OutreMonde, où j'espère que ses ennemis, nombreux, lui auraient fait la tête au carré! Je serais un héros, Gloria!

En fait, un héros mort parce que les sangraves l'auraient tué tout de suite si Magister était mort, mais il préféra passer ce détail sous silence.

Moineau toisa le loup effondré contre le tronc de l'arbre.

— Piteux héros, souffla-t-elle en accroupissant ses trois mètres de fourrure et de crocs. Piteux héros qui fait de piteux choix.

Fabrice envisagea un instant de protester, mais Moineau avait malheureusement raison. Depuis qu'il s'était retrouvé entre les mandibules d'une aragne, en train de lutter et pour sa vie et pour trouver ses maudites charades, il avait compris qu'il n'était pas fait pour vivre ici.

Il s'était entêté.

Il avait eu tort.

Elle allait se relever et disparaître dans la forêt lorsqu'il l'attrapa par le bras et la ramena doucement vers lui.

— À qui le dis-tu, soupira-t-il, à la grande surprise de Moineau. Mais si je n'étais pas venu, je ne t'aurais pas rencontrée.

---

1. Moi, je trouve qu'ils jurent beaucoup dans ce tome-là, hein! Et je n'ai aucune idée de ce que veut dire krokdul, à part que c'est très, très mal élevé.

Il plongea ses yeux de loup dans les yeux noisette de Moineau.

— Et ça, murmura-t-il, si bas qu'elle dut se pencher, ça, je ne le regrette pour rien au monde.

Et avant qu'elle ait le temps de réagir, le loup embrassa la Bête.

Enfin, posa son museau sur le sien, parce que, franchement, ce n'était pas pratique pratique.

Moineau en perdit la voix... et ce qu'elle allait dire. Elle recula, rompant le contact. Mais son regard resta glacial et le garçon comprit qu'un petit bisou n'allait pas l'attendrir aussi facilement.

Il avait plein de choses à lui dire, mais seule une question lui vint aux lèvres :

— D'ailleurs, comment nous as-tu retrouvés ? demanda-t-il, inquiet. Comment es-tu venue sur cette île « maudite des dieux », comme disent si bien les Edrakins ?

Le mufle poilu resta impassible.

— Pourquoi veux-tu le savoir ? finit-elle par demander d'un air méfiant.

Fabrice écarquilla les yeux, comprenant le sous-entendu.

— Pas pour le dire à Magister ou à Selenba, enfin, Moineau, je veux juste savoir comment tu es arrivée ici, parce que cela me semble tout de même une incroyable coïncidence que tu aies réussi à nous retrouver !

Comme pour souligner son honnêteté, il se retransforma. Le séduisant garçon aux yeux noirs et aux cheveux blonds remplaça le loup aux yeux dorés.

Moineau hésita. En un éclair, elle revit son périple. Sa rencontre inattendue avec Cal devenu monsieur le Vampyr « je bois du sang humain et j'aime ça » au Château Vivant. Leurs échanges d'informations vitales sur Tara, en route pour Hymlia, de ce qu'en savait Cal, et sur Patrok.

Tara hors jeu, Moineau n'avait pas eu le choix. Elle ne pouvait dévier de sa route pour aller à Hymlia et prévenir Tara à propos de Xoara. Mais elle pouvait trouver la machine anti-fantômes et si possible l'activer. Cal lui avait donné un coup de main afin qu'elle puisse embarquer rapidement sur un bateau, affrété par le triton MontagneCristaux qui avait réussi à s'échapper lors de l'attaque de l'auberge.

Avec tout ce qui s'était passé au Lancovit, on aurait pu écrire un livre intitulé *Les Aventures de Caliban Dal Salan, vampyr malgré lui*. Mais il ne l'avait pas accompagnée, car il n'avait pas terminé sa mission.

Moineau avait donc embarqué avec la terrifiante impression d'être complètement abandonnée, sans Cal, sans Tara, sans Fafnir pour la soutenir.

Et Robin était mort ! Par tous les dieux d'AutreMonde...

Elle ne se souvenait pas de la dernière fois où elle s'était sentie aussi seule et avait eu aussi peur.

La traversée avait donné à la jeune fille le temps de réfléchir. Elle allait suivre Fabrice et Selenba, et leur voler la machine une fois qu'ils l'auraient récupérée. Y parvenir avant eux était impossible, malheureusement.

Moineau avait donc abordé près de l'endroit où les espions de la Résistance lui avaient dit que l'escouade de Fabrice et Selenba avait abordé, et, n'ayant aucune idée du lieu où ils se trouvaient dans leur progression, avait tout simplement suivi leurs traces.

Visqueuses.

Assez puantes.

Ces aragnes étaient une horreur. Coup de chance, toutes étaient tellement imprégnées d'huile qu'il suffisait de bien rester au milieu de la piste pour éviter les attaques des plantes.

Certaines, cependant, ne l'avaient pas ratée lorsqu'elle s'était un peu trop approchée, d'où ses blessures. Ça faisait mal, ça piquait, mais pas suffisamment pour l'arrêter.

Elle n'était pas loin lorsque les stupides Edrakins avaient commencé à s'agiter dans tous les sens, mais ce n'était pas elle qu'ils chassaient. Puis leurs proies avaient disparu, apparemment, et ces imbéciles s'étaient lancés sur ses traces à elle. Elle avait donc fui, sans se rendre compte que Selenba s'était arrêtée pour camper. Manque de chance, elle avait débouché pile au milieu du camp.

Elle aurait dû profiter de la surprise et s'enfuir, mais, dès qu'elle s'était retrouvée face à Fabrice, elle avait vu rouge. Elle lui avait sauté dessus au lieu de filer. Elle était tellement en colère qu'elle avait sombré dans ce qu'elle appelait son côté Bête. La puissance, la force, l'intensité de la Bête la submergeaient parfois, au point de lui faire oublier son humanité. Alors elle s'immergeait dans la violence.

Et le pire, c'était que, parfois, elle aimait vraiment ça.

Elle se justifiait aussi en se disant qu'elle s'était battue contre Fabrice parce qu'elle savait qu'il respectait sa force et qu'il avait un peu tendance à l'oublier, lorsqu'il la voyait sous sa forme fragile d'humaine.

Mais en fait, lui donner une sacrée raclée avait été un moment particulièrement satisfaisant.

Il le méritait tellement ! Non mais, quel imbécile !

Toutes ces pensées traversèrent son esprit en un éclair. Fabrice attendait toujours patiemment qu'elle réponde.

— Je vous ai suivis, répondit-elle laconiquement.

— Comment ? La dernière fois que je t'ai vue, tu étais prisonnière de Magister, dans les prisons d'Omois, qui ne sont pas réputées pour leur côté club de vacances que je sache.

— Disons que mes amis, ceux qui me sont fidèles (et paf !), m'ont donné un coup de main. Et maintenant, me voici.

— Laisse-moi deviner. Tu vas tenter d'activer la machine, c'est ça ? Tu es seule ?

Moineau hésita. Puis décida d'être franche, il n'avait pas l'air agressif et de toute façon, Selenba n'était pas idiote, maintenant qu'elle savait que Moineau était dans le coin, elle serait sur ses gardes.

— Oui. Je vous suivais, mais maintenant je n'ai pas trop le choix, je vais devoir affronter la jungle et tenter d'aller plus vite que vous.

— C'est de la folie, tu vas te faire dévorer vivante !

— Non, cette forme est solide, j'y arriverai. Je ne te demande pas de combattre Selenba, mais, si tu pouvais ralentir l'escouade, ton aide serait appréciée. Une fois Magister détruit et l'ordre restauré, nous retrouverons une vie normale.

Fabrice secoua la tête.

— Selenba ne te laissera jamais approcher de la machine. À mon avis, depuis qu'elle t'a vue, elle a dû déjà envoyer des gardes en éclaireurs afin de sécuriser le site d'Arrutchir.

— Je n'ai pas peur de Selenba. (Elle tenta le tout pour le tout, d'un air tentateur :) À nous deux, nous pouvons la vaincre, tu le sais et je le sais.

— Non, il y a aussi les thugs. Ce serait du suicide.

Cela énerva Moineau, en dépit de sa volonté de rester calme.

— C'est ne rien faire qui serait du suicide. Enfin, Fabrice, vas-tu ouvrir les yeux ? Je ne comprends pas. Je ne *te* comprends pas, plutôt.

L'ancien Fabrice aurait répliqué qu'il voulait du pouvoir, etc. Mais pas ce garçon-là. Qui avait traversé l'enfer depuis deux mois. Et ce qui brisa vraiment le cœur de Moineau, ce fut la peur qui brilla dans les yeux du garçon. Ça, et le fait qu'il crispe sa main sur sa poitrine avec une grimace de douleur. Là où palpitait l'anneau de magie démoniaque.

Devrait-elle le tuer afin de sauver AutreMonde ? Il ne le savait pas, mais elle portait, dissimulé dans sa fourrure, un étroit poignard d'argent. Dont la pointe, si effilée qu'elle ressemblait à une aiguille, pourrait facilement plonger jusqu'au cœur du loup-garou. Une telle blessure serait fatale. C'était le seul moyen de tuer un loup-garou, car ils faisaient une violente réaction allergique à l'argent. Ensuite, il lui faudrait attaquer Selenba et se débarrasser des thugs. Puis activer la machine. Tout son être était tendu vers ce but.

Elle était en train d'hésiter, rongée par l'angoisse, lorsque Fabrice lui sourit.

Puis il leva les yeux vers un arbre qui surplombait l'endroit où ils se trouvaient, avec un air de profonde stupéfaction.

— Oh ! dit-il.

Moineau se retourna à demi, levant le visage vers le ciel.

Avant qu'elle n'ait le temps de réagir, Fabrice lui balança un coup de poing à assommer un bœuf et elle s'écroula, évanouie.

Il s'était retransformé volontairement. Il savait que Moineau, comme tout le monde, oubliait constamment que son corps d'humain était aussi fort que son corps de loup-garou.

Inconsciente, la Bête se retransforma immédiatement et Moineau reprit son aspect normal.

Fabrice se releva d'un bond et secoua sa main en gémissant.

— Ah ! la vache, qu'est-ce qu'elle a la tête dure, cette fille !

Ses os se remirent en place avec un claquement sec et il grimaça encore. Puis il se pencha, chargea le corps de sa petite amie comme si c'était une botte de foin, et s'enfonça dans la forêt, à la poursuite de ses troupes.

Il n'avait pas vraiment le choix. Selenba l'écorcherait vif s'il laissait Moineau partir. De plus, la Forêt la dévorerait vivante, car il avait bien vu qu'elle n'avait aucune protection huileuse. Il avait fait cela pour son bien.

Moineau serait furieuse en se réveillant.

Il ne put s'empêcher de sourire. Un petit sourire triste.

Et dans la robe de sortcelière de Moineau, un mortel petit poignard d'argent, caché, attendait, patient.

16

Angelica

ou lorsqu'on est dans un milieu vraiment hostile,
il est plus prudent de garder les mains dans ses poches...
sous peine de les perdre bêtement.

Des yeux avaient suivi toute la scène. Ceux de Tara, Sylver et Angelica, qui, grâce à la puissance des muscles vampyriques de Tara et ceux, tout aussi efficaces, de Sylver, avaient pu sauter bien plus haut que des humains normaux. Et réussi à se percher dans un arbre afin que les Edrakins perdent leurs traces.

Le combat entre Fabrice et Moineau avait été... intéressant.

Ils avaient eu vraiment peur lorsque Fabrice avait levé les yeux vers leur arbre et tendu le doigt en faisant : « Oh ! »

Mais il ne les avait pas vus. C'était une ruse pour tromper Moineau.

Tara avait fermé les yeux lorsqu'il avait assommé son amie. Puis l'avait laissé partir. Ce fut l'acte le plus héroïque qu'elle ait accompli depuis longtemps. Et il la fit vraiment souffrir.

Une fois tout le monde suffisamment loin pour qu'ils puissent descendre en toute sécurité, ils rejoignirent la terre ferme, encore ébranlés par ce qu'ils avaient vu.

Sylver et Tara échangèrent un regard et, l'espace d'un fulgurant instant, ils furent unis par le même sentiment d'intense regret. Sylver, qui savait qu'il ne pourrait jamais toucher qui que ce soit et enviait férocement Fabrice et Moineau, et Tara, qui avait tout perdu et vivait dans le souvenir.

Leurs yeux se quittèrent et Tara se sentit oppressée. Sylver, de son côté, avait envie de dégainer son sabre et de raser cette forêt pour effacer la peine dans les yeux de Tara.

— Il est devenu pas mal, Fabrice le petit Terrien, dit Angelica d'une voix traînante, maintenant qu'elle avait retrouvé son souffle. Pas mal du tout.

Elle brisa l'instant et Tara grimaça.

— Angelica ?

— Mmhhh ?

— Moi, à ta place, je me demanderais pourquoi je suis systématiquement attirée par les gens assoiffés de pouvoir et franchement dangereux, voire totalement psychopathes.

— Pas uniquement, fit remarquer Angelica sans se vexer, j'aimerais bien approcher de près le magnifique Sylver, et, sans ses stupides écailles, ce serait fait depuis longtemps.

Sylver la fixa de ses superbes yeux dorés et réussit à rester impassible. Mais une légère coloration sur ses pommettes et son œil affolé montrèrent qu'il n'était pas insensible à la déclaration d'Angelica. Sans bien savoir pourquoi, cela agaça Tara.

— Et lui, continua Angelica, il ne veut pas de pouvoir, juste être un beau paladin. Un très, très beau paladin. Tu vois, je n'aime pas que des psychopathes !

— Cela doit être la Chose qui te séduit en lui, chuchota Tara en lui faisant signe de baisser la voix. Fais attention, ils ne sont pas très loin !

— Ils sont là pour la même chose que nous, c'est ça ? demanda Angelica, ignorant la remarque de Tara. Magister a trouvé l'information lui aussi ? Il veut la machine ?

— Il a possédé le corps de ma tante, il était logique qu'il découvre son existence un jour ou l'autre dans le Livre des Sombres Secrets.

— Pardon de vous ennuyer, fit Sylver, mais qui sont ces gens ?

Et on sentait dans sa voix à quel point il avait trouvé la scène... bizarre.

Tara lui expliqua rapidement. Il hocha la tête. Oui, les amours compliquées il pouvait comprendre. Ce qu'il aimait moins, c'était le fait que plein de monde se retrouve sur cette île, avec le même but qu'eux.

Ils se regardèrent tous les trois. Leur quête venait de se transformer en compétition.

Et le prix du gagnant était la sauvegarde ou la domination d'AutreMonde.

Tout autour d'eux, le fracas de la jungle reprenait ses droits. Ils repartirent précautionneusement en direction d'Arrutchir, mais, prudents, parallèlement à la voie ouverte par les araignées.

Depuis qu'elle était entrée dans la forêt, Tara n'avait pas eu le temps d'observer son environnement. Maintenant que l'excitation et la peur s'émoussaient pour faire place à la concentration, ses sens de vampyr lui apportaient des tas d'informations.

Tout d'abord, il y avait plein de vie dans cette jungle. Et pas uniquement des plantes démentes qui essayaient de vous transformer en steak haché tous les trois pas. Des oiseaux bleus au cou d'un rouge étincelant, des grenouilles, des serpents, des insectes irisés dont certains étaient si beaux, si gracieux, qu'elle se serait arrêtée pour les regarder si elle n'avait eu un dieu plus des Edrakins à sa poursuite. La forêt était si intensément bariolée qu'il était difficile de savoir si on avait affaire à un oiseau, un insecte ou une fleur. Les couleurs éclataient sous les deux lunes, Tara ne pouvait qu'imaginer ce que cela serait sous la lumière des soleils d'AutreMonde. Les arbres les plus spectaculaires, en dehors des parasols multicolores qu'elle connaissait déjà, étaient les arbres de saphir. Bleus, transparents, leur sève coulait dans leurs veines de saphir en un paisible battement systolique. Lorsqu'ils étaient traversés par un rayon des lunes, ils semblaient s'enflammer de mille éclats, comme d'immenses diamants bleus.

Elle était monstrueusement belle, cette forêt. Monstrueuse, car les plantes semblaient parfois si déformées, si étrangement mutantes, qu'elles inspiraient l'horreur, en dépit de leur beauté. Parce que les Edrakins les torturaient, ces plantes, les changeaient pour qu'elles produisent ce dont ils avaient besoin. On pouvait presque sentir leur souffrance.

Tous faisaient beaucoup de bruit et certaines des plantes… chantaient. L'une modulait un son, qui était repris par une autre, puis par une autre encore, jusqu'à ce que des centaines, des milliers de plantes chantent à l'unisson. Parfois, c'était étrange à en faire dresser les cheveux sur la tête. Et parfois, c'était si beau que Tara en avait les larmes aux yeux.

La seule chose qui la dérangeait vraiment, c'était ce zonzonnement insistant qu'elle entendait, à devenir dingue. Elle mit un doigt dans son oreille et l'agita vigoureusement. Cela ne la soulagea pas.

Elle écarta la sensation de son esprit, résolue à se concentrer sur leur progression. Pour l'instant, ils pouvaient avancer sans se préoccuper des plantes qui s'écartaient assez docilement.

Mais Tara avait entendu ce qu'avait dit Selenba. L'huile n'agissait que pendant deux jours. Parcourir une quarantaine de tatrolls (ils en avaient parcouru déjà dix) en moins de deux jours lui semblait difficile. Ils allaient devoir voler de l'huile à Selenba. Youpeeh ! C'était bizarre, parce qu'elle n'aurait pas dû avoir peur, après tout, sa vie allait bientôt se terminer, et pourtant, oui, indéniablement, elle avait peur. Pire, elle était terrorisée.

Tara fit signe aux autres qu'elle partait aux nouvelles et se transforma en loup.

Silencieuse au milieu de tous ces bruits, Tara s'approcha du groupe qui cheminait péniblement. Si les arbres s'écartaient plus ou moins sur le passage des aragnes, celles-ci étaient souvent trop grandes pour se faufiler entre les arbres bien enracinés, et les thugs devaient alors abattre ce qui les gênait. Cela mettait les plantes en rage, et les aragnes, en dépit de l'huile, se faisaient arracher cuir, peau et parfois pattes sans pouvoir vraiment se défendre. La progression des trois était bien plus facile et discrète. Tara sourit de son sourire étincelant de loup.

Qui disparut lorsqu'elle vit que Selenba avait fait ligoter Moineau sur une aragne. Elle s'inquiéta du fait que son amie était toujours inconsciente.

Comme elle ne pouvait rien faire pour l'aider pour l'instant, elle observa le convoi. L'huile était portée par une autre aragne, et soigneusement gardée par deux gardes très vigilants. Ils ne quittaient pas leur unique chance de survie de l'œil.

Tara les comprenait tout à fait.

Sur ses pattes silencieuses, elle fit demi-tour.

Elle retourna vers ses compagnons et se figea, atterrée, en les rejoignant.

Les plantes les attaquaient !

Dans la main, Angelica tenait une fleur de pierre.

Tara comprit tout de suite.

Angelica avait dû voir la fleur et s'en était emparée. L'arbre avait surpassé son dégoût de l'huile pour attaquer celle qui venait de cueillir l'une de ses précieuses fleurs. Sylver avait volé au secours d'Angelica. Son sabre taillait les lianes à une telle vitesse qu'on avait l'impression qu'elles pleuvaient autour de lui. Ses écailles tranchantes faisaient le reste sur les tentacules qui essayaient de l'enlever.

Quant à Angelica, c'était une autre paire de manches. La jeune fille, les yeux terrifiés, ne pouvait même pas utiliser sa magie pour se sauver, ce qui les aurait tous condamnés, car ses bras étaient immobilisés dans son dos par les tentacules, tandis que l'arbre l'amenait lentement mais sûrement à lui. Il n'y avait pas de bouche furieuse pour l'engloutir, mais Tara se doutait bien de ce qui se passerait si l'arbre parvenait à s'emparer d'Angelica. Il l'écraserait lentement sur son tronc et se régalerait de ses sucs vitaux.

Le problème, c'était que la sève de l'arbre durcissait en séchant et que le tranchant du sabre de sang de Sylver, impossible à émousser, se couvrait pourtant de sève de plus en plus dure et de plus en plus enrobante. Bientôt, la lame ne couperait plus rien et Tara sentait sa rage inaudible.

Elle examina la situation. Sous sa forme de loup, elle serait vulnérable. Elle se retransforma donc en vampyr, allongea ses griffes et plongea derrière l'arbre. C'était lui qu'il fallait attaquer, pas ses tentacules.

Trop occupé à ramener sa proie, l'arbre ne sentit tout d'abord pas la brutale offensive de Tara contre son tronc. De ses griffes capables de trancher l'acier, elle fendait le bois tendre comme si c'était du papier. Il ne lui fallut pas très longtemps pour parvenir au cœur de l'arbre. Alors les tentacules s'élancèrent vers elle, mais le mal était fait. Sylver eut enfin assez de répit pour ranger sa lame et sortir ses deux haches. Il parvint à délivrer Angelica qui tremblait de tous ses membres. Il allait s'attaquer à l'arbre à son tour, mais n'eut que le temps de s'écarter car, dans un gémissement d'agonie, l'arbre vacilla, puis s'abattit avec un grondement de fin du monde.

Tara émergea de l'autre côté, engluée de sève.

— Tout le monde va bien ? chuchota-t-elle, plutôt satisfaite.

Sylver se contentait de la regarder, comme s'il était soudain incapable de parler.

— Qu'est-ce que tu faisais, bon sang, murmura à son tour Angelica, n'osant pas hurler, ça fait au moins une heure que nous nous battons !

— À peine quelques minutes, trancha Sylver. Merci, Damoiselle, vous nous avez sauvé la vie. Même mes écailles et le dégoût que les plantes semblent avoir pour moi n'avaient pas l'air de décourager cet arbre.

Ah ! il avait remarqué, lui aussi. Il n'arrivait même pas à se faire aimer par des plantes, et l'amertume dans sa voix montrait que cela le peinait beaucoup. À sa place, Tara aurait été contente que les plantes démentes de cette île ne l'aiment pas.

— Qu'est-ce qui s'est passé ? demanda Tara.

— Rien du tout, répondit vivement Angelica en mettant la fleur dans sa poche.

Mais Sylver ne savait pas mentir.

— Damoiselle Angelica a été imprudente, dévoila-t-il au grand agacement de cette dernière. Elle a voulu cueillir une fleur-bijou, plus grande et plus belle que celle que sa famille possédait. L'arbre l'a attaquée. Je regrette que vous ayez dû le tuer, il ne faisait que se défendre, après tout.

Tara grimaça. Oui, certes, m'enfin, elle n'avait pas eu vraiment le choix, quelques minutes de plus et ils étaient morts. Elle avait déjà bien assez de morts sur la conscience pour ne pas en récupérer deux de plus.

Ils se débarrassèrent tant bien que mal de la sève. Sylver nettoya soigneusement sa lame de sang, et ils reprirent leur poursuite des aragnes.

Et ce fut là que cela commença. Tara sentit le poids d'un regard sur elle. Au début, elle crut qu'Angelica la surveillait, mais la grande fille brune était bien trop occupée à guetter les arbres pour se préoccuper de ce que faisait Tara. Et, lorsqu'elle tourna la tête, elle surprit Sylver qui la dévisageait comme s'il ne l'avait jamais vue.

À partir de ce moment-là, il ne la quitta plus des yeux. Tara ne savait pas très bien comment réagir. Sylver était si bizarre et il serait si facile de le blesser qu'elle n'osait pas lui poser de questions.

Mais cela la mettait vraiment mal à l'aise. Non, pas exactement mal à l'aise. Cela la perturbait. D'autant que, négligeant de surveiller où il allait, il se cognait ou s'étalait deux fois plus que d'habitude.

À deux heures du matin, la troupe de Selenba s'arrêta finalement pour dormir et ils stoppèrent moins d'un kilomètre derrière elle. L'huile dont Tara était imprégnée devrait encore faire effet pendant un jour et demi, mais Angelica n'en avait pas assez sur ses vêtements. Les plantes commençaient à se rapprocher d'elle. Tara décida d'aller voler de l'huile avant qu'Angelica ne fasse une crise de nerfs et ne révèle leur présence à leurs ennemis. De nouveau elle se transforma, et se glissa vers le campement de l'ennemi.

Il était bien conçu et Tara envia aux thugs les tentes alignées, le cercle formé par l'huile, les couchages confortables. Ils dormiraient mieux qu'eux cette nuit, c'était sûr. Prudente, elle s'allongea, et attendit avec une patience de... loup.

Non loin des thugs épuisés par la progression, les aragnes ne dormaient pas, mais un mot de Selenba les avait engourdies comme si la sombre magie les avait soudain quittées. Elles ne bougeaient pas.

Au centre, Fabrice se disputait avec Moineau. Encore.

La jeune fille avait été descendue de son aragne, et attachée sur un couchage. Elle faisait part de son mécontentement. La quantité de jurons que connaissait la douce et timide Moineau rappela à Tara que ses parents et elle avaient vécu dans les montagnes du Tasdor avec les nains, et que des gens qui manient des marteaux et des pioches ont certainement des tas de façons d'exprimer leur mécontentement lorsque lesdits marteaux ou pioches rencontrent doigts et pieds au lieu de roches et minerais.

Pour une mystérieuse raison, Fabrice paraissait content de se faire insulter. Il était décidément devenu très bizarre.

Ce qu'il dit ensuite fit, à l'unisson, tomber les mâchoires de la Bête et de Tara.

— Ça ne sert à rien de hurler comme ça, dit-il, puisque je sais que tu m'aimes !

Il parlait curieusement fort, comme s'il voulait que tout le monde entende bien.

La Bête en resta bouche bée pendant au moins dix secondes.

Puis elle se reprit.

— Là, franchement, non. Ce n'est pas exactement le sentiment que j'éprouve.

— Mais si, mais si, assura très fort Fabrice en se balançant sur les talons, l'air suprêmement satisfait, je sais que tu m'aimes, sinon, pourquoi serais-tu venue me chercher au fin fond de cette horrible jungle ?

L'Edrakin survivant lui jeta un œil noir, mais ne réagit pas plus. Les dieux jugeraient bien mieux que lui ces étrangers maudits par eux.

Tara enroula sa langue dans un mouvement amusé. Elle était curieuse d'entendre la réponse de Moineau.

— De… de tous les idiots égocentriques et débiles auxquels j'ai eu affaire, tu es vraiment le plus… le plus… rahhhh, si j'étais libre, bon sang, Fabrice, arrête un peu de penser à toi !

Mais elle s'arrêta avant d'avoir carbonisé totalement Fabrice dont le sourire s'était un peu fané. Selenba s'avançait et il n'était pas question de discuter devant elle.

— Tu penses qu'elle est venue pour toi ? ronronna la vampyr en tournant autour de Fabrice comme un gros chat mortellement dangereux. Mais ce n'est pas pour toi qu'elle est venue, mais pour moi !

Fabrice écarquilla ses yeux noirs.

— Comment ?

— Bien sûr, qu'est-ce que tu crois ?

Fabrice avait l'air de ne rien comprendre. Moineau aimait Selenba ?

La vampyr vit son expression et éclata de rire.

— Elle est venue pour me tuer bien sûr. Et m'empêcher de rapporter cette machine à notre sombre maître. Mais maintenant que tu l'as capturée, nous allons la ramener au Palais, je suis sûre que notre sombre maître sera content de toi, très content.

Et elle pinça amicalement la joue de Fabrice, sans se soucier de son mouvement de recul, avant de disparaître sous sa tente dans un ultime gloussement amusé.

Fabrice s'avança vers Moineau.

— Je suis désolé, murmura-t-il, mais elle croit que je suis un gros benêt, et cela me va très bien.

— Tu es de mon côté alors, souffla Moineau, soudain emplie de joie, tu vas m'aider ?

Fabrice lui jeta un regard navré. Qui éteignit l'espoir dans celui de Moineau.

— Je suis désolé. Mais non. Si mon maître veut cette machine, alors il aura cette machine. Je te l'ai dit, Moineau, je n'ai aucun moyen de lutter contre lui. Particulièrement depuis qu'il m'a infecté avec la magie démoniaque. Elle… c'est comme un animal vivant qui me ronge le cœur. Et lorsqu'il aura tout dévoré, il ne restera plus rien de moi. Juste une coquille vide.

Il prit une grande inspiration et se redressa, étendant les bras vers la forêt démente

— En attendant, ce n'est pas si mal hein, d'être le lieutenant favori du futur maître du monde ?

Il tentait de plaisanter et cela ne marchait pas très bien.

Moineau ferma les yeux. Elle n'arrivait pas à communiquer avec lui, c'était infernal. Elle aurait voulu le détester, mais c'était impossible. S'il avait été arrogant, elle aurait pu, s'il avait été cruel, elle aurait pu. Mais il était malheureux et perdu, et on sentait bien dans sa voix à quel point il avait peur de Magister. Elle le comprenait. Elle avait peur aussi.

Alors, elle l'aimait encore en dépit de tout ce qu'il lui avait fait.

Elle rouvrit les yeux. Elle devait trouver un moyen de le convaincre de surmonter cette peur et de l'aider à activer la machine. Puisque lui parler ne servait à rien, elle n'avait plus qu'une seule arme. Le silence. Elle détourna son visage de celui de Fabrice, et baissa la tête.

Immédiatement, le garçon sauta sur ses pieds.

— Gloria ? Tu vas bien ?

Moineau ne répondit pas et ferma les yeux.

Pendant quelques minutes, Fabrice lui parla, mais elle refusa de répondre. Désemparé, il finit par renoncer et partit se coucher à son tour.

Tara secoua la tête sous son buisson. Ces deux-là n'étaient pas sortis de l'auberge. D'une certaine façon, elle comprenait Fabrice. La position dans laquelle il se trouvait était intenable. Et la magie démoniaque dans son sang ne devait pas l'aider. Le jour où il aurait à choisir entre son amour pour Moineau et sa peur, il risquait d'en être détruit. Car Tara voyait bien à quel point l'influence de Moineau sur Fabrice était profonde. Tara pria pour que Selenba n'estime pas cette influence à sa juste valeur. Contrairement à Fabrice, la vampyr n'hésiterait pas une seconde à tuer Moineau si elle la soupçonnait de mettre sa mission en péril.

Elle hésita. Devait-elle tenter de délivrer Moineau et risquer de dévoiler sa présence, ou simplement voler une jarre d'huile ?

Elle fit ce que lui avaient appris l'Imperator et l'Impératrice. Elle évalua la situation. Moineau était au centre du camp, exposée à tous les regards, alors que les jarres d'huile étaient en périphérie, car Selenba avait parqué les aragnes assez loin du camp à cause de l'odeur. Un seul thug les surveillait, épuisé par la difficulté de progression. Et sa tête dodelinait. Celui-ci n'allait pas tarder à somnoler.

Le choix était simple. Ce serait l'huile.

Comme une ombre, Tara se glissa jusqu'à l'aragne. L'huile faisait encore effet, car les plantes ne tentaient pas d'approcher sa fourrure poisseuse. Les jarres avaient été déposées par terre pour la nuit. Elle rampa, le ventre collé au sol. Avant de partir, elle avait assombri sa fourrure, la teignant de noir et de bleu. Elle était quasiment invisible. Les arbres étaient si nombreux que la lumière des lunes ne parvenait pas jusqu'au sol. Afin que ses yeux ne se reflètent pas, elle les avait mi-clos.

Cela ne suffit pas.

Soudain, le garde se redressa, pleinement réveillé. Et son regard se posait clairement vers elle. Tara se figea, le cœur au bord des crocs.

Il l'avait vue. Elle allait être découverte.

Le garde s'avança, ses quatre mains brandissant les broyettes[1] qui leur avaient été confiées par Magister. Tara n'osa pas déglutir. Contre des broyettes, elle n'avait aucune chance, et elle ne pouvait pas non plus utiliser sa magie.

Elle était perdue.

Soudain une voix retentit dans son dos.

— Ça va, ne tirez pas !

Trois humains loqueteux, les vêtements déchirés par les plantes et les griffes des Edrakins, firent irruption dans la clairière. Sans se préoccuper du garde, ils s'avancèrent, dépassant Tara qu'ils n'avaient pas vue, et s'immobilisèrent au centre. Ils portaient d'énormes sacs emplis de plantes qui se débattaient vigoureusement.

Tout le camp était réveillé maintenant. Il était inutile d'essayer quoi que ce soit.

---

1. Arme ressemblant à une mitraillette, mi-technologique, mi-magique, et fonctionnant d'une façon assez... aléatoire.

Tout aussi silencieusement, Tara recula et s'enfonça dans la forêt. Elle allait devoir attendre.

Malheureusement, ce fut la dernière occasion qu'elle eut d'approcher les jarres. Les humains avaient repéré les jarres d'huile, eux aussi, et tenté de s'en emparer. Du coup, Selenba, prudente, décida que les jarres seraient entreposées dans sa tente.

Tara jura silencieusement. Les humains demandèrent à Selenba l'autorisation de les accompagner.

— Oh, mais vous allez venir avec moi, c'est sûr, susurra Selenba.

— Non, protesta l'Edrakin, nous devons les sacrifier aux dieux !

— Toi, l'indigène, gronda Selenba, on ne t'a pas sonné. J'ai dit qu'ils nous accompagnaient, je n'ai pas dit pourquoi !

Et avant qu'ils aient le temps de réagir, elle s'abattit sur l'un d'entre eux et en fit son repas.

Fabrice avait détourné le regard, tandis que Moineau, les yeux bien ouverts, montrait tout son dégoût. Ce qui se passait était monstrueux. Mais plus les alliés de Fabrice commettaient d'atrocités, et plus la loyauté de Fabrice vacillerait. Et, lorsqu'il serait prêt, elle serait là.

Très vite, l'homme cessa de crier pendant que le venin de la vampyr se répandait dans son organisme. Mais ses deux compagnons, eux, hurlaient d'horreur, et les thugs durent les assommer pour les faire taire. Même si on sentait que le spectacle de la vampyr se repaissant de la vie de l'homme les révulsait.

Tara, elle, dut chasser l'impulsion qui la poussait à se joindre au repas. Son corps de vampyr avait besoin de sang. Elle allait devoir se retransformer en humaine le temps de consommer un repas normal, sinon, elle aurait tellement faim qu'elle serait incapable de se battre en cas de besoin.

Pour l'instant, elle ne pouvait rien faire de plus. Elle recula silencieusement et s'évanouit dans les profondeurs de la forêt.

Lorsqu'elle revint à leur camp, Sylver veillait, l'air terriblement inquiet. Il poussa un soupir de soulagement lorsqu'elle fit son apparition, ombre veloutée.

Galant fit la fête à sa sœur d'âme. Sylver attendit qu'elle se transforme et fut surpris lorsqu'elle prit son apparence humaine. Il comprit lorsqu'il la vit sortir de ses poches une série de sandwichs et les attaquer à belles dents. Galant, de son côté, eut droit à une grosse ration de grain qu'il engloutit avec satisfaction. Être un pégase vampyr, c'était bien beau, mais rien ne valait un bon picotin d'avoine.

— Que s'est-il passé ? Qu'est-ce que c'était que ces cris ? murmura Sylver pour ne pas réveiller Angelica.

— Des types, probablement les rescapés des pirates de cette nuit, ont essayé de voler de l'huile, ils ont été attrapés.

— Et ?…

— Selenba… disons qu'elle a fait un bon repas ce soir.

— Je vois, dit Sylver, impassible. (Après tout, la Chose était capable de bien pire !) Avez-vous réussi à voler de l'huile ?

— Non, regretta Tara, impossible d'approcher. Et maintenant, Selenba la garde avec elle. Nous allons devoir nous débrouiller sans. Mais je crois que j'ai une idée. Viens voir.

En trottinant dans la forêt, Tara avait repris le chemin creusé par les aragnes. Sous ses coussinets sensibles, elle avait senti autre chose que les feuilles, les branches et, occasionnellement, les bouts d'aragnes mortes.

De l'huile.

Les thugs, les aragnes, Selenba et Fabrice étaient enduits de cette mixture. Il y en avait peu sur le chemin, du moins, pas suffisamment pour les protéger. En revanche, Tara pouvait parier que la clairière où ils s'étaient arrêtés serait couverte d'huile demain, après leur départ. En espérant que le sol n'aurait pas tout absorbé, il suffirait de se rouler dedans pour être protégés.

Lorsqu'ils revinrent vers Angelica, elle était cernée par des plantes qui tentaient de rompre le barrage trop faible de l'huile.

Ils n'allaient pas passer la nuit comme ça.

— Il faudrait créer une sorte de barricade, dit Sylver, quelque chose qui pourrait nous protéger des plantes pendant la nuit.

— Oui, dit Tara, j'espère que le bourgeon saura se rendre utile contre ces végétocarnivorus.

Sylver lui sourit.

— Très… joli mot.

Elle sortit le bourgeon de l'Arbre Vivant. Accepterait-il de « travailler » pour elle ? Elle ne pouvait pas faire de magie, mais la magie du bourgeon était purement végétale. Les Edrakins ne la détecteraient pas.

Enfin, elle l'espérait.

Elle invoqua sa magie végétale, modulant sa pensée afin d'expliquer ce qu'elle voulait, puis, obéissant à un ordre dans sa tête, elle dessina sur la terre fertile de la forêt comme un grand cercle autour d'eux. Le bourgeon se mit à cracher des centaines de graines qui s'enfouirent.

Immédiatement, des arbres semblables à l'Arbre Vivant se mirent à pousser en un cercle parfait. Leurs troncs étaient si serrés qu'aucune plante, aucune branche ne pourrait passer. Puis les arbres joignirent leurs branches au faîte de leur ascension, et aucune liane ne pourrait non plus passer par le haut. Ils avaient l'impression d'être dans une sorte d'énorme tente végétale. Tara sourit avec satisfaction.

— C'est très efficace, dit sobrement Sylver. Comment fait-il ?

— Les plantes de cette forêt ont été « perverties » par la magie des Edrakins. La seule façon de nous protéger était de leur opposer nos propres plantes. C'est ce qu'a fait le bourgeon de l'Arbre Vivant. Il a lancé des spores de lui-même et les a fait pousser instantanément.

— Mais nous ne pouvons pas sortir non plus, fit remarquer Sylver.

— Ce n'est pas important. Le bourgeon les fera s'écarter demain. Pour l'instant, nous sommes en relative sécurité, même si je préfère qu'on institue des tours de garde, au cas où.

Angelica ne fut pas du tout contente d'apprendre, en se réveillant pour son tour de garde, qu'elle allait devoir se rouler dans la boue au petit matin, mais elle n'avait pas trop le choix. Les plantes, à mesure que l'efficacité de l'huile diminuait, s'enhardissaient de plus en plus. Elle fut très surprise de la création de la muraille végétale, qu'elle apprécia à sa juste valeur. Elle n'avait pas bien dormi, tressaillant au moindre frôlement.

Et elle avait eu de drôles de rêves aussi.

Tara, redevenue vampyr après avoir digéré son repas, avait dormi, elle, paisiblement pendant quelques heures. Dès le jour levé, ils reprirent la route.

À l'endroit où Selenba et Fabrice avaient campé, il y avait effectivement de l'huile par terre. L'odeur était terrible, mais Tara, Galant, Angelica et même Sylver se roulèrent au sol avec satisfaction... en se bouchant le nez.

Après cela, les tentacules ne les approchèrent plus.

Ils progressaient toujours parallèlement au chemin, au cas où Selenba, méfiante, aurait laissé des pièges pour ceux qui la suivaient, lorsque Angelica mit le pied sur une sorte de branche qui craqua avec un bruit assourdissant. Elle sursauta, avança encore, et sursauta de nouveau lorsque son pied rencontra une autre branche morte, dissimulée sous la mousse bleue. Elle fronça les sourcils. Devant elle, Sylver, lui aussi, fit craquer une branche et encore une autre. Au fur et à mesure, leur progression se faisait de plus en plus bruyante. Soudain, devant Angelica, une plante rouge déplia ses pétales roses, comme réveillée par les craquements. Angelica pâlit et s'immobilisa aussitôt.

— Sylver, lança-t-elle, Tara, ne bougez surtout plus, ne faites plus aucun bruit !

Tara, qui allait lever le pied, le reposa… sur une branche qui craqua.

Aussitôt, tout autour d'eux, des plantes rouges se déployèrent, comme une armée dissimulée qui encerclait son ennemi tombé dans une embuscade.

Angélica n'était plus blanche, elle était carrément grise de peur.

— Des Absorbs, souffla-t-elle. Ne bougez plus, chuchotez comme le vent dans les arbres, sinon, nous allons tous mourir !

Tara ne comprenait pas. Des Absorbs ? Comme celle que les policiers de Pubcity avaient mise sur la tête de l'égaré ? Pourquoi Angelica était-elle aussi effrayée ?

Paniqués, ni Sylver ni elle n'osèrent poser de questions.

— Nous devons bouger très, très lentement, ordonna Angelica, elles sont réveillées maintenant, le moindre bruit alimentera leur cœur et elles renverront le son comme une onde qui déchiquettera tout sur son passage. C'est ainsi qu'elles s'alimentent. Les os et les fluides de leurs proies leur servent d'engrais pour leurs graines.

Pétrifiée d'horreur, Tara pâlit à son tour en saisissant que ce qu'elle avait pris pour une branche était un os. Il y en avait des milliers.

Ils étaient au milieu d'un charnier.

Elle se mit en mode « panthère rose », sur la pointe des pieds. Heureusement, les vampyrs étaient réputés pour leur grande agilité et la précision de leurs mouv… crac !

Une branche craqua.

Slurk, mais il y en avait partout, de ces saletés ! Tara s'immobilisa, et releva le pied en mode « flamant rose ». Angelica la foudroya du regard.

— Tu veux tous nous faire tuer, idiote ? souffla-t-elle.

— Il y en a partout, murmura Tara, furieuse, comment veux-tu qu'on sorte de ce piège ? Moi, je peux m'envoler en me transformant en chauve-souris, mais vous, vous êtes coincés !

— Exactement, c'est pourquoi nous avons besoin que tu trouves quelque chose qui soit utilisable par nous trois. Fais appel à ton instinct de vampyr, répondit Angelica dans un murmure, vous avez l'habitude de traquer vos proies, quand même !

Tara se concentra. Si elle était en chasse, dans un milieu difficile, comment ferait-elle ?

Elle ne marcherait pas dessus. Elle marcherait dessous.

Elle fit glisser son pied sous l'humus gras et délogea les os qui guettaient en dessous. Elle releva le pied brutalement, les projetant au loin. En retombant sur la mousse, ils ne firent aucun bruit. Angelica eut un pâle sourire.

La petite Héritière n'était pas si inutile que ça, finalement.

Sylver et elle suivirent l'exemple de Tara. Les plantes aux aguets frémissaient, leurs pétales cherchaient le moindre son suspect, mais les trois intrus avaient trouvé un bon rythme. Prudemment, ils avançaient, pas à pas.

Mais les os avaient été disposés comme un immense treillage. Il n'y en avait pas qu'à la surface. Il y en avait aussi en-dessous. Et Sylver était lourd. Et aussi très maladroit. Il eut pourtant l'impression d'appuyer légèrement, mais perdit l'équilibre, son pied écrasa violemment l'entrelacs d'os et de mousse. Un « crac » retentissant résonna.

Et l'enfer se déchaîna.

Tara, Angelica et Sylver plongèrent, les bras au-dessus de la tête, protégeant leurs yeux et leurs oreilles du mieux qu'ils pouvaient. Avec tout le bruit qu'ils avaient fait, les fleurs étaient bien chargées et les trains d'ondes fusaient, pulvérisant tout sur leur passage.

Puis tout se calma, tandis que les fleurs attendaient, attentives, histoire de voir si quelqu'un avait survécu au bombardement.

— Tout le monde va bien ? chuchota Sylver.

— Oui, couina Tara d'une petite voix, mais on a bien failli… Bon, on fait quoi maintenant ?

— Sauvez-vous, Tara, indiqua Sylver. Si nous nous laissons trop distancer par l'escouade, ils arriveront à la machine avant nous et nous perdrons toute chance de vaincre les fantômes.

— Pas forcément, argumenta Angelica qui n'avait pas envie que Tara les abandonne, nous pouvons toujours la récupérer sur le chemin du retour, il va bien falloir qu'ils repartent et les Transmitus ne fonctionnent pas ici, de même que les tapis. Une jolie embuscade et le tour est joué !

Sylver n'avait pas l'air convaincu, mais il ne discuta pas. Il voyait bien qu'Angelica était terrorisée.

Et leur sort fut définitivement scellé lorsque cinq Tueurs Edrakins firent leur apparition silencieuse à l'extérieur du cercle de fleurs.

Les Edrakins restèrent muets, histoire de ne pas servir de cible aux fleurs, mais leurs yeux étincelèrent d'amusement. Les proies étaient bien piégées. L'un d'entre eux recula, puis, attrapant une grosse pierre, la lança au milieu des trois adolescents.

La pierre fit « crac ».

Les fleurs firent « bang ».

Tara avait terriblement mal aux oreilles. Les fleurs ne réagissaient qu'au son et ne visaient pas le sol, sinon, cela ferait longtemps qu'ils seraient morts tous les trois. Mais, même en rampant, ils n'allaient pas arriver à sortir du cercle infernal sans se faire tuer. Les Edrakins se penchèrent et commencèrent à les bombarder de pierres. Celles qui retombaient sur des os déclenchaient des salves de sons destructeurs, les empêchant de bouger, mais d'autres les visaient plus directement et Sylver entendit Tara pousser une plainte sourde lorsqu'une pierre la toucha à la tête, faisant couler le sang.

Fou de rage, il se retourna, sa hache vola comme la foudre et l'un des Edrakins s'écroula, louchant sur l'arme qui venait de se planter entre ses yeux.

Furieux, les autres voulurent récupérer la hache afin de lui rendre la politesse, mais furent incapables de retirer l'engin de la cervelle de leur compagnon. L'arme semblait faire corps avec lui. Du coup, prudents, ils s'abritèrent derrière des arbres pour lancer leurs pierres, se cachant dès que Sylver faisait mine d'envoyer sa seconde hache.

— Tara, tu vas bien ? demanda Sylver, très inquiet.

— Il faut que je me prenne une pierre sur la tête pour que tu te décides à me tutoyer, fit remarquer Tara en chuchotant. Je vois double, mais oui, ça va.

— Nous n'allons pas tenir très longtemps, gémit Angelica.

— Je peux essayer d'affronter les ondes sonores, mon armure d'écailles me protégera, je pense.

— Non, réagit vivement Tara, hors de question. Tu vas te faire désintégrer !

Elle s'abrita vivement tandis qu'une grêle de pierre redéclenchait les fleurs. Angelica, recroquevillée, sanglotait de frayeur.

Les Edrakins visaient de plus en plus juste.

Ils allaient finir lapidés ou en charpie. Tara allait devoir utiliser sa magie, elle n'avait pas le choix.

Le pouvoir affluait à ses mains, lorsque soudain il se produisit un fait inouï.

Un énorme chœur de trompettes éclata, surchargeant les fleurs qui s'étaient ouvertes en grand pour absorber le plus de bruit possible. En même temps, des éclairs, du tonnerre et un feu d'artifice tonnèrent, tandis qu'une monstrueuse démone se matérialisait, juste au-dessus d'eux, indifférente aux anti-Transmitus. Elle hurlait si fort que sa voix couvrit même les trompettes et le tonnerre :

— Moi, Xoarachivanridrovulatrévil, démone du cinquième cercle, envoyée par Magister, je te condamne, Tara Duncan, à mo...

Elle n'eut pas le temps de terminer sa phrase.

Les fleurs, en totale surcharge, déchargèrent toute la violence du son sur Xoara, les Edrakins et la forêt.

Ils eurent juste le temps de voir l'expression ahurie de Xoara avant qu'elle ne soit annihilée par la violence du choc.

Tout ce qui se trouvait debout sur une distance de vingt mètres fut proprement rasé, y compris la majorité des fleurs qui explosèrent.

Des morceaux de démone, de trompettes et d'Edrakins se mirent à pleuvoir un peu partout.

La tempête était à peine calmée que Tara et Angelica se sentirent attrapées par une poigne ferme. Sylver les remit sur pied et ils détalèrent, complètement sourds, à travers ce qui restait de forêt. Il lâcha Angelica une seconde, le temps de récupérer sa hache, plantée non plus dans une cervelle mais dans un tronc d'arbre, et repartit de plus belle. Tara, bien qu'à moitié assommée, se mit à compter. À partir de l'apparition de la chose rouge, il s'était écoulé environ quinze crocodiles borgnes. Elle compta seize crocodiles borgnes, dix-sept crocodiles borgnes, dix-huit crocodiles borgnes, dix-neuf crocodiles borgnes, vingt croco…

Sylver les lâcha brusquement et les recouvrit de branchages, ce qui n'était pas très difficile, vu que la forêt en était couverte. Heureusement, ils étaient déjà à l'intérieur de la jungle, suffisamment touffue pour les cacher efficacement.

Des dizaines de Grands Prêtres Edrakins se matérialisèrent exactement à l'endroit qui avait vu apparaître la démone rouge. Tara ne se risqua pas à parler, mais prit note que les Edrakins étaient rapides. Il leur avait fallu moins de vingt secondes pour repérer l'endroit où quelqu'un avait fait de la magie sur leur île.

Très rapides.

Heureusement pour Tara et ses amis, les Edrakins virent les morceaux de démone ainsi que les corps de leurs congénères et crurent à un affrontement mortel. Le terrain étant dévasté, ils ne repérèrent pas les traces de Sylver et des adolescentes. C'était une bonne chose, parce que Tara n'aurait pas eu la force d'assommer une mouche.

Les Edrakins furent vraiment perplexes lorsqu'ils retrouvèrent cinq énormes trompettes noircies et à moitié détruites. L'un d'entre eux voulut en utiliser une, le son fut si fort qu'il fit sursauter tous ses compagnons, et l'Edrakin faillit en avaler ses dents. Ils ne risquaient rien des Absorbs survivantes, celles-ci étaient totalement incapables d'emmagasiner le moindre son pour plusieurs jours encore.

Après cela, ils se gardèrent bien de toucher ou de souffler dans quoi que ce soit.

Cela dura longtemps. Si longtemps que Tara faillit bien s'endormir. Seule la crainte de faire du bruit en dormant l'en empêcha, mais de justesse.

Heureusement, l'huile des dieux fonctionnant aussi sur les animaux et surtout sur les insectes, personne ne vint mordre ou piquer les trois adolescents, et ils purent rester dissimulés.

Un Edrakin, un vieux félin aux crocs cariés et jaunis par l'âge, ordonna qu'une fouille soit organisée afin de déterminer s'il y avait des survivants… ou des proies potentielles. Deux Edrakins commencèrent à cercler, tout autour de la scène de carnage. Sous le regard inquiet de Galant, caché dans un arbre.

Le pégase, le cœur battant, les observa passer à cinq centimètres à peine de la tête de Tara.

Mais ils ne les virent pas. Le vieil Edrakin renifla lorsqu'ils revinrent bredouilles, mais n'insista pas.

Les Edrakins emportèrent tout ce qu'ils trouvèrent et disparurent, un à un.

Tara pensait que Selenba allait envoyer quelqu'un enquêter sur la déflagration qui avait secoué toute la forêt, mais la vampyr n'avait pas l'air de s'en préoccuper. Personne ne revint. Au bout d'un long moment, Tara et ses amis jugèrent que la voie était libre.

Passablement sonnés, ils se redressèrent, s'époussetèrent et communiquèrent de leur mieux. Ils auraient bien voulu se reposer un instant, mais Selenba, elle, ne s'était pas arrêtée.

Finalement, l'option de progresser en parallèle n'était pas si bonne.

Surtout lorsqu'on tombait dans les pièges des plantes démentes.

Ils décidèrent d'envoyer Galant en avant afin de détecter tout danger et restèrent sur le sentier créé par les thugs et les aragnes. C'était plus facile pour avancer, même si cela les mettait à découvert et, au moins, les thugs expérimentaient les mauvaises surprises à leur place. D'ailleurs, à plusieurs reprises, ils virent des traces de sang, ce qui prouvait que les végétaux n'étaient pas toujours les perdants.

Au bout d'un moment, Angelica demanda d'une voix faible :

— Est-ce que quelqu'un a compris ce qui s'était passé ?

— Il y a eu des trompettes, dit Sylver, du ton peu assuré de celui qui se demande s'il n'a pas un peu forcé sur l'apéritif.

— Et ensuite un feu d'artifice, renchérit Tara du ton tout aussi incertain de celle qui se demande A) si elle a eu des hallucinations et B) si elle ne ferait pas mieux de s'acheter de bonnes lunettes.

— Et des éclairs et du tonnerre, remarqua Angelica d'un ton fatigué.

— Très spectaculaire.

— Tu as entendu ce que la démone a dit ?

Tara faillit hocher la tête mais se ravisa. Elle avait l'impression que son crâne allait se détacher d'un instant à l'autre.

— Oui, elle a dit qu'elle était envoyée par Magister, mais j'avais déjà trouvé le tout très bizarre avant sa déclaration, hein.

— Hum, et qu'elle s'appelait Xoara quelque chose, renchérit Sylver qui, lui, avait l'impression que ses dents avaient une folle envie de quitter sa mâchoire.

— Quelqu'un sait pourquoi elle a hurlé si fort ?

— Ben, il y avait tellement de bruit à cause du tonnerre, du feu d'artifice et des trompettes, qu'elle n'avait pas tellement le choix. Dommage pour elle, les fleurs l'ont visée direct. C'est à peu près à ce moment-là que mes tympans ont éclaté.

— Tes tympans ont éclaté ? demanda Sylver, très inquiet, mais...

— Non, non, dit Tara, c'était une boutade, mes tympans n'ont rien... enfin, juste très mal, mais c'est tout.

Angelica et Sylver la regardèrent d'un air curieux. Puis Angelica posa LA question :

— Et tu as une idée de la raison pour laquelle Magister t'a envoyé une démone pour te tuer avec des trompettes et un feu d'artifice ?

— Et le tonnerre, Angelica, n'oublie pas le tonnerre, ajouta gravement Sylver.

Il y eut un instant de silence.

Ils se regardèrent. Angelica tenta de résister, mais ce fut plus fort qu'elle. Ils éclatèrent de rire. À s'en rouler par terre. Pliés en quatre, les larmes coulant sur leurs joues, ils étaient au milieu d'une forêt qui risquait d'avoir leur peau d'un instant à l'autre, mais ils étaient incapables de s'arrêter. Chaque fois que l'un d'entre eux tentait de reprendre son souffle, les autres hoquetaient : « Et le tonnerre, n'oublie pas le tonnerre ! »

Tara crut qu'elle n'arriverait jamais à cesser de rire. Bon sang, ce que c'était bon ! Elle en avait mal aux joues et au ventre. Si des Edrakins étaient arrivés à ce moment, ils les auraient cueillis comme... des fleurs... enfin, une fois revenus de leur stupéfaction de voir des gens se bidonner au milieu de ce qui passait pour la plus dangereuse forêt au monde.

Enfin, Angelica essuya ses larmes.

— Je pense que nous ne saurons jamais pourquoi... ce qui s'est passé, s'est passé.

Elle refusait catégoriquement de prononcer les mots trompette ou tonnerre. Elle avait bien trop mal aux abdominaux.

Tara acquiesça.

— Cela restera l'un des mystères de cette étrange forêt. Mais j'espère de tout mon cœur que Magister saura un jour que son assassin nous a sauvé la vie. Ma vengeance sera alors complète !

Galant revint de sa mission d'éclaireur avec une étrange image en tête, qui fit tressaillir Tara. Et faillit bien la faire repartir dans son fou rire.

— Un ballon ? Ils se baladent avec un ballon ?

Galant hocha affirmativement la tête. Les nerfs du pégase, déjà bien ébranlés par tout ce qui s'était passé, avaient failli flancher lorsqu'il avait découvert le ballon rouge flottant joyeusement au-dessus d'une aragne. Qui avait l'air d'y tenir beaucoup. Tara ne l'avait pas vu lorsqu'elle les avait suivis ou avait tenté de voler l'huile, car l'aragne le cachait la plupart du temps, de crainte que ses copines ne le lui prennent

— Qu'est-ce qu'il t'a dit ? demanda Angelica, curieuse.

— Que Selenba se balade avec un ballon.

— Non !

— Si !

— Mais un ballon comment ?

— Rouge.

Ils restèrent un moment à méditer l'étrange information. Avec tous les trois un sourire un peu dingue sur les lèvres.

— Tout cela devient de plus en plus bizarre, finit par soupirer Angelica. Et il y a quelque chose que je ne comprends pas non plus. Je croyais que Magister voulait te garder en vie afin d'avoir accès aux objets démoniaques ?

— Tu sais quoi, il vient de nous montrer qu'il n'avait pas autant besoin que ça de moi. Après tout, il a le corps de l'Impératrice, il a accès aux objets démoniaques comme il veut !

Soudain, Tara vit Angelica pâlir et reculer, les yeux emplis de terreur, fixés sur un point au-dessus de sa tête.

— Pas du tout, dit une voix dans son dos, ce qui la fit violemment sursauter. Les gardiens aussi sont des fantômes, même si ce sont des fantômes assez particuliers. Je leur ai parlé, et je les ai avertis. Si Magister tente de s'emparer des objets démoniaques, les gardiens le bloqueront. Ils ont promis de ne pas faire de mal au corps de ma sœur. Cela m'amuserait vraiment beaucoup que ce salopard essaie, il va avoir une très mauvaise surprise.

Tara se retourna, mais elle avait déjà reconnu la voix.

Devant elle, flottant dans les airs, se tenait Danviou, ex-Imperator d'Omois et fantôme de son état.

Son père.

17

Les noces

ou lorsqu'on organise son mariage,
c'est mieux lorsque la mariée est d'accord.

Magister avait rarement peur. Était rarement impressionné. Mais là, il sentait qu'il allait devoir faire une exception.

Devant lui se tenait T'eal, le chef de meu... le président des loups-garous.

Bien plus grand que ses ancêtres les Anasazi, les yeux et les cheveux d'un noir d'obsidienne, il émanait de lui une aura qui évoquait l'énergie de la gueule d'un four. Magister avait presque l'impression d'en sentir la chaleur.

Le loup-garou était froidement mécontent. Son héroïne, Tara Duncan, n'était pas là. Il soupçonnait Magister de la retenir prisonnière quelque part et refusait d'entamer des négociations de paix avec le fantôme tant qu'il ne serait pas sûr que la jeune fille était saine et sauve.

Pour une fois que Magister ne mentait pas, celui-ci trouvait extrêmement agaçant que personne ne le croie.

— Je vous assure, dit-il de la voix tranchante de l'Impératrice, que je n'ai absolument aucune idée de l'endroit où se trouve Tara Duncan en ce moment. Je l'ai fait rechercher (ça, c'était tout à fait vrai, il y avait des avis de recherche aux quatre coins du monde !), mais impossible de mettre la main dessus.

À sa grande surprise, l'homme devant lui respirait profondément tandis qu'il parlait.

— Je sens que vous dites la vérité, finit par reconnaître le président des loups-garous. Ou du moins que ce corps que vous portez en est persuadé. Je vais donc vous laisser le bénéfice du doute.

Magister grimaça. Il avait gardé le corps de l'Impératrice pendant sa discussion avec le loup, parce qu'il pensait que ce dernier serait plus galant avec une femme qu'avec un homme. Mais le loup n'en avait rien à faire et il se comportait avec l'Impératrice comme s'il « voyait » Magister derrière le magnifique corps féminin.

— Avons-nous un accord de paix ? demanda Magister, comme si cela n'avait absolument aucune importance.

— Non, répondit clairement T'eal, tant que nous n'aurons pas vu Tara Duncan, nous ne signerons aucun accord. Nous, le peuple des loups, n'aimons pas beaucoup la façon dont vous traitez les habitants d'AutreMonde. Nous vous déconseillons de continuer dans cette voie.

— L'un des vôtres travaille pour moi, pourtant.

— Un jeune louveteau qui ne sait pas où est l'intérêt de la meute, trancha T'eal. Il apprendra. Nous lui apprendrons.

— Vous êtes de nouveaux venus sur la scène internationale, répondit tranquillement Magister, luttant pour ne pas montrer sa colère, vous ne savez donc pas qu'il est malvenu de menacer un souverain dans l'exercice de ses fonctions ?

— Mais vous n'êtes pas un souverain, répondit avec aisance le président. Vous êtes un usurpateur.

— Mais si vous nous déclarez la guerre, ce sont les soldats de ce pays qui vous combattront !

— Peut-être, admit T'eal, les armées sont loyales à leurs chefs et à leur nation. Nous verrons si, face à mes loups, vos soldats sont aussi patriotiques avec vous.

Sans crier gare, il se transforma et un énorme loup-garou noir apparut devant Magister. Celui-ci dut réprimer le mouvement de recul instinctif de son corps. Car l'être se tenait sur deux jambes, ses crocs avaient la taille d'un long poignard et ses griffes n'étaient pas mieux.

— Je ne pense pas, grogna-t-il en passant une langue rose sur son impressionnant râtelier, que vos soldats aient la moindre idée de ce que c'est que de lutter contre nous. À moins que vous n'ayez des millions d'armes capables de nous tuer, vous n'avez simplement aucune chance.

— Je ne cherche pas la guerre, déclara Magister en se levant, et contrairement à ce que disent les médias, je ne suis pas xénophobe. Je désire juste que les dragons quittent notre planète et nous laissent la diriger à notre guise. C'est tout. C'est l'unique raison de ma présence ici.

— La diriger à *votre* guise plutôt, corrigea T'eal, qui avait eu son content de despote dingue avec la Reine Rouge. Nous sommes peut-être de nouveaux venus sur la scène internationale comme vous dites, mais nous ne sommes pas stupides. Pour l'instant, nous n'interviendrons pas. Mais si, dans le délai que nous vous avons fixé, Tara Duncan n'est pas de retour, alors, nous considérerons cela comme une déclaration de guerre de votre part.

Magister faillit lever les yeux au ciel. Mais qu'est-ce qu'ils avaient tous avec Tara Duncan !

La journée n'alla pas en s'améliorant.

Selena était folle de rage. Magister n'avait pas réagi lorsqu'il avait découvert qu'elle avait délivré Moineau.

En fait, il avait trouvé ça plutôt drôle.

Ensuite, il avait exécuté les gardes qui avaient laissé faire Selena. Le message était clair. « Vous voulez aider ma future femme, pas de problème, faites-le. Et puis mourez. »

Ses nouveaux gardes étaient nettement plus prudents. Elle ne pouvait pas faire un pas sans les avoir à souffler dans son cou, et c'était prodigieusement agaçant.

Du coup, elle passait ses nerfs sur Magister, qui tentait de se montrer gentil, ce qui était, soyons clair, tout à fait contraire à sa nature.

— Tu as fait tous tes préparatifs pour notre mariage, ma chérie ? demanda Magister d'un ton patelin.

— Je ne vais pas t'épouser, répondit clairement Selena.

Ils se trouvaient dans la suite de Lisbeth, que Magister venait de redécorer selon des goûts plus masculins. C'était pas mal. Enfin, pour quelqu'un qui aimait beaucoup le noir et le métal froid. Les meubles étaient très design et venaient de la Terre, importés à grands frais. Selena avait l'impression que si elle s'asseyait dans l'un des fauteuils, elle allait glisser sur le cuir trop lisse. De plus, ils ne se déplaçaient pas comme les meubles d'AutreMonde et elle avait failli se casser la figure à cause d'eux. Ce qui avait beaucoup amusé Magister.

Soudain, une idée la frappa. Et si Magister était un Terrien ? Cela expliquerait pourquoi il avait été totalement inconnu jusqu'à il y avait quelques années. Cela expliquerait aussi sa haine des dragons. Les autres AutreMondiens les aimaient plutôt. Elle allait creuser la recherche, elle pourrait appeler sa mère qui était sur Terre et...

La voix de Magister la tira de ses pensées.

— Oh ! mais si, tu vas m'épouser. Et tu sais pourquoi ?

Selena ne lui répondit pas. Elle connaissait bien ce petit jeu. Il voulait qu'elle fasse quelque chose, elle ne voulait pas, il menaçait de tuer une douzaine de personnes et évidemment elle cédait. Elle frissonna. Parfois, elle n'avait pas cédé. Lui non plus. Des gens étaient morts. Depuis, elle ne jouait plus.

— Qui vas-tu tuer pour m'obliger à t'obéir, cette fois-ci ? finit-elle par demander.

Le visage de l'Impératrice prit une expression choquée.

— Loin de moi une telle idée, ma douce, non, je me propose juste de te rendre quelque chose de bien plus précieux.

Selena attendit. L'Impératrice sourit.

— Te rendre tes souvenirs. Dont notamment ceux de la naissance de Jar et de Mara. Et de leur vie avec toi. Ne suis-je pas infiniment bon ?

Selena le regarda avec méfiance. Afin de soustraire Jar et Mara à l'influence de leur mère, qu'il trouvait trop tendre, Magister lui avait lancé un Amemorus. Elle avait tout oublié de ses propres enfants. Et eux avaient oublié leur mère. Ils pensaient juste qu'ils étaient les enfants de Magister. Ce qui bien sûr était faux.

Et maintenant, il lui proposait de lui rendre ses souvenirs. En échange de son consentement.

Cet homme était vraiment une ordure. Mais son plan pour le vaincre passait par une apparente soumission. Elle baissa donc la tête comme si elle se rendait, vaincue.

— Tu as gagné, finit-elle par dire en prenant un ton mou.

— Comme toujours, sourit l'Impératrice. Très bien, j'ai donc ton accord pour notre mariage.

— Oui, si tu me rends l'intégralité de mes souvenirs, y compris ceux qui te concernent.

L'Impératrice fronça les sourcils.

— Ceux-là ne font pas partie du marché, ma douce.

— Pourquoi, ils sont si déplaisants ?

— Pas pour moi. Mais je ne sais pas si...

— Magister ?

— Oui ?

Il lui fallait résister un peu, sinon, il ne croirait pas à sa reddition.

—Ce n'est pas un marchandage. Je veux ma mémoire, entière, intacte. Maintenant. Sinon, tu peux dire adieu à ton mariage.

Magister sourit. En fait, Selena ne le savait pas, mais il était obligé de lui rendre ses souvenirs. Au bout d'un certain laps de temps, après la mort du corps d'un sortcelier, la magie s'estompait. Elle allait les retrouver d'elle-même, de toute façon. Autant utiliser cela pour obtenir quelque chose par la même occasion.

Il joignit ses mains en coupe et hocha la tête.

—D'accord, que me donnes-tu en échange de la totalité de tes souvenirs?

—Que veux-tu encore de moi?

—Ton amour. Je veux qu'après notre mariage, tu me donnes ton amour.

Selena le regarda, surprise. Elle avait un peu de mal à faire coïncider l'image de sa parfaite belle-sœur avec le très musclé Magister. Celui-ci le comprit car un masque vint recouvrir le visage féminin et le corps se masculinisa brutalement. À la fin de la métamorphose, Magister se trouvait devant elle, toujours aussi imposant et cruellement dominateur.

Puis, soudain, alors qu'elle allait utiliser la réplique favorite de sa fille, « même pas en rêve », sachant que ça allait certainement l'énerver, la vague de ses souvenirs la frappa avec la violence d'un marteau et elle s'affaissa comme une fleur coupée. Évanouie. Près d'elle, son puma perdit aussi conscience.

Magister jura. Il avait été trop lent. Ça lui apprendrait à jouer avec ses proi... sa future promise. Il la souleva, heureux d'avoir placé d'épais tapis qui avaient amorti sa chute.

Tendrement, il regarda le beau visage de Selena. Dieu qu'il aimait cette femme! Elle était son unique faiblesse.

Il la posa sur le lit. Très vite, elle ouvrit ses magnifiques yeux noisette, mélange de vert, comme ceux de sa mère Isabella, et de doré.

—Qu'est... qu'est-ce qui s'est passé?

Chic, elle ne se rappelait plus, le choc avait été trop fort.

—Je t'ai rendu tes souvenirs après que tu as consenti à notre mariage, tu as oublié? dit-il avec une fausse sollicitude.

Selena posa une main tremblante sur son front. Si, elle s'en souvenait. Mais elle n'avait pas vu la magie la toucher. Qu'est-ce que Magister avait encore fait ?

Comme une vague, les souvenirs que Magister avait oblitérés pendant toutes ces années ressurgirent. Son amour pour Danviou, son désespoir lorsque Magister l'avait tué, puis l'avait enlevée, elle. Le premier Mintus qu'il lui avait jeté pour lui faire oublier Danviou. La naissance des jumeaux, leur présence qui avait adouci la perte de son mari et l'éloignement de sa fille adorée. Sa lutte contre lui.

Soudain, elle se redressa et eut un soupir de soulagement.

Elle ne lui avait jamais cédé ! Jamais ! Cet horrible soupçon avait empoisonné sa vie. Mais, pour la seule fois de sa vie, Magister avait respecté quelqu'un. Il voulait qu'elle vienne à lui de son plein gré, pas grâce à la magie. Alors, lorsque la vie devenait trop difficile pour Selena, il lui volait ses souvenirs.

Pendant quelque temps, elle était heureuse, ne sachant plus qui elle était et ce qu'il lui avait fait. Mais, très vite, son humour piquant et ses vives reparties manquaient à Magister et il lui rendait ses souvenirs. Enfin, la plupart. Il n'avait lancé d'Amemorus que lorsqu'il avait constaté qu'elle inculquait de mauvaises valeurs à ses enfants.

Enfin, mauvaises pour lui. La loyauté. La compassion. La discipline. Le respect. L'empathie. Pire, l'amour. Il voulait en faire de parfaits disciples. Il les lui avait donc retirés, et elle les avait oubliés. Il les avait élevés dans la peur et le sang. Mara n'avait pas plié, mais Jar s'était révélé prometteur. Le garçon comprenait la notion de pouvoir, mais également celle de : par n'importe quel moyen. Selena espérait de tout son cœur qu'Isabella parviendrait à faire enseigner à son petit-fils que le pouvoir sans honneur menait à des catastrophes.

Elle regarda Magister. Il se tenait en retrait, prêt à réagir si elle l'attaquait. Pour une fois, elle n'en avait pas peur.

— Tu ne m'as jamais forcée à t'aimer, dit-elle doucement.

— J'aime bien tricher pour obtenir ce que je veux, répondit-il, surpris par sa gentillesse. Mais tricher avec toi ? Cela n'aurait pas été pareil. Je t'aime à la folie, Selena, tu ne dois jamais oublier cela.

— Me montreras-tu ton visage un jour ?

Il tressaillit, étonné.

— Si tout se passe bien, et que j'asseoie ma domination sur ce pays, que je parviens à libérer AutreMonde du joug des dragons, alors, oui, tu verras mon visage, tout AutreMonde verra mon visage. Je n'aurai plus besoin de me cacher. Toi et moi, nous dominerons ce monde.

Le plus étrange dans tout cela, c'était qu'il ne comprenait pas, n'admettait pas qu'elle ne l'aime pas. Il pensait qu'elle allait forcément l'aimer à un moment ou à un autre.

Cela n'arriverait jamais. Mais maintenant qu'elle le comprenait un peu mieux, c'était à son tour de manipuler le manipulateur.

— Hum, toi, moi, Tara, Jar et Mara. Une vraie famille. Mais pour cela, il faudrait que Tara soit encore en vie. Tu dois rappeler Xoara.

Il sursauta comme si une guêpe l'avait piqué. Elle cacha sa satisfaction, continuant d'un ton neutre, comme s'ils discutaient du prix de la laitue.

— Et si tu fais du mal à Tara, tu peux dire adieu à notre mariage. Je la veux ici, comme demoiselle d'honneur. Libre. Ni en prison ni menottée.

Magister ne contesta pas qu'il avait envoyé une démone tuer sa future belle-fille. Pas plus qu'il ne demanda comment Selena avait eu l'information ni depuis quand. Il se contenta d'un froid :

— Elle essaiera de me tuer, tu le sais.

— Peut-être (Selena haussa les épaules), mais tu es plus fort qu'elle (hop ! un peu de pommade pour son ego) et tu es un fantôme, tu ne risques pas grand-chose. Et une fois revenu dans ton corps, tu sauras bien te protéger.

— Je n'ai aucune idée de l'endroit où elle se trouve, précisa-t-il pour la quatrième fois de la journée (il commençait à en avoir assez de cette phrase). Même si je me doute qu'elle est au Lancovit en train de dévorer mes fantômes.

Oui, c'était ce que toute la planète supposait, même si personne n'avait trouvé de trace de la jeune fille… enfin, à part des gens choqués avec deux gros trous dans le cou.

— Pas de mariage tant que ma fille n'est pas ici, saine et sauve, imposa-t-elle, très calme.

Magister voulut parler, mais Selena leva la main, l'interrompant.

— Et n'essaie pas de discuter. Pour te montrer que je suis obligeante, je vais m'occuper du mariage ainsi que de ma robe de mariée. Mais rien ne se passera tant que je n'aurai pas ma fille à mes côtés.

D'ici à ce qu'il la retrouve, Selena aurait bien le temps d'échafauder un plan pour lui échapper.

Et surtout, surtout, elle espérait de tout son cœur que Tara trouverait et activerait la machine et qu'AutreMonde serait enfin délivré de Magister.

Une fois la porte refermée sur elle, Magister put grincer des dents tout à loisir. D'abord les loups-garous, ensuite Selena, tout le monde voulait que Tara revienne. C'était vraiment rageant !

Cependant, il n'avait pas le choix, cette fois-ci. Il n'était pas prêt à affronter les loups-garous, car, pour une raison qu'il ne parvenait pas à comprendre, les gardiens refusaient de lui remettre les objets démoniaques. Or il en avait besoin, car c'était probablement la seule puissance qui lui permettrait de vaincre les loups. Et les dragons, bien sûr.

Il tourna son anneau.

Une démone rouge apparut.

Magister sursauta.

Ce n'était pas Xoara. Celle-ci avait la fourrure zébrée jaune citron.

— Oui ? demanda la démone en terminant de se limer une griffe.

— Où est Xoara ? demanda Magister avec une pointe d'inquiétude.

— Elle est morte, répondit tranquillement la démone.

Magister ouvrit la bouche, stupéfait… et laissa échapper, malgré lui, un glapissement incrédule.

— Quoi ?

— Oui, une sombre histoire de trompettes, nous n'avons pas très bien compris. Z'avez besoin que je tue quelqu'un ?

— Quoi ? Non, non, pas du tout !

— Alors, pourquoi vous m'avez appelée ?

Et sur un fouettement de queue dédaigneux, la démone zébrée disparut.

Magister n'eut même pas le cœur de la rappeler pour lui faire payer son insolence. Il regarda son anneau.

Par tous les démons des Limbes, qu'est-ce que cette fichue Tara avait encore inventé ?

Puis il eut un mauvais sourire, sous son masque. À part les démons, personne ne savait que Xoara était morte. Bien bien.

18

Le fantôme

ou être invisible et intangible et pouvoir espionner les gens, finalement, c'est très surfait, surtout lorsqu'on n'est même pas capable d'avaler une bonne bière.

— C'est un fantôme, souffla Angelica, nous sommes perdus ! Tara, saute et mords-le avant qu'il ne nous dénonce !

— Non, je ne vais pas sauter. Et je ne vais mordre personne, du moins pas maintenant.

— Quoi ? Mais si, dépêche-toi !

— Il n'est pas comestible.

— Mais qu'est-ce que tu racontes, Tara, tu es dingue, c'est…

— … mon père.

— Quoi ?

— Danviou, l'ex-Imperator, mon père. Salut, papa !

Danviou nota les cheveux en pétard, la coupure saignante sur le front, le nez sale et les longues dents.

— Ma chérie, tu as une mine affreuse, comment vas-tu ?

Si elle cherchait des compliments sur son teint, c'était raté.

— En fait, j'aimerais bien un câlin, là, tout de suite, annonça Tara en tendant les bras.

À part une vague sensation de froid, elle ne sentit pas grand-chose, et le fantôme, tout aussi frustré, l'entoura de son mieux avec ses bras.

— Je suis désolé, j'aimerais vraiment… être réel !

— Moi aussi, papa, moi aussi. Tu me manques tellement !

— Ta mère et toi me manquez tout autant. Mais, Tara, ce que tu as fait, c'est…

— Irresponsable, idiot, imbécile, dangereux, stupide, j'ai déjà utilisé tous les superlatifs, ne t'en fais pas.

— En fait, j'allais dire admirable.

Tara en resta bouche bée.

— Ah bon ?

347

— Oui, et si cela avait marché, j'aurais été tellement content de revenir ! Je suis vraiment désolé que tu aies échoué. Au moins, j'ai eu le privilège de te voir et de revoir ta mère. Très brièvement.

Il eut un sourire aussi éblouissant que celui de Tara, et Sylver comprit d'où venait le charme puissant de la jeune fille.

— Comment t'en sors-tu, ma chérie ?

— Ça pourrait aller mieux, on n'arrête pas de se faire piéger dans cette forêt. Qu'est-ce que tu fais là ?

Le sous-entendu était clair. Comment les avait-il retrouvés et, si lui avait pu le faire, d'autres le pouvaient-ils aussi ? Les avait-il mis en danger ?

— Il se trouve que j'étais là lorsque Xoara a été chargée de te tuer. Je l'ai donc suivie, je savais qu'elle parviendrait à te retrouver. J'ai voulu intervenir avant qu'elle ne t'attaque, mais elle m'a surpris en se matérialisant directement sur l'île, après y avoir envoyé les trompettes. Les anti-Transmitus n'ont pas eu l'air de la gêner. Je n'ai pas eu le temps de te prévenir. Tu l'as annihilée avant. Joli coup, ma chérie.

Une plante le harponna et ses épines se déployèrent à travers sa poitrine, mais il l'ignora. La plante, frustrée, se retira en claquant ses pétales durs comme de l'os.

Tara frissonna et répondit :

— Là, je n'y suis vraiment pour rien, papa. Justement, on se posait la question. Pourquoi des trompettes ?

Danviou leur raconta la scène entre Xoara et Magister, et les trois adolescents faillirent repartir dans une crise de fou rire. Mais le fantôme était pressé et il leur fit signe de continuer à avancer.

— Et c'est alors que je suis allé voir ta mère, termina-t-il.

Tara se raidit, prenant conscience que tout à sa joie d'avoir retrouvé son père, elle n'avait pas demandé de nouvelles de sa mère.

— Oh, elle va bien ?

— Oui, elle m'a hurlé dessus à me rendre sourd. Elle ressemble de plus en plus à Isabella, je trouve.

Ils échangèrent un sourire.

— Donc, elle va bien. Qu'est-ce qu'elle a dit ?

— Tu veux dire, à part « crétin » ou « imbécile » ? Que tu avais sauvé ce monde une demi-douzaine de fois et qu'une démone de rien du tout n'était pas de taille à t'arrêter. Je ne l'ai pas crue, mais finalement elle avait raison, ta mère te connaît bien.

Pas tant que ça. Sans Xoara, Tara n'aurait pas fait de vieux os, et sans les Absorbs, Xoara l'aurait probablement eue par surprise. Elle avait surtout énormément de chance. C'était ça, être un héros, finalement. Avoir beaucoup, beaucoup de bol… et survivre pour pouvoir en parler.

Tout autour d'eux, la forêt bruissait, rouge, verte, violette, bleue, jaune, à en avoir la migraine. Ils étaient tous mal en point. Tara saignait de la tête, Angelica claudiquait, seul Sylver avait l'air en pleine forme. C'était presque agaçant.

— Et cette histoire de mariage ? reprit la jeune fille, sincèrement inquiète pour sa mère.

Le fantôme se rembrunit.

— C'est aussi pour cela qu'il faut vite activer la machine. Si cet arrogant despote s'imagine qu'il va épouser ma femme, il se fourre le doigt dans l'œil jusqu'au c… hrrmmm… il se fourre le doigt dans l'œil.

Ah, son père était toujours amoureux de sa mère. Bien.

— Malheureusement, ce salopard a réussi à s'emparer de Lisbeth, reprit le fantôme. C'est un coup de maître. S'il met la main sur les objets démoniaques, alors, ce monde est perdu. Il fera venir les démons, chassera les dragons, et ceux que j'aime deviendront des esclaves. Cela ne doit pas arriver !

L'angoisse dans sa voix chassa toute envie de rire chez Tara, Sylver et Angelica.

— Je croyais que ce que savait un fantôme, tous les autres le savaient, Votre Majesté Impériale ? demanda poliment Sylver. Ne mettez-vous pas en danger votre fille en étant ici ?

— Excellente remarque mon garçon, répondit le fantôme, approbateur, mais nous ne partageons les informations que si nous le désirons.

— Tant de gens ont souffert à cause de moi, gémit Tara. Oh, papa, Robin est mort !

Elle s'attendait à ce qu'il compatisse, mais il dit :

— Ah bon ! Qui est Robin ?

Oui, évidemment.

— Tu l'as rencontré, papa, tu sais, avec le Juge, il était là, le demi-elfe !

— Ah oui ? Et il était euh… quoi au juste ?

— C'était mon petit copain.

Danviou s'arrêta net et la dévisagea, les sourcils froncés.

— Quoi ? Un demi-elfe ? Tu plaisantes ?

— Euh… non, pourquoi, qu'est-ce que tu as contre les demi-elfes ?

— Mais enfin, Tara, tu sais comment sont les elfes, incontrôlables, irresponsables, il va entraîner Omois dans la moindre quer…

— Aaaaah, stop, dit Tara d'un ton si menaçant qu'il arrêta net, tu ne vas pas t'y mettre toi aussi, hein !

— Excusez-moi, intervint Angelica d'un ton sarcastique, alors que le fantôme et Tara, nez à nez, se défiaient du regard, mais vu que Robin est mort, vous ne pensez pas que cette conversation est un peu surréaliste ?

Tara baissa les yeux et ses épaules s'affaissèrent. Le fantôme, très embarrassé, se tortillait dans les airs.

— Par les crocs cariés de Gelisor, ma chérie, je suis vraiment désolé. Je ne sais pas ce qui m'a pris. Un vieux réflexe d'Imperator. Pardon. Je suis désolé pour ton ami.

Tara hocha la tête, elle sentait que son père était sincère. Il changea de sujet.

— Il faut que vous me disiez comment vous allez procéder, je pourrais peut-être vous aider. Je ne sais pas, moi, faire diversion ?

Ils le regardèrent. L'ex-Imperator les toisa, tapotant le vide d'un air impatient.

— Alors ?

Face à l'ex-Imperator, leur plan… n'avait plus l'air d'un plan.

— Ben, on pensait arriver jusqu'au tumulus, Angelica devait démolir la colline avec sa Main-de-Lumière.

Danviou regarda Angelica avec intérêt.

— Vous faites partie de la dynastie Brandaud ?

— Oui, Votre Altesse Impériale. J'ai cet… honneur. Mais j'ignorais posséder ce pouvoir. Je ne l'ai découvert qu'il y a très peu de temps. J'aurais préféré posséder la Main-de-Mort, au moins, nous aurions pu désintégrer et le tumulus et l'escouade qui est chargée de récupérer la machine.

— Ah ! une guerrière, bien, bien.

— Et ensuite, j'activais la machine, termina Tara, agacée par l'approbation de son père.

Danviou la regarda, épouvanté.

— Tu ne peux pas !

— Comment ça, je ne peux pas, tu viens de dire que…

— Non, non, oui, il faut détruire les fantômes, non, il ne faut pas que tu actives la machine, si tu le fais, ses radiations te détruiront !

Tara prit un air buté.

— Tant pis, comme ça, je te rejoindrai et je retrouverai Robin aussi. Bien qu'il soit sur AutreMonde en ce moment, je…

— Non, répondit sèchement Danviou, il n'y est pas.

— Comment ?

— Il doit être en OutreMonde déjà, car je ne perçois aucun fantôme de demi-elfe. Nous ne pouvons pas nous localiser mutuellement, mais il nous est possible de savoir quelles sortes de fantômes sont présents sur AutreMonde. Et il n'y a aucun demi-elfe.

L'incrédulité se lisait sur le visage de Tara. Qui se crispa.

Robin l'avait abandonnée ! Il était parti sur OutreMonde sans l'attendre !

Angelica était affolée. Qui allait activer la machine si Tara renonçait ?

Soudain, Sylver se mit devant Tara, sans la toucher, mais si proche qu'elle sentait son souffle sur son front. Il baissa ses yeux dorés sur elle, tandis que ses magnifiques cheveux caramel dansaient dans le vent.

— Je vais le faire, ne t'inquiète pas. Tu n'as pas besoin de mourir. Je ne veux pas que tu meures. Je te l'interdis.

Tara écarquilla les yeux.

— Comment ?

— Ton père a raison. Tu en mourrais, c'est certain. Moi, avec mes écailles, je ne risque rien.

— Mais si, en fait, tu… commença le fantôme de Danviou.

— Euh, monsieur le fantôme, je veux dire Votre Majesté Impériale ? intervint Angelica.

— Oui ?

— Vous voulez garder votre fille en vie ?

— Euh, oui.

— Alors, fermez-la.

L'ex-Imperator n'avait pas l'habitude qu'on lui parle sur ce ton et il fronça les sourcils, avant de se rendre compte que l'arrogante fille brune avait raison.

Sylver sourit et son sourire était d'une tendresse affolante.

— Après tout, rappelle-toi, je suis un paladin. Ce genre de mission est pour moi.

Tara se dégagea en reculant, hors de l'aura troublante de Sylver. Elle avait le cœur battant et la bouche sèche. Sans doute une séquelle de l'attaque des Absorbs.

— C'est hors de question, répondit-elle d'une voix incertaine. C'est moi qui ai amené les fantômes sur cette planète, c'est moi qui les en chasserai. Point.

Sylver et Danviou ouvrirent la bouche en même temps, mais Tara leva la main, autoritaire :

— Mais vous avez raison. Comprenez-moi bien. À part au début, alors que j'étais encore sous le choc et que la douleur était si intense, je n'ai jamais voulu mourir. La mort c'est froid, c'est terrifiant, c'est noir, et ça n'a rien de romantique. Si je ne savais pas que j'allais devenir un fantôme et vivre avec toi, papa, et Robin, jamais je n'aurais même imaginé mourir. Je ne suis pas stupide, et encore moins lâche. Mais maintenant les choses sont claires. Robin est reparti. Il ne veut pas de moi. Il est plus sage que je ne l'étais. Je comprends à présent.

Sa voix vacilla sur ses derniers mots.

Ignorant sa détresse, son père faillit la prendre dans ses bras fantomatiques tant il était content lorsqu'elle leva la main.

— Mais… car il y a un mais, je ne peux pas laisser quelqu'un d'autre assumer mon énorme erreur et le payer de sa vie. C'est moi qui activerai la machine. Cependant, je te fais une promesse, papa. J'endosserai ma forme de Buveuse de Sang Humain avant d'activer la machine. Les vampyrs sont extrêmement coriaces et les BHS encore plus. Les radiations n'auront pas le temps de me faire du mal, j'en suis sûre.

— Ma chérie, répondit gravement Danviou, tu es bien plus la digne héritière d'Omois que ne veut le voir Lisbeth. Mais… car moi aussi j'ai un mais… ne pense pas une minute que je ne vais pas essayer de trouver une autre solution.

— Tu dois partir, se contenta-t-elle de dire à son père même si la peine serrait son cœur, sinon, tu seras détruit par la machine, toi aussi. Mais avant de repasser en OutreMonde, dis au revoir à maman. Dis-lui aussi que je l'aime. D'accord ? Tout ira bien, fais-moi confiance.

Angelica leva les yeux au ciel. Et paf, c'était parti pour les adieux déchirants. Elle n'avait pas tort. Le fantôme perdit toute mesure et éclata en sanglots, ce qui bien sûr fit pleurer aussi Tara, bref, ce fut très lacrymal et assez bruyant. Heureusement que les Edrakins à leur poursuite étaient morts, sinon leur petit groupe aurait été repéré. Tara se moucha, et enfin le fantôme leur dit au revoir.

Il disparut. Lui non plus n'était pas affecté par les Transmitus. C'étaient les Edrakins qui allaient être contents d'apprendre que leurs anti-Transmitus prétendument inviolables ne fonctionnaient ni sur les fantômes ni sur les démons.

Angelica avait suivi la scène larmoyante avec mépris.

— Dis donc, persifla-t-elle, venimeuse, il a bien fait de s'enfuir il y a dix-sept ans, hein, il n'était pas du tout taillé pour son job !

Tara lui jeta un regard noir puis continua sur le chemin ouvert par les aragnes. Elle n'avait pas envie de discuter de sa famille avec Angelica.

Même si elle devait admettre, bien à contrecœur, qu'elle n'avait pas tout à fait tort.

Et puis elle était trop meurtrie par la défection de Robin pour avoir envie de parler. Comment avait-il pu l'abandonner ? Il lui avait bien dit de continuer, mais au point de partir sur Outre-Monde sans même lui dire au revoir...

Sa déclaration l'avait étonnée elle-même.

Préoccupée, elle cheminait, ignorant les lianes qui sifflaient sur son passage, frustrées de ne pouvoir la déchiqueter.

Soudain, devant eux, ils virent un corps qui se convulsait, attaqué de toutes parts par les plantes.

Le cœur au bord des lèvres, pensant tout de suite à Fabrice ou à Moineau, Tara s'élança.

Les plantes s'écartèrent dès qu'elle s'approcha, découvrant le corps que Tara retourna précipitamment.

Ce n'était pas un de ses amis, Dieu merci !

C'était l'un des humains. Il avait été vidé de son sang, car alors que les plantes le déchiquetaient, il n'avait pas saigné. Et il était mort depuis un bon bout de temps.

Tara s'épongea le front d'une main tremblante. Il fallait qu'elle trouve un moyen de délivrer ses amis, enfin plutôt de délivrer Moineau et de convaincre Fabrice, avant que Selenba ou Magister ne les tuent.

Ils s'arrêtèrent pour passer leur deuxième nuit en forêt. Il n'y avait pas beaucoup de grands animaux, sans doute parce que tout ce qui était plus gros qu'un lapin était automatiquement attaqué par les plantes, aussi, protégés par l'huile, ils ne risquaient pas grand-chose. Cependant, c'était assez éprouvant. Tara reconstruisit le cercle grâce au bourgeon.

Ils ne voulurent pas allumer de feu, par prudence, mais c'était inutile, la jungle était tellement moite et chaude qu'ils ne rêvaient que de glaçons et de banquise.

Et pour couronner le tout, il pleuvait. Une petite pluie chaude qui dura toute la nuit. Et s'infiltrait sans peine au travers du toit des arbres du bourgeon.

Angelica dormait, mais son sommeil était tourmenté, car elle gémissait et cria à deux reprises.

Tara, recouverte d'un poncho à capuche par la changeline, se tenait face à la jungle. Elle avait demandé le premier tour de garde, incapable de dormir. Galant, misérable, s'était perché sur une branche, sous une énorme feuille qui le protégeait de la pluie. Il tentait de sécher son pelage et ses plumes mouillées. Tara s'était retransformée en humaine afin qu'ils puissent manger normalement tous les deux. Elle avait hésité, car le bourdonnement dans ses oreilles paraissait plus fort lorsqu'elle était humaine que vampyr, puis s'était résignée. Elle inspira profondément l'air mouillé de la nuit.

Demain. Demain, ils arriveraient au site d'Arrutchir.

Et elle n'avait aucune idée de ce qu'elle allait faire. Une sorte d'écureuil volant jaune et rose passa au-dessus de sa tête. Lorsqu'elle avait créé le mur d'arbres, il avait dû se faire coincer dedans. Soudain, elle tressaillit. Elle aussi pouvait voler ! Sous sa forme de chauve-souris ! Elle aurait des pattes pour appuyer sur le bouton, ou quoi qu'il faille faire pour activer la machine et en s'envolant à toute vitesse, elle pourrait peut-être éviter les radiations. Oui, c'était une bonne idée.

Sylver se rapprocha d'elle au point qu'il aurait pu la toucher s'il avait dressé ses écailles. Voyant qu'elle était plongée dans ses pensées, il se plaça devant elle.

— J'ai vingt ans, déclara-t-il.

Tara leva ses yeux bleus sur lui. De nouveau, elle fut frappée par sa beauté et de nouveau, quelque chose serra sa gorge.

— Pardon ?

— J'ai vingt ans. Et je suis un Impitoyable. Enfin, disons que j'ai la formation d'un Impitoyable, parce que les nains ne m'ont pas désigné comme tel, mais mon père est un Impitoyable. Euh… tu sais ce que c'est qu'un Impitoyable ?

Tara n'aurait pas été aussi concentrée sur son plan, elle aurait ri de l'agitation de Sylver.

— Oui, je sais que tu es un Impitoyable.

— Parce que les Impitoyables sont invin… quoi ? Comment le sais-tu ?

— Je n'avais pas confiance en la Chose et nous t'avons surveillé avec Galant. Nous t'avons vu t'entraîner. Tu étais magnifique, Sylver, je croyais que c'était un art que les nains mettaient des siècles à maîtriser ?

— Mon père dit que c'est tout à fait anormal, répondit Sylver avec fierté. Il lui suffisait de faire un geste et j'étais capable de le répéter. C'était presque facile. Je n'avais que deux ans lorsqu'il a découvert que je l'imitais alors qu'il s'entraînait avec ma mère.

Tara écarquilla les yeux.

— Ta mère est une Impitoyable aussi ?

Ben, les disputes devaient être intéressantes à la maison.

— Oui, sourit Sylver. Ils sont très grands pour des nains, souples et agiles, pas du tout ce qu'il faut pour le travail à la mine, mais parfait pour celui du sabre, comme leurs parents avant eux. Je pense que c'est la raison pour laquelle la personne m'a confié à eux. Il ou elle savait qu'ils seraient les meilleurs des protecteurs.

La douleur de son abandon transparaissait dans sa voix. Tara maîtrisa l'impulsion stupide qui la poussait à le prendre dans ses bras. D'une part parce qu'elle se serait fait déchiqueter, d'autre part parce que le garçon en aurait été très gêné. Et elle aussi.

Elle croisa les bras autour d'elle, oublieuse de la pluie qui lui dégoulinait sur le visage. La changeline s'allongea pour mieux la protéger.

— Tu as essayé de retrouver tes vrais parents ?

— Non, répondit Sylver. Mes parents m'ont dit qu'avec l'argent, il y avait un avertissement très clair. Ne jamais chercher à retrouver mes vrais parents. Si je le faisais, l'argent cesserait immédiatement d'arriver. Or mes parents ont besoin de cet argent pour développer leur ferme, puisqu'ils n'exercent plus leur métier d'Impitoyables à cause de moi. J'ai donc décidé de ne jamais les rechercher.

Puis il eut un petit sourire triste qui brisa le cœur de Tara.

— Cela dit, si jamais par hasard je tombe sur eux, le pacte aura été respecté. Alors, au rythme de mon voyage, je garde les yeux et les oreilles ouverts. Maintenant que tu sais ce que je suis, tu devrais avoir confiance en moi pour te protéger. La magie ne peut me toucher et, avec mon sabre, je suis quasiment invincible. Les Edrakins ne pourront rien contre moi, leurs griffes ne me blesseront pas plus que leur magie. Laisse-moi activer la machine. Ensuite, nous repartirons ensemble.

Il plongea ses yeux dorés dans ceux de Tara, et ils paraissaient contenir toute la peine et la détermination du monde.

Soudain, il eut un geste incroyable, lui qui jamais ne touchait personne. Du bout de sa main gantée de fer, il frôla la joue de Tara.

Il se pencha encore, son souffle effleura la bouche de Tara.

— Je ne peux pas te laisser mourir. Tu as donné un sens à ma vie. Sans toi, je ne saurais rien de ce sentiment étrange qui lie les hommes.

Tara avait l'impression d'être paralysée. Personne ne l'avait jamais regardée comme ça. Comme si elle était quelque chose d'incroyablement beau et en même temps d'inaccessible.

— Que... que veux-tu dire ? parvint-elle à articuler.

Il regarda Tara, les yeux emplis de douleur.

— Tu ne comprends pas, dit-il. Tu ne comprends pas.

— Non, je ne comprends pas, balbutia la jeune fille complètement perdue. Je ne suis pas télépathe. Alors, si tu veux que je comprenne, explique-moi !

Il hésita un instant, puis déclara avec ferveur :

— Être près de toi, c'est comme être près d'un feu puissant. Ta flamme me réchauffe et me nourrit... mais elle brûle mon cœur.

Tara allait protester, mais la fin de la phrase lui fit refermer la bouche aussi sec.

Il ne se rapprocha pas, pourtant, il la touchait presque, oublieux de ses écailles tranchantes.

— Je connais l'amour, je le comprends. Il unit mes parents, qui s'aiment, et il m'unit à eux, qui m'aiment et que j'aime. Je ne pensais pas qu'il me serait possible, cependant, d'aimer quelqu'un, de l'aimer comme je t'aime, toi qui m'as sauvé la vie.

Tara avait les oreilles qui bourdonnaient. Quoi ? Qu'est-ce qu'il disait ?

— Je ne comprenais pas au début. Je t'écoutais, tu paraissais à la fois si triste et si forte pourtant. Petit à petit, tu es entrée dans mon âme. Puis dans mon cœur. Et lorsque tu m'as sauvé la vie, quand je me battais contre l'arbre et que tu es apparue, couverte de sève et belle à en perdre l'esprit, c'est là que j'ai enfin compris.

Tara sentit les larmes lui monter aux yeux, car ce n'était pas uniquement de l'amour qu'il y avait dans la voix de Sylver, mais une intense supplication.

— Si tu n'es pas là, continua-t-il d'un ton bas et presque violent, je ne vois que gris et gel dans le monde. Quand tu souris, oh, Tara, je pourrais écrire un poème juste sur ton sourire. C'est… c'est comme un soleil. Tu ne sais pas, tu n'as aucune idée de ce que cela me fait. J'ai l'impression de me réchauffer et que tout va aller bien de nouveau. Quand tu pleures, ta tristesse m'arrache le cœur. Le monde s'abîme dans un océan de larmes qui brûlent et me font mal. Tu ne me demandes rien et pourtant je pourrais partir à l'assaut du monde si tu le voulais. Au début, je ne t'ai pas vue. Tu étais trop grande, tu n'avais pas de barbe, tu n'avais pas de haches. Puis, petit à petit, j'ai ouvert les yeux. Tu es si courageuse que cela confine à la folie, tu es franche et compatissante… et aussi têtue qu'une naine, sans aucun doute. Tu aimes avec autant de force que tu hais. Et je ne savais pas que tes yeux si bleus pouvaient contenir un univers tout entier.

Tara, la gorge serrée, sentait toutes ses certitudes vaciller.

Des larmes dorées ruisselèrent au coin des yeux de Sylver. Il baissa la tête.

— Mais, murmura-t-il, ne pas pouvoir te toucher, ne pas pouvoir te serrer dans mes bras est comme une agonie sans fin.

Parfois, c'est si douloureux que je n'arrive plus à respirer. C'est... c'est intolérable.

Il releva la tête et ce qui brûlait dans ses yeux brûla aussi Tara.

— Je ne pourrai jamais t'approcher. T'effleurer simplement serait te blesser et je préfère me trancher la main que de risquer de faire couler ton sang. Ma salive pourrait te brûler, tout en moi est toxique pour toi.

Ses lèvres touchèrent presque celles de Tara. Presque.

— Et cela me tue.

Avant qu'elle ne puisse articuler le moindre son, il se leva d'un bond et disparut dans le noir.

Les jambes coupées, Tara s'affaissa sur le sol ruisselant. Qu'est-ce qui venait de se passer ? Elle ne comprenait plus rien. Ce garçon, qu'elle connaissait depuis quelques jours à peine, venait de lui dire qu'elle était l'amour de sa vie ?

Des larmes se mirent à couler de ses yeux. Elle ne voulait pas. Elle ne voulait pas aimer de nouveau. C'était... c'était trop douloureux. C'était comme de trahir Robin, comme de l'oublier. Il n'en était pas question.

Le pire était l'innocence de Sylver. Il était tellement ouvert dans sa maladresse, tellement vulnérable, qu'il était impossible de ne pas l'entendre. Il n'avait pas utilisé de grandes envolées lyriques, il n'avait pas puisé dans les mots des autres. Il avait parlé avec les siens. Francs, puissants, directs. Et avec ses mots, il l'avait touchée, oh oui !

Elle ne dormit presque pas. Elle en voulait terriblement à Sylver. Elle était si sûre d'elle ! Elle aurait activé la machine, aurait sauvé AutreMonde et, si elle avait réussi à survivre à cette aventure, aurait pu s'enfermer dans sa peine.

Et voilà que tous complotaient contre elle avec leur amour. Celui de son père, de sa mère, de... de Sylver... La seule qui voudrait la voir disparaître était Angelica.

Lorsqu'elle parvint enfin à dormir quelques instants, alors que le jour allait se lever, elle rêva des dieux.

Enfin, c'était plutôt un cauchemar. Ils lui expliquaient qu'ils ne l'avaient pas poursuivie parce qu'ils attendaient qu'elle soit sur le point de réussir avant de lui ôter tout espoir. C'était bien plus amusant. De plus, ils savaient qu'elle s'inquiétait et cette inquiétude était comme un délicieux repas pour eux. Tara se souvint qu'elle avait hurlé de fureur dans son rêve, mais les dieux s'étaient contentés de la regarder, tendant leurs griffes et leurs crocs vers elle, avant de disparaître juste à l'instant de la toucher. Elle s'était réveillée, mal à l'aise. Le rêve était trop réel. Et expliquait pourquoi le dieu n'était pas réapparu.

Le seul avantage de ce rêve, c'est qu'il détourna son esprit de Sylver. Entre la déclaration de celui qui voulait l'aimer et celle de ceux qui voulaient la tuer, il n'était pas très difficile de choisir à laquelle accorder son attention. Même si elle décida de ne pas en parler à ses compagnons. Pour ne pas trahir à quel point elle était effrayée, elle se plongea donc dans un mutisme obstiné.

Angelica ne savait pas ce qui s'était passé, mais, au matin, lorsqu'elle vit les yeux rouges de Tara et la mine douloureuse de Sylver, elle n'eut pas à chercher beaucoup pour additionner deux et deux.

Pendant qu'ils cheminaient sous la pluie, elle se rapprocha de Sylver. Son pas était encore plus hésitant ce matin et il était déjà couvert de la boue de ses chutes. Elle aurait hurlé de frustration si elle avait été aussi maladroite, mais il se contentait de l'accepter. Pire, elle pensait qu'il ne le remarquait même pas.

— De quoi avez-vous parlé hier soir ? demanda-t-elle d'un ton dégagé. Tara paraissait fatiguée ce matin.

Le garçon ne savait pas mentir. Les nains étaient francs jusqu'à l'insulte.

— Je lui ai dit à quel point cela me blessait de ne pas pouvoir la toucher. Et à quel point je lui étais cependant reconnaissant de m'avoir fait ressentir un sentiment que je ne pensais pas pouvoir éprouver, l'amour.

Cette fois, ce fut Angelica qui trébucha et faillit s'étaler. Sylver continua sans se préoccuper d'elle. La galanterie non plus ne faisait pas trop partie des habitudes des nains, où les femmes étaient aussi fortes que les hommes.

— Par les mânes de mes ancêtres, finit par s'exclamer Angelica lorsqu'elle eut réussi à le rattraper, tu as fait quoi ?

— Je lui ai déclaré mon amour, pourquoi ?

Angelica grinça des dents. D'abord parce qu'elle aurait préféré qu'il lui fasse cette déclaration à elle et non pas à l'autre pimbêche, mais surtout qu'elle n'avait pas du tout envie que l'amour de Sylver détourne Tara de son devoir.

Puis elle eut un sourire en coin. Il allait falloir faire en sorte que ces deux-là ne s'engagent pas plus avant dans ce chemin. Histoire de pourrir un peu plus le truc, elle hocha gravement la tête.

— Tu as dû lui faire beaucoup de peine, assena-t-elle d'un ton triste.

— De la peine ? Pourquoi ? demanda vivement Sylver.

— Elle n'est pas encore remise de son amour perdu, Sylver, comment pensais-tu qu'elle allait accueillir ta déclaration ? Tu ne vois pas ses yeux rouges ? À cause de toi, elle a dû pleurer toute la nuit !

Affolé, le garçon se tourna vers elle.

— Moi ? Mais je ne voulais pas la faire pleurer !

— À ta place, je ne lui en parlerais plus jamais, elle serait encore plus blessée si tu continuais.

Sylver réfléchit un moment, puis hocha la tête.

— Tu as raison, Angelica, merci de ton conseil. Je ne l'ennuierai plus avec mes sentiments.

Angelica dissimula son sourire, puis ajouta :

— Mais moi, tu sais, je peux tout entendre !

— Comment ?

— Oui, tu sais, tu peux me dire que tu m'aimes, je le prendrai tout à fait bien ! Je n'ai pas de petit copain en ce moment. Ça tombe bien, tu ne trouves pas ? Et si on s'en sort, ce qui n'est pas gagné, tu n'as pas une idée pour faire disparaître ces stupides écailles ? Parce que franchement, ce n'est pas pratique, pratique.

Le garçon écarquillait les yeux, un peu paniqué. Mais Angelica continua à parler gaiement sans se préoccuper de ne pas avoir plus de réponses que quelques monosyllabes.

Puis elle se tut.

Ils étaient arrivés.

Devant eux s'élevait le tumulus d'Arrutchir.

19

Le vampyr
*ou tomber sur une jolie femme
sur son balcon n'est pas forcément glamour.*

Selena se trouvait dans sa chambre, à sa fenêtre, en train de réfléchir à l'organisation ô combien complexe de la révolte contre les fantômes (enfin surtout contre Magister), lorsqu'un vampyr lui tomba dessus.

Plus précisément une chauve-souris vampyr, qui la percuta violemment, l'envoyant bouler en arrière. La chauve-souris s'écrasa sur la coiffeuse rose et doré et resta là, à couiner misérablement.

Effrayée, Selena activa sa magie, prête à désintégrer l'intruse. Ravi de la distraction (rhhooo, un truc rigolo qui volait), Sambor posa une patte griffue et possessive sur la bestiole. Puis recula avec un feulement surpris. Car celle-ci se mit à gonfler, à grandir, jusqu'à former le corps d'un grand type aux yeux sanglants, vêtu du costume de cuir et de soie noire des Voleurs Patentés, que Selena ne reconnut pas tout de suite.

Comme il n'avait pas l'air d'avoir envie de l'agresser, elle retint sa magie.

— Oh là là, fit-il en se tenant la tête à deux mains, Tara ne m'avait pas dit que voler était si compliqué ! Par les bouses de traduc d'AutreMonde, qu'est-ce que j'ai mal au crâne ! Et puis j'avais oublié que vous aviez un chat comme Familier !

Sambor feula. Comment ça « un chat » ?

Au nom de sa fille, Selena éteignit sa magie et se précipita.

— Mais qui...

Elle s'arrêta net en reconnaissant le vampyr. Elle n'en croyait pas ses yeux

— Cal ?

— Yep, c'est moi !

— Par les mânes de mes ancêtres, Cal, mais comment t'es-tu transformé en vampyr ?

Elle répondit à sa propre question avant même qu'il n'en ait le temps.

— Quelle idiote je suis, Tara, bien sûr, elle t'a transformé, c'est ça ? Comme elle l'a fait pour elle ?

Cal hocha la tête en grimaçant parce que ça faisait mal.

— Ouf, soupira-t-il, heureusement que les organismes de vampyr sont costauds, sinon, vu le nombre de fois où je me suis assommé, je serais mort de commotion cérébrale depuis longtemps !

Selena l'aida à se relever. Il n'était jamais entré dans la suite de la jeune femme et cligna des yeux devant tout le rose et le doré. Mais, prudent, il garda pour lui ses commentaires sarcastiques. Un fauteuil aux pieds délicatement arqués, surchargé d'incrustations de nacre et d'or, se glissa sous ses fesses. Un ravissant guéridon rose se plaça près de lui, au cas où il voudrait poser un verre. Il était tellement recouvert de dentelle rose qu'on ne voyait plus ses pieds.

Dès qu'il fut assis, Selena le bombarda de questions :

— Tu as vu ma fille ? Comment va-t-elle ? Pourquoi t'a-t-elle transformé ? Que s'est-il passé ? Où est-elle ?...

Elle s'interrompit net alors qu'il ouvrait la bouche.

— Non, oublie cette dernière question. Je ne veux pas savoir, ma tolérance à la souffrance n'est pas si grande, et si Magister découvre que j'ai cette information, il pourra l'utiliser contre elle. Mais pour le reste je t'écoute.

Docile, Cal lui raconta tout ce qui s'était passé avec Tara depuis l'invasion fantôme. Selena frémit en apprenant à quel point sa fille avait souffert. Elle aurait tant voulu être là pour l'aider et la réconforter.

— Merci, dit-elle lorsqu'il eut terminé ce premier passage, tu lui as sauvé la vie, tu es un héros. Donc, c'est toi qui as combattu les fantômes du Lancovit ?

Cal eut un sourire plein de dents.

— J'ai d'abord délivré mes parents, puis le Roi et la Reine, j'ai continué par les principaux ministres, et ensuite, les fantômes ont commencé à avoir peur et ont déserté le Lancovit. J'ai mis ma famille à l'abri, puis je suis venu à l'université des Voleurs

Patentés d'Omois. La Résistance m'avait dit que mon contact y était.

Il marqua un instant de silence, comme s'il revivait sa surprise.

— Et mon contact était Mara.

Le visage de Selena s'éclaira.

— Mara ? Magister la fait rechercher autant que Tara. Il pensait qu'elle était partie à la campagne. Tu veux dire que depuis tout ce temps, elle était à l'université ?

Cal hocha la tête.

— Oui. Nous sommes habiles à nous cacher. Ses maîtres l'ont protégée contre les soldats et les fantômes. L'université a été touchée, bien sûr, plusieurs hauts dirigeants ont été possédés, mais, justement en raison de ce risque-là, seuls les rangs inférieurs savaient où se trouvait Mara. Elle a donc travaillé à coordonner le mouvement à partir d'Omois. Elle... Dame, votre fille cadette est vraiment très mûre pour son âge, vous savez.

Il ne mentionna pas ce détail, mais la petite fille de treize ans lui avait sauté au cou lorsqu'il était arrivé et son baiser n'avait pas exactement été innocent.

— Ce que lui a fait Magister fait grandir très vite, répliqua amèrement Selena.

— Elle m'a donné les nouveaux codes pour pénétrer dans le Palais, elle m'a dit que je pouvais vous faire confiance et me voilà.

Ils échangèrent un sourire.

— Est-elle en sécurité ? Est-elle cachée[1] ?

Cal hésita, puis répondit franchement :

— Vous voulez dire Tara ? Euh, ma Dame, je ne suis pas bien sûr que Tara et sécurité dans une même phrase, ce soit possible. Disons que la dernière fois que je l'ai vue, elle ne semblait se diriger vers aucun traquenard. Cependant, vous connaissez votre fille. Elle va chercher un moyen de faire repartir tous ces fantômes et, à mon avis, elle va le trouver.

— Et donc se mettre en danger. Je vais te donner mes propres informations et...

---

1. Oui, je sais, cela vous rappelle un truc : « Est-il en sécurité, est-il caché ? », phrase de Gandalf à Frodon. Et petit hommage à mon maître, le sieur Tolkien.

— J'ai déjà celles de Moineau, l'interrompit vivement Cal. Je sais pour la machine, et aussi pour Fabrice.

— Oh ? Tu as aussi rencontré Moineau ? Tu es un garçon très occupé, dis-moi. Mais tu ne m'as pas dit le principal. Qu'es-tu venu faire ici ?

Le garçon leva trois doigts.

— Un, dit-il, je suis venu récupérer Blondin. Cela fait des mois que nous sommes séparés et cela commence à me faire souffrir. Tel que je le connais, il a dû se cacher dans le Palais. Deux, je suis venu vérifier qu'El n'était pas passée d'Outre-Monde en AutreMonde. Je me suis enfui si vite que je ne l'ai pas vue. Trois, je suis venu voir si je pouvais vous donner un coup de main. J'ai déjà nettoyé le Lancovit, enfin une bonne partie, peut-être pourrais-je faire de même ici.

Selena le regarda si fixement qu'il se demanda s'il avait quelque chose entre les dents, un doigt, du sang... Puis elle eut un sourire si malicieux, si méchant qu'il en frissonna.

— Il ne sait pas que tu es un vampyr, murmura-t-elle avec satisfaction.

— Euh... qui ça ?

— Et il pense que tu es Tara, continua Selena sans répondre.

— Vous parlez de Magister, là, c'est ça ?

— Donc, si tu commences à croquer des fantômes ici, il va croire que Tara est revenue le défier.

— Je vous assure, vous commencez à me faire peur.

— Si je suis encore plus gentille et prévenante avec lui, il va penser que je lui cache quelque chose. Comme la présence de ma fille.

— Certes, confirma Cal totalement perdu, mais fasciné par la façon dont fonctionnait l'esprit de Selena.

— Il va mettre toutes ses brigades à tes trousses...

— J'ai l'habitude, Dame, je suis un Voleur Patenté... enfin presque.

— ... te tendre des pièges.

D'accord, elle ne l'écoutait pas, inutile de répondre. Cal se contenta donc d'un très neutre « hmmm ? ».

— Il va donc se focaliser exclusivement sur toi. Ça va le rendre dingue que tu défies son pouvoir chez lui.

— Hmmm ?

— Bien évidemment, tous les jourstaux vont en parler, les cristallistes vont adorer. Crois-moi, je vais me charger de faire passer l'information. Et comme il sera concentré ici, il ne s'occupera plus de Tara. Cela laissera les mains libres à ma fille pour faire... ce qu'elle doit faire. Oui, c'est excellent. Cela vient renforcer mon plan.

Cal se cantonna à son « hmmm ? », tout en se demandant de quoi diable elle parlait. Quel plan ? Selena se leva, le surprenant.

— Tu peux tuer combien de fantômes à l'heure ? demanda-t-elle brusquement.

— Hmmm ?

Elle claqua des doigts, impatiente.

— Cal, tu m'écoutes ? Combien de fantômes peux-tu tuer à l'heure ?

Ah ? Il devait répondre maintenant ?

— Ma Dame, ce n'est pas exactement comme de consommer des petits pains, protesta-t-il. Et il faut qu'il fasse noir, totalement noir.

— Noir ? Pourquoi ?

— Parce que les fantômes luisent, mais uniquement dans le noir complet, et que je ne veux pas me tromper. Ensuite, parce que je ne veux pas tuer l'hôte, mais juste le parasite, et que je ne veux pas qu'on me voie puisque ma « victime » reste vivante. Enfin, si vous voulez que Magister croie que je suis Tara, je dois demeurer « le mystérieux vampyr qui tue les fantômes ». J'inspire nettement plus de frayeur en étant caché.

— Tu as raison. Soyons mystérieux et cachés et pourrissons la vie de Magister.

— Mais pendant que je chasserai, vous devrez retrouver mon Familier, c'est important.

— Je le chercherai pour toi.

Cal se leva, effrayant, et s'assouplit les doigts.

— Très bien, lequel je prends en premier ?

— Xandiar. Cela commencera par Xandiar.

20

La machine

ou comment un tout petit truc peut causer d'énormes dégâts.

Les travaux d'excavation avaient déjà commencé. Le camp était entouré de ces mêmes fleurs brillantes que dans le temple. Elles éclairaient la scène bien qu'il fasse jour.

On aurait dit *La Momie* 2 en plus bizarre.

Tara frissonna.

Les thugs s'activaient à la pioche et à la pelle, puisque les Edrakins avaient interdit la pratique de la magie. L'humus qui s'était accumulé était assez tendre, mais Tara calcula qu'il leur faudrait au moins deux jours de plus pour creuser jusqu'à la machine. Ce qui n'était pas plus mal, vu que pour l'instant, elle n'avait absolument aucune idée de la façon dont elle allait s'y prendre pour atteindre la machine.

— On a de la chance, chuchota Angelica, qui avait rampé jusqu'à Tara, ils font le boulot pour nous !

— La seule question, c'est : comment allons-nous nous débarrasser d'eux ?

C'est alors qu'ils comprirent pourquoi Magister avait envoyé des aragnes mortes avec l'expédition. Une fois désharnachées, les énormes araignées à la queue de scorpion commencèrent à creuser de leurs huit pattes avec une frénésie proche de la démence. Des mottes de terre volaient partout, arrosant Selenba et Fabrice qui se mirent à l'abri. On aurait dit de gigantesques tractopelles.

Tara révisa son estimation à la baisse. À cette vitesse, il ne leur faudrait que quelques heures ! Slurk !

Heureusement, lorsque les aragnes arrivèrent à la couche durcie par le temps, le rythme changea. Elles ne pouvaient pas s'épuiser, car leur métabolisme ne ressentait pas la fatigue, mais la chitine de leurs pattes se brisait et s'usait à un rythme accéléré. La terre était si tassée qu'elle était dure comme de la roche. Bientôt, elles n'auraient plus que des moignons de pattes pour creuser.

Tara et ses amis entendirent les jurons de Selenba exploser dans toute la forêt.

— Elle n'a pas l'air très contente, remarqua Sylver. Quel langage !

— Je trouve cela presque fleuri, sourit Angelica, en tout cas, elle a de l'imagination !

La vampyr dégaina sa boule de cristal.

Elle l'agita devant l'Edrakin survivant.

— Qu'est-ce qui se passera si je l'utilise ? demanda-t-elle d'un ton crispé.

— Les prêtres de mon peuple arriveront et vous sacrifieront aux dieux.

— Je n'ai pas peur de tes prêtres, gronda Selenba, et encore moins de tes dieux.

L'Edrakin sourit, et ce n'était pas joli.

— Mais je vous en prie, faites, cela mettra fin à ma mission et nous débarrassera de vous, impurs toyouls !

Selenba l'ignora et activa sa boule de cristal.

Et sa magie en même temps. Au cas où.

L'image se forma au-dessus de la boule de cristal. Magister, dans son corps d'Impératrice, les yeux fulminants, l'air fou de rage. Du fait du décalage horaire entre l'île de Patrok et Omois, il faisait déjà nuit à Omois et la ville était obscure au travers de la fenêtre derrière Magister.

— Sombre Seigneur, dit Selenba en mettant un genou à terre et en baissant la tête, j'ai besoin de plus d'aragnes, celles-ci ne parviennent pas à creuser assez vite ! Pouvez-vous obtenir des Edrakins qu'ils suspendent leur anti-Transmitus un instant, le temps de m'en envoyer ? Ou alors pourrions-nous avoir l'autorisation de pratiquer la magie ? Cela ne prendrait que quelques secondes...

Magister ne l'écoutait pas, apparemment captivé par autre chose. Étonnée, Selenba releva la tête et vit l'image de Xandiar, entouré de deux gardes thugs, le cou enveloppé d'un pansement, comme si un Reparus avait été appliqué mais ne fonctionnait pas bien. Le grand chef des gardes grimaçait de haine, se débattant entre ses anciens subordonnés. Ils l'immobilisèrent avec beaucoup de mal.

— Depuis combien de temps a-t-il été délivré ? demanda rudement Magister.

— Environ une heure, Votre Altesse Impériale. Nous ne nous en sommes pas tout de suite rendu compte. Nous n'avons pas retrouvé votre Premier ministre, qui semble également avoir été attaqué. Leurs... leurs fantômes semblent s'être... évaporés. Nous ne les trouvons nulle part. (Il désigna le cou de Xandiar.) Notre chef a été mordu. Ceci est forcément l'œuvre d'un vampyr.

C'était très subtil. Dans la voix du garde, on sentait une joie imperceptible, mais bien présente. Magister la perçut aussi.

— C'est elle, c'est elle, c'est sûr ! Cette saleté de Tara Duncan ! Elle va me le payer ! hurla-t-il.

Avant que la vampyr n'ait le temps de réagir, il avait coupé la communication. Stupéfaite, elle fixa la boule de cristal redevenue noire.

— Mais... mais qu'est-ce qui...

Elle se ressaisit, consciente du regard curieux des gardes sur elle.

L'Edrakin, lui, examinait les alentours, avec l'expression de quelqu'un qui attend la matérialisation du père Noël d'une seconde à l'autre.

Il fut extrêmement déçu.

Le père Noël devait être occupé ailleurs. Personne ne vint, à part quelques insectes qui s'approchèrent et repartirent en zonzonnant de dégoût dès qu'ils sentirent l'huile des dieux.

L'Edrakin n'en revenait pas. Il s'assit en se savonnant les oreilles et se mit à prier d'un ton désespéré.

Selenba, elle, n'arrivait pas à croire que Magister lui ait raccroché au nez. Son regard s'emplit d'une promesse de violence. Elle regagna sa tente d'un pas rageur.

Et Tara entendit le rire frais de Moineau. Au moins, leur amie avait apprécié le spectacle de la vampyr déconfite.

— Tu aurais une jumelle ou un clone quelque part ? chuchota Angelica, sincèrement intriguée.

— Je ne sais pas, mais je ne crois pas. Il avait vraiment l'air furieux. Apparemment, quelqu'un est en train de traquer ses alliés fantômes. Tu penses ce que je pense ?

Angelica n'eut pas besoin de réfléchir longtemps.

— Je pense que tu penses que Cal est à Omois, c'est ça ?

— Oui, lui ou un autre vampyr. Dans tous les cas, Selenba n'a pas eu l'aide qu'elle escomptait et ça, c'est bon pour nous !

— De toute façon, assura Angelica, il n'y avait aucune chance que Magister obtienne une autorisation, ni d'utiliser la magie ni d'arrêter les anti-Transmitus. Déjà, c'est très curieux qu'elle ait pu utiliser sa boule de cristal sans se faire désintégrer par les prêtres. Ils doivent avoir autre chose à faire, sinon, ils seraient intervenus.

Dans la tête de Tara dansèrent les images visqueuses des dieux. Non, les Edrakins n'étaient pas intervenus parce que les dieux l'avaient interdit.

Ils attendaient une meilleure occasion. C'était ce qu'ils avaient dit dans son rêve. Afin de lui ôter tout espoir. Génial, elle allait devoir faire la course avec des dieux. Et activer la machine avant qu'ils ne puissent l'en empêcher. La seule consolation, c'était qu'elle ne mourrait pas lentement des effets des radiations. Là, elle allait mourir très vite. Et d'une façon pour le moins flamboyante, en combattant les machins immortels avec trop de crocs et de tentacules pour son bien.

Elle en avait les genoux en gelée et l'estomac retourné.

Angelica, inconsciente de la terreur de Tara, se concentrait sur les thugs. Elle nota soigneusement comment étaient agencées les rondes.

Privée d'aragnes supplémentaires, Selenba ne put avancer aussi vite qu'elle l'aurait voulu. Pourtant, elle refusa que les aragnes et les thugs s'arrêtent.

Ils travaillèrent toute la nuit.

Il y eut une grosse alerte, lorsque Selenba, constatant tout à coup que personne ne l'avait réduite en bouillie pour avoir utilisé sa boule de cristal, décida de faire de la magie. Elle l'activa et la braqua sur le tumulus qui se mit à réduire à toute vitesse.

Les Edrakins n'intervinrent pas, confirmant ce que pensait Tara.

Mais les dieux avaient d'autres moyens de punir ceux qui n'obéissaient pas à leurs ordres.

La forêt entra en éruption. Balayant le barrage de l'huile des dieux, les plantes s'emparèrent de trois thugs, de l'humain restant destiné au dîner de Selenba et de trois aragnes qu'elles démantibulèrent littéralement sous les yeux de leurs compagnons. Les mandibules des aragnes et les toiles qu'elles lançaient pour immobiliser les plantes, pas plus que les sabres des thugs à quatre mains, ne purent grand-chose contre la végétation. Leurs hurlements retentirent longuement dans les oreilles de Tara, Sylver et Angelica, horrifiés. Ils restèrent sur le qui-vive, au cas où l'huile ne fonctionnerait plus pour eux, mais les dieux avaient, bien sûr, d'autres plans pour Tara. Les plantes les ignorèrent.

Selenba se fichait bien de voir massacrer ses troupes, mais, lorsque les lianes menacèrent de s'en prendre aussi à elle, elle désactiva sa magie. Les plantes se retirèrent aussitôt, emportant les morceaux de thugs, d'humain et d'aragnes avec elles.

Selenba se le tint pour dit. Magie = Mort, l'équation était simple à comprendre. Elle hurla après les thugs terrorisés et les aragnes impassibles, et le travail recommença. L'Edrakin ne dit rien, mais son petit sourire satisfait parlait pour lui.

Tara recula, suivie des deux autres.

— Tenez, chuchota Tara, voici de l'huile de tolis, elle vous protégera des fils des aragnes.

— Cela ne risque pas de contrarier l'effet de l'huile des dieux ? demanda Angelica, inquiète. Je n'ai pas envie que les plantes me trouvent appétissante tout à coup.

— Non, commença Tara. (Puis elle se reprit :) En fait, je n'en sais rien du tout, mais il faut prendre le risque.

Sylver montra l'exemple en s'enduisant. Les plantes restèrent à distance. Du coup, Angelica et Tara firent de même. Les robes de sortceliers se camouflèrent de couleurs vives, qui recouvrirent jusqu'au visage des trois guetteurs. Ainsi, ils étaient invisibles. Le tumulus était entouré d'arbres de saphir, le sol jonché de fleurs éblouissantes dont certaines lançaient des rayons de lumière pour faire tomber leurs proies. Avec les soleils d'Autre-Monde, les étoiles ou les lunes, plus l'éclairage, ceux qui se trouvaient à l'intérieur n'avaient aucune chance de les détecter.

En creusant, les aragnes dérangeaient des milliers d'insectes et Angelica, qui allait prendre le premier tour de garde, décida de doubler la couche de vêtements qui la recouvrait… juste au cas où.

Elle avait horreur des insectes.

Tara et Sylver se retirèrent plus loin dans la forêt afin de voler quelques heures de repos. Ils avaient décidé de se relayer toutes les trois heures. Tara ne voulut pas recréer le mur d'arbres vivants, au cas où ils devraient agir rapidement.

Elle redoutait de dormir et elle avait raison, car les dieux lui rendirent une nouvelle petite visite. Lorsqu'elle se réveilla, ce fut sur un hurlement silencieux. Elle se redressa, trempée de sueur, tremblante.

— Tara, souffla la voix inquiète de Sylver, tout va bien ?

— Oui, répondit Tara, tout aussi bas, j'ai... j'ai juste fait un cauchemar. Rendors-toi.

— Je ne dormais pas. Il serait ennuyeux que la Chose prenne le contrôle aussi près du but.

— Oui, surtout compte tenu de son humour pour le moins particulier. Tu as eu raison.

Dans le noir, la voix de Sylver prit une inflexion tendre :

— Nous allons peut-être tous mourir demain... ou dans quelques heures. Tara, je voulais te remercier. Angelica m'a dit de ne pas en parler, mais...

— Angelica ? s'exclama Tara d'une voix étouffée, qu'est-ce que tu as raconté à Angelica ?

— Que je t'avais dit à quel point je t'aimais. En fait, je crois que je t'aime depuis que tu m'as fait peur.

Tara s'apprêtait à gronder qu'Angelica n'avait certainement pas à être au courant de leurs petites histoires, lorsque la dernière phrase lui sauta au cerveau.

— Pardon ?

— Oui, lorsque tu t'es transformée en vampyr buveuse de sang humain, tu m'as dit que je sentais superbon. C'est la première fois qu'on me regardait comme si j'étais quelque chose de comestible, de délicieux... de... de *tendre.* Tu m'as fait peur.

Ah ! sa fameuse honnêteté. Tara devait avouer que la franchise de Sylver lui plaisait vraiment beaucoup.

— Vous, les AutreMondiens, soupira-t-elle cependant, vous avez vraiment une étrange conception de l'amour. Cela dit, Fabrice aussi, puisqu'il est amoureux de Moineau parce que celle-ci est capable de lui sauter à la gorge. Vous ne savez pas que l'amour, c'est doux, c'est chaud, c'est tendre, ce n'est pas « lequel de nous deux va foutre une raclée en premier à l'autre, mon amour ? ».

Tara entendit un son étouffé dans le noir. Elle mit quelques secondes à saisir que Sylver riait.

— Nous, les nains, dit-il avec amusement, nous n'avons pas trop l'habitude de parler d'amour. Ce doit être mon côté humain qui ressort, pour autant que je sois humain et que cette forme ne soit pas une sorte de déguisement naturel. Lorsque mon père a rencontré ma mère, il est tombé fou amoureux d'elle. Elle était en train de s'entraîner, dans un parc près de chez elle, lorsqu'il est passé. Il a tout de suite vu qu'elle avait une formation d'apprentie Impitoyable comme lui. Il a filé chez le fleuriste le plus proche, tout en essayant de ne pas la quitter des yeux, ce qui fait qu'il a dû risquer sa vie une demi-douzaine de fois, puis il a foncé dans le parc. Il avait caché les fleurs dans son dos et il les a brandies sous le nez de ma mère, la prenant par surprise.

— Et qu'est-ce qu'elle a fait ?

— Elle a cru qu'il l'attaquait. Elle a décapité les fleurs avant de comprendre ce que c'était. Il s'est retrouvé avec une grosse botte de tiges dans les bras. Il était furieux, ces fleurs lui avaient coûté une fortune.

Tara retint un petit rire.

— Qu'est-ce qu'il a fait ?

— Il lui a demandé réparation.

— Réparation ?

— Uh uh, en échange d'avoir massacré ses fleurs, elle devait l'épouser.

Ça, c'était de la réparation. Ces nains n'y allaient pas avec le dos de la cuillère !

— Qu'est-ce qu'elle a fait ?

— Elle a trouvé ça drôle. Elle lui a dit que s'il venait pendant un an tous les matins en bas d'une certaine maison, dont elle allait lui donner l'adresse, avec une fleur différente, elle y penserait peut-être.

Tara était reconnaissante à Sylver de lui raconter une belle histoire, elle en oubliait la peur qui martelait ses tempes.

— Waouh, cela fait plus de quatre cent cinquante fleurs ! Qu'est-ce qu'il a répondu ?

— Qu'il la reverrait le lendemain.

— Et il a tenu son pari ?

— Il l'aurait certainement tenu. Au début, tout s'est bien passé. Quand il ne pouvait pas venir, car il était en mission pour Hymlia, en tant qu'apprenti auprès de son mentor Impitoyable, il lui faisait porter la fleur par quelqu'un d'autre. Mais quelque chose vint très vite enrayer la machine. Mon grand-père a cru qu'il faisait la cour à sa femme. Il faut dire que grand-père voyait encore sa fille comme une petite jeunette d'à peine une centaine de printemps, et que grand-mère est d'une grande beauté.

Tara se maîtrisa juste à temps, son rire fut étouffé sous sa main.

— Ouille, tu rigoles ?

— Pas du tout. Comme maman voulait vraiment éprouver l'amour de papa, elle ne descendit pas pour les premières fleurs, il dut les laisser sur le perron, sans même pouvoir lui dire un mot. Et comme elle lui avait juste donné son adresse, mais pas son nom, il ne pouvait bien sûr pas accompagner la fleur d'un mot qui aurait éclairé le mystère. Comme, de plus, elle ne voulait pas que son père, mon grand-père, se mêle de son histoire, vu qu'il était très protecteur, elle ne dit pas non plus que c'était pour elle.

Tara voyait très bien où tout cela menait. À une grosse catastrophe.

— Ma grand-mère trouvait très mignon qu'un inconnu lui dépose des fleurs tous les jours. Grand-père, lui, ne trouvait pas cela mignon du tout. Il décida donc de faire comprendre à l'intrus qu'on ne convoitait pas la femme de son voisin. Lorsque mon père déposa la fleur suivante, il lui tomba dessus comme une tonne de pierre de maskesort. Je crois que c'était à la fleur cinquante-trois ou cinquante-quatre.

— Oh là là, parvint à dire Tara, pliée en deux, qu'est-ce qui est arrivé ?

— Une fois la surprise passée, mon père s'est défendu. Puis ce fut à son tour d'être victime d'un malentendu. Comme mon grand-père hurlait qu'il n'allait pas laisser un malotru lui voler sa femme, il crut que maman était sa femme. Fou de rage d'avoir été trompé par une coquette sans cœur, il assomma grand-père et s'en alla.

Dans le noir, Tara ouvrait de grands yeux. Assommer le père de sa future femme ne lui paraissait pas une très bonne idée.

— Bien sûr, attirée par les hurlements, ma mère finit par descendre voir ce qui se passait. Elle trouva mon grand-père qui essayait de se relever et ma grand-mère qui hurlait qu'un nain avait essayé de l'assassiner. Voyant la fleur par terre, elle comprit tout de suite. Enfin, elle crut comprendre. Elle pensa que mon père avait voulu parler d'elle à mon grand-père, lui demander de l'épouser. Elle se mit donc à lui hurler après.

Tara avait mal aux joues à force d'essayer de ne pas faire de bruit. Cette histoire était la plus embrouillée qu'elle ait jamais entendue !

— Grand-père, encore sonné, ne comprit pas très bien pourquoi ma mère l'insultait de toute la force de ses poumons parce qu'il avait chassé le nain qui courtisait sa femme...

— Mon Dieu, mais elle est dingue, ton histoire !

— Attends, ce n'est pas fini. Mon père, qui n'était pas si loin, a entendu ma mère hurler. Encore en rage, il a fait demi-tour et s'est précipité pour lui dire tout ce qu'il avait sur le cœur. Surtout que, comme pour le bouquet, certaines de ces fleurs lui avaient coûté cher.

Tara sourit dans le noir. Les nains n'étaient pas spécialement radins, m'enfin, un sou, c'était un sou.

— Tu peux donc imaginer la scène. Quatre nains échevelés, aucun n'écoutant ce que disaient les autres, se braillant dessus au milieu de la rue.

Tara riait, incapable de s'en empêcher, même si son rire restait discret.

— Et comment tout cela s'est terminé ?

— Au poste. La police est arrivée et, comme leur commandant n'arrivait pas à comprendre ce que lui disaient mes grands-parents et mes parents, il a embarqué tout le monde.

— Sylver ! s'exclama Tara, tu inventes, ce n'est pas possible !

— Nous, les nains, répondit très sérieusement Sylver, ne sommes pas capables de mentir. Et nous avons également un gros défaut.

— Un seul ? ne put s'empêcher de plaisanter Tara.

— Nous sommes très rancuniers, répliqua Sylver. Mon grand-père, une fois le mystère plus ou moins éclairci, refusa catégoriquement que sa fille épouse un malotru pareil.

— Je me disais bien que cela ne pouvait pas se terminer aussi facilement. Qu'est-ce qui s'est passé ?

— Mon père a répondu qu'il était hors de question qu'il épouse la fille d'un vieux barbon acariâtre. Ensuite, ma mère s'est fâchée et a dit qu'elle n'avait pas envie d'épouser un nain qui avait assommé son père. C'est alors que ma grand-mère est intervenue. C'est une très célèbre cantatrice chez nous. Sa beauté et sa voix sont connues dans tout AutreMonde.

Tara, qui avait déjà entendu chanter des nains, dont la voix évoquait une corne de brume écrasant un camion de chats et de cochons, frissonna.

— Elle cria si fort que grand-père jure que la cire de ses oreilles a fondu ce jour-là et que les barreaux de la prison se sont liquéfiés. Cela les fit tous taire, y compris le commandant, qui voulait leur mettre une amende pour trouble à l'ordre public. D'un ton très calme, grand-mère ordonna à mon père d'expliquer sa version des faits. Dès que mon grand-père essayait de parler, elle ouvrait juste la bouche et il se taisait. Il n'avait pas envie d'être foudroyé par un cri supersonique. Une fois que mon père eut expliqué qu'il était fou amoureux de ma mère, au point de lui apporter une fleur tous les jours, alors qu'il ne lui avait parlé que deux minutes, ma grand-mère demanda à ma mère d'expliquer pourquoi elle n'avait pas dit que les fleurs étaient pour elle. Ma mère expliqua qu'elle avait craint la réaction de son père. Mais pas au point de résister à l'envie de voir si mon père respecterait un pacte aussi étrange.

— Laisse-moi deviner. Ta grand-mère, qui m'a l'air d'une fem… d'une naine très intelligente, s'est débrouillée pour que ce soit ton grand-père qui soit responsable de tout, c'est ça ?

— Exactement. Il s'est retrouvé avec tout le monde qui le regardait avec reproche. Grand-mère l'a également accusé de manquer de confiance en elle, ce qui était inacceptable. Du coup, il a admis qu'il était peut-être un peu trop protecteur envers sa fille. Celle-ci en a profité pour lui arracher la promesse qu'il considérerait favorablement la proposition de mon père. Elle a mis presque cinq ans à l'obtenir, mais, finalement, mes parents se sont mariés. Ils ont travaillé à Omois pendant une centaine d'années, avant de prendre conscience qu'ils n'arrivaient pas à avoir d'enfants. Ils ont donc déposé une demande d'adoption.

— Tu as été adopté officiellement, mais je croyais que…

— Non, en fait, celui qui m'a confié à eux n'est pas du tout passé par des voies officielles. Il a simplement appris qu'ils désiraient un enfant, et il le leur a fourni. Autant, a-t-il dit dans sa lettre, pour leur bien, en tant que parents, que pour le mien, en tant que bébé. Mais ils devaient quitter la ville, s'établir dans une ferme et m'élever loin de tout contact avec d'autres personnes. La lettre disait que je serais en grand danger si mon existence était connue. Mes parents ont donc respecté ce pacte, non à cause de l'argent qui l'accompagnait, mais parce qu'ils avaient peur pour ma vie. C'est ce que je t'ai dit lorsque j'ai avoué ce que je ressentais pour toi. Je connais l'amour, Tara, je le comprends, même si c'est un sentiment complexe, parce que j'ai vu l'amour que mes parents ont l'un pour l'autre, et pour moi aussi. Mais je ne pensais pas, à cause de mes écailles qui me coupent des autres, que je pourrais l'éprouver un jour. C'est ce que j'ai voulu dire en te remerciant. Merci de m'avoir fait ressentir cela, c'est très précieux pour moi. Et je veux m'excuser aussi. Je n'avais pas pensé que je te blesserais en t'avouant mes sentiments à ton égard. J'ai bien compris que ton amour pour Robin était grand, mais tu n'en parles pas du tout, alors…

Tara n'avait plus envie de rire. Elle répondit en pesant ses mots :

— Je n'en parle pas, parce que c'est si douloureux que j'ai voulu en mourir. Et que j'aurais sans doute réussi si Cal ne m'avait pas sauvé la vie. Il ne se passe pas un jour sans que je pense à Robin. Sylver, tu es certainement le plus bizarre et le plus étonnant des garçons que j'ai rencontrés jusqu'ici, tu es courageux, très gentil, et beau au-delà du raisonnable, mais c'est impossible. Même s'il n'y avait pas tes écailles, ce serait impossible. Non seulement à cause de l'amour que j'éprouve toujours pour Robin, mais également parce que je risque de mourir dans quelques heures et que je ne te ferai pas vivre ce que j'ai vécu avec Robin. Perdre celui ou celle que l'on aime, il n'y a pas pire douleur.

Elle entendit Sylver inspirer profondément.

— Je ne te laisserai pas mourir, ce n'est pas possible. Et j'attendrai. Oui, j'attendrai.

— Non, dit Tara fermement, je ne te laisserai pas attendre. C'est ce qu'a dit Robin. Qu'il attendrait que je tombe amoureuse de lui. Ensuite, il a dit qu'il attendrait que je sois assez âgée. Cela ne fonctionne pas avec moi, Sylver, je suis dangereuse. J'ai mis mes amis tellement de fois en danger que j'ai arrêté de compter. Et j'ai même réussi à tuer celui que j'aimais. Il doit y avoir des millions de filles qui te trouveront craquant. Le jour où tu te débarrasseras de tes écailles et de ta salive acide, et ce jour viendra certainement, elles vont toutes te tourner autour. Et je suis sûre que tu en trouveras une qui... qui te fera aussi peur que moi.

C'était une façon un peu bizarre de dire ce qu'elle pensait, mais c'était ce qui avait marqué Sylver. Qu'elle lui avait fait peur.

Seul le silence lui répondit.

— Sylver, appela-t-elle doucement, tu m'entends ?

Mais Sylver ne répondit pas.

Elle se leva et le chercha à la lueur des deux lunes.

Mais Sylver avait disparu.

C'est alors qu'un grand cri la fit sursauter. Elle fonça vers le site.

Ce qu'elle vit la fit pâlir.

Ils avaient trouvé la machine.

21

Le plan

ou, quoi qu'on en dise, la carte n'est pas le territoire.

Magister activa sa boule de cristal. Le ravissant visage de Selena s'afficha.

— Oui ? dit-elle, restant sur ses gardes en reconnaissant le sangrave.

— Tu vas être contente, ma douce, annonça-t-il d'un ton joyeux.

— Ah bon, répondit Selena sans enthousiasme, et de quoi ?

— Finalement, j'ai rappelé Xoara. Tara ne risque plus rien !

— Ah, formidable ! répondit Selena avec un délicieux sourire. Merci beaucoup, cher ami !

Et avant que Magister, stupéfait, n'ait pu réagir, elle coupa la communication.

Et se tourna vers T'eal. Qui émergea de l'ombre où il s'était dissimulé lorsqu'elle avait pris l'appel.

— « Cher ami » ? ironisa le président des loups-garous. Si Sa Majesté Impériale, Dame Elseth, ne m'avait pas contacté en me disant que vous étiez une alliée, j'aurais quelques doutes !

La vieille Impératrice flottait derrière Selena et elle aussi avait l'air étonnée.

— Par mes ancêtres, petite, n'en faites pas trop, il va finir par se douter de quelque chose !

Selena eut un sourire retors.

— Non, il est bien trop arrogant, c'est ce qui le perdra. Bon, Seigneur Loup, que pensez-vous de mon plan ?

— Il est plein de trous, grogna T'eal en se grattant la tête, même avec l'indéniable atout de ce vampyr. Mais je vous accorde que vous êtes une femelle courageuse, presque une alpha en dépit de votre apparence frêle.

Son ton était admiratif. Il la trouvait vraiment à son goût, cette jolie femme courageuse, qui se battait pour son idéal.

Oui rudement jolie.

Cela tombait bien, il n'avait pas de compagne en ce moment. Il lui lança un sourire séducteur.

— Oh, merci, répondit Selena, qui n'avait aucune idée de ce dont parlait T'eal mais supposait que c'était un compliment.

— Dans combien de temps serez-vous prête ? demanda plus sérieusement T'eal.

— Nous devons agir vite. Le pouvoir de Magister se renforce de jour en jour.

— Donc ? insista le loup.

— Au milieu de la nuit prochaine, finit par avancer Selena, les sourcils froncés par la concentration. Dans trente heures. Nous lancerons l'opération. Tenez-vous prêts.

— Vous êtes vraiment naïfs, dit une voix derrière eux, les faisant sursauter avec un bel ensemble. Sans moi, vous ne seriez plus que de la pâtée pour chien... si je peux m'exprimer ainsi, Seigneur Loup.

Sambor feula, stupéfait de n'avoir pas senti l'intrus.

Ils se retournèrent, prêts à lutter. Une ombre se détacha du mur, ses contours se précisèrent et une ravissante thug aux cheveux pourpres et aux grands yeux noirs leur sourit gentiment.

Tout en leur montrant une demi-douzaine de scoops mortes dans ses mains.

Le président grogna et se ramassa. La main fraîche de Selena l'arrêta.

— Attendez, c'est une amie. Séné. Que faites-vous ici ?

— Je joue à cache-cache avec les fantômes, répondit la camouflée. Il semble que mon... aptitude à échapper aux regards me permette également d'échapper à ceux des fantômes.

— Et à mon odorat aussi, grogna le président. Vous m'avez surpris, Dame.

On sentait que cela le perturbait beaucoup.

Séné lui adressa un sourire plein de fossettes.

— J'ai profité de cet avantage pour devenir le lien entre la Résistance qui opère à l'intérieur du Palais et celle du dehors. J'ai également surveillé ce que vous faisiez. Lorsque les fantômes ont été attaqués par un vampyr, j'ai cru que c'était Tara. Je me suis cachée et j'ai été très surprise de découvrir que le coupable n'était autre que Cal. Il faut que vous le remerciiez pour moi, Dame, il a délivré Xandiar en premier. J'ai détesté voir mon amour réduit à l'état de chie... (elle se reprit après un regard vers T'eal) d'esclave de Magister.

— Xandiar est l'un des éléments clefs de la garde, répliqua Selena. C'est pourquoi nous l'avons choisi. (Elle désigna de la tête les scoops grillées.) Et qu'est-ce que c'est que ça ?

— Ça ? C'est le second système de surveillance de votre suite, répondit Séné en rangeant les petites caméras noircies dans sa poche et en s'essuyant les mains. J'ai dû le débrancher à plusieurs reprises lors des dernières semaines.

Selena pâlit.

— Un second système ?

— Hum hum.

— Mais... je croyais tout détruire à chaque fois.

— C'est un sort assez malin. Vous grillez les premières scoops, mais des germes de scoops sont placés derrière. Le fait de détruire les premières fait pousser les secondes. Indétectable, silencieux, efficace.

— Vous... vous voulez dire que sans vous, tout ce que Cal et moi avons fait aurait été découvert ? Sans parler de mon complot avec Dame Elseth et le président T'eal ?

— C'est exact, répondit promptement Séné.

Selena bondit, surprenant T'eal et Séné, et lui prit les mains.

Enfin, deux de ses quatre mains.

— Merci, merci.

— Je ne fais que mon devoir, Dame. Notre empire est en danger et j'ai juré de le défendre lorsque je me suis engagée dans les services secrets d'Omois.

— Séné, vous êtes précieuse. Président T'eal ?

— Dame ?

— Pourriez-vous éteindre la lumière, je vous prie ?

Le président eut l'air un peu étonné, mais il obéit. Le noir complet se fit dans le petit salon.

Selena soupira de soulagement.

Séné ne brillait pas.

— C'est bon, cria-t-elle, vous pouvez rallumer.

Le président obéit. Et son regard était plein d'interrogations lorsqu'il fit clair de nouveau.

— Je vous prie de m'excuser, mais cela aurait pu être une ruse de ce maudit Magister, dit Selena à Séné, un peu gênée. Je vous ai pris les mains pour être sûre que vous n'alliez pas sortir de la pièce ou vous camoufler. Les fantômes brillent dans l'obscurité, et le corps de leur hôte brille aussi. Je sais maintenant que vous êtes vraiment avec nous. Merci encore.

Le président s'inclina, approbateur.

— Dame Séné, nous vous devons probablement la vie. Merci. Les loups accourront si vous les appelez. Vous avez l'estime de la meute.

Séné s'inclina en retour.

— Je vous en prie. Maintenant, dites-moi en quoi je peux vous êtes utile dans ce plan que vous venez d'évoquer.

Selena lui sourit, tout en songeant qu'ils avaient plus de chance qu'ils n'en méritaient.

Puis elle mit le doigt sur ce qui la gênait.

— Pourquoi moi ?

— Pardon ?

— Pourquoi m'avoir surveillée moi ? Surveiller ce que font les fantômes, je comprends, mais moi ?

Séné ne baissa pas les yeux.

— En fait, finit-elle par dire, j'ai comme qui dirait une mission.

— « Comme qui dirait » ?

— Oui, bien avant l'invasion, Sa Majesté Impériale, Lisbeth, m'avait demandé de garder un œil sur Tara. Du fait de mon travail de camouflée, je ne la surveillais pas vingt-six heures sur vingt-six, mais disons que je veillais sur elle. C'est également ce que j'ai fait lorsque j'ai suivi l'Héritière sur le Continent Interdit.

— Vous l'espionniez, traduisit Selena. Et vous avez cru qu'elle était revenue, vous aussi.

— Oui, répondit Séné, puis j'ai compris que ce n'était pas le cas.

— Non, dit une nouvelle voix qui les fit encore sursauter, elle est sur l'île de Patrok !

Danviou venait de franchir les murs de la suite de Selena et s'approchait d'elle.

— Par mes ancêtres, grogna Elseth, heureusement que je n'ai plus de cœur, sinon je serais morte de deux crises cardiaques en moins de dix minutes. Bon sang, jeunes gens, on ne vous a pas appris à frapper ?

Séné et Danviou la regardèrent, incrédules.

— D'accord, d'accord, faites comme si je n'avais rien dit.

Selena s'approcha de Danviou, affolée.

— Notre fille est sur Patrok ? Mais je croyais qu'elle était en route vers Hymlia ! Par mes ancêtres, avec les Edrakins ? Comment va-t-elle ?

— Bien, sourit le fantôme, enfin, aussi bien que possible, entourée d'ennemis dans une forêt très carnivore. Tu savais qu'elle voulait activer la machine antifantômes elle-même ?

Selena haussa les épaules.

— Non, mais je ne vois pas très bien ce qui…

— Elle en mourra, l'interrompit Danviou. Selena, notre fille en mourra si elle active cette machine, les radiations la tueront ! Oh, pas tout de suite, non, mais c'est irréversible.

— Tu en es sûr ?

— Selena, je suis l'ex-Imperator d'Omois et un descendant de Demiderus. Tant que ma sœur n'avait pas de descendants, j'étais également l'Héritier de la couronne impériale. J'ai donc eu accès au Livre des Sombres Secrets. Je l'ai quasiment appris par cœur pendant toutes ces années. Il m'a suffi d'appeler le bon chapitre dans ma mémoire et je me suis souvenu de ce que faisait la machine.

Selena se laissa tomber dans un fauteuil, les jambes coupées, et se passa une main fatiguée sur le visage.

— Elle veut mourir, c'est ça, murmura-t-elle, à cause de Robin ?

— En fait, répondit Danviou, c'est surtout pour réparer son erreur.

— Un sacrifice, gronda T'eal qu'ils avaient oublié. La petite est courageuse.

— Je suis revenu pour te demander conseil, expliqua Danviou, ignorant l'admiration du loup. Dis-moi comment je peux la convaincre, tu la connais mieux que moi. Quels sont les mots qui la détourneront de cette horreur ?

De nouveau, Selena se frotta le visage. Elle avait compris depuis longtemps que Tara était aussi têtue qu'Isabella. Rien ne la ferait changer d'avis, si elle avait pris sa décision.

Elle leva un regard navré sur Danviou.

— Tu dois retourner en OutreMonde.

— Quoi ? Mais…

Selena se leva brusquement.

— Tu ne comprends pas ? Rien ne l'arrêtera. Elle va activer cette machine. Et si elle l'active alors que tu es encore là, tu seras détruit. Danviou, tu n'as aucune idée de la force de notre enfant. Elle va survivre, je sais qu'elle va survivre. Mais écoute-moi bien. Si tu es détruit, elle aura tué non seulement son amoureux, mais aussi son père. Tu ne peux pas lui infliger ce fardeau supplémentaire.

— Mais tu n'en as aucune certitude ! protesta le fantôme. Il faut la faire changer d'avis, la sauver ! Je… Je vous aime tant !

Il bafouillait, mélangeait ses phrases, horrifié. Pour terminer par ce qui comptait le plus pour lui. Son amour pour sa femme et sa fille.

Selena pâlit.

— Je sais. Fais-le pour elle, si tu ne le fais pas pour toi.

— Ces radiations, dit Séné, brisant l'intensité de l'échange entre les deux époux, sont-elles si mortelles ? On peut peut-être trouver quelque chose qui sauvera Tara, non ?

— Non, répliqua Danviou, presque sauvage, le Livre dit que…

— C'était il y a des centaines d'années, le coupa Selena. La science et la médecine ont fait de grands progrès depuis. Danviou, s'il te plaît ! Crois-moi, il est inutile que tu retournes sur Patrok, tu dois nous faire confiance, tu dois lui faire confiance.

Elle plongea ses yeux noisette dans les yeux bleus de Danviou et tout ce qu'elle ressentait passa entre eux. Danviou faillit en mourir de chagrin. Elle l'aimait encore, il le voyait. Elle était déchirée. Elle voulait le sauver. Elle voulait sauver sa fille. Elle refusait de n'être qu'un pion qu'on s'échange. Elle était douce, elle était forte. Elle était sa femme et il l'aimait tellement qu'il était capable de mourir pour elle.

Encore.

Mais elle ne voulait pas. Alors, il allait lui obéir. Justement parce qu'il l'aimait.

Elseth se racla la gorge. Pas par besoin, mais parce qu'elle voulait rappeler sa présence.

— Tara peut déclencher la machine à tout moment, c'est cela ?

— Oui, répondit Danviou, se détachant difficilement du regard blessé de Selena.

— Et je suis un fantôme, insista Elseth.

— Oui, soupira Danviou, tout comme moi.

— Je détesterais me faire atomiser par une vulgaire machine, affirma Elseth. Mais je vais courir le risque.

Elle avait réussi à capter l'attention du fantôme.

— Pardon ?

— Je ne suis jamais allée sur l'île des Edrakins, mais je sais que leurs dieux ne sont pas commodes commodes, d'après ce qu'ont raconté les quelques survivants. Je sais que vous avez une grande confiance dans les capacités de votre fille, mais j'ai une question. Si la petite n'y arrive pas, nous devrons neutraliser ce Magister nous-mêmes, vous êtes bien d'accord ?

Selena se redressa et essuya ses yeux qui avaient, en dépit de sa volonté, laissé échapper quelques larmes.

— Elle est forte, mais vous avez raison, Votre Majesté Impériale, elle peut échouer.

— Donc, rien ne dit qu'elle activera la machine, comme rien ne dit qu'elle ne l'activera pas. Tout cela a un petit côté « vrrir de Koestur[1] », je trouve. Bref. La force de cet empire fait que nous sommes toujours prêts à tout. Nous devons nous en tenir à notre plan. Jouer de notre côté. Neutraliser Magister. Rétablir Lisbeth à la tête de l'empire. Dès que Magister sera inoffensif, je partirai (elle pointa un doigt vers Danviou) et vous aussi, jeune fantôme. Si elle active la machine, cela vous facilitera la tâche, sans nous détruire, puisque nous ne serons plus là. Mais si elle n'y parvient pas, alors, vous ferez mordre Lisbeth par le vampyr et tout sera terminé. Il suffira ensuite d'envoyer une solide escouade à Patrok pour la récupérer et aussi la machine si possible. Vous devrez l'étudier et mettre en garde les futures générations. (Elle se pencha et martela ses mots :) Nous sommes dangereux. Ne nous rappelez pas !

Danviou tourna un regard suppliant vers Selena, mais celle-ci tint bon. Elle lui retourna un regard ferme. Il soupira.

---

1. Équivalent AutreMondien du chat de Schrödinger. Ce qui prouve que lorsqu'un savant a une idée bizarre, impliquant un chat, du cyanure, un compteur Geiger et une non-mort quantique, il y en aura toujours un autre pour faire la même chose quelque part. Mais en plus grand, vu la taille des vrrirs.

— C'est bon. Je ne repartirai pas sur Patrok. Dès que ce fou sera neutralisé, nous rejoindrons OutreMonde. Je compte sur toi, Selena, mon amour, pour que Tara ne me rende pas visite avant de nombreuses, nombreuses années.

Selena eut un pâle sourire.

— Je te le promets.

Le cœur lourd, ils discutèrent des modifications du plan. Séné fut incorporée dans le plan et un certain nombre de choses qui étaient compliquées à réaliser, du fait du petit nombre de conjurés, se virent soudain nettement facilitées.

Enfin, tous les détails furent épluchés et digérés. Il ne leur restait plus qu'à agir.

— Vous pouvez compter sur nous, Dame, termina T'eal. Nous serons prêts. C'est un honneur de combattre à vos côtés. Que l'opération Vengeance accomplisse son œuvre sanglante.

— Et que les dieux aient pitié de nous, murmura la vieille Impératrice en traçant le cercle divin sur sa fantomatique poitrine, et nous accordent la victoire.

— Ou la mort, termina T'eal d'un ton horriblement définitif.

L'Impératrice fit la grimace.

— Oh, vous savez, la mort, c'est très surfait !

22

Les mille dieux

ou comment gagner le pompon
en matière d'ennemis immortels.

Selenba était au milieu du cratère, en train d'improviser la danse de la victoire, sans le cigare[1].

Ils avaient trouvé la machine. Douchée par le précédent accueil de Magister, Selenba, qui avait sa fierté, décida de ne pas le lui dire. Elle fit signe aux thugs de la remonter du cratère creusé par les aragnes.

Tara avait le cœur qui battait. Elle allait enfin voir la fameuse machine qui pouvait détruire les fantômes. Elle se sentait comme O'Neill dans *Stargate*, en train de voir des Go'ahuld déterrer une machine des Anciens.

Maintenant, le tout était de la voler, de comprendre comment l'utiliser et de l'activer. Pourquoi donc n'avait-elle pas Daniel Jackson à ses côtés… et Samantha Carter pour faire bonne mesure ?

À la grande surprise de tout le monde, la machine était petite. À peine un mètre de haut sur un mètre de large. Un gros cube apparemment pas très lourd. Un homme pouvait la porter.

Elle fut placée avec précaution sur une aragne, spécialement harnachée, l'une des deux seules qui n'avaient pas creusé jusqu'à en user leurs pattes.

Les autres aragnes, impuissantes car n'ayant plus de pattes, furent abandonnées à la jungle, pitoyables épaves. Selenba prononça un mot et toute pseudo-vie les quitta, ne laissant que des carcasses vides et, enfin, mortes.

---

1. Tara a été très impressionnée par le film *Independance Day*.

La vampyr allait donner le signal du départ vers la côte lorsque, soudain, elle se raidit. Et s'arrêta net.

Devant elle, resplendissant d'huile de tolis sous les soleils d'AutreMonde, se tenait Sylver.

Et son sabre brillait à ses côtés.

Tara déglutit. C'était comme de voir venir la future collision entre deux énormes trains, de savoir que cela ferait plein de victimes et de ne pouvoir intervenir.

— Pisse de crapaud, gronda Selenba, qu'est-ce que c'est encore que ça !

La vampyr paraissait pleine de fureur. La promesse de violence se lisait dans ses yeux sanglants. Quelqu'un allait payer pour l'insulte faite par Magister. Ivre de vengeance, elle s'avança vers Sylver.

En parfait paladin, celui-ci s'inclina.

— Mes honneurs, Dame, je me nomme...

Il n'eut jamais l'occasion de dévoiler son identité. Alors qu'il baissait la tête dans son salut, face à un adversaire honorable contre qui il allait se battre honorablement, il la quitta du regard.

Sauf que Selenba était tout sauf honorable. En un bond furieux, elle s'élança. Avant que Sylver n'ait eu le temps de réagir, elle avait abattu ses deux poings sur sa tête.

Il ne vit même pas le coup.

Il s'écroula comme une masse.

Et Selenba hurla de douleur. Elle s'était brisé un poignet sur le crâne incroyablement dur de Sylver et entaillé les mains jusqu'à l'os. Alors que déjà, Sylver, étourdi, secouait la tête pour reprendre ses esprits.

Affolé, Fabrice se précipita vers Selenba afin de lui appliquer un Reparus... pour s'immobiliser aussitôt. Il ne pouvait pas pratiquer la magie ici. Il allait se faire dévorer par les plantes.

— Qu'est-ce que tu fais, grogna Selenba qui souffrait le martyre, soigne-moi !

— Je... je ne peux pas, balbutia le jeune Terrien, les plantes vont nous attaquer ! Magister...

— Je me fous de Magister, bave de limace, hurla Selenba, soigne-moi !

Mais Fabrice recula.

— Non, répondit-il fermement, nous n'en avons pas pour très longtemps, le chemin est déjà ouvert. Dans moins d'un jour, nous serons à la côte, je pourrai vous soigner. Je ne mettrai pas cette mission en danger pour vous.

C'était très léger, mais on pouvait sentir dans sa voix sa satisfaction de voir l'effroyable vampyr souffrir à son tour.

Selenba ne pouvait pas accepter d'être à la merci de Fabrice. En dépit de ses mains lacérées, ses ongles s'allongèrent pour former des griffes et elle bondit, le prenant par surprise.

Droit sur Moineau sur le cou de laquelle elle appliqua ses griffes, faisant couler un filet de sang, qui se mêla à celui de ses mains.

— Soigne-moi ou j'égorge ta copine !

Fabrice pâlit. Il n'avait que quinze ans. Il avait bien compris la violence et la cruauté de cette planète, mais il ne savait pas bluffer, pas encore.

Tremblant, il s'approcha et activa sa magie.

Les arbres frissonnèrent.

Il lança le Reparus. Les plaies disparurent. Les arbres explosèrent et des millions de lianes se précipitèrent vers eux. Fabrice hurla.

Selenba aussi.

Les thugs furent emportés, tous. Les deux aragnes aussi, avec le précieux fardeau. Selenba tenta de combattre, mais, contre les arbres, elle ne pouvait rien faire.

À l'inverse de ce qu'avaient fait les précédentes lianes, celles-ci se passaient l'aragne impuissante d'arbre en arbre. La machine, solidement accrochée sur son dos, n'avait hélas pas l'air de vouloir tomber. L'arachnide crissait de fureur, ses mandibules tranchaient tout ce qui passait à portée, mais pour une liane sectionnée, deux la remplaçaient. Elle ne pouvait pas se délivrer.

Comme une folle, Selenba cavalait derrière l'aragne. Et alors que son corps puissant forçait le passage au travers de la jungle, elle se demandait pourquoi les arbres avaient capturé l'aragne et les thugs mais les avaient épargnés, elle, Fabrice et Moineau. Ce n'était pas logique. De là à imaginer qu'ils fonçaient vers on ne savait quel piège, il n'y avait qu'un pas.

Tout en bondissant, elle activa sa magie.

De son côté, Fabrice avait délivré Moineau. Ils s'étaient transformés tous les deux. Unis par le même but, ils couraient derrière Selenba. La Bête fonçait aussi vite que le loup-garou, mortellement concentrée, alors que Fabrice riait, tout à la joie de la course folle.

L'Edrakin essayait de suivre, ahanant derrière eux, mais les chats n'étaient pas trop faits pour les courses de fond et il se faisait distancer.

Il fut très surpris d'être dépassé par Tara. Qui, après avoir laissé Sylver groggy sous la garde d'Angelica, fonçait derrière la machine elle aussi, de toutes ses forces de vampyr buveuse de sang humain.

Cela faisait tout de même beaucoup de monde aux trousses de ce petit cube.

L'Edrakin, furieux, s'arrêta net. Cela suffisait. Il avait été poli. Il avait accepté les lubies dangereuses des toyouls, obéi aux ordres et respecté les dieux. À présent, les étrangers étaient de plus en plus nombreux dans la forêt sacrée et cela ne devait pas être.

Il s'accroupit et se mit à prier de toutes ses forces, se savonnant les oreilles à les arracher et implorant ses dieux de venir et de ne pas l'abandonner.

Et cette fois-ci, les dieux lui répondirent.

À son immense frayeur, il se retrouva soudain transporté près d'une clairière au centre de laquelle les arbres venaient de déposer la machine. Après avoir purement et simplement démantibulé l'aragne qui la portait. Ses morceaux frémissants s'agitaient encore à la lisière des arbres.

Selenba déboula comme un taureau furieux au milieu de l'arène et s'arrêta net, soudain pétrifiée de surprise.

Car, devant elle, se tenaient mille prêtres aux crocs saillants.

Et à leurs côtés, les mille dieux des Edrakins la jaugeaient de toute leur hauteur.

C'était bien la première fois de sa vie que Fabrice était content de n'avoir pas rattrapé sa proie.

Il devançait Moineau de peu et avait failli déboucher aussi dans l'arène, mais, moins focalisé sur la machine, il avait par hasard levé les yeux... et avait failli vomir.

Certains des dieux avaient des parties qui dépassaient des arbres. Des ailes membraneuses, des tentacules meurtris d'épines, des gueules voraces de requins, ou encore des visages si monstrueux que les voir risquait de faire perdre l'esprit.

Ils étaient gros, ils étaient grands et, si les démons des Limbes les avaient vus, ils auraient finalement décidé d'aller envahir d'autres planètes. À coup sûr.

Nourrie de la ferveur de leurs prêtres, leur puissance faisait crépiter l'air, bousculant les nuages et la foudre aveuglante.

Glapissant de frayeur, le loup s'était arrêté net en s'accroupissant, faisant basculer Moineau qui le suivait de près et ne s'y attendait pas du tout.

La Bête allait rugir de fureur lorsque le loup lui avait mis la patte sur la gueule et forcé sur le menton pour lui montrer ce qui les attendait. Les muscles bandés de la Bête se relâchèrent tandis que ses yeux fauves s'écarquillaient.

— Par mes ancêtres, souffla-t-elle, mais qu'est-ce que c'est que ça ?

— Les fameux mille dieux des Edrakins. Tu ne vas pas être très contente, mais personne ne va récupérer la machine, finalement. Ah, et je crois aussi que Selenba va regretter cette mission pour le reste de sa vie. Qui va être très court au demeurant.

Les yeux de la Bête s'étrécirent.

— Fabrice ?

— Oui ?

— Ami ou ennemi ?

— Pour l'instant, je suis de ton côté, souffla Fabrice. Mais ne me fais pas confiance, mon amour, je ne sais pas ce que je ferai si... si...

Moineau l'interrompit. Elle ne voulait pas savoir.

— Viens, allons voir de plus près.

Ils rampèrent jusqu'à un petit monticule qui surplombait l'arène artificielle autour de laquelle les dieux avaient pris place, tout en restant prudemment dissimulés sous le couvert des arbres.

Selenba, frémissante, se tenait au milieu de la clairière, près de la machine.

— Je suis ici sur ordre de mon maître, dit-elle d'un ton calme, sa magie fumant au bout de ses doigts.

Ce fut comme une voix énorme, un chœur sifflant où mille voix parlaient d'une seule :

— NOUS N'AVONS PAS DE MAÎTRE, déclara-t-elle comme une tempête qui mugit.

— Je parlais de *mon* maître, pas du vô…

— TAIS-TOI, NOTRE PATIENCE N'EST PAS INFINIE.

— Je ne veux pas vous déranger, tenta bravement Selenba, je vais donc vous laisser et je vais repartir avec cette machine et…

— NON, répliqua la voix. PAS ENCORE.

Et avant que Selenba ne puisse réagir, un jet de magie verte se posa sur elle et la paralysa. Sa magie s'éteignit. Seule la fureur qui brillait dans ses yeux montrait qu'elle était encore consciente.

Un bruit derrière Fabrice et Moineau les mit sur leurs gardes. Mais ce n'était que Tara, qui se coula auprès d'eux silencieusement, Galant sur son épaule. Elle n'avait pas eu besoin de voir les dieux pour être avertie, les entendre avait amplement suffi.

— Fabrice, le salua-t-elle d'un ton neutre.

Fabrice, qui ne s'attendait pas du tout à voir Tara en cet endroit à ce moment, sursauta, puis déglutit nerveusement.

— Tara ? répondit-il en évitant son regard.

Moineau eut un énorme sourire soulagé.

— Tara, par mes ancêtres, tu ne peux pas imaginer combien je suis contente de te voir. Comment vas-tu ? Tu es toujours vampyr ? J'ai vu Cal, il m'a dit que tu allais à Hymlia, comment es-tu arrivée ici ?

— Oui, j'ai préféré cette forme pour franchir la forêt et j'allais exactement te poser la même question, répondit sobrement Tara. Tu vas bien ? J'ai bien failli faire une crise cardiaque lorsque les Edrakins qui nous poursuivaient sont partis sur ta trace et que tu t'es battue avec Fabrice !

Fabrice s'agita, gêné.

— Ah, euh… oui, Moineau était en colère parce que je l'avais fouettée et…

— Tu as QUOI ?

Comme Selenba avait chuchoté au moment de l'arrivée de Moineau dans leur campement, Tara n'avait pas entendu.

— Euh… c'est une longue histoire, l'interrompit Moineau, tout aussi gênée. Disons que j'étais à la poursuite de Fabrice pour récupérer la machine et que j'ai un tout petit peu perdu mon sang-froid. Ah, et tu as les salutations de Montagne Cristaux. Il va bien.

Subtile allusion au fait que le triton avait échappé à la police. Ouf !

Tara décida que ce n'était pas le moment d'espérer plus d'explications, mais que, si elle survivait, elle avait bien l'intention de tout soutirer à Moineau.

Et avec les détails, s'il vous plaît.

— Qu'est-ce qui se passe au juste ? se contenta-t-elle de demander.

— Je ne sais pas très bien. Il y a plein de dieux, là en bas, Selenba est paralysée et ils ont la machine. Ils semblent attendre quelque chose.

Oh oui ! ils attendaient. Mais ce n'était pas quelque chose, c'était quelqu'un. Elle inspira profondément. Elle devait tout d'abord s'assurer d'une chose.

— Tu es de quel côté ? demanda Tara à son plus vieil ami.

Fabrice soupira. Cette question allait le poursuivre, il sentait ça.

— Franchement, là, je ne sais plus très bien, répondit honnêtement le garçon. Je ne suis pas sûr de survivre à cette aventure et… aiiieuuuh !

Il baissa les yeux vers le petit poignard d'argent qui venait de lui piquer les côtes.

— Je vais te rendre un énorme service, lui dit gentiment Moineau, je vais t'éviter d'avoir à choisir. Tu vas rester tranquillement ici sans bouger, sinon je te perce le cœur avec ce poignard. Et comme il est en argent, ne pense pas pouvoir t'en sortir.

— Gloria, chuchota furieusement Fabrice, tu n'oserais pas !

— Sans hésiter une seconde, répondit la jeune fille, dardant sur lui son regard ferme de Bête. Tu m'as expliqué à tant de reprises que tu n'avais pas le choix. Que la magie démoniaque te rongeait, et que tu devais obéir. Eh bien, c'est exactement ce que je t'offre. Le manque de choix. Si nous échouons et que Magister est vainqueur, tu pourras le lui dire. Que tu n'as pas eu le choix.

Le loup se tendit comme pour bondir, les yeux dans ceux de Moineau, mais celle-ci ne faiblit pas. Elle intensifia la pression du poignard.

D'un seul coup, le loup se détendit.

— Hum, dit-il, je crois bien que tu le ferais sans hésiter. Tu es bien plus loup-garou que tu ne veux l'admettre, Moineau. Je me rends, tu es la plus forte. Je ne peux rien contre un poignard d'argent.

Moineau se retransforma en ravissante humaine et fouilla de son autre main dans sa robe de sortcelière.

— Oh ! dit-elle avec un délicieux sourire, mais je n'ai pas que ce poignard. J'ai ça aussi.

Et au bout de sa main pendait une paire de menottes, accrochées à une chaîne, qui brillaient comme de l'argent.

Avant que Fabrice, indigné, n'ait le temps de protester, Moineau, toujours en le menaçant de son poignard, lui passa les menottes.

— Elles sont en fer d'Hymlia, mélangé à de l'argent, précisa Moineau tandis qu'il se débattait. Inutile d'essayer de t'en débarrasser, j'ai fait l'essai sur un loup-garou alors que j'étais au Lancovit et elles ont tenu.

Fabrice grommela que décidément, les petites amies n'étaient plus ce qu'elles étaient, et cessa de se débattre. Puis se retransforma, comptant sur ses longs cils et ses yeux noirs pour charmer Moineau.

Mais la jeune fille résista et les fers des menottes rétrécirent afin de continuer à enserrer les poignets soudain plus minces de Fabrice.

Slurk ! Le fer d'Hymlia étant insensible à la magie, normalement, il avait pensé s'en débarrasser facilement. Eh bien non. Toute sa force de loup-garou ne pourrait briser ces chaînes.

— Bon, on fait quoi maintenant ? demanda-t-il d'un ton sarcastique. Parce qu'on a quand même un problème... enfin, mille, plus précisément. Et je ne vois pas bien comment les combattre avec les mains attachées dans le dos. Même avec les mains libres, d'ailleurs. Tout cela est « rapport constant entre la circonférence d'un cercle et son diamètre, pronom tonique de la deuxième personne du singulier, avant-dernière lettre de l'alphabet, fin de sable, » pi-toi-y-able !

— Maintenant, je dois réfléchir, répondit Tara, soulagée de voir que, pour un instant au moins, Fabrice redevenait son vieux copain terrien.

En bas, les dieux s'installaient confortablement tout autour de la clairière, comme s'il s'agissait d'une sorte d'énorme arène.

Soudain, un corps qui se débattait plana et se posa devant la vampyr. Selenba grogna, surprise.

Tara et ses amis se figèrent.

Le spectacle commençait.

— Celui-ci, dirent les dieux, est notre fidèle servant. Il désire être notre représentant dans un combat des justes. Entre toi, étrangère assoiffée de sang, et lui.

L'Edrakin n'aurait contrarié ses dieux pour rien au monde, mais là, on n'avait pas vraiment l'impression qu'il avait envie de se battre. En fait, il avait espéré que les dieux réduiraient les étrangers en bouillie et qu'il pourrait repartir chez lui. Affronter une vampyr aux longues griffes n'était pas du tout au programme.

Mais, docile, il s'inclina en se frottant les oreilles.

— Je suis au service des dieux des Edrakins, dit-il d'une voix faible qui sous-entendait « et je donnerais mon bras droit pour être ailleurs ».

Les dieux libérèrent Selenba et celle-ci grimaça en étirant ses muscles encore ankylosés.

— Par tous les dieux… par *mes* dieux vampyrs, se reprit-elle, vous voulez que je combatte votre petit chat, là ! C'est une plaisanterie ?

— Nous ne comprenons pas « plaisanterie », répondit la voix, qui avait dû sauter le chapitre « humour et rire » dans le grand livre de la vie. Combattez.

Un jet de magie verte vint frapper l'Edrakin qui, soudain, se mit à grossir et à grandir. En quelques secondes, il dépassa de deux têtes la vampyr, et ses épaules musclées devaient faire au moins une fois et demie les épaules pourtant puissantes de celle-ci.

Tara ouvrit grands les yeux. Elle n'en aurait pas juré, mais depuis que le rayon avait frappé l'Edrakin, elle avait l'impression que les dieux avaient… changé. Mais en quoi, elle aurait été bien incapable de le dire.

Selenba ne se démonta pas. Elle regarda la transformation sans frémir. Même lorsque les griffes de l'Edrakin grossirent jusqu'à former de véritables poignards.

— Ah oui, je vois, dit-elle d'un ton uni.

Elle leva la tête vers les dieux.

— Et quel est l'enjeu du combat ?

— TA VIE, répondit la voix.

— Ma vie ? OK, et la machine ? Parce que si je ne peux pas repartir avec, tout cela n'a pas beaucoup d'intérêt.

Les dieux parurent étonnés du calme de la vampyr. Et par son culot aussi.

— LA MACHINE NE FAIT PAS PARTIE DE TON PRIX.

— Alors, je ne combats pas, répondit la vampyr.

— SI TU NE COMBATS PAS, TU MOURRAS.

La vampyr haussa les épaules.

— Mon maître me tuera si je ne rapporte pas cette machine, de toutes façons. Alors, vos menaces, hein, ne me font ni chaud ni froid.

Un bourdonnement sourd se fit entendre, comme si des millions de guêpes zonzonnaient à l'unisson. C'était très désagréable.

— TON ESPRIT FROID ET SANGLANT NOUS DIT QUE TU NE MENS PAS. TU PENSES RÉELLEMENT QUE TON MAÎTRE TE TUERA. TA SIMPLE MORT N'EST PAS DIVERTISSANTE. COMBATS, ET TU POURRAS REPARTIR AVEC TA MACHINE.

Tara retint son souffle. Selenba avait menti. Et les dieux ne l'avaient pas senti. Jamais Magister ne tuerait la vampyr, son bras droit, sur laquelle il se reposait.

Comme dans le temple, ils n'étaient pas capables de lire dans les esprits. Et ici, ils n'avaient pas de fleurs pour obliger leurs proies à dire la vérité.

— Merci, s'inclina la vampyr, satisfaite.

— SI TU SURVIS, ajouta la voix, malicieusement sournoise.

Mais Selenba ne s'intéressait déjà plus aux dieux. Elle se tourna vers le monstrueux Edrakin qui attendait patiemment et se fit pousser des griffes aussi longues que les siennes, quoique bien plus effilées.

Alors qu'il restait immobile, attendant qu'elle ait terminé, elle fit comme pour Sylver. Elle agit instantanément. Un bond et ses griffes lacéraient la poitrine de l'Edrakin, qui recula sous la violence de l'assaut. La vampyr l'avait déjà dépassé et avait atterri en sautant au-dessus de sa tête.

Chose curieuse, ses griffes, qui normalement pouvaient trancher l'acier, n'avaient eu que peu d'effet sur les muscles durs de l'Edrakin. Il était blessé, certes, mais pas à moitié déchiqueté comme cela aurait dû être le cas.

Et le liquide qui coulait de ses blessures n'était pas rouge. Il était vert.

Il grogna sous l'effet de la douleur, réelle. Puis se mit en marche. Selenba recula, puis se mit à courir autour de lui. Très vite, il saigna de tout un tas d'estafilades qui laissaient un liquide vert derrière lui. C'était douloureux, car il criait à chaque assaut, mais, comme une espèce de tank huma... Edrakin, il continuait à poursuivre la vampyr autour de la clairière.

Les dieux étaient silencieux, attentifs.

Soudain, Selenba voulut franchir la ligne des arbres qui encerclaient la clairière. Mais ce fut impossible. Elle se heurta à une muraille invisible qui la propulsa en arrière, à moitié assommée par le choc. Rugissant, l'Edrakin bondit sur elle et elle eut toutes les peines du monde à lui échapper.

— TU NE PEUX SORTIR, précisa la voix, toujours aussi multiple, toujours aussi sépulcrale, IL NE PEUT SORTIR. COMBATTEZ.

Selenba commençait à manquer de souffle et d'inspiration. L'Edrakin, pas stupide, protégeait bien son cou et, si la vampyr avait réussi à planter ses dents dans les avant-bras musculeux à plusieurs reprises, elle en avait recraché le sang, ou quoi que soit le truc vert, avec dégoût.

Il ne lui restait pas beaucoup d'options. Déjà, l'Edrakin l'avait blessée à plusieurs endroits et son propre sang coulait tout aussi généreusement que le liquide vert de l'Edrakin. Sauf qu'elle, elle en était affectée.

Alors, elle activa son pouvoir.

Sur leurs immenses sièges, les dieux se raidirent, soudain attentifs.

Selenba cracha une malédiction et lança sa magie.

Qui fut arrêtée par une sorte de muraille invisible, comme celle qui entourait la clairière. L'Edrakin, dont les yeux étaient devenus verts, rugit, plus animal qu'être conscient. D'un saut stupéfiant, il bondit. Avec la grâce d'une ballerine, Selenba s'écarta, mais il la blessa de nouveau. À la cuisse.

Tara ne regardait pas le combat, mais les dieux. De nouveau, ils avaient changé. Soudain, elle mit le doigt sur ce qui l'avait gênée.

Ils avaient rétréci. Pas de beaucoup, mais suffisamment pour que ce soit visible. Pour des yeux attentifs. Elle se mit à réfléchir furieusement.

Selenba se lança dans une série de bonds fulgurants, en dépit de sa cuisse déchirée, et lacéra le dos de l'Edrakin en retour. Cela n'arrêta pas son adversaire, au contraire.

Au moment où la vampyr passait de nouveau à sa portée et lui arrachait la fourrure des côtes, il la laissa faire, exposant volontairement son flanc, et lança sa main brusquement.

Cela fonctionna. Selenba n'eut pas le temps de réagir. Il lui attrapa le bras. Selenba lutta, mais toute sa puissance de vampyr ne put l'aider à se dégager. Le bras cassa avec un bruit sinistre de craquement.

La vampyr hurla de douleur. L'Edrakin la lâcha, mais, avant qu'elle ne puisse s'échapper, la frappa au visage avec une telle violence que le cou de Selenba faillit se briser.

Comme une poupée cassée, elle s'écroula. Et resta immobile.

L'Edrakin avait gagné.

Il releva la tête vers ses dieux, plein d'une joie bestiale, et rugit sa victoire. Les dieux rugirent avec lui et toute la forêt résonna de leurs cris.

— J'arrive pas à le croire, murmura Fabrice, abasourdi. Il a vaincu Selenba ! La vache, on est mal, les filles. On ferait mieux de partir. Ce machin est invincible si même Selenba n'est pas capable d'en venir à bout.

Tara hocha la tête. Elle avait été à peine consciente du combat, dont l'issue ne la surprenait pas vraiment. Les dieux n'étaient pas stupides. Leur champion avait bien sûr été préparé afin de vaincre Selenba. Ce n'était que dans les livres que le héros battait tout le monde. Dans la vraie vie, cela ne fonctionnait pas comme cela.

Soudain, comme un seul homme... enfin, comme un seul machin immortel à tentacules, les dieux se tournèrent vers le petit tertre qui les abritait et dirent de leur voix unique :

— C'EST TON TOUR, TARA DUNCAN. VIENS DÉFIER NOTRE CHAMPION POUR LA MACHINE. IL T'ATTEND.

Moineau et Fabrice se recroquevillèrent, affolés.

— La vache, murmura Fabrice, ils savent que nous sommes là ?

— Apparemment oui, répondit Tara. Et tout est clair maintenant. Je sais ce que j'ai à faire.

Quelques minutes plus tôt, elle avait senti un grand calme l'envahir. Elle était là pour une excellente raison finalement, pour sauver des millions de gens qu'elle avait condamnés. Ses épaules se détendirent, elle eut l'impression d'être délivrée d'un grand poids.

Maintenant, elle comprenait pourquoi elle s'était sentie si crispée, si malheureuse. Ce n'était pas uniquement à cause de la mort de Robin. Une fille de quinze ans ne devait pas mourir parce que celui qu'elle aimait était mort. Ce n'était pas bien et ce n'était pas juste.

Lorsqu'elle s'était lancée dans cette aventure pour rejoindre Robin, elle avait eu tout faux.

C'était cela. Sa véritable mission. Sauver les innocents.

Elle sourit, et son sourire était magnifique à en pleurer.

Maintenant qu'elle avait accepté cela, elle pouvait aussi accepter cette étrange affection qu'elle commençait à éprouver pour Sylver. Car elle aimait beaucoup le garçon si maladroit, si empêtré dans son étrange malédiction. Elle avait repoussé ce sentiment troublant, parce qu'elle croyait devoir être fidèle à Robin.

Là aussi, elle avait eu tort. Elle aimait toujours Robin. Elle l'aimerait probablement toute sa vie.

Mais elle avait le droit de tomber amoureuse de Sylver. Oh oui, elle en avait le droit. Elle n'offenserait aucun dieu, ne blesserait aucune morale, n'enfreindrait aucune loi.

Elle avait le droit de mourir. Elle avait le droit d'aimer. Elle avait le droit de vivre. C'était presque douloureux comme révélation.

— Tu as raison, vous devez partir, dit-elle soudain à Moineau et à Fabrice. Et Galant partira avec vous.

Tous les deux se retournèrent vers elle et Galant émit un hennissement de protestation.

— Quoi ?

— C'est entre eux et moi, et il ne sert à rien que vous soyez victimes de cet affrontement. Vous ne pouvez absolument rien faire pour m'aider. Je vais essayer de déclencher la machine plutôt que de combattre. Il faut que vous partiez. Sinon, ils vous utiliseront contre moi. Et là, je serai impuissante. Allez retrouver Sylver et Angelica. Ils ont un tapis. Fuyez le plus vite possible. Ensuite, si je n'ai pas réussi à activer la machine, vous devrez lutter contre les fantômes de votre mieux.

Fabrice braqua ses yeux noirs sur elle.

— Écoute, dit-il d'un ton raisonnable, je ne suis pas le plus courageux des garçons, comme le dit si bien Moineau, mais je n'abandonne pas une amie dans la détresse et crois-moi, ma vieille, cette détresse-là, elle est vraiment énorme.

Tara passa sur le « ma vieille », plus affectueux que dépréciateur.

— Oui, je sais, mais fais-moi confiance. C'est la meilleure solution. Survivre pour combattre plus tard. Rien ne sert de mourir. Tu sais ce qu'est un héros mort ?

— Euh… non ?

— Un cadavre.

— Oh !

— Et ni AutreMonde ni moi n'avons besoin de héros morts. Nous avons besoin de combattants vivants. Et puis les dieux m'attendent, nous discutons depuis deux jours déjà.

Les sourcils de Moineau se haussèrent.

— Tu… discutes avec ces choses ?

Tara eut un sourire qui lui creusa des fossettes.

— Oui, elles ont des choix de cauchemars très inventifs. C'est une sorte d'invitation. Et je suis la seule à pouvoir y répondre.

Moineau et Fabrice pâlirent, frappés par le ton calme de Tara.

Celle-ci les étonna encore plus en se retransformant, abandonnant son corps puissant de vampyr.

— Mais qu'est-ce que tu fais ? s'affola Moineau.

— Selenba était bien plus forte que moi sous sa forme de vampyr buveuse de sang. Je ne vais pas combattre comme elle, je serais vaincue. Faites-moi confiance.

Elle se releva, ses longs cheveux blonds flottant dans le vent chaud, tranchés par son étrange mèche blanche.

Les yeux de ses amis se remplirent de larmes.

— Tara, murmura Moineau, non, ce n'est pas possible !

— Tara, tu ne peux pas, protesta Fabrice.

— Je vous en prie, sauvez-vous. Je vous aime.

Elle tendit Galant, qui se débattait furieusement, à Moineau qui l'attrapa machinalement.

Et avant qu'ils n'aient le temps de l'en empêcher, elle se dressa.

Et descendit vers la clairière.

23

Le combat
ou comment affronter son ennemi
en dépit de genoux en gelée et d'un estomac tremblotant.

L'anneau au doigt de Tara était perplexe. Depuis qu'il était arrivé sur cette île immense, les choses n'allaient pas bien. Là, c'était carrément la cata, comme aurait dit Tara si elle avait pu discuter avec lui.

Pourtant, lorsque Tara décida d'affronter son destin, l'anneau ne l'en empêcha pas. Au contraire, il l'y poussa même. Il devait comprendre ce qu'étaient ces êtres qui se nommaient dieux. Les âmes qui composaient sa conscience, les démons des Limbes, n'aimaient pas du tout l'idée qu'il puisse exister des êtres tellement plus puissants qu'eux qu'ils n'avaient aucune chance de les affronter et moins encore de les vaincre. Si Tara… non, lorsque Tara… serait vaincue, l'anneau trouverait bien une apparence suffisamment attractive pour que l'une de ces choses le mette à son doi… à son appendice, quel qu'il soit.

Et alors, il saurait. Et pourrait agir, ou avertir son créateur, le roi des démons.

Ou pas. Après tout, il ne devait rien à celui qui l'avait envoyé dans cet endroit horrible.

Il était surpris par sa porteuse. L'esprit de celle-ci était un océan de calme. Tous les doutes, les angoisses, la peur qui l'avaient consumée ces derniers jours s'étaient apaisés.

Elle traversa la clairière d'un pas serein, s'approcha de la machine et passa la main dessus, l'air perplexe. Il y avait plein de lignes, de courbes, de dessins bizarres, et pas l'ombre d'un bouton. Pourtant, cela aurait dû être simple. Pourquoi les inventeurs avaient-ils toujours le besoin de peaufiner ? Un bon gros bouton, rouge de préférence, c'était trop demander ? Non, là, un abruti de designer avait dû dire : « Ce n'est pas joli, mettons donc un truc invisible qu'on ne pourra activer qu'avec un crochet minuscule de préférence en se dévissant le cou. »

Tara soupira. Puis elle s'adressa aux dieux.

— Dites, demanda-t-elle poliment, vous avez le mode d'emploi ? Je ne veux pas l'emporter, hein, juste l'activer.

Les dieux s'agitèrent.

— Ne veux-tu pas de cette machine ?

— Qui, moi ? Non, pas du tout.

Là, les dieux furent carrément surpris. Bien, bien, test numéro un, cela confirmait ce qu'elle pensait. Ils ne pouvaient pas lire dans son esprit. Ils ne s'étaient infiltrés dans ses rêves que parce qu'elle n'était pas consciente.

— Ah non ?

Tara leur fit un très joli sourire.

— Ben non, hein, vous pouvez la garder, moi, je veux juste arriver à la faire fonctionner, c'est tout.

Les dieux grognèrent, irrités, et de nouveau, les millions de guêpes vrombirent. Tara grimaça. C'était douloureux.

— Si tu veux la machine, il te faut combattre.

— Mais je n'en veux pas !

La voix rectifia, agacée.

— Si tu veux activer cette machine, il te faudra combattre.

— Vous y tenez absolument ?

— Oui.

— OK ! OK ! Mais il y a un petit problème.

— Quel problème ? Tu combats, tu meurs, fin de l'histoire.

— Ben, c'est ça, justement. Dites, moi, je ne suis pas une guerrière comme Selenba (elle désigna le corps immobile qui gisait près de la machine). Je suis juste une jeune fille de quinze ans. Alors, l'OGMPDG que vous m'avez mis en face, là, il va me réduire en purée. Ce ne sera pas un combat, ce sera un massacre.

— L'OGMPDG ?

— L'Organisme Génétiquement Modifié Plein de Griffes, traduisit obligeamment Tara.

La voix réfléchit, puis acquiesça :

— C'est juste. Ce ne sera pas divertissant. Nous allons vous mettre à égalité.

— Si cela ne vous ennuie pas, je préfère combattre avec ma magie. Elle ne m'obéit pas très bien, mais le coup des crocs, serres et autres « et que je te déchiquette à tout-va », c'est pas trop mon truc à moi, hein.

Les dieux hésitèrent. Ils sentaient bien que la jeune fille était puissante, et donner un tel surcroît de magie à leur champion allait leur coûter. Pourtant, ils aimaient trop les combats pour refuser.

Tara ne le savait pas, mais les dieux s'ennuyaient beaucoup sur leur île. Et chaque fois qu'ils avaient essayé d'envoyer l'un des leurs sur le continent pourtant proche, celui-ci avait disparu, comme s'il n'avait jamais existé. De là à imaginer qu'un invisible ennemi les attendait dehors, il n'y avait qu'un pas. Alors, ils se morfondaient, terrorisaient leur misérable population, et attendaient avec impatience que de pauvres entités échouent entre leurs griffes. Tara et Selenba étaient les proies les plus intéressantes depuis un bon bout de temps.

Le jet de magie verte jaillit et toucha l'Edrakin. Celui-ci réduisit comme un ballon qu'on dégonfle. Il retrouva sa carrure normale. Puis le jet se modifia, se renforça et se mit à briller. Les dieux lui insufflaient leur magie. Les prêtres derrière eux vacillèrent et les dieux perdirent quelques mètres de nouveau. À présent, ils ne dépassaient plus la cime des plus hauts arbres et certains, les plus faibles, avaient presque taille humaine.

Ah ! Le test numéro deux avait également fonctionné. Les dieux venaient de perdre beaucoup de leur puissance.

Évidemment, en échange, l'Edrakin brillait comme une ampoule électrique. Au point que de petits éclairs sortaient de ses oreilles et de ses yeux, ce qui lui donnait un air vraiment bizarre.

— Dois-je en conclure que vous agréez ma demande ? demanda-t-elle poliment.

— TU COMBATS. AVEC TA MAGIE. IL COMBAT. AVEC LA NÔTRE.

Bien. Cela avait le mérite d'être clair.

Tara activa sa magie. L'Edrakin, un mauvais sourire sur ses crocs jaunes en dépit de ses blessures toujours ouvertes, activa la sienne.

— Je suppose, demanda tranquillement Tara, que si je te propose de te soigner en échange de ton renoncement à ce combat, tu m'enverras paître ?

Carnassier, l'Edrakin ne devait pas connaître le mot ou l'expression, car, avec un rugissement agressif, il lança son jet de magie.

Tara sauta sur le côté.

Depuis longtemps, elle avait constaté que pour être effective, la magie devait toucher son adversaire. Et que le jet n'était pas toujours très efficace. Elle avait donc... disons, « peaufiné » sa magie dans le cadre d'un combat.

Elle la lança. Et ce ne fut pas un trait de magie, une sorte de rayon de lumière, mais comme un jet d'eau. L'Edrakin l'évita en sautant. Le jet percuta l'arbre derrière lui. L'arbre se figea, paralysé, mais le jet ne fit pas que cela.

Il éclaboussa.

La magie gicla partout comme une eau bleu foncé. Tout autour, les herbes se figèrent, et quelques gouttes retombèrent sur l'épaule de l'Edrakin qui grogna. Ses muscles se tétanisèrent. Pas suffisamment pour le gêner, mais ce ne devait pas être agréable.

Il lança une série d'attaques afin que Tara ne puisse pas les éviter toutes en même temps, utilisant une main après l'autre, en dépit de son épaule engourdie. Tara n'eut pas le choix. Elle dut se protéger avec un bouclier. Mais les impacts étaient puissants et c'était douloureux. L'Edrakin intensifia son tir alimenté par les dieux, qui diminuèrent encore. C'était ce qu'avait voulu Tara, mais elle n'avait pas prévu que les dieux seraient aussi puissants et, soudain, l'un des jets perça le bouclier.

Et toucha Tara.

La jeune fille hurla de douleur. C'était comme si on avait enfoncé un poignard chauffé au rouge dans son flanc. La changeline avait à moitié absorbé le choc, mais c'était si brutal qu'elle faillit en vomir.

Les dieux applaudirent. Ce fut ce que Tara supposa, pendant qu'elle reculait, sonnée.

Elle allait avoir besoin d'aide.

—*Pierre Vivante*, dit-elle dans le secret de ton esprit, *j'ai besoin de toi !*

—*Ah*, fit la Pierre d'un ton fâché, *pas gentille Tara. Laisse Pierre toute seule et... oh ?*

En émergeant de la poche de Tara comme un petit soleil luisant et furieux, la Pierre venait de se rendre compte de deux choses : que son amie était blessée et que des tas de machins horribles les cernaient. Elle décida qu'il n'était pas l'heure de se disputer avec Tara.

— *Pouvoir tu veux ?*

— *Ce serait bien, oui.*

— *Pouvoir je te donne, jolie bagarre pour jolie Tara ! Gros ennemis hein ?*

— *Oui, tu l'as dit. Très gros. Merci, Pierre.*

Sous les yeux surpris de l'Edrakin, Tara écarta les bras. Ses yeux devinrent entièrement bleus. La Pierre Vivante lui fit comme une étincelante couronne de cristal et la jeune fille décolla.

Les dieux bruissèrent comme des guêpes en colère.

Mais ne se laissèrent pas impressionner. Le jet de magie verte frappa l'Edrakin, qui s'envola à son tour. Sa magie jaillit comme un missile vers Tara. Qui, grâce à l'aide de la Pierre, l'absorba au lieu de lui résister. Furieux, l'Edrakin recommença. L'attaque fut encore plus violente et, soutenu par les mille dieux et les mille Edrakins, il savait qu'il serait plus fort que l'humaine. C'était juste une question de temps.

Tara brillait comme un soleil bleu, l'Edrakin comme un soleil vert. Les jets de magie furieux se croisaient et des tas de choses tout autour se retrouvaient transformées. Par la suite, la forêt en garderait de curieuses séquelles, surtout les plantes touchées par la magie ruisselante de Tara.

Car, Tara ne voulait surtout pas tuer l'Edrakin. Elle devait l'épuiser. Sauf que le problème, c'était qu'elle s'épuisait aussi.

Son flanc était terriblement douloureux, comme si un animal lui rongeait les côtes. La Pierre n'avait pas eu le temps de la guérir, trop occupée à lutter contre les « gros ennemis ». Et, à sa grande angoisse, déjà la Pierre faiblissait en dépit de son incommensurable pouvoir.

Elle ne devait pas échouer. Parce qu'elle n'avait pas le droit de mourir avant d'avoir déclenché la machine.

Alors, en bon petit soldat, elle jeta toutes ses forces dans la bataille. Soutenue à la fois par la Pierre et par le sombre pouvoir de l'anneau.

Sa puissance éclata comme un coup de tonnerre furieux. Les dieux durent puiser dans toutes leurs forces pour résister à son assaut. Ils diminuèrent encore, au point de n'atteindre que deux ou trois mètres de hauteur, consumés par la bataille.

Puis ils répondirent à son attaque. Tara crut que son cœur n'allait jamais réussir à résister à la pression. Son bouclier se fendillait déjà, comme éclaté, petit à petit, par un formidable marteau.

Soudain, alors qu'elle sentait qu'elle cédait, il se produisit un fait étrange.

L'un des dieux disparut.

Les autres dieux n'y prêtèrent pas attention, trop occupés par la bagarre avec Tara pour s'inquiéter de l'un d'entre eux. Puis il y en eut un autre et un autre encore.

Au bout du vingtième, les dieux sentirent que leurs ressources faiblissaient et cherchèrent à comprendre ce qui se passait.

L'Edrakin, momentanément délaissé, dut à son tour invoquer un bouclier, car Tara, soulagée de la pression, l'attaqua de toutes ses forces.

Elle faillit se faire tuer lorsqu'elle fut distraite par un fait incroyable.

Selenba, Sylver, Angelica, Moineau et Fabrice se battaient ensemble contre les Edrakins ! Ils n'étaient pas partis, ils ne l'avaient pas abandonnée, malgré ses ordres. Moineau avait libéré Fabrice et le loup gardait ses arrières.

Donc la vampyr n'était pas morte. Lorsqu'elle s'était éveillée, une fois passée la surprise de découvrir Tara au-dessus de sa tête, elle avait étudié le combat. Et compris que pour vaincre les dieux, elle devait tuer les prêtres. Tara ne savait pas très bien comment Selenba avait convaincu ses ennemis (enfin, à part Fabrice, encore que...) de s'allier à elle, mais c'était efficace et Tara n'avait pas l'intention de se plaindre. Vu la force de ses coups, ils l'avaient soignée, son bras n'était plus cassé. La dernière aragne survivante, qui avait fini par les retrouver, son absurde ballon rouge au-dessus d'elle, suivait la vampyr comme une ombre géante, visqueuse et malodorante.

Ils se glissaient derrière les prêtres, trop occupés à évoquer leurs dieux pour défendre leurs arrières. Et, un à un, ils les éliminaient.

Sylver était comme une flamme vivante, étincelante sous les soleils, son sabre impitoyable tranchant tout ce qui résistait. Fabrice, transformé en loup-garou, et Moineau en Bête, se battaient côte à côte, car les prêtres Edrakins étaient de bons guerriers et il fallait les éliminer vite. Selenba luttait seule et ce qu'elle faisait aux prêtres n'était pas très... descriptible. Quant à Angelica, elle assommait les Edrakins que Sylver blessait, tentant, sans y réussir toujours, de ne pas tuer ceux qu'il affrontait. Ce que faisait l'aragne était bien pire que ce que faisait Selenba, et Tara détourna les yeux.

Fous de rage, les Edrakins créèrent des boucliers pour se protéger. La lame de Sylver rebondit, les crocs de Selenba, les griffes de Fabrice et de Moineau furent impuissants, les mandibules crissèrent, inutiles.

Les plantes les attaquèrent et, soudain, ils furent tous très occupés à défendre leur vie.

Les Edrakins ne les regardèrent même pas, trop concentrés à « nourrir » leurs dieux. Ceux-ci intensifièrent leur assaut contre Tara.

Si elle cédait, ses amis allaient se faire massacrer.

Pire, la planète allait se faire massacrer, puisqu'en cédant, elle céderait aussi le pouvoir aux fantômes.

Le problème, c'était qu'elle n'en pouvait plus. Ses cheveux étaient poissés de sueur, son visage était rouge, elle ne parvenait plus à respirer. Elle ouvrit en grand son esprit, appelant l'aide de la Pierre Vivante et de tout ce qui pourrait l'aider, sa main posée machinalement sur son cœur, sur le bourgeon de l'Arbre Vivant.

Et son appel fut entendu.

— ENFIN ! exulta une voix immense dans son crâne. PAR LES TROLLS TUEURS, HUMAINE, TU AS UN ESPRIT INCROYABLEMENT FERMÉ ! CELA FAIT DEUX JOURS QUE J'ESSAIE DE TE PARLER, MAIS TU NE M'ENTENDS PAS ! JE M'OCCUPE D'EUX. BAISSE TON BOUCLIER AFIN QUE JE PUISSE T'AIDER. MAINTENANT !

Tara n'allait pas obéir à un machin invisible dans son cerveau qui lui ordonnait de baisser sa garde.

— Qu'est-ce... mais qui êtes-vous ?

— JE SUIS LA FORÊT. QUE TU AS COMBATTUE ET VAINCUE LORS DE TON VOYAGE EN KRANKAR, LE PAYS DES TROLLS. FAIS-MOI CONFIANCE, HUMAINE, CECI EST UN CONFLIT QUI TE DÉPASSE.

— Mais... comment... qu'est-ce que vous faites dans mon cerveau ?

— Tu portes sur toi le bourgeon de l'Arbre Vivant qui est l'un de mes enfants. Ici se passe un terrible drame. Les Edrakins ont corrompu l'esprit de cette forêt, qui est ma fille comme l'Arbre Vivant est mon fils. Elle a appelé à l'aide mais je ne pouvais rien faire jusqu'à aujourd'hui. Aide-nous et nous t'aiderons !

Le zonzonnement ! Elle n'était pas en train de devenir dingue ! C'était la forêt qui tentait de lui parler !

D'accord, d'accord.

Tara obéit.

Parfaitement à contrecœur, elle baissa sa garde et coupa son bouclier.

Un instant surpris, l'Edrakin eut un sourire carnassier.

— Tu te rends, toyoul, dit-il d'un ton féroce. Mais il est trop tard, mes dieux n'ont pas de pitié.

Et il lança sa magie, telle une furieuse boule de feu, prête à réduire Tara en cendres.

Le feu stoppa exactement à deux millimètres du visage de Tara.

Qui déglutit.

— Tu vois, fit la forêt. Ils ne pourront pas te faire de mal mais ceux-là sont puissants. À présent ouvre-moi ton esprit afin que je puisse me matérialiser physiquement sur l'île en brisant les anti-Transmitus.

Tara, étonnée d'être encore en vie, obéit. Elle ferma les yeux et se concentra sur les anti-Transmitus qui entouraient l'île. Mais ce n'était pas si simple.

Elle actionna son pouvoir, tandis que, prenant soudain conscience de la présence de la forêt, petit fragment dans l'esprit de Tara, les dieux des Edrakins hurlaient de rage.

— Ton pouvoir et le mien, jeune humaine, ensemble !

Elles forcèrent sur le champ magique qui entourait l'île et n'avait pas été préparé à résister à une telle surcharge.

Il y eut un « cling » presque audible et il céda.

Cette fois-ci, ce n'était pas de la rage qui perça dans la voix des dieux. Mais de la peur.

Exultant, l'esprit de la forêt s'engouffra dans la brèche. Les attaques des plantes contre les amis de Tara s'arrêtèrent net.

Et les dieux hurlèrent lorsque l'esprit les submergea. Les Edrakins hurlèrent à leur tour.

— QU'EST-CE QUE VOUS AVEZ FAIT À MA FILLE, rugit la forêt, folle de rage, MAUDITS CHATS PELÉS ? QU'EST-CE QUE VOUS AVEZ FAIT À MA FILLE ?

Puisant dans le pouvoir de Tara afin d'acquérir substance et force, la forêt se matérialisa soudain, en une énorme silhouette verte qui ressemblait fichtrement à un troll.

Et dans son immense main, il y avait une immense massue. Qu'elle abattit sur les dieux des Edrakins. Le choc en retour toucha les Edrakins derrière les dieux.

Tous vacillèrent. Comme de mauvaises images qu'on efface, un à un, les dieux s'effilochèrent.

Soudain, en un effort surhumain, les Edrakins abandonnèrent les images de leurs faux dieux et formèrent une nouvelle image. Le concentré de tous leurs pouvoirs, qui prit forme et corps. Devant la forêt folle de rage, apparut son exact double. Une troll, verte, gigantesque, avec sa massue. Avant que la forêt n'ait le temps de réagir, son adversaire lui sauta dessus.

La violence du combat fut telle que plusieurs Edrakins furent foudroyés.

La forêt alliée à Tara gagnait en puissance et bientôt, elle ne puisa plus dans le pouvoir de la jeune fille. Épuisée, celle-ci en profita pour se désengager, atterrir et rejoindre ses amis.

Des éclairs tombaient un peu partout, criblant la terre de cratères fumants. Tara, Sylver, Angelica, Fabrice, Moineau et même Selenba coururent dans tous les sens pour s'abriter du chaos démentiel. Galant, muet de joie, vola comme un missile jusqu'à Tara et se frotta contre sa joue. Il avait eu si peur !

Soudain, les deux entités lâchèrent leurs massues et sautèrent l'une sur l'autre.

Le choc fut épouvantable. Il renversa tout sur son passage et Tara faillit bien être emportée par la tempête. Sylver la rattrapa de justesse alors qu'elle allait s'envoler.

— Houlà, j'ai eu chaud, dit-elle. Merci Sylver, c'était moins une. Tu vas bien ? Mais qu'est-ce qui t'a pris d'affronter Selenba comme ça ? Tu es dingue ?

— Pas autant que toi en face de la Chose, répliqua Sylver avec un sourire grimaçant. Et tu as été nettement plus efficace que moi. Cette vampyr n'a aucun honneur !

Son ton était vaguement indigné.

— Attends, ton flanc est blessé, remarqua-t-il, je vais t'appliquer un Reparus.

Vu la folie ambiante, Tara ne lui demanda pas d'éviter d'utiliser la magie, fût-ce pour la soigner.

Elle soupira de soulagement lorsque la douleur reflua.

— Ahhhh, ce que ça fait du bien ! Merci, Sylver.

— Je t'en prie, ma tant aimée.

Ah ! elle venait de gagner un surnom, apparemment. Pas sûr que ce soit à son goût, cela faisait un peu XVIIIe siècle quand même.

Elle n'eut pas le temps de le lui faire remarquer que cinq Edrakins, rendus fous furieux par ce qui se passait, leur sautèrent dessus.

Tara voulut se transformer en vampyr afin de résister aux griffes des prêtres et pâlit. Cela ne fonctionnait pas ! Elle avait tellement puisé dans sa magie qu'elle n'arrivait plus à se transformer. Sylver comprit et se plaça devant elle. Son sabre apparut dans sa main, encore lourd du sang qu'il avait bu. Il bourdonna avec contentement. L'un des Edrakins bondit. Clic, son bras disparut. Clac, le pommeau le frappa à la tête, il s'écroula. Les quatre autres bondirent à leur tour, concentrant leurs attaques. Le sabre étincela. Sylver se déplaça comme la foudre. Il frappait si vite que le sabre en devenait flou. Il portait bien son nom d'Impitoyable.

En quelques secondes à peine, les Edrakins étaient à terre.

Tara était époustouflée. C'était à la fois très impressionnant et parfaitement dégoûtant avec tous ces gens ensanglantés. Sylver termina de les assommer, puis, ne voulant pas qu'ils se vident de leur sang, pansa rapidement leurs blessures et se releva, vigilant. Il avait été atteint par le sang des Edrakins, et le cœur de Tara se serra tant il était magnifique. Il rengaina son sabre. Il se tourna vers Tara et son regard s'éclaira. Il s'avança vers elle, trébucha sur un bras tranché et s'affala.

Tara ravala un haut-le-cœur et ne l'aida pas à se relever, bien consciente de ses écailles tranchantes.

— Merci, lui dit-elle du fond du cœur. Ma magie va revenir, mais pas tout de suite, j'ai un peu exagéré.

— Je ne les aurais pas laissés t'approcher, ma tant aimée, répondit tendrement Sylver. Il en faudrait mille comme eux pour que je les considère comme une menace.

Ah oui ? Eh bien, Tara n'avait pas l'intention de tenter l'expérience. Le sol fut ébranlé derrière eux et ils reportèrent leur attention sur la titanesque bagarre.

Tara observa attentivement la scène.

— Il faut que j'arrive à activer cette foutue machine, marmonna-t-elle. Mais vu qu'ils sont en train de se mettre une pâtée juste au-dessus, j'ai à peu près autant de chances d'y arriver qu'une banane mûre face à un éléphant affamé.

Tara ne sut pas exactement comment le Traductus avait traduit ses propos, mais Sylver la regarda d'un air bizarre.

Les arbres volaient et ils durent se pencher à plusieurs reprises afin de rester en vie.

Les deux masses vertes se déplacèrent, ravageant la forêt.

Droit vers Tara et Sylver.

Mais dégageant le passage pour Angelica, qui se trouvait de l'autre côté.

Tara lui fit signe de s'emparer de la machine et de tenter de l'activer. Dans le Livre des Sombres Secrets, il était écrit « appuyer sur le bouton et attendre ». Sauf que ni Selenba ni Tara n'avaient vu de bouton.

Angelica lui répondit en se tapant la tête avec l'index. Universel langage pour dire que Tara était dingue et que la grande brune n'allait certainement pas activer la machine, vu qu'elle n'avait pas envie de mourir. C'était fou tout ce qu'on pouvait exprimer juste avec une grimace et un index posé sur une tempe.

Soudain, Tara se raidit. Une grimace ! L'image lui sauta au visage. C'était ça ! C'était ce qu'elle avait vu lorsqu'il y avait eu le reportage sur Magister.

Le père et la mère d'Angelica. Cela avait été fugitif et l'image avait été gommée de sa mémoire sous le choc de voir Magister avec sa mère. Et elle revit ce qui l'avait fait tiquer.

Les parents d'Angelica n'avaient pas grossi. Ils étaient habillés avec élégance et avaient gardé leurs airs arrogants. Et la mère d'Angelica grimaçait, exactement comme sa fille.

Angelica avait menti.

Angelica vit sur le visage de Tara qu'il s'était passé quelque chose. Elle ne savait pas très bien quoi, mais Tara la regardait soudain comme si elle allait la tuer. Slurk ! Elle pensait attendre avant d'agir, mais elle n'avait plus le temps.

Elle bondit, devançant Selenba qui tentait, bien que gênée par les deux trolls, de s'emparer aussi de la machine. La jeune sorcelière fut la plus rapide. Avant que Selenba n'ait le temps de réagir, Angelica franchit les derniers centimètres en courant, toucha la machine et incanta un Transmitus.

La machine et la jeune fille disparurent. Mais juste avant, Tara croisa les yeux d'Angelica.

Et ce qu'elle y vit lui tordit le cœur. Angelica avait un sourire de triomphe absolu. Elle braqua un index sur Tara et fit comme si elle lui tirait dessus.

Tara n'eut aucun doute.

Angelica venait de la trahir.

Voyant cela, Selenba incanta à son tour et commença à disparaître elle aussi. Les masses énormes avaient l'air de bien s'amuser à se détruire mutuellement et la vampyr n'avait pas l'intention de leur servir de carpette. L'aragne, bousculée par les esprits, en lâcha son ballon, qui s'éleva dans les airs, alors qu'elle crissait de frustration.

Frustration qui ne dura pas très longtemps, car l'une des masses lui mit le pied dessus. On entendit un affreux « sproutch » et l'esprit de l'aragne put enfin reposer en paix.

La totalité de l'escouade, à part Fabrice, avait été détruite.

Fabrice et Moineau finirent de se débarrasser des Edrakins qui les avaient attaqués, eux aussi, et crièrent :

— Qu'est-ce qu'on fait ?

— Il faut qu'on aide l'esprit de la forêt d'origine ! hurla Tara en retour.

— Ces trucs sont les esprits de deux forêts ? Mais lequel est le bon ?

Tara ouvrit la bouche. Et la referma. Moineau avait raison, les deux trolls vertes étaient parfaitement identiques. Elle se coupa de leur apparence afin de se concentrer uniquement sur leur façon de se battre. Qu'avait rugi l'esprit, déjà ? Il avait dit : « Qu'avez-vous fait à ma fille ? »

Elle observa. Oui, si l'une des deux trolls se battait sauvagement, soutenue par les Edrakins, l'autre tentait, tant bien que mal, de limiter les dégâts. Super ! Elle savait quoi faire.

Tara testa sa magie. Ça allait, le Reparus de Sylver lui avait fait du bien. Et ces quelques minutes de repos lui avaient permis de se recharger, enfin, en quelque sorte. Sa magie enfla et afflua dans ses veines. Elle décolla, au milieu des éclairs et du chaos.

Et sa magie frappa. Elle frappa la troll verte, la fille, créant une barrière entre elle et les esprits corrompus des Edrakins. Soudain, avec une brutalité qui fit craquer l'air comme s'il était solide, le lien disparut.

Et les Edrakins s'écroulèrent, évanouis. Ou morts. Tara ne savait pas très bien.

— NE RELÂCHE PAS TON EMPRISE ! ordonna l'esprit mère, qui s'était immobilisé lorsque sa fille avait été emprisonnée par la magie de Tara. IL FAUT LA PURGER DE CE QU'ILS LUI ONT FAIT.

Tara obéit et visualisa la procédure, puis lança sa magie, comme un immense Reparus, comme si les Edrakins avaient été un poison.

L'esprit fille resta un instant sans réaction. Puis, avec violence, se jeta dans les bras de sa mère et hurla de douleur, de joie et de peine mêlées. Cela évoquait une corne de brume géante, affligée d'un hoquet. Tara et ses amis grimacèrent et se protégèrent les oreilles.

— TU PEUX OUVRIR LE CHAMP, finit par dire l'esprit mère. MA FILLE VA BIEN MAINTENANT.

Tara obéit. L'esprit fille frissonna lorsqu'elle reprit contact avec son environnement.

— NOUS TE DEVONS BEAUCOUP, HUMAINE, dit la forêt. MA FILLE ET MOI SOMMES SÉPARÉES DEPUIS DES MILLIERS D'ANNÉES À CAUSE DE CES MONSTRES QUI L'ONT ASSERVIE POUR LEURS VILS INSTINCTS !

— Je ne comprends pas, répondit Tara, ce n'étaient pas des dieux ?

— NON. ILS PUISAIENT DANS LA MAGIE DE MA FILLE AFIN DE CRÉER LEURS FAUX DIEUX. CHAQUE EDRAKIN PRÊTRE CRÉAIT SON DIEU. AVEC LEURS SORTS, ILS AVAIENT RÉUSSI À RENDRE MA FILLE FOLLE. ELLE LEUR OBÉISSAIT. MAIS MAINTENANT, C'EST FINI. NOUS AVONS RÉUSSI À LA LIBÉRER.

— Oh, alors, lorsque le dieu, là, dans le temple, disait qu'il voulait mon âme ?...

— IL RACONTAIT N'IMPORTE QUOI. TON ÂME NE POUVAIT EN AUCUN CAS ÊTRE ATTRAPÉE PAR MA FILLE. MAIS IL EN ÉTAIT CONVAINCU, CAR IL PARLAIT PAR LA BOUCHE DE SON EDRAKIN.

Tara mit le doigt sur ce qui n'allait pas dans le raisonnement de l'esprit.

— Mais l'Edrakin dans le temple a été tué par son dieu, protesta-t-elle, comment ?

— L'ESPRIT DE MA FILLE N'AVAIT PAS BESOIN D'ÊTRE ÉVOQUÉ POUR APPARAÎTRE. LA FOI DE L'EDRAKIN PLUS LA TIENNE QUI AVAIT CRU CE QU'ON LUI AVAIT RACONTÉ À PROPOS DES DIEUX DES EDRAKINS ÉTAIT SUFFISANTE. L'EDRAKIN A DÛ TENTER DE TE TUER, TU AS RÉSISTÉ INCONSCIEMMENT ET L'ESPRIT DE MA FILLE T'A OBÉI. IL A FOUDROYÉ L'EDRAKIN.

— Mince, vous voulez dire que j'aurais pu communiquer avec elle dès le début, et qu'elle m'aurait obéi ?

— OUI. MAIS TON ESPRIT ÉTAIT TRÈS FERMÉ. TU NE L'ÉCOUTAIS PAS.

Super, elle aurait pu s'éviter toute cette éprouvante aventure. Ok, message reçu cinq sur cinq. Gar-der l'es-pr-it ou-vert !

Ah ! Toute cette histoire avait dépendu d'un énorme esprit rendu dingue. Et d'un bourgeon. Tara frissonna. Ils n'étaient pas passés loin.

La forêt fit apparaître des images devant elle. Les Edrakins, peuple chassé de sa planète par les démons, s'alliant aux dragons. Les Edrakins combattant les démons. Pour les remercier, les dragons proposant au petit nombre qui restait d'émigrer sur AutreMonde avec les autres peuples. Les Edrakins isolant l'île afin que personne ne puisse s'y rendre et emprisonnant l'esprit encore trop jeune de la forêt, qui venait tout juste d'accéder à la conscience. Le premier Edrakin priant devant la statuette de l'un de ses dieux, apportée avec lui de sa planète natale.

L'esprit de la forêt se morcelant en exactement mille morceaux, chaque morceau devenant un esclave d'un Edrakin.

Leur cruauté avait littéralement réduit leurs congénères à l'esclavage. Tara comprenait à présent.

— Que va-t-il se passer ? Les prêtres sont des monstres, mais les autres ne sont pour rien dans toute cette histoire !

— NOUS ALLONS METTRE EN PLACE CE QU'IL FAUT POUR QUE LES EDRAKINS NE PUISSENT PAS UTILISER MA FILLE DE NOUVEAU. LA FORÊT NE LEUR OBÉIRA PLUS.

Tara ouvrit la bouche pour protester, mais la voix l'interrompit :

— QUE VEUX-TU À PRÉSENT ?

Tara faillit répondre sans réfléchir qu'elle voulait retrouver sa mère, mais referma la bouche. Avec ces énormes entités surpuissantes, autant éviter les erreurs d'interprétation.

— Je pense que nous devons retrouver la Résistance et essayer de vaincre Magister sans la machine, puisque Angelica l'a volée, répondit-elle. Le mieux, ce serait de retrouver Cal.

— Euh, et s'il est en prison, demanda Fabrice, peu convaincu, on fait quoi ?

— Hum, tu as raison, ce serait bête de se faire emprisonner maintenant, répondit Tara. Et cela nous amène à une question fondamentale, que je dois de nouveau te poser, Fabrice. Es-tu avec ou contre nous ? Si tu le désires, je peux demander à la forêt de te garder ici.

Fabrice plongea ses yeux noirs dans les yeux bleus de Tara.

— Pour l'instant, je suis de votre côté, mais Tara, face à Magister… je… je ne sais pas. Son pouvoir (il frissonna), son pouvoir est si puissant, si destructeur que je ne sais pas si je pourrais résister à son emprise. Au fur et à mesure du temps que j'ai passé ici, cela s'est affaibli. J'ai pu combattre aux côtés de Moineau, mon esprit s'est éclairci. Mais j'ignore si cela durera. Si je faiblis de nouveau, Tara, il faudra me tuer. Parce que le jour où la magie démoniaque m'aura totalement envahi, alors, je serai votre plus terrible ennemi.

— Tu sais, Fabrice, pour être infecté par la magie démoniaque, d'une certaine façon, il faut l'accepter. Alors je pense que si tu la rejettes, totalement, peut-être que tu pourrais t'en débarrasser ?

— Non, répondit sombrement Fabrice. Plusieurs sortceliers ont essayé. Magister nous a montré les images. C'était… sanglant.

— Hum, mais toi, tu es un loup !

Tara le laissa digérer cette dernière phrase. Elle leva la tête vers la troll géante.

— Forêt, peux-tu nous envoyer auprès du triton dit MontagneCristaux ? Maintenant que les anti-Transmitus sont détruits ?

— Oui.

— Merci.

— Merci à toi d'avoir délivré ma fille. Tu as mon éternelle reconnaissance. Et cela annule la dette que tu avais envers moi pour avoir révélé au monde le secret de l'intelligence des trolls.

Ah bon ? Elle avait eu une dette ? Elle n'était même pas au courant.

Sous les yeux des Edrakins survivants et à moitié fous de terreur, les deux trolls géantes expédièrent Tara et ses amis.

Qui se retrouvèrent à Omois.

Devant la porte de service du Palais impérial de Tingapour.

Au milieu d'une meute de loups-garous habillés en laveurs de carreaux. Accompagnés d'une horde de nains. En salopette.

Et d'un triton très surpris.

24

Le Magicgang

*ou comment réussir à faire rater une opération
pourtant bien préparée.*

— Attendez ! hurla Fabrice, amis, amis !

Les loups-garous qui étaient en train de se transformer, croyant à une attaque, se figèrent. Et Tara para facilement le jet de magie du triton.

— Wooow, du calme, on est du même côté !

Fafnir, qui dirigeait le bataillon des nains, la souleva de terre en réprimant ses cris de joie. La naine rousse faillit lui casser toutes les côtes tant elle était contente.

— Tara ! s'exclama-t-elle, Que ton marteau sonne clair ! Il ne manquait plus que toi pour entrer dans la bagarre !

— Fafnir ! Que ton enclume résonne ! Tu vas bien ? Les fantômes ?

— N'ont pas pu posséder les nains. Paraît que c'est une histoire de caractère. Le nôtre est bien trop mauvais !

Elles rirent toutes les deux.

La naine guerrière reposa Tara, fit la fête à Moineau, avisa Fabrice et se contenta d'un sec salut de la tête. Les nains n'aimaient pas trop les traîtres. Fabrice lui rendit un petit sourire triste.

Sylver, les yeux exorbités, regardait ce qui représentait une légende pour lui, la célèbre naine rousse guerrière, Fafnir.

— Fafnir, je te présente Sylver. Il nous a été d'une aide précieuse.

Tara se pencha et ajouta en chuchotant :

— C'est également un Impitoyable.

Les yeux de la naine s'écarquillèrent. Elle allait lui poser une question, lorsque le triton recouvra ses esprits.

— Votre Altesse Impériale ! s'exclama MontagneCristaux, réussissant enfin à parler après la peur que Tara lui avait causée en se matérialisant derrière lui, mais qu'est-ce que vous faites ici ?

— Je pourrais vous poser la même question, vous avez changé de métier ? rétorqua Tara en désignant la tenue pour le moins curieuse du triton. Ou fait faillite ?

Mais le triton avait autre chose à faire que de s'étendre en longues explications.

— Bien sûr que non ! Nous sommes en train d'envahir le Palais afin d'éliminer Magister et ses alliés fantômes. Êtes-vous avec nous ?

— Plutôt deux fois qu'une, répondit Tara d'un ton ferme tandis que Fabrice pâlissait. Que pouvons-nous faire ?

— Dissimulez vos cheveux trop reconnaissables et votre pégase. Et mettez une casquette de laveur et une salopette, comme nous. Nous avons été officiellement engagés par votre mère afin de laver les carreaux pour son mariage. Les sorts antisalissures les protègent normalement, mais certains sont affaiblis et elle a bien précisé qu'elle les voulait « étincelants ».

— Maman ?

— Oui, elle est à la tête de la Résistance du Palais.

— Maman ?

Tara avait la même tête qu'un dragon attaqué par une vache. Incrédule.

— Elle a mis au point un plan brillant. Pour contrer Magister. Elle est impressionnante.

— Maman ? Mais… mais, balbutia Tara.

— Pas toute seule bien sûr, coupa MontagneCristaux, elle s'est alliée avec T'eal, le président des loups-garous, et l'Impératrice Elseth. Votre ami Cal est également là. Heureusement, la camouflée Séné Senssass m'a fait parvenir assez d'accréditations pour tout le monde.

Bon, apparemment sa mère avait engagé la moitié du Palais dans sa lutte.

— La majorité des gardes est de notre côté, il ne devrait pas y avoir de problème, termina sombrement MontagneCristaux.

Le ton de sa voix suggérait qu'au contraire, il s'attendait à des tas de problèmes, mais Tara, Sylver, Fabrice et Moineau prirent leurs accréditations sans broncher, après avoir modifié leurs vêtements. Tara enfourna Galant dans sa poche, avec son masque à oxygène, en dépit des protestations du pégase.

Ils avaient espéré une pause après leur aventure dans la forêt. Apparemment, c'était mal parti.

La petite troupe de laveurs de carreaux pénétra dans le Palais. Les gardes les laissèrent passer après avoir, sous le regard attentif des scoops, soigneusement vérifié leurs laissez-passer. Bien qu'il fût très tard dans la nuit, les équipes travaillaient sans considération d'horaires.

Deux blanchisseuses roses et gloussantes les amenèrent au niveau des appartements impériaux. Là, Dame Kali, imperturbable, leur indiqua ce qu'ils devaient faire. La gouvernante du Palais, thug à six bras, n'avait pas été possédée, et était trop précieuse pour être renvoyée. Elle cligna d'un œil, très lentement, vers Tara, puis s'éloigna.

— Attention tout de même, précisa MontagneCristaux, la tête baissée tout en déployant son arsenal de laveur de carreaux. Tous les gardes ne sont pas dans le complot. Et méfiez-vous des fantômes aussi. Ils surveillent tout.

Heureusement, ils n'en croisèrent que deux, qui avaient l'air d'avoir bien d'autres soucis que de s'intéresser à des laveurs de carreaux.

Fussent-ils des nains et des loups-garous.

Cal avait fait du bon travail en dévorant ou effrayant les alliés de Magister.

Tara leva sa raclette pleine de liquide et la posa sur le verre glacé. Elle voyait le parc, où elle avait passé tant d'heures d'études et de détente, et les gardes qui faisaient leur ronde, ignorant soigneusement les amoureux qui se cachaient bien mal.

Elle sourit. Elle avait été tellement au cœur de l'action qu'elle en avait oublié que la vie continuait, vaille que vaille.

Elle s'appliqua, trouvant un étrange repos dans le geste répétitif. Elle avait du mal à croire qu'elle était en train de laver des carreaux. Pas pour le fait de laver quelque chose, mais parce que cela lui semblait tellement… normal ! Une activité qui n'impliquait ni sang, ni blessures, ni hurlements. Grâce aux ceintures Levitus Inc, qui leur permettaient de voler pendant de courts instants, ils n'avaient pas besoin d'utiliser leur magie. D'autant que, à part Fabrice, les loups n'en avaient pas.

Cela permit aux quatre amis de se reposer un peu avant l'affrontement.

Sylver travaillait près de Fafnir, et on voyait bien que les deux étaient plongés dans une intense conversation. Probablement l'étude comparée de l'usage du sabre et de la hache en combat rapproché. Ils paraissaient aussi fascinés par l'un que par l'autre.

Petit à petit, ils se rapprochèrent des appartements de l'Impératrice.

Soudain, il y eut un énorme bruit, comme une explosion, du côté de l'armurerie. Fabrice faillit en tomber par terre. Des gens et des gardes se mirent à courir dans tous les sens.

— C'est le signal, chuchota le triton. Les fantômes alliés à Elseth ont déclenché une bombe dans l'armurerie, tout a dû sauter. Séné doit être en train de délivrer Xandiar, le chef des gardes, que Cal a mordu et délivré de son fantôme. Il va reprendre le contrôle de la garde et protéger nos arrières.

Tara hocha la tête, la bouche sèche et le cœur battant. Elle était prête. Derrière elle, les loups se transformèrent, Fafnir et sa troupe de nains dégainèrent leurs haches, Sylver son sabre, la magie fut activée.

Les deux gardes devant la porte de l'Impératrice et les deux sangraves de faction devant celle de Magister s'agitaient, nerveux.

Pas pour longtemps, car une ombre, surgie de nulle part, se matérialisa derrière eux et les assomma. Cal venait de faire le ménage. La voie était libre.

— Tara ! s'exclama Cal en plissant les yeux à la vue de Fabrice, mais un énorme sourire plein de dents aux lèvres, qu'est-ce que tu fais là ? Tu as trouvé la machine ? On peut tuer les fantômes ?

— Hélas non, cette garce d'Angelica l'a volée, répondit sobrement Tara. Cal, je suis trop contente que tu sois ici toi aussi ! Comment te sens-tu ?

Le garçon n'avait pas bonne mine. Et ses traits creusés révélaient son intense fatigue.

— Repu, soupira le jeune homme transformé en vampyr, je passe mon temps à boire le sang des gens pour les délivrer des fantômes et à dévorer ces derniers. T'as pas idée à quel point je rêve d'un cornet de frites. J'espère que Magister sera le dernier.

— Non, répondit sombrement Tara, Magister est pour moi !

Le garçon hocha la tête et vint se placer près de Fafnir, Moineau, Sylver et Fabrice.

Il envoya une solide tape dans le dos de ce dernier et se mit à chuchoter avec lui. Contrairement à Fafnir, il attendait d'avoir tous les éléments avant de juger son ancien ami.

Tara s'attendait que MontagneCristaux fasse quelque chose de spectaculaire, comme exploser la porte de la suite, mais il s'inclina et laissa la place à l'un des loups qui avait collé un poignard dans les reins d'un garde à demi réveillé, histoire de s'assurer d'une coopération pleine et entière à défaut d'être volontaire.

L'œil s'ouvrit, la bouche les lorgna.

— Oui ?

— Garde Xoal, indiqua le garde thug, obéissant à ce que lui avait murmuré le loup. Je viens faire mon rapport à Maître Magister au sujet de l'incident de l'armurerie.

— Je suis désolée, répondit la porte, mais j'ai ordre de ne laisser passer personne.

Et l'œil et la bouche se refermèrent.

— Slurk, grogna Cal, ta mère est trop efficace.

L'affolement brilla dans les yeux de Tara.

— Quoi ? Tu veux dire que maman est avec Magister ?

— Ben oui, où veux-tu qu'elle soit ?

— En sécurité quelque part. Je ne sais pas, moi !

— Elle a été chargée de le distraire pendant que nous prenions le contrôle du Palais. Il ne fallait pas qu'il risque d'être informé de l'invasion.

— Vous êtes complètement dingues, siffla Tara, furieuse, vous lui avez fait courir un terrible danger !

— Euh, en fait, c'est elle qui a tout décidé. Nous nous sommes contentés d'exécuter. Ta mère est une femme impressionnante, Tara, presque autant qu'Isabella, ta grand-mère, tu peux être fière de ta famille.

— Ça suffit, trancha Tara, je ne vais pas laisser ma mère à la merci de ce monstre.

Elle se planta devant la porte, activa sa magie, puis, bourdonnante comme une petite dynamo bleue, fit exploser la porte.

À peine s'étaient-ils remis du choc qu'ils virent une jeune femme blonde vêtue d'un drap foncer au travers du trou à toute vitesse et s'éloigner en piquant un sprint digne des jeux Olympiques.

C'était l'Impératrice Lisbeth.

Ou plus précisément, Magister.

25

Magister

ou il y a des poissons vraiment glissants
pour lesquels il faut un filet très très fin et solide
si on veut les capturer sans se faire dévorer la main.

Une heure avant que les Impératrices ne déclenchent le chaos à l'opposé des prisons, afin d'y attirer les gardes, Selena s'était rendue dans la suite de Magister.

Il avait été surpris de la voir.

— Selena, que fais-tu ici, ma douce, au milieu de la nuit ? demanda-t-il lorsque la porte lui annonça que sa fiancée voulait entrer.

Il prit tout de suite son allure masculine, ayant bien compris que cela gênait Selena de s'adresser à sa forme d'Impératrice.

— Nous devons parler, dit gentiment Selena, ses yeux de miel noisette presque caressants.

Comme toujours lorsqu'il la voyait, le cœur de Magister bondit dans sa poitrine. Pour une fois, il ne lisait ni défiance ni haine sur le ravissant visage qui ensorcelait sa vie.

— Bien sûr, dit-il d'un ton joyeux, je t'écoute.

L'écran se mit à sonner, Sambor feula et Selena soupira.

— Je reviendrai, dit-elle d'un ton agacé, lorsque tu auras un peu de temps à accorder à notre mariage. Dans un millier d'années sans doute !

Magister, qui allait prendre la communication, s'arrêta net.

— Tu... tu es venue parler de notre mariage ?

— Oui.

Elle sortit une liste longue de plusieurs mètres de sa poche, qui se déroula jusqu'à terre.

— Qui veux-tu inviter, tu ne m'as donné aucune instruction à ce sujet ? Quel jour allons-nous choisir ? Combien de temps veux-tu que cela dure ? Il va falloir faire réaliser des bijoux particuliers pour le mariage, je n'ai rien qui va avec la robe rouge que me tissent les aragnes. À quel moment ton corps sera-t-il réparé ? Parce que me marier avec toi, c'est d'accord, mais avec Lisbeth (elle frissonna), ce n'est pas possible.

Magister inspira profondément. C'était cela, exactement, qu'il voulait. Que Selena ne soit plus sur ses gardes et discute librement avec lui, comme avec un ami. Il faillit glousser de joie et se reprit juste à temps avant de perdre toute dignité.

Il coupa la communication sans que son interlocuteur ait le temps d'articuler un mot. Puis, d'un geste, mit la console hors circuit.

—Voilà, dit-il d'un ton guilleret, ainsi, nous ne serons pas dérangés.

Selena lui lança un sourire flamboyant. Puis se rapprocha de lui et se laissa tomber dans un sofa. Elle tapota le coussin à côté d'elle, tandis que Sambor se couchait en boule à ses pieds.

—Viens, dit-elle, regardons tout cela ensemble.

Soupirant de bonheur, Magister s'assit et pencha son masque sur la liste. Elle ne s'en rendit pas compte, mais les yeux du mage s'agrandirent lorsqu'il vit ce qu'elle avait noté comme festivités.

Par le sang de ses ancêtres, elle allait ruiner cet empire !

Bon, il s'en fichait, ce n'était pas le sien. M'enfin quand même. Il tenta une approche diplomatique :

—Euh… ma douce, dix mille invités ? C'est peut-être beaucoup, non ? Cela va être compliqué à gérer.

Selena fit la moue.

—Tu crois ? dit-elle d'une petite voix, mais tu voulais montrer ton pouvoir à AutreMonde. Quoi de mieux qu'une fête grandiose ? Et puis je veux un beau mariage. Un Grand Mariage.

L'oreille de Magister capta très bien les majuscules. Il soupira discrètement.

—Comme tu voudras, mais le carrosse recouvert de rubis et de diamants jaunes, c'est trop.

—Hum, tu as raison, ça va faire clinquant. Tu veux qu'on mette plutôt des saphirs jaunes ? Cela brillera moins.

Pendant l'heure qui suivit, les messages affolés s'accumulèrent sur la console, mais Magister, trop occupé, ne les écouta pas.

Aussi fut-il totalement pris par surprise lorsque sa porte s'ouvrit, livrant passage à T'eal et à ses soldats qui se précipitèrent vers lui.

Quelqu'un leur avait donné le code secret de la porte.

Selena cria :

— Maîtrisez-le, vite !

Les loups avaient été rapides. Magister fut à moitié assommé puis immobilisé avant d'avoir pu esquisser le moindre geste. Ses mains furent liées dans son dos, afin qu'il ne puisse lancer sa magie. Les loups le relevèrent, satisfaits. Le sangrave dodelina de la tête, groggy.

— Porte, ordonna Selena, ne laisse personne entrer.

Puis elle se tourna vers Magister et ajouta :

— Retirez-lui tout ce qu'il a sur lui, y compris ses bijoux. Il a un anneau qui peut appeler des démons.

Les loups dépouillèrent Magister de sa robe de sortcelier, démasquant sa poitrine musclée, marquée d'un cercle rouge.

Trop étourdi pour conserver sa forme, le mage laissa le corps de Lisbeth reprendre ses droits. Les loups s'en fichaient, mais, gênée par la vision du torse parfait de Lisbeth, Selena le recouvrit d'un drap qu'elle noua dans son dos.

Elle regarda son hor.

— Vous êtes en avance, dit-elle d'un ton sec à T'eal. Pourquoi n'avez-vous pas attendu MontagneCristaux comme prévu ?

Le président des loups se tortilla sous son regard d'acier, gêné.

— C'est euh, que j'étais inquiet pour vous, Dame. Pardon.

— Je me doutais que tout cela n'était qu'une diversion, ricana Magister, les interrompant, mais je dois avouer, ma douce, que là, tu t'es surpassée. Cette idée de discuter du mariage, waouh, brillant, brillant ! J'étais trop occupé pour m'apercevoir que mon Palais était envahi. Je pense que quelques têtes vont tomber.

— Aucune tête ne tombera, répondit calmement Selena, car tu as cessé de nuire, enfin.

Pour une fois, elle sentait un changement dans la voix de Magister. Il était inquiet.

Et il mentait. Il ne s'était douté de rien en dépit de ce qu'il affirmait.

— Danviou ? (Selena éleva la voix.) Elseth ? Vous pouvez venir, il n'y a plus de danger.

Les deux fantômes apparurent. Si Elseth jubilait, Danviou, son fantôme de mari, lui, avait le visage sombre.

Il flotta face à celui qui l'avait tué.

— Tu as de la chance que je n'aie pas mon corps et que celui-ci ne soit pas le tien, gronda Danviou.

Magister ne recula pas, mais sa respiration se bloqua un instant.

— Danviou, finit-il par dire, cela faisait longtemps que je n'avais pas eu le plaisir de te voir.

— Tu m'as tué, espèce de salopard.

— Ce n'était pas volontaire.

— Et tu as essayé d'enle… QUOI ?

Magister soupira :

— J'étais plus naïf à l'époque. Tu n'étais pas un ennemi. Je n'avais ni l'envie ni le besoin de te tuer. Tout aurait dû se passer tranquillement. Mais tu as fait irruption au moment où j'allais m'emparer de Tara. Et tu ne m'as pas laissé le temps de t'expliquer. Tu m'as sauté dessus comme un fou !

Danviou faillit s'étrangler de rage.

— TU ÉTAIS EN TRAIN D'ENLEVER MON BÉBÉ ! ÉVIDEMMENT QUE JE T'AI SAUTÉ DESSUS !

— Pas la peine de hurler, répondit Magister, toujours aussi placide, je ne suis pas sourd ! Bref, j'ai réagi, ma magie est partie trop vite et, en tombant, tu t'es fracturé la tête. J'allais te soigner lorsque Selena est arrivée à son tour. Je l'ai neutralisée et j'allais de nouveau te soigner lorsque Isabella et son tigre m'ont attaqué. Ces Duncan sont vraiment une famille de dingues ! J'ai tué le tigre, mais Isabella était puissante. Rendue à moitié folle par la mort de son Familier, elle a failli me terrasser. Je me suis abrité derrière Selena, qui était paralysée, j'ai lancé un Transmitus et il nous a emportés tous les deux. Cela non plus n'était pas volontaire. Malheureusement, Isabella n'a pas eu la force de lancer un Reparus suffisant sur ta tête. Elle t'a donné sa Parole de Sang de protéger Tara et que celle-ci ne serait pas un Haut Mage et ne viendrait pas sur AutreMonde. Et tu es mort. Un malheureux accident.

Danviou en resta muet de stupéfaction.

— Tu as essayé d'enlever ma fille, tu m'as tué et tu as enlevé ma femme, et tout ce que tu trouves à dire, c'est : Pardon, c'est un malheureux accident ?

— Non.

— Comment ?

— Je n'ai pas dit pardon. Juste que c'était un malheureux accident.

— Tu as vraiment de la chance d'être déjà mort, brailla Danviou, parce que crois-moi, sinon, je t'aurais étranglé avec plaisir !

— Bien, bien, intervint Elseth avec diplomatie, maintenant, nous n'avons plus rien à faire ici. Nous devons retourner en OutreMonde. Danviou, les filles, préparez-vous.

Elle leva les bras et un vortex noir surgit au-dessus de sa tête. Les autres fantômes qui l'avaient aidée depuis deux mois s'engouffrèrent dans la brèche en jacassant. Elles étaient contentes de rentrer à la maison et n'appréciaient pas du tout le climat d'Autre-Monde, finalement.

Danviou se détourna de Magister après un dernier regard de mépris. Il plongea son regard dans les doux yeux noisette.

S'il avait été humain, il en aurait eu le souffle coupé. Et même en tant que fantôme, le pouvoir d'attraction de Selena était tel qu'il en perdait la tête.

— Je t'attendrai, déclara-t-il, je t'attendrai pendant l'éternité si nécessaire. Du plus profond de mon âme, je t'aime, Selena.

Selena ne put retenir ses larmes. Mais ne répondit pas.

Elseth intervint sèchement.

— Tu n'as pas honte, petit fantôme ?

Danviou sursauta.

— Pardon ?

— Elle est jeune, ta femme, elle va vivre encore longtemps. Tu n'as pas le droit de la coincer comme ça. Elle doit pouvoir aimer quelqu'un d'autre, la faire vivre dans ton souvenir, ce n'est pas juste, ce n'est pas estimable.

Danviou était trop interloqué pour réagir.

Selena soupira. La vieille Impératrice était brutale, mais elle n'avait pas tort.

— Elseth a raison, affirma-t-elle, tu ne dois pas m'attendre. Je vais refaire ma vie. Je ne suis pas faite pour vivre seule. Et toi, tu dois te trouver une compagne en OutreMonde aussi. C'est ainsi qu'est la vie, c'est ainsi qu'est la mort. Nous ne devons pas rester seuls.

Danviou baissa la tête. C'était tellement dur !

Ils se firent face. La vivante et le mort. Leur amour ne pouvait exister, et ils le savaient aussi bien l'un que l'autre. Leur désespoir faisait trembler leurs corps et rougir leurs yeux.

T'eal se surprit à renifler et, à l'odeur, il savait que deux ou trois loups derrière lui pleuraient avec le couple perdu. Le puissant loup-garou se jura de montrer à la jeune femme que l'amour pouvait refleurir. Oui, il serait celui qui la soutiendrait dans la peine.

Danviou se rapprocha de Selena.

Il passa tendrement ses mains fantomatiques sur son visage. Puis se pencha et posa un baiser tout aussi fantomatique sur les lèvres roses.

Selena frémit. Et, l'espace d'un instant, on eut l'impression qu'elle avait senti le contact fugace.

Danviou recula et sans un mot, tout l'amour du monde dans ses yeux bleus, flotta lentement vers le vortex. Il avançait à reculons, refusant de quitter des yeux celle qu'il aimait toujours. Il s'immobilisa au dernier moment.

— Je t'aime. Sois heureuse.

Puis il se laissa tomber en arrière dans le vortex, et disparut.

Selena s'affaissa, comme une poupée à qui on aurait coupé les fils. Son puma se rapprocha. T'eal bondit à ses côtés et la soutint. Les yeux brillants de l'Impératrice brasillèrent de la rage de Magister.

Un silence pesant s'abattit, juste troublé par l'un des loups qui se mouchait bruyamment.

— Ouf, grogna la vieille Impératrice qui n'avait pas une once de romantisme, j'ai bien cru qu'il ne partirait jamais. Bon, jeune fille, expédiez-nous ce fameux Magister qu'on en finisse, toute cette histoire m'a épuisée !

Se dégageant de T'eal, Selena s'inclina devant la vieille Impératrice et celle-ci disparut à son tour.

Magister n'avait pas bougé, mais Selena aurait pu jurer qu'il était satisfait. Elle eut envie de faire mal. Comme elle avait mal. Elle haussa la voix. Et il y avait une inflexion sauvage dans son ton, qui fit se raidir les loups.

— Et maintenant, toi et moi allons pouvoir enfin régler toutes nos dettes.

Lisbeth/Magister ouvrait la bouche lorsque la porte explosa, propulsant les loups par terre. Lisbeth bondit, en dépit de ses mains entravées, et fila comme une bombe au travers des débris. Dehors, des loups et des nains, Tara, Cal, Fafnir, Moineau et un étrange garçon lumineux les regardaient, stupéfaits.

Tara réagit la première. Elle se précipita derrière Lisbeth en hurlant :

— C'est Magister, rattrapez-le !

T'eal, les loups et Sylver la dépassèrent très rapidement. Les nains ne couraient pas aussi vite et furent distancés, à la grande rage de Fafnir. Une course poursuite s'engagea dans le Palais, encore accélérée lorsque Tara vit par terre quelque chose qui brillait. Magister s'était débarrassé de ses menottes.

Voyant l'Impératrice leur foncer dessus, poursuivie par des laveurs de carreaux, les courtisans effarés s'écartaient. Tara apercevait le dos de son ennemi, au travers des loups qui le touchaient presque, courant à perdre haleine, le drap flottant derrière lui. Il disparut au détour d'un couloir et lorsqu'ils firent irruption à leur tour, il s'était volatilisé.

Tara se plia en deux, à bout de souffle. Elle avait du mal à respirer. Lisbeth avait subi un entraînement de sprinteuse ou quoi ?

Les loups et Sylver revinrent sur leurs pas, piteux.

— Il nous a échappé, Dame, dit T'eal à Selena qui arrivait, hors d'haleine, suivie par les nains. Il n'a pas utilisé de magie, sans doute un passage secret, il y en a un certain nombre dans le Palais, paraît-il.

Tous se regardèrent, pétrifiés.

Selena laissa des larmes couler sur ses joues. Elle était trop choquée pour réagir. Tara se précipita et l'entoura de ses bras. Galant et Sambor se saluèrent gravement.

— Maman, tout va bien, nous allons l'avoir, ne t'inquiète pas.

— Qui a fait exploser la porte ?

— C'est moi, je suis désolée. La porte n'a pas voulu nous laisser passer et j'ai cru que tu étais en danger.

Selena la serra dans ses bras, montrant qu'elle ne lui en voulait pas, puis se dégagea. La ravissante jeune femme semblait au bord de la crise de nerfs. T'eal essaya de la calmer.

— Ce n'est pas très grave, dit-il paisiblement en attrapant les poignets de Selena qui était en train de se faire mal dans son agitation, il n'est plus le maître du Palais.

— Mais il est toujours dans le corps de l'Impératrice, rétorqua Selena, elle est légitime ! Tant qu'il la contrôle, il contrôle l'empire. C'est nous qui allons passer pour des envahisseurs aux yeux de la nation ! Il faut le trouver, vite !

— Dame, répliqua T'eal, nous n'avons aucune idée de l'endroit où il est allé. Pour ce que nous en savons, il peut être retourné dans les Limbes ! Laissez-moi voir avec mes soldats. Nous avons réparti plusieurs équipes dans tout le Palais, avec les thugs. Ils pourront le rechercher.

Selena hocha la tête, crispée mais impuissante. Ils retournèrent dans la suite. Tara, en tant qu'Héritière de l'Impératrice, connaissait les codes. Elle donna les mots de passe de l'ordinateur et le président des loups entra en contact avec ses troupes. Il ne lui fallut pas très longtemps pour retrouver la trace de Magister.

En fait, ce fut lui qui les contacta.

L'écran de cristal de la suite impériale s'alluma. Ils reculèrent, prêts à tout.

L'image de Magister s'afficha. Il avait fait vite. Il s'était retransformé et son masque fixait les occupants de la pièce. Il sembla vaciller un instant, comme s'il avait le vertige, puis se reprit. Tara se dissimula. Inutile de montrer à Magister qu'elle était là. Il ne pouvait pas l'avoir reconnue sous sa casquette de laveuse de carreaux.

— Alors, c'est ainsi, ma douce, un combat entre toi et moi ? dit-il en fixant Selena.

Celle-ci ouvrit la bouche, puis la referma, l'air sombre.

— Je suis d'accord, continua Magister, voyant qu'elle ne réagissait pas. Amène tes guerriers, j'amène les miens. Le vainqueur remporte la mise. Si je gagne, tu m'épouses et tu cesses de comploter contre moi. Si tu gagnes, je m'en vais. Qu'en dis-tu ?

— Tu n'as aucune chance contre nous, gronda T'eal, tu ferais mieux de te rendre. Le Palais est entre nos mains !

— Couché, le toutou, répliqua froidement Magister, cela ne te regarde pas. C'est entre Selena et moi.

Il avait bien vu la tendre sollicitude du loup-garou pour Selena. Et n'avait pas l'intention de laisser la place à un rival de poids.

T'eal étouffa de rage de se voir traiter de chien, mais Selena lui posa la main sur la manche, le calmant.

— Je suppose que c'est un piège. J'accepte ta proposition.

Le masque de Magister refléta sa surprise.

— Tu acceptes ?

— Oui. Retrouvons-nous dans la salle d'audience. Maintenant.

— Je t'attends.

Et sa voix résonna comme sonne le glas.

— Maman ? Tu as un plan ? demanda Tara. Montagne-Cristaux ? Président T'eal ?

— On fonce dans le tas et on mord tout le monde, gronda le président des loups, impatient de se battre. Nous avons fait des plans et ils n'ont pas fonctionné. Appliquons les bonnes vieilles méthodes.

— On le noie sous nos guerriers, renchérit le triton.

— Oui, tombons-lui dessus, confirma Selena qui ne voulait plus vivre dans la peur.

— Euuh, ce ne sont pas des plans, ça ! intervint Tara, bien formée à l'école de guerre de l'Imperator. Nous devons exploiter les points faibles de notre ennemi. Grâce à la fois à sa magie démoniaque et à son statut de fantôme, il n'est pas si facile à vaincre et à capturer. Cal ?

Le vampyr se tourna vers elle.

— Oui ?

— Viens avec moi, je vais te dire ce qu'on va faire sur le chemin de la salle. Allons-y !

Tara leur expliqua son plan et ils décidèrent de l'appliquer. Tara consulta son hor et jura.

Depuis qu'ils avaient laissé échapper Magister, il s'était passé au moins vingt minutes. Il avait eu tout le temps de manigancer les pires monstruosités.

Lorsqu'ils arrivèrent dans la grande salle d'audience, celle-ci était vide. À part Magister qui se trouvait juste au milieu, les attendant patiemment. Près du trône, Various, le spatchoune, semblait pris de folie. Il caquetait comme un dingue dans sa cage, voletant dans tous les sens en faisant voler les plumes, essayant de leur dire quelque chose.

T'eal huma l'air. Les autres loups en firent autant. Ils avaient senti une autre présence dans la salle.

Ils frissonnèrent.

Une présence qui puait, hérissant leur poil. Ils levèrent les yeux et grognèrent.

Les loups pensaient être assez forts pour vaincre les soldats de Magister. Ils étaient presque une centaine et ne pouvaient pas être tués ou presque. Avec les nains, tout aussi difficiles à éliminer, ils représentaient une force redoutable.

Sauf que Magister n'avait pas de soldats à leur mettre sous la dent.

Il avait des démones.

Selena constata que Xoara n'en faisait pas partie. Danviou l'avait décrite avec une fourrure zébrée de violet, or les trois démones qui flottaient au-dessus d'eux étaient zébrées de citron, bleu foncé presque noir et rose.

Derrière elle, Tara se recroquevilla. Elle était cachée à la fois par T'eal et par sa mère. Ils avaient décidé de profiter au maximum de l'effet de surprise.

Les loups-garous grognèrent. Et se transformèrent. Les démones émirent de petits piaillements joyeux.

— Chic, des humains qui ne sont pas humains !

— Troooop coool, pour une fois qu'ils ne vont pas se briser dès qu'on les touche !

— Arrête de parler comme dans ces séries télé terriennes débiles. Et en plus ils ne disent plus « trop cool », ils disent « trop d'la balle ».

— Trop d'la balle ?

— Parfaitement.

— Et qu'est-ce que ça veut dire ?

— Ça veut dire trop cool.

— Alors, pourquoi ils ne disent pas « trop cool » ?

— Qu'est-ce que j'en sais, moi ? Ce sont des humains ! Tu as déjà vu un humain être logique, toi ?

— Et les petits, c'est quoi ?

— Tu es vraiment ignare, c'est pas possible. Ce sont des nains, des mini-humains, on les a combattus lors de la Guerre des Failles.

Fafnir grimaça. Comment ça, des « mini-humains » ?

— Et celui qui est bleu et vert ?

— Un triton. Très résistants, pas faciles à manger… à peine de quoi faire un casse-croûte avec plein d'arêtes.

Magister regardait les trois démones se disputer et son masque virait lentement au rouge. Il fit un signe et, partout autour d'eux, les Hauts Mages possédés par les fantômes apparurent, comme surgis de nulle part. C'était bien un piège. À eux de le retourner contre son auteur.

Magister prit une longue inspiration désolée et tourna son masque vers Selena.

— Tu te rends ? demanda-t-il d'un ton patelin. Faire tuer tes petits loups serait une perte de temps et de vie inutile.

C'est alors qu'il eut un choc.

Tara se déplia, surgissant derrière sa mère et se planta devant lui.

La jeune fille s'était débarrassée de son uniforme de laveuse de carreaux et resplendissait dans une armure de combat, frappée aux armes d'Omois. Sur son épaule, Galant, qu'elle avait fait sortir. Le pégase lança un hennissement féroce.

Le masque du Maître des sangraves pâlit. Il recula.

— Tara ? Mais…

— Tu voulais la bagarre ? gronda Tara, eh bien, tu vas l'avoir.

Et avant même d'avoir terminé sa phrase, elle lançait un Destructus sur Magister. Celui-ci s'écarta et le jet de magie alla griller le postérieur poilu d'une des démones.

— Aïeuuuuh ! cria-t-elle. Par les boyaux de ma grand-mère, tu vas me le payer, humaine !

Comme un grand oiseau rouge et velu, elle fonça sur la jeune fille. L'un des loups bondit et la percuta de plein fouet, déviant sa trajectoire. Ils se battirent et la démone oublia Tara.

Concentrée, celle-ci continua à harceler Magister, qui se contentait d'éviter ses jets de magie, soit en s'écartant, soit grâce à un solide bouclier.

Il ne se déplaçait pas avec toute sa vitesse et sa force habituelles. Quelque chose semblait le gêner.

Selena la rejoignit, jetant toutes ses forces, sa fureur et sa peur dans la bataille. Magister vacilla sous les coups de boutoir des deux combattantes. Sa magie démoniaque lui permettait d'éviter les attaques les plus violentes de Tara, mais il n'allait pas résister bien longtemps. Galant et Sambor l'attaquaient de concert et il devait veiller à ne pas se faire lacérer. Mais ses jets de magie et son bouclier solide tenaient les deux Familiers en respect.

Voyant qu'ils risquaient d'être détruits pour rien, Tara et Selena les envoyèrent attaquer les autres assaillants.

Dans la salle, la bataille faisait rage. Une partie des loups s'étaient attaqués aux démones, aidés par Fafnir et ses nains, Moineau, Sylver et le triton, tandis que les autres affrontaient les jets de magie des Hauts Mages. Un jet brisa la cage du spat-choune, lui grillant quelques plumes, et l'oiseau s'envola en caquetant de triomphe.

Magister ne s'en rendait pas compte, mais les attaques de Tara et de Selena n'avaient pas pour but de le vaincre. Elles voulaient juste distraire son attention. Elles ne pouvaient pas tuer Lisbeth. Mais elles pouvaient faire mieux. Car Cal avait patiemment attendu que la bagarre commence avant d'entrer silencieusement dans la salle, comme un grand fauve en chasse.

Magister lui tournait le dos, attentif à la prochaine attaque de Selena et de Tara.

Parfait. Cal contracta ses muscles de vampyr et bondit.

Au moment où il allait toucher la peau de Magister, ou plutôt du corps de l'Impératrice, une ombre surgit aussi vite et l'arracha à sa proie. Il feula de fureur.

Et plus encore en reconnaissant Selenba, la vampyr. Elle était revenue directement au Palais, sitôt sa mission sur Patrok terminée.

— Tu pensais que je viendrais sans protection petit Voleur ? ricana Magister tout en parant de justesse l'attaque de Tara, c'est bien mal me connaître.

Selenba tomba sur Cal tandis que Tara harcelait de nouveau Magister. Les deux vampyrs roulèrent comme deux grands chats. Griffes contre griffes, crocs contre crocs. Mais Selenba était plus vieille que Cal et, si le talent de Voleur de celui-ci compensait l'expérience de celle-là, il lui manquait un tout petit peu de puissance pour pouvoir affronter victorieusement la vampyr. Celle-ci évita son coup de pied, passa sous sa défense et lui toucha la mâchoire. À moitié assommé par le choc, Cal tourna sur lui-même et tomba. La vampyr allait l'achever lorsque Sylver bondit et bloqua son coup mortel avec son sabre. Cette fois, le jeune homme avait la ferme intention d'obtenir sa revanche. Sabre contre griffes. Ils engagèrent le combat, tandis que Cal, les yeux troubles, essayait désespérément de se mettre debout. Fabrice, qui refusait de se mêler aux combats et se tenait dans un coin, la tête entre les mains, se releva. Il envoya un Reparus à Cal, qui se redressa, l'air mauvais. Le jeune vampyr se joignit à Sylver pour combattre Selenba, mais très vite, Sylver se rendit compte qu'il le gênait plutôt qu'autre chose.

— Je te la laisse, cria-t-il, je vais aider Tara !

Tara continuait bravement à lancer sa magie sur Magister. Elle concentra le flux pour qu'il soit le plus brûlant possible, un jet de pure énergie. Prêt à détruire. Et tant pis pour Lisbeth. Elle serait blessée, Tara espérait que ce ne serait pas plus grave.

Magister incanta au moment où le jet l'atteignit, son bouclier se modifia et absorba la magie. Puis il fit quelque chose d'inattendu. La magie de Tara vint nourrir la sienne !

Les mains du sangrave brillèrent d'un feu noir. Avant que Tara ait le temps de réagir, il relançait sa magie, droit sur le corps de la jeune fille pétrifiée. Sylver, repoussé par Selenba, vit le jet et bondit.

La magie démoniaque le frappa de plein fouet.

Il avait agi d'instinct, sans même songer que ses écailles allaient repousser le feu de Magister. Il voulait juste sauver la vie de Tara.

Mais ses écailles ne renvoyèrent pas la magie de Magister. Le feu le ravagea, le brûlant jusqu'aux os. Hurlant, il s'abattit à terre, terrassé par la plus horrible douleur qu'il ait jamais ressentie. Il lâcha son sabre.

— Sylver ! cria Tara.

Elle improvisa un bouclier qui les abrita tous les deux,

Magister avait été surpris. Il ne cherchait pas à tuer la jeune fille, juste l'affaiblir suffisamment pour qu'elle cède. Mais le stupide garçon s'était interposé. Tant pis pour lui. Il frappa le bouclier.

Haletante, Selena lança sa magie sur lui afin qu'il laisse sa fille et se concentre sur elle. D'une main, il activa un bouclier qui repoussa l'énergie de Selena et, de l'autre, il continua à harceler Tara afin de la faire faiblir.

T'eal, conscient du danger, bondit sur Magister qui dut repousser son attaque et interrompre le harcèlement de Tara. Il frappa le loup qui fut propulsé à quelques mètres en arrière, percutant deux combattants, puis Selena, qui vacilla, à moitié assommée, incapable de lancer sa magie à nouveau.

Furieux, Magister cria à l'intention de Fabrice :

— Je suis ton maître ! Tu dois m'obéir ! Neutralise ce foutu T'eal ou je te tue de mes propres mains et je fais une carpette de ta fourrure !

Fabrice se pétrifia, regarda Moineau qui était aux prises avec une démone et ne s'en sortait pas très bien, puis son chef de meute. Il pesa le pour et le contre. Sentit la magie démoniaque qui pulsait dans ses veines et l'amour qu'il portait à Moineau.

— Loup, lui cria T'eal que les deux Hauts Mages possédés lardaient de décharges magiques, à moi !

L'appel de la meute fouetta son sang.

— Fabrice ! cria Moineau à son tour, désespérée. Aide-nous !

L'appel de l'amour toucha son cœur.

Ce fut suffisant. L'amour et la meute, c'étaient là des pouvoirs aussi puissants que ceux de Magister. Fabrice se tourna vers le sangrave et cracha par terre.

— Je n'en veux plus de ta sale magie ! grogna-t-il. Moineau a raison. Tu finirais par me tuer comme tu viens de griller celui-là. J'ai déjà commis une erreur. Je n'en commettrai pas une seconde.

Il se transforma en loup, ses vêtements disparurent, ne lui laissant qu'un pagne court.

Il fit alors ce que personne n'avait jamais fait avant lui.

Il rejeta la magie démoniaque. Totalement. Ce fut un acte d'un courage et d'une force incroyables.

Celle-là sortit de son corps avec une violence inouïe et commença à investir Magister qui ne s'y attendait pas. Fabrice hurla de douleur, encore et encore, tandis que la magie tentait de le détruire. Le corps arqué en arrière, comme foudroyé par un monstrueux éclair, sa peau et sa fourrure éclataient sous la pression.

Tara gémit. Il était en train de mourir ! Elle n'aurait jamais dû lui dire qu'il pourrait rejeter la magie.

Mais son organisme de loup était infiniment adaptable. Ses cellules se régénérèrent, il bascula en arrière, à moitié inconscient, un cercle fumant sur la poitrine, signe de sa délivrance. Magister grimaça tandis que la magie le réintégrait définitivement. Le choc en retour avait été désagréable. Mais, bien involontairement, le garçon venait de lui rendre service. Cette magie allait lui permettre de se régénérer. Car la magie de Tara était puissante, mais nocive pour lui. Il ne pouvait pas l'utiliser si facilement.

Cela sauva la vie de Fabrice. Ces quelques secondes pendant lesquelles Magister dut absorber la magie et la digérer lui furent suffisantes pour se redresser, en dépit de la douleur, et se diriger en titubant au secours de T'eal.

À terre, protégeant Sylver, Tara était épuisée. Autant de combats en si peu de temps, son corps n'en pouvait plus. Magister le sentit, il se détourna de Fabrice, hors de portée pour l'instant et s'acharna sur son bouclier.

Et grâce à la magie rendue par Fabrice, celui-ci céda.

Tara et Sylver étaient à sa merci.

Magister eut un rire affreux.

— Je devrais dire merci à ton ami terrien, Tara, sans lui j'aurais eu du mal à tenir bien longtemps, mais maintenant je me sens en pleine forme ! Tu as bien résisté, Tara, vois maintenant ce qu'il en coûte à ceux qui me défient !

Il ajustait son tir lorsque, soudain, une ombre furieuse lui tomba dessus et lui lacéra le dessus du crâne avec son bec. Various venait se venger de tout ce que Magister lui avait fait. Le gros dindon était une véritable avalanche de plumes, de bec et d'ergots. Et le masque de Magister, n'étant qu'une illusion, laissait passer les coups. Tara lança sa magie et Magister fut touché ! Il grogna sous le choc, sa jambe plia. Il virevolta comme un vrai guerrier, lança un jet sur le spatchoune qui le prit de plein fouet.

On entendit juste un « Cloc ? » surpris et le volatile fut expédié dans les hauteurs de l'immense plafond dans un jaillissement de plumes dorées. Tara tentait de puiser au plus profond d'elle-même pour trouver quelques miettes de magie, mais elle n'en avait presque plus. Elle pouvait se défendre, mais la lancer demandait des forces qu'elle ne possédait pas.

Furieux, Magister activa sa magie de nouveau.

Et avant qu'elle n'ait le temps de dévier le coup, qu'elle pensait pour elle, il lança son feu destructeur sur Sylver.

Sous le choc, celui-ci hurla si fort que les murs en tremblèrent. Sous sa peau, la chitine de la Chose voulut percer, mais Magister frappa encore, étonné que le garçon soit toujours en vie. Tara parvint à envoyer un jet de magie sur le sangrave, si faible que celui-ci le détourna sans problème. Selena fit de même. Fatigué de devoir lutter contre celle-ci, Magister s'avança de deux pas, et la frappa de son poing serré.

Tara, qui ne s'y attendait pas, cria lorsque sa mère tomba, du sang sur le visage.

Magister se tourna vers Tara. Celle-ci avait baissé son bouclier et lancé un Reparus sur Sylver, mais il ne semblait faire aucun effet. Folle de rage, la jeune fille s'était relevée, prête à combattre son pire ennemi.

Il incanta un Menottus et les mains de Tara furent emprisonnées dans un carcan d'acier d'Hymlia. Mais elle avait appris avec les meilleurs maîtres. Et plus que cela, elle était extrêmement inventive. Ses mains n'étaient pas seules capables de lancer de la magie. Elle bondit dans les airs, se retourna en un incroyable salto arrière, et de ses pieds jaillirent des salves de magie qui foudroyèrent Magister.

Stupéfait, celui-ci regarda sa poitrine fumante, avant de vaciller. Tara n'avait pas utilisé le feu magique habituel, d'un seul trait. Inspirée par les jeux vidéo qu'elle adorait, elle avait remarqué que certains utilisaient leurs pieds pour tirer, grâce à des revolvers laser placés au bout des bottes. Elle avait transformé sa magie afin de reproduire ce qu'elle avait vu. La première boule de magie avait heurté le bouclier de Magister, qui ne s'y attendait pas, les quatre suivantes l'avaient ébréché et la dernière l'avait blessé. Tara voulait le blesser, pas le tuer, elle n'oubliait pas que sous le masque, se trouvait le véritable corps de sa tante, l'Impératrice.

La jeune fille retomba par terre, les mains toujours immobilisées, les chaussures fumantes et explosées (elle n'avait jamais testé en étant chaussée). Soudain, alors que Tara, espérant que que le fer d'Hymlia ne lui résisterait pas, incantait fiévreusement pour se débarrasser des menottes, il se passa quelque chose d'incroyable, d'inimaginable.

Le corps de Sylver devant elle, se mit à grandir, à grossir. Son visage se déforma, une gueule impossible pointa sous la peau carbonisée.

Magister attrapa Selena, inconsciente, et recula. Tara se débarrassa des menottes et recula aussi, car le corps de Sylver prenait des dimensions insensées.

Des épines jaillirent dans son dos et il hurla. Ses mains se déchirèrent et des serres remplacèrent ses ongles. Sa peau brûlée se détacha, des écailles poussèrent, formant un manteau opalescent sur tout son corps. Ses pupilles se transformèrent.

Tous ses os craquèrent. Ses côtes se dilatèrent, formant un arceau bien plus grand et puissant. Ses jambes s'allongèrent et il hurla encore.

Des ailes poussèrent dans son dos, crevant la peau comme des lances puis se déployant, immenses, encore humides de sang et de fluide.

Et soudain, Tara comprit.

C'était un dragon ! Sylver s'était transformé en dragon !

Le magnifique animal se redressa.

La douleur de la brûlure et celle de la transformation avaient failli le rendre fou. Il baissa les yeux vers les bipèdes stupéfaits qui le regardaient, les yeux exorbités. Il leva une patte griffue et l'examina avec émerveillement.

Tout son corps était si étincelant qu'il était presque douloureux de le regarder. Les couleurs de l'arc-en-ciel irisaient sa peau. Il était superbe, aussi beau sous sa forme reptilienne que sous sa forme humaine. Une petite partie de ses écailles étaient d'un noir de jais, formant un étrange motif en forme d'étoile sur son poitrail.

Tara avait déjà vu des écailles irisées comme ça, mais où ?

— Je suis un dragon, dit Sylver. Je sais qui je suis, je suis un dragon !

Tara avala sa salive avec difficulté. Magister souffla.

— Bien joué, Tara, amener mon pire ennemi ici, formidable. Je suppose que tu as réussi à contacter le Dranvouglispenchir, finalement ? Je pensais avoir réussi mon black-out. Ou alors as-tu trouvé cet avorton sur AutreMonde ?

Le jeune dragon fronça les sourcils.

— Qui traites-tu d'avorton, petit humain ? gronda-t-il.

Magister ricana.

— Que tu sois un garçon ou un dragon ne change rien à l'affaire. Tu vas mourir.

Et il lança sa magie. Celle-ci frappa le dragon qui rugit. Il ne s'attendait pas que la magie démoniaque soit capable de lui faire aussi mal. Il voulut répliquer, mais, maladroit, s'empêtra dans sa queue, qu'il ne savait pas encore contrôler, et s'écrasa contre l'une des colonnes qui soutenaient le toit. Avec un craquement sinistre, celle-ci se rompit. Une partie du toit dégringola sur la tête du dragon stupéfait et l'assomma proprement.

Il s'écroula.

Les loups, les nains, Fabrice, Moineau, le triton, la vampyr et les démones s'arrêtèrent un instant de se battre, abasourdis par le bruit. Puis, en dépit de leur fatigue, reprirent le combat, qui tournait à l'avantage des démones et des Hauts Mages possédés.

Magister ne put retenir un ricanement amusé.

— Tes alliés sont vraiment pathétiques. Finissons-en.

— Non, cria Tara, je ne te laisserai pas faire !

Elle appela la Pierre Vivante et l'anneau. Et ceux-ci répondirent à l'appel. Le jet de Magister jaillit, mais Tara avait déjà protégé le dragon. Son champ bleu l'enveloppait entièrement.

Soudain, alors qu'il allait la foudroyer, Magister suspendit son geste. Son masque blanchit et il vacilla.

— Non, gémit-il, non, ce n'est pas possible !

Il posa le corps de Selena et s'avança vers le dragon. Avant que Tara, stupéfaite, n'ait eu le temps de réagir, il avait écarté les débris qui recouvraient le dragon et regardait au travers du champ de protection.

— L'étoile ! Non. Amava !

Il se tourna vers Tara, l'air sauvage.

— Qu'as-tu fait, maudite ! Il n'est pas... C'est impossible ! Comment l'as-tu trouvé ?

Magister avait perdu l'esprit. Toute force semblait l'avoir abandonné. T'eal en profita. Il bondit et s'empara du corps inconscient de Selena, le mettant hors de portée de Magister.

Tara rassembla ses dernières forces. Elle devait frapper. Maintenant !

Sa magie jaillit dans un feu bleu presque noir, prêt à tout englober dans son déferlement d'énergie. Et s'éteignit aussi sec.

Car une gigantesque onde de choc la frappa, ainsi que tous les combattants. Cela stoppa net la bataille. Tous s'écroulèrent, perdant momentanément le sens de l'équilibre, y compris les démones.

Ils eurent l'impression qu'on leur prenait la tête, qu'on leur sortait le cerveau par les oreilles et qu'on leur remettait à l'envers. Dans tout le Palais, des cris de terreur et de douleur retentirent.

Puis cela cessa aussi brusquement que cela avait commencé.

Lorsque Tara rouvrit les yeux, Magister, les démones et la vampyr avaient disparu. Les Hauts Mages possédés gisaient à terre, inconscients.

Et Sylver avait repris sa forme humaine.

Elle se précipita. Sans réfléchir, elle le prit dans ses bras. Mais aucune écaille ne vint mordre sa chair.

Épuisée, elle se mit à pleurer. Il était mou et sans réaction.

Les yeux dorés du garçon s'ouvrirent. Sur le visage de Tara, strié de larmes, qui le soutenait, désespérée.

Il mit quelques secondes à comprendre.

Elle le tenait dans ses bras !

Il leva une main tremblante.

Ses écailles avaient disparu.

Le choc faillit le renvoyer dans le noir. Il lutta pour rester conscient.

— Tara... dit-il d'un ton hésitant. Tara ?

Les yeux de Tara s'agrandirent lorsqu'elle prit conscience qu'il s'était réveillé. Sylver sentit le corps de la jeune fille s'amollir de soulagement.

— Sylver, mon Dieu, j'ai vraiment cru que... tu... Comment vas-tu ?

— Qu'est ce qui... qu'est-ce... ?

— Tu t'es transformé en dragon, souffla Tara d'une voix encore chevrotante d'angoisse. Magister a essayé de te tuer. Puis il s'est arrêté en voyant la couleur de tes écailles, le motif sur ta poitrine. Il a dit : « Amava, non, ce n'est pas possible ! » C'est alors que j'ai compris.

Sylver, lui, ne comprenait rien du tout.

— Qu'est-ce que tu as compris ?

Tara prit une grande inspiration. Cela n'allait pas être facile.

— Tu es le fils de Magister !

26

Sylver

ou, parfois, il vaut mieux avoir un père un peu moins connu...

Tara sentit le corps de Sylver se raidir. Elle développa ce qu'elle avait senti instinctivement.

— De Magister et d'Amavachirouchiva, la sœur du roi des dragons. Elle savait que son frère n'accepterait pas que sa sœur ait un enfant avec un humain. Je suppose qu'elle a dû confier son œuf à une personne de confiance qui l'a couvé pour elle. Lorsqu'elle a été tuée par son frère, la personne n'a pas dû savoir quoi faire de toi, d'autant que tu n'étais pas encore né. Elle ignorait sous quelle forme tu te présenterais. Lorsque tu es enfin né, tu devais te trouver sous la forme d'un nourrisson humain. Les dragons t'auraient tué, c'est sûr. Elle a donc décidé de te confier à tes parents nains. En échange de l'argent qu'elle leur donnait tous les mois. Même si quelqu'un connaissait ton existence, jamais il n'aurait l'idée d'aller te chercher chez les nains.

— Mais... mon père ? Magister ? Ce... ce n'est pas possible !

— Si, je t'assure. Nous avons vu la vidéo. Il était prisonnier des dragons, parce qu'il avait aimé Amava, mais aussi parce qu'il leur avait volé la Chemise démoniaque. Il a été torturé, mais avant, nous savons qu'il avait été avec Amava. Elle a probablement voulu lui faire plaisir en ayant un enfant de lui, une sorte d'hommage à leur amour. Et j'ai rencontré le roi des dragons (en fait, il avait essayé de la tuer, mais elle ne précisa pas), en voyant tes écailles, je me suis dit que j'avais déjà vu des écailles comme ça, mais ce n'étaient pas ses écailles qui étaient irisées, c'étaient ses plumes ! Cela doit être une sorte de marque de famille. Comme cette étoile sur ta poitrine. C'est lorsque Magister a vu ce motif qu'il t'a reconnu. Sylver, Amavachirouchiva, cela signifie Étoile du Soir en langage dragon. J'ai appris leur langue lorsque je suis allée sur leur planète, mais également que leurs noms signifient quelque chose. Ton nom dragon devrait être Sylverchirouchivu, ce qui signifie Étoile d'argent. Et je sais aussi que souvent les motifs de leurs écailles sont héréditaires. Tu portes celui de ta mère !

— Mais... mon p... Magister... Pourquoi... pourquoi m'avoir... il m'a...

Les mots lui manquèrent. Tara comprit qu'il ne pouvait prononcer le mot « abandonné ».

— Il ne le savait pas. (Tara l'avait vu, la surprise et l'horreur de Magister n'avaient pas été feintes.) Amavachirouchiva ne lui a pas dit, probablement parce qu'elle ignorait si tu allais survivre ou pas. Mettre au monde le produit de deux races aussi différentes a dû demander un sacré paquet d'opérations magiques. Sylver, quoi que puisse être Magister, je t'assure qu'il n'aurait pas abandonné son enfant. Il a aimé autant Amava qu'il aime ma mère. Il t'aurait aimé aussi.

Et probablement perverti au-delà de l'imaginable. Mais cela, Tara ne le dit pas.

— Notre... notre rencontre ?

Sylver était un être innocent. Aussi, la méfiance soudaine dans sa voix ébranla Tara.

— Un pur hasard, dit-elle fermement. Cela n'est pas un complot supercompliqué pour te faire affronter ton père, je te rassure tout de suite. Et heureusement que nous t'avons de notre côté, Sylver, sans toi, nous étions perdus. Tu m'as sans doute sauvé la vie en te jetant devant le feu de Magister. Merci. Tu es un vrai paladin.

Sylver resta un instant silencieux, digérant l'annonce.

— Mon père. J'ai un père. (Son chagrin transparut dans sa voix.) Et c'est un monstre.

Des larmes coulèrent de ses yeux dorés. C'était un instant terrible pour lui. Tara le laissa en paix. Il inspira longuement et plongea ses yeux dans ceux de Tara. Cela détourna son esprit de ce qu'il venait d'apprendre. Même s'il savait qu'il devrait y revenir.

Il leva une main hésitante vers le visage de Tara.

— Je... je peux te toucher ?

Tara hocha la tête.

— Après ta transformation, tes écailles ont disparu. Et je peux te parier que tu ne reverras jamais la Chose non plus. Tout cela n'était que la conséquence de la bataille entre ta partie humaine et ta partie dragonne. Je pense que ta maladresse aussi. Tes réflexes humains luttaient contre tes réflexes de dragon et tu te cassais la figure.

Sylver eut un faible sourire.

— Cela ne va pas me manquer. La Chose non plus, d'ailleurs. Que s'est-il passé d'autre ?

Des cris retentirent dans tout le Palais et un Haut Mage vacillant entra dans la salle d'audience.

— Ils sont partis, cria-t-il, à moitié dingue de joie, ils sont partis ! Ils ont été détruits !

Puis il s'affala dans un fauteuil, se prit la tête à deux mains et se mit à pleurer.

Tara sourit. C'était bien ce qu'elle pensait. Les morceaux du puzzle avaient mis un moment à s'organiser, mais elle avait fini par avoir une bonne idée de ce qui s'était passé.

— Les fantômes ont été détruits, affirma-t-elle. Je n'en suis pas sûre, mais je pense que le père d'Angelica n'était pas aussi prêt à s'allier à Magister que ce dernier le supposait. Lorsque Angelica a disparu avec la machine, j'ai cru qu'elle travaillait pour Magister. Je me suis trompée.

— Ah bon ?

— Oui. Depuis le début, Angelica agissait pour son père. Ses parents n'ont jamais été possédés, je les ai vus à la télécristal, mais c'était trop fugitif pour que je réagisse tout de suite. Lorsque la Résistance a été créée, son père a dû lui ordonner de l'intégrer afin de lutter contre Magister. Ensuite, lorsque MontagneCristaux a pris contact avec moi, Angelica a été envoyée afin de me suivre. C'est pour cela qu'elle a ôté son masque. C'est une garce, mais elle est intelligente. Elle a fait tout ce qu'il fallait pour ne pas me lâcher. Elle savait que je chercherais un moyen de tuer les fantômes. Deux choses sont venues contrarier ses plans. D'une part, elle a acquis la Main-de-Lumière. Ce fut un vrai choc, sans aucun doute. D'autre part, elle n'imaginait pas que la machine était chez les Edrakins. C'est là qu'elle a failli abandonner. Elle ne voulait pas risquer sa vie. Elle espérait que j'irais toute seule. Lorsque je l'ai obligée à venir, elle était folle de rage. Mais elle n'a pas eu le choix. Son père ne lui aurait pas pardonné. Je pense qu'elle le craint bien plus qu'elle n'a peur de moi... ou des Edrakins.

— Mais... pourquoi ?

— Angelica a laissé entendre que son père trouverait assez sympathique de diriger le monde. Je pense qu'il est aussi dangereux et implacable que Magister. Cela n'a pas dû lui plaire d'avoir un aussi gros concurrent que ce dernier, surtout aux commandes d'Omois.

— Elle est donc revenue chez elle avec la machine.

— Oui. Son père a pris le temps de comprendre comment elle fonctionnait. Puis il l'a activée. Enfin, sans doute pas lui-même, mais il a probablement trouvé un pauvre bougre qui s'est sacrifié.

Sylver prit tout à coup conscience de ce que cela impliquait pour le fantôme de son père.

— Il a activé la machine ? Et mon p... Magister ? Il est...

— Je ne sais pas, Sylver. Lorsque j'ai pu récupérer mes esprits, pour le moins secoués par l'action de la machine, il avait disparu, ses démones et la vampyr aussi.

Elle espérait de toutes ses forces que le fantôme avait été détruit, mais n'allait pas l'avouer devant Sylver.

Sylver ferma ses yeux dorés.

— Je me sens si fatigué, soupira-t-il.

— C'est à cause de la transformation, tu n'as pas l'habitude, de plus, tu as été sérieusement blessé. Tu as perdu tant de sang !

L'angoisse dans la voix de Tara fit se rouvrir les yeux de Sylver.

— Je voulais te sauver. J'ai eu tellement de chance de te rencontrer, Tara, tu as illuminé ma vie.

Tara serra les dents. « Tara, tu as carbonisé ma vie ! » aurait été une phrase bien plus juste.

Tout autour d'eux, les loups vivants se relevaient, s'aidant les uns les autres. Les nains essuyaient leurs armes et soutenaient leurs blessés. Cal appliquait un Reparus à Selena qui ouvrait des yeux papillonnants. Moineau soignait Fabrice, mais la brûlure sur sa poitrine refusait de partir, même si la douleur s'était estompée. Jusqu'à la fin de ses jours, il porterait le stigmate de son erreur. Une fois remis sur pied, il soigna Moineau qui saignait de partout. MontagneCristaux traitait les nains blessés, en dépit de leurs hurlements indignés, vu leur horreur de la magie.

Ils étaient tous mal en point. Les démones et les Hauts Mages n'avaient pas fait de quartier.

Tara reporta son attention sur Sylver, qui scrutait son visage avec attention.

— Je peux te demander quelque chose ? dit soudain le garçon.

— Vas-y.

Il prit une grande inspiration, comme s'il devait aller chercher le courage au plus profond de lui-même.

— Est-ce que… est-ce que tu pourrais me toucher ? S'il te plaît ?

Tara retint sa respiration.

Sylver, une supplication dans ses magnifiques yeux dorés, lui tendait la joue. Elle allait y poser sa main lorsqu'elle comprit que ce n'était pas assez. Il avait tellement peur ! Tout son corps tremblait.

Elle plongea ses yeux bleus dans les yeux dorés et le monde extérieur disparut.

Elle se pencha, évita la joue et posa ses lèvres sur les lèvres de Sylver.

Il fut tellement surpris qu'il en resta totalement immobile, incrédule. Ce n'était pas un baiser d'amour, car Tara n'était pas amoureuse de Sylver. Pas encore du moins. C'était un baiser d'une tendresse inouïe. Qui lui fit venir les larmes aux yeux. Elle n'avait pas hésité. Elle n'avait pas eu peur. Elle n'avait même pas songé que si ses écailles avaient disparu, peut-être que sa salive, elle, était toujours acide.

Non. Elle l'avait touché. Et en le touchant, elle toucha son cœur. À jamais.

— Tara ?

Une voix incrédule fit se redresser la jeune fille.

Quelqu'un se précipitait vers elle. Elle vacilla. Ce n'était pas possible ! Incapable de se relever, la nausée au bord des lèvres, elle leva les yeux. Vers un visage inoubliable. Et plongea dans des yeux de cristal.

Robin.

Le visage du demi-elfe était creusé. Ses beaux cheveux longs avaient disparu, laissant place à une courte brosse noir et blanc qui ne parvenait pas à l'enlaidir.

Mais, plus que la joie insensée de voir que Robin était vivant, c'est l'air profondément meurtri et trahi du demi-elfe qui brisa Tara. Derrière lui, Mara, qui avait grandi pendant ces deux mois et demi, lui adressa un sourire et se précipita vers Cal.

Doucement, Tara se dégagea de Sylver et se releva, les jambes en coton.

— Robin ? Mon Dieu, Robin ? Je… je croyais que… Je croyais que tu étais mort ! Ce n'est pas possible ! J'ai vu ton fantôme !

L'elfe violette qui se tenait juste derrière Robin s'avança.

V'ala.

— Si tu as vu son fantôme, c'est que tu es plus atteinte que nous le supposions, Héritière, ricana l'elfe.

— Mais il était mort, insista Tara, butée, je l'ai vu !

— Pas tout à fait, infirma V'ala. *Je* l'ai sauvé. *Moi.* Enfin, Llillandril et moi l'avons sauvé. J'étais en route pour le prévenir à propos de MontagneCristaux lorsque tu as libéré les fantômes. Ils ne m'ont pas attaquée. J'ai vu Xandiar sortir comme un fou de ta suite, tu étais dans ses bras. La porte était restée ouverte, j'allais me jeter à ta poursuite lorsque j'ai vu Robin, en train de mourir.

— J'ai essayé, balbutia Tara, j'ai essayé, mais…

— L'esprit de l'arc, Llillandril, est une sorte de fantôme, l'interrompit V'ala, qui n'avait pas l'intention de perdre l'attention de tout le monde, dont l'arc serait le corps. Lorsqu'il a senti qu'il perdait son porteur, Llillandril a décidé de combattre le fantôme qui le possédait et a réussi à le détruire. Mais Robin était trop blessé pour survivre, ses membres étaient déjà décomposés, c'est un miracle que son cœur et son cerveau aient survécu. J'ai lancé un Reparus et un Revivus, Llillandril m'a aidée. Sacré elfe ! À nous deux, nous avons réussi à maintenir une stase autour de lui. Nous sommes sortis du Palais et sommes partis pour notre patrie. Avec l'aide de sa grand-mère et des guérisseurs, nous sommes parvenus à le sauver. De justesse. Il est resté inconscient pendant plus de deux mois et demi. Le temps de refaire pousser ses bras et ses jambes, que nous avons dû amputer.

Sur l'épaule de Robin, Sourv, miniaturisée, hocha ses têtes d'hydres. Elle avait vécu les deux pires mois de sa vie. Cela l'avait considérablement calmée.

— Je viens tout juste de me réveiller, il y a quelques heures, confirma Robin d'une voix incertaine. V'ala m'a dit que la Résistance avait coordonné la reprise du Palais à Magister et je suis venu ici tout de suite.

— Il n'aurait pas dû, dit V'ala, mécontente. Il est loin d'être guéri.

— Et lorsque je suis revenu, dit Robin, toute la douleur du monde dans la voix, je t'ai trouvée en train d'en embrasser un autre !

Tara ouvrit la bouche pour dire que cela n'avait aucune importance, que Sylver ne représentait rien. Puis la referma. Si elle faisait cela, elle blesserait le jeune dragon plus sûrement qu'en lui enfonçant un couteau dans le cœur.

— Je... je te croyais mort, finit-elle par répéter, avec l'impression d'être dans un cauchemar sans fin.

— Je ne comprends pas. V'ala ne t'a pas annoncé que j'étais vivant ? Elle m'a dit qu'elle t'avais vue à Travia !

Tara se redressa.

— Non, Robin, tu dois me croire, V'ala ne m'a jamais dit qu'elle t'avait sauvé !

À présent, Tara comprenait l'étrange attitude de V'ala lors de la réunion. Elle savait que Robin était vivant ! Elle serra les poings, sentant la colère remplacer le chagrin.

— Ooopps ! dit l'elfe violette avec un grand sourire carnassier, cela a dû me sortir de l'esprit.

Tara allait lui sauter dessus (et probablement se prendre une raclée vu que l'elfe était plus forte qu'elle, mais tant pis) lorsque Sylver se redressa péniblement.

— Tara, dit-il, que se passe-t-il ?

Tara se retourna et l'aida à se relever. Il passa un bras autour de sa taille et Tara, toute rouge, n'osa pas le retirer.

Évitant le regard blessé de Robin, elle aida Sylver à s'asseoir sur un siège.

Puis elle se dégagea, ignorant la main tendue de Sylver, qui retomba lentement. Le jeune dragon fronça les sourcils

Génial, quoi qu'elle fasse, elle allait heurter les sentiments de quelqu'un. Une formidable envie de prendre ses jambes à son cou fit frémir son corps. Elle se retourna, éperdue. Selena s'avançait vers elle, les bras tendus.

Ce fut comme un navire qui voit le phare du port au milieu d'une tempête mortelle, un naufragé qui, agrippé à son espar, aperçoit les sauveteurs. Tara se précipita dans les bras maternels et y fut engloutie.

Elle éclata en sanglots. Abandonna le fardeau. Redevint une petite fille qui pleurait dans les bras de sa maman.

Selena lui caressait les cheveux en lui murmurant des mots doux.

— Là, là, ça va aller, ma chérie, ma douce, mon bébé, mon amour, ma beauté, ma tendresse, là, là…

Encore faible, Robin dut s'asseoir lui aussi. Il dévisagea son rival. Eut un pincement au cœur. Le garçon était aussi beau qu'un elfe. Robin ne s'en vantait pas, mais il savait qu'il était beau. Là, son léger sentiment de supériorité sur les autres humains venait tout à coup de s'évanouir.

— Qui es-tu exactement ? demanda-t-il avec arrogance. Et qu'es-tu pour ma Tara ?

— Je suis le fils de Magister et d'Amava, répondit dignement Sylver. Et ce n'est pas « ta » Tara.

Robin en resta bouche bée. Puis il bondit sur ses pieds.

— Quoi ? rugit-il. Le fils de qui ?

— De Magister. Et de la dragonne Amava, sœur du roi dragon, répéta gentiment Sylver en se demandant si le demi-elfe avait des problèmes d'oreille.

Et au cas où il n'aurait pas entendu, il répéta aussi :

— Et ce n'est pas « ta » Tara.

— Arrêtez-le ! ordonna Robin, en désignant Sylver, c'est le fils de notre ennemi !

Les thugs qui l'avaient suivi hésitèrent. Les loups, qui avaient combattu aux côtés de Sylver et l'avaient vu se faire torturer par Magister, grognèrent et se massèrent devant le jeune dragon.

Les thugs dégaînèrent leurs sabres.

À ce stade, tout aurait pu très mal se passer si Selena n'était pas intervenue.

— Oh ! ça suffit comme ça, s'exclama-t-elle, rangez-moi ces griffes et ces sabres. Personne ne va arrêter personne. Sylver est un allié précieux. Robin, cesse d'être ridicule. Tu n'étais pas là, tu ne sais rien de rien. Alors calme-toi et assieds-toi avant que je ne m'énerve !

Robin lança un regard noir à Sylver et obéit. Les thugs rangèrent lentement leurs sabres, tandis que les loups se retransformaient en humains.

Tara se mouchait bruyamment dans un mouchoir prêté par sa mère et ne se sentait pas mieux. Elle allait avoir plein d'explications à donner. Et comment, par tous les démons des Limbes, le fantôme de Robin avait-il pu venir la voir alors qu'il n'était pas mort ?

Soudain, la réalité la frappa, lui fauchant les jambes.

Si Angelica ne l'avait pas suivie, si elle n'avait pas rencontré Sylver, elle aurait activé la machine… et serait morte pour rien ! Pour retrouver Robin en OutreMonde alors qu'il était sur AutreMonde !

Elle frissonna. Elle avait eu une chance si énorme qu'elle n'arrivait pas à y croire. Enfin, si sa chance avait pu la soutenir encore pendant quelques minutes, histoire que son petit ami n'arrive pas juste au moment où elle embrassait un autre garçon, cela aurait été bien aussi.

Elle s'avançait courageusement entre les deux lorsque Xandiar, toujours son pansement autour du cou mais l'air intensément soulagé, fit irruption dans la salle.

— Nous avons retrouvé le corps de Magister et son cercueil de cristal ! cria-t-il.

— Où ? Vite, dites-nous où ?

— Dans la seconde salle d'audience privée. Venez vite !

Ouf ! sauvée par le gong. Absurdement reconnaissante envers le thug, Tara se précipita, en dépit de ses jambes en coton, à la suite de sa mère. Sylver et Robin clopinaient derrière elle, aussi mal en point, mais rivalisant à celui qui irait le plus vite. Lorsqu'ils faillirent se casser la figure tous les deux en voulant passer une porte en même temps, Tara serra les dents. Sa vie devenait de plus en plus compliquée. Et son cœur lui faisait mal.

Il ne leur fallut pas très longtemps pour arriver.

La seconde salle d'audience n'était pas aussi imposante que la première. Moins sculptée, plus « humaine ». Mais cela restait un petit bijou de décoration, sculptures multicolores, tableaux et fresques animées qui couraient sur les murs.

Et au milieu, flottant paisiblement, un cercueil de cristal.

Contenant le corps d'un homme. Au masque doré.

Magister.

Ils s'approchèrent avec méfiance. Mais il ne bougeait pas.

— Son fantôme a été anéanti, c'est sûr, dit Selena, n'osant élever la voix. Je pense qu'il faut également détruire son corps. Maintenant.

— Si le cercueil est protégé, nous risquons de prendre la magie en ricochet, précisa T'eal, très professionnel.

— Non, dit Sylver, suppliant, vous ne pouvez pas. C'est... il est... ce n'est pas possible ! C'est... c'est mon père... Vous devez me... Je viens tout juste de...

T'eal ne lui laissa aucune chance. Il n'avait pas envie de se battre contre un dragon. Il le fit encadrer par ses loups.

— Je suis désolé, jeune dragon, dit-il doucement, mais tu ne sais pas à quel point cet homme est maléfique. Nous devons en débarrasser cette planète. Fabrice !

— Président ?

— Fais ce qu'il faut, je te prie. Après tout, c'est à cause de toi que tout cela est arrivé, d'une certaine façon.

Fabrice pâlit, puis s'approcha du cercueil comme d'une bombe à retardement. Il sortit un couteau de sa ceinture. Il savait que sa punition pour avoir trahi l'empire et s'être allié avec Magister allait durer longtemps. Il allait être corvéable à merci pendant un certain nombre d'années. M'enfin, c'était mieux que d'être mort ou tout simplement l'esclave d'un monstre sans âme.

Utilisant sa force de loup pour basculer le lourd couvercle, il le fit tomber avec un bruit sourd qui résonna dans toute la salle.

Devant lui, le corps haï de Magister reposait, son masque bien en place sur son visage.

Il leva son poignard.

Sylver, les larmes coulant sur son visage, baissa la tête, incapable de regarder la mise à mort de son père.

— Attends, hurla Tara, attends !

— Quoi ?

— Regarde ! Sa poitrine ! Il respire !

— Et alors ?

— Réfléchis, si nous avons détruit son esprit, et que son corps n'est pas encore réparé, comment se fait-il que celui-ci respire ?

— Je ne sais pas, gronda Fabrice qui voulait en finir. Peut-être qu'il lui a jeté un sort ?

Tara regarda les scoops qui les avaient suivis. Pour l'instant, elles n'étaient pas connectées avec les journalistes du fait du blocage du Palais, mais elles enregistraient, oh oui ! elles enregistraient. Elle réfléchit. Si elle avait été le fantôme de Magister, et qu'elle avait appris qu'une machine capable de le détruire était entre les mains d'ennemis, qu'aurait-elle fait ?

Tara aurait réintégré son corps. Et vite fait. Même si celui-ci était encore faible. Pendant le combat, elle l'avait remarqué. Sa magie démoniaque n'avait pas été si puissante que ça. Elle aurait dû tuer Sylver. Elle ne l'avait pas fait. Magister avait-il agi par compassion ou par faiblesse ? Tara penchait pour la seconde solution. Et il avait vacillé. Plusieurs fois.

Seule la magie rendue par Fabrice l'avait aidé à tenir son combat. Ce n'était pas normal. De plus, pourquoi cette magie avait-elle réintégré le corps de l'Impératrice, alors que, plus logiquement, elle aurait dû retourner au véritable corps de Magister ? Tout cela sentait mauvais. À propos d'odeur… cela lui donna une idée.

— Respire ! dit-elle à Fabrice. Sens-le. Tu as un odorat de loup, bien plus puissant que celui des humains. Transforme-toi et sens-le.

Fabrice fronça les sourcils, mais obéit.

Dès qu'il fut sous sa forme de loup, il se pencha et huma d'une longue inspiration. Ses yeux jaunes s'écarquillèrent.

— Par le sang de mes ancêtres, bredouilla-t-il, ce n'est pas Magister. La vache, ça sent comme… comme le parfum de l'Impératrice ! Tu sais, le machin avec la lavande et la fleur d'ylingouli ylingouli !

Tara incanta. Son jet de magie fit sursauter Fabrice, mais ne toucha que le corps de Magister. Le sort se brisa avec un « cling » presque audible.

Et l'Impératrice apparut à la vue de tous. Tara et les autres se précipitèrent.

Sylver se dégagea des loups et tomba à genoux, soulagé. Ce n'était pas son père !

L'Impératrice ouvrit des yeux brumeux.

— Qu'est… qu'est-ce qui… Oooooh, ma tête !

Fabrice, galant, la sortit du cercueil. Les scoops filmèrent l'événement avec délectation. Il fallut quelques minutes pour que la jeune femme soit en mesure de se tenir sur ses jambes sans avoir l'impression qu'elles allaient s'effondrer sous elle.

Elle braqua son regard de nouveau étincelant sur Tara qui se tortilla, gênée.

— Eh bien, mon Héritière, qu'as-tu à me dire ?

— Euuuh… bienvenue ?

— Pas ça.

— Pardon ?

— Non plus.

— Je suis désolée.

— Je m'en fiche.

Tara se trouva un peu à court.

— J'ai été prisonnière pendant deux mois de cet immonde individu, reprit l'Impératrice. Dis-moi que tu as tué cette ordure de Magister et là, peut-être que je pourrai te pardonner.

— Euh… en fait, non.

— Non ?

— Il s'est échappé.

— Mais nous avons capturé son fils, dit l'un des thugs, voulant se montrer efficace.

L'Impératrice sursauta

— Son fils ?

— C'est une longue histoire, expliqua Tara en foudroyant le thug du regard. Et nous n'avons pas capturé son fils. Son fils s'est allié avec nous pour combattre son père, nuance.

Comme elle l'avait dit, c'était une longue histoire. Avec des tas d'intervenants.

L'Impératrice leur fit signe de la suivre, se pelotonna dans les bras de Fabrice, au grand désarroi de Moineau, et lui demanda de l'accompagner dans sa suite.

Le reste fit l'objet d'une audience privée, pendant laquelle elle prit une bonne douche, sans cesser d'écouter, son corps ruisselant dissimulé par la magie, comme pour se débarrasser de l'aura de Magister.

Tara raconta sa partie, dont la fuite d'Angelica avec la machine, Cal, la sienne, Séné, ce qui s'était passé au Palais avec Elseth, Danviou, Fafnir et T'eal, Selena ce que Magister avait fait. V'ala parla pour Robin et les elfes. Xandiar pour la garde. Et Sylver… eh bien Sylver parla pour Sylver.

Ils mesuraient tout juste à quel point ils étaient passés près de la catastrophe lorsque Lisbeth reçut un coup de fil… enfin de cristal.

De Maître Brandaud.

Le grand homme à l'air arrogant et aux épais cheveux poivre et sel contacta Lisbeth juste au moment où elle écoutait le troisième débriefing de Tara.

— Vous me devez une faveur, Votre Majesté Impériale, annonça-t-il après les salutations courtoises d'usage.

Les yeux de Lisbeth étincelèrent. Elle n'aimait pas les dettes.

— Une faveur ? répéta-t-elle d'une voix douce où se cachait une subtile menace. Genre « fais gaffe à ce que tu vas demander mon gars… ».

— Disons plutôt un échange de bons procédés, rectifia vivement Maître Brandaud. Après tout, j'ai dû sacrifier l'un de mes plus fidèles serviteurs pour sauver notre planète.

L'image derrière lui recula et zooma une pièce close où se trouvait la machine antifantômes, qu'approchait un gars à l'air assez inquiet. Sur le dessus, jaillissant de la pierre comme une fleur improbable, une tige avait fleuri. Maître Brandaud avait été plus inspiré que Tara, il avait réussi à ouvrir la machine.

L'homme appuya sur la tige et celle-ci s'enfonça dans la pierre. Il y eut un grand éclat de lumière.

Et l'homme se mit à hurler. La machine n'avait pas été utilisée depuis longtemps et avait accumulé beaucoup d'énergie. Ses ondes se libérèrent brutalement, taillant le pauvre bougre en pièces. Puis il y eut une énorme déflagration, l'onde s'étendit, traversa les murs et s'élança vers le reste du monde. Laissant un cadavre déchiqueté et sanglant derrière elle.

Maître Brandaud observa les visages choqués, revenant devant son écran de cristal.

— Apparemment, les effets des radiations sont un peu plus… immédiats que prévu.

Tara avait envie de vomir. Et Robin était très pâle, comme Sylver, Fabrice et Moineau. Personne ne savait à quel point elle était passée près de la mort. Angelica l'avait sauvée sans le savoir. Enfin, si, elle le savait à présent. Et, la connaissant, devait le regretter.

— Je… vois, admit Lisbeth du bout des lèvres. Que désirez-vous, Maître Brandaud ?

— Une toute petite chose, Votre Majesté Impériale. Ni titres, ni châteaux ni terres. J'aimerais juste que ma fille, Angelica, devienne première sortcelière à votre cour. À Tingapour. Le Lancovit est un endroit merveilleux, mais Omois, c'est autre chose.

« NON » faillit hurler Tara qui dut se mordre les joues pour ne pas intervenir.

L'Impératrice évita de laisser la surprise transparaître sur ses traits.

— Et ce sera tout ?

— Ab-so-lu-ment, confirma le Haut Mage, juste cette toute petite faveur.

L'Impératrice le dévisagea d'un air songeur et l'homme eut l'air nettement moins sûr de lui l'espace d'un très fugitif instant.

— C'est accordé, décida Lisbeth. Merci de votre collaboration Maître. Nous attendons votre fille.

Et elle coupa la communication sans lui laisser le temps de réagir.

Puis elle regarda Tara et se tapota les lèvres. Celle-ci se tenait entre Sylver et Robin comme un lapin entre deux loups. En sachant que quelque chose allait très mal se passer. Pour lui.

Derrière la jeune fille, le Taragang et Selena qui la soutenaient, indéniablement.

Lisbeth avisa Xandiar. Le grand thug était au garde-à-vous.

— Mon chef des gardes ? demanda Lisbeth.

— Votre Majesté Impériale ?

— Veuillez arrêter mon Héritière, je vous prie, et la mettre au secret immédiatement.

27

L'Héritière

ou comment sauver le monde et s'en mordre les doigts.

Xandiar était navré. Sur les talons de Tara, il s'efforçait de faire croire qu'il ne faisait que la suivre et non l'arrêter. L'ordre de l'Impératrice avait choqué tout le monde dans la salle, mais Xandiar était un soldat. Il avait immédiatement obéi. Sa main était tombée, lourde et sans appel, sur l'épaule frêle de Tara (la petite avait maigri, c'était terrible) et l'avait poussée hors de la pièce.

Les autres n'avaient pas osé les suivre, tant la voix de l'Impératrice avait été glaciale. Mais un tonnerre de protestations avait jailli juste au moment où ils franchissaient la porte.

Xandiar se pencha.

— Je suis tellement désolée, Votre Altesse Impériale, je dois vous accompagner dans les appartements privés, près de la prison. C'est là que sont tenus les prisonniers de haute qualité, lorsqu'ils sont mis au secret.

Le garde pensait que Tara serait furieuse, mais celle-ci dit juste :

— Et dans ces appartements, il y a un lit ?

— Euh, oui, Votre Altesse Impériale.

— Et vous serez devant la porte pour empêcher qui que ce soit d'entrer ?

— C'est le principe même du secret, Votre Altesse Impériale. Personne ne doit vous voir ni vous parler.

Tara tourna la tête vers lui et, stupéfait, il se rendit compte qu'elle arborait un magnifique sourire.

— Paaaarfait, dit-elle, pour l'instant, je ne veux surtout voir ni Robin, ni Sylver, ni qui que ce soit. Je veux juste dormir, je n'en peux plus !

456

Xandiar faillit s'arrêter de surprise. Il ne comprenait pas bien sa petite protégée. Lui, si on l'avait emprisonné, il aurait été furieux !

Néanmoins il obéit aux ordres.

Tara fut heureuse. Elle se lava, dormit, mangea, dormit, se lava, dormit encore et au bout de deux jours de ce régime, commença tout juste à se sentir un peu plus humaine. Galant aussi était épuisé et profita de ce repos pour se regonfler les plumes.

Enfin, alors qu'elle commençait tout doucement à s'ennuyer, la porte de sa luxueuse prison s'ouvrit sur Xandiar. Le grand garde paraissait tourmenté et évitait le regard de sa prisonnière.

Personne ne l'accompagnait.

Tara sentit une légère inquiétude l'envahir.

— Hrrrmmm, dis-moi, Xandiar, demanda-t-elle d'une petite voix, c'est quoi la peine à Omois pour avoir mis AutreMonde à feu et à sang, normalement ?

Xandiar ne répondit pas et lui fit signe de sortir.

L'inquiétude de Tara s'accentua.

— Allez, dis-moi. Ce n'est pas… ce n'est pas un truc terrible genre… couic ?

Elle mima une lame passée sur son cou.

Le garde lui jeta un regard navré.

— Je n'ai pas le droit de vous parler, votre Altesse Impériale. Veuillez me suivre s'il vous plaît.

Tara faillit lui faire remarquer qu'il lui avait parlé, mais se retint. Xandiar avait l'air tellement malheureux qu'elle ne voulut pas rajouter en sarcasmes.

Il la conduisit par des chemins détournés, secrets, qui ne la mirent pas en contact avec d'autres personnes. Ils débouchèrent juste devant la grande salle du Trône.

Tara en resta bouche bée. Devant eux, se tenaient des milliers de courtisans et de diplomates de toutes les races représentant AutreMonde. L'Impératrice trônait dans une magnifique robe pourpre et or, sur laquelle s'étalait le Paon pourpre aux Cent Yeux d'Or, symbole d'Omois. Ses longs cheveux étaient restés blonds, accentuant sa ressemblance avec Tara.

L'entourant, les Hauts Mages flottaient, attentifs, également vêtus des robes pourpre et or des grandes cérémonies, constellées de pierreries et de décorations. À sa droite se tenait l'Imperator, enfin rentré de sa campagne contre les pirates des Brumes et qui, prudent, était resté loin des fantômes et de sa demi-sœur possédée, aidant la Résistance à s'organiser dans les îles. À sa gauche, un vieil ami de Tara. Chemnashaovirodaintrachivu. Arrivé directement du Dranvouglispenchir, le grand dragon avait gardé sa forme imposante, bleu et argent et scrutait la salle de ses yeux de serpent doré.

Ce qui perturba Tara, c'était que lui aussi avait l'air tourmenté.

Le Roi Bear et la Reine Titania du Lancovit étaient là également, encore un peu ronds de leur folle gaverie fantomesque, tout de bleu et d'argent vêtus, les couleurs du Lancovit. Ce ne fut qu'en les voyant ensemble que Tara prit conscience que les couleurs du dragon et des Lancoviens étaient les mêmes.

Le président des Vampyrs était aussi présent, avec Kyla et A'rno. Dès qu'ils virent Tara, leur regard s'éclaira et ils lui firent de grands gestes qu'elle n'osa leur retourner. Le président des loups-garous, T'eal, aussi, la contemplait, très protecteur envers Selena. Ce qui n'avait pas l'air de plaire des masses à son puma, Sambor. Un chat et un chien… mmmh. Tara serra les lèvres. Et encore plus lorsque son regard croisa celui, gris fumée, de la Reine des Elfes, toute d'argent vêtue, belle et froide à en perdre la raison.

Les trompettes sonnèrent, la faisant sursauter (il avait fallu en recréer d'autres, les trompettes officielles ayant mystérieusement disparu). Suivie par des milliers de regards, cernée par les scoops qui retransmettaient dans toute la galaxie, Tara s'avança et prit place à l'endroit que lui indiquait Xandiar.

Aux pieds de l'Impératrice et non pas à ses côtés.

Si Jar était encore sur Terre, avec Isabella, Mara, la petite sœur brune de Tara, en revanche se tenait, debout sous l'ombre protectrice de Grr'ul, sa troll garde du corps, en compagnie de Cal, Moineau, Sylver, Fafnir, Fabrice et MontagneCristaux. Ils étaient vêtus de blanc, la couleur des héros d'Omois, et leurs symboles personnels se détachaient sur les magnifiques robes de sortceliers. Le renard pour Cal, la panthère pour Moineau, un dragon pour Sylver, une hache pour Fafnir, un mammouth pour Fabrice, une balboune pour MontagneCristaux. Various Duncan, sans ses plumes, posait un regard noir et méfiant sur tout le monde. Il lui avait fallu des heures pour s'arrêter de glousser et de chercher les vers de terre. Une tête de loup grognait sur sa robe blanche.

Seule la robe de Mara était immaculée. Peut-être n'avait-elle pas encore choisi son symbole. La connaissant, ce serait un poignard, une épée ou une fiole de poison...

Robin ne faisait pas partie du groupe, il se tenait, encore fatigué et malade, de l'autre côté et son regard brûlant ne quittait pas Tara.

Le Héraut les appela d'une voix forte, énumérant titres et qualités (bon il ne mentionna pas que Cal était un futur Voleur Patenté). Tara avait oublié que l'Impératrice leur avait donné des terres et des titres Omoisiens lorsqu'ils avaient sauvé Autre-Monde du Ravageur d'Âme... et de son propre oncle.

Cal fut le premier.

Comme personne ne lui avait laissé voir Tara, il était toujours sous sa forme de vampyr. Et son renard aussi. Tara avait oublié que la transformation affectait aussi les familiers. Heureusement que personne n'avait songé à observer Blondin parmi les animaux du parc, sinon le tueur de fantôme aurait été démasqué bien plus tôt.

Grand, superbe, félin, il s'avança et stoppa brusquement lorsqu'une énorme acclamation s'éleva, appuyée par les applaudissements des courtisans. Il salua avec un grand sourire et posa un genou gracieux devant l'Impératrice.

— Pour tes hauts faits, pour avoir délivré tes souverains, pour avoir aidé à vaincre Magister en neutralisant les fantômes envahisseurs, nous, Lisbeth'Tylanhnem, Impératrice d'Omois, te remettons la plume d'Or du Paon, la plus haute distinction de notre empire, ainsi que les revenus afférents.

Cal ne put retenir un sourire plus gros encore. Il n'avait pas fait cela pour une quelconque récompense, mais appréciait tout de même.

Il jeta un coup d'œil à Tara. Le sang c'était cool, mais là, il avait vraiment envie d'une glace. Au chocolat. Avec de la crème.

— Mon Héritière ? claironna Lisbeth.

Tara sursauta. Puis, le ton étant formel, répondit de même.

— Votre Majesté Impériale ?

— J'ai cru comprendre que tu étais responsable de cet état de vampyr. Rends sa forme normale à ce jeune héros je te prie.

— Oui, Votre Majesté Impériale.

Tara se leva vivement et prit les mains de Cal.

— Qu'est-ce qui se passe, bon sang ? lui murmura-t-elle, on a l'impression que vous allez enterrer quelqu'un ! On a gagné, non ?

Cal fit la grimace.

— Je n'en sais rien. Juste des bruits, des rumeurs, sur une sanction exemplaire. Mais ne t'inquiète pas. Si les choses tournent mal, on a un plan pour t'évacuer.

L'évacuer ? Comment ça l'évacuer ?

Tara allait répondre lorsque l'Impératrice l'interpella.

— Mon Héritière ?

— Oui, oui, je le fais tout de suite, Votre Majesté Impériale.

La transformation fut facile. Tara avait recouvré ses forces et n'eut besoin de retransformer personne en crapaud comme en Krasalvie.

Cal ne hurla que très peu. Les courtisans blanchirent et certains durent sortir.

Enfin le petit Voleur se tint devant elle, intact, Dieu merci.

Il lui fit un sourire de travers et alla se replacer en titubant. Mara lui prêta une épaule compatissante et foudroya Tara du regard.

Ce fut le tour de Fabrice.

Les acclamations furent plus faibles.

Il posa un genou à terre devant l'Impératrice, horriblement mal à l'aise.

Mais l'Impératrice se contenta de lui remettre sa décoration, deux crans en dessous, celle de bronze. Et lui confirma que pour son action héroïque contre Magister, toutes les charges contre lui étaient levées. Après cela, elle lui intima fermement de retourner au Lancovit.

Fabrice, un peu étourdi, se releva.

Ce fut le tour de Moineau. Elle reçut la plume d'Or. Elle l'avait amplement méritée. La main posée sur sa panthère comme si elle ne pouvait s'empêcher de la toucher, elle était radieuse.

Tous les gens se souvenaient de son combat de Bête contre Magister lorsque celui-ci l'avait fait fouetter. Les applaudissements furent explosifs, et repartirent de plus belle quand MontagneCristaux reçut la même distinction.

Vint ensuite Fafnir, qui regarda la plume d'Argent comme si celui qui l'avait ciselée était un âne bâté, puis Various Duncan qui eut l'air tout aussi méfiant. Il s'était juré de partir au plus vite de cet endroit et avait bien l'intention de le faire avant que quelqu'un ne le transforme encore en oiseau.

Une grosse femme accompagnée de son mari, qui n'avait qu'une seule jambe, reçut le duvet de Bronze. Tara comprit vaguement qu'elle avait aidé l'Impératrice fantôme, Elseth. Un ballon rouge, très semblable à celui qui avait accompagné l'aragne dans la forêt, fut apporté et collé fermement à la hanche de l'homme. Une jambe apparut et l'homme entama une joyeuse gigue avant d'embrasser fougueusement son épouse, ravie. Ah, c'était donc probablement le même. Le mystère du ballon rouge s'éclaircissait.

D'autres reçurent des récompenses. Beaucoup avaient lutté. Quelques-uns l'avaient payé de leur vie. Leurs proches reçurent les récompenses et Tara vacilla sous le poids de leurs regards.

Enfin, Sylver fut appelé.

Le jeune demi-dragon semblait apaisé. Il s'avança comme les autres mais avant que l'Impératrice ne puisse lui donner sa récompense, il leva la main.

— J'ai parlé avec mon père, dit-il doucement en sortant une boule de cristal de sa poche. Puis-je vous montrer, Votre Majesté Impériale ?

Les yeux de Lisbeth fulgurèrent. Elle n'aimait pas les surprises. Mais elle acquiesça, inquiète. Sylver activa sa boule de cristal, grossissant l'image afin que tous puissent la voir. Les courtisans reculèrent lorsque le masque de Magister surgit, face au visage de Sylver.

— Fils d'Amava ?

— Père ?

— Pourquoi m'as-tu combattu ? Comment oses-tu ? Tu es mon fils !

Aucune excuse, aucun remords à propos du fait qu'il avait failli le tuer. Typique de Magister.

— Je suis désolé, Père, répondit humblement Sylver. Je l'ignorais.

— Tu l'ignorais ? Mais comment ?

— J'ai été élevé par des n… (l'image hésita, il avait failli dire nains, puis prudent, s'était ravisé) par des gens très bien. Ils ignoraient aussi qui j'étais, alors inutile de chercher à les punir, ils n'y sont pour rien.

— Que veux-tu ?

— Vous connaître. Vous comprendre.

Magister hésita. Un fils ! Il n'en revenait toujours pas. Il se pencha sur l'écran.

— Très bien. Va à la Porte de transfert la plus proche et rends-toi chez les elfes, à Selenda, dans la Forêt Blanche, travée du lapin. Là on te donnera d'autres instructions. Tu as besoin d'argent pour payer ton passage ?

— J'ai ce qu'il me faut, père.

— Bien.

Il coupa la communication.

Tara bondit sur ses pieds.

— NON !

Les courtisans murmurèrent.

Sylver s'inclina devant elle.

— Je suis désolé, dit-il d'un ton infiniment doux et digne, mais c'est important. Je dois essayer de le détourner de la voie dans laquelle il s'est engagé.

— Tu as tort, s'écria Tara, il va te corrompre, il est maléfique !

Sylver baissa la tête et ses somptueux cheveux caramel masquèrent son regard.

— C'est ma quête, c'est mon chemin.

Puis il releva la tête et planta ses yeux d'or dans les yeux bleus de Tara.

— Mais je te reviendrai. Je te le promets.

Et avant qu'elle ne puisse le retenir, il tourna des talons et grâce à sa vitesse inhumaine s'élança comme une flèche vers la sortie.

L'Impératrice empêcha les gardes de l'arrêter, d'un signe discret. Séné, à côté de Xandiar, reçut un autre signe. La camouflée s'élança sur les traces du jeune mi-dragon et disparut en chemin, activant son invisibilité.

Elle ne perdrait pas la trace. À aucun prix.

L'Impératrice soupira.

— Espérons que ce jeune fou nous débarrassera de Magister, ce serait au moins une bonne chose au milieu de tout ce chaos. Bien, nous en étions où ?

— Tara'tylanhnem Duncan est la prochaine sur la liste, Votre Majesté Impériale, lui indiqua obligeamment le Héraut. Ainsi que sa sœur, la jeune Mara Duncan.

L'Impératrice se rembrunit.

Un peu surprise d'être appelée en même temps que Mara, Tara descendit du piédestal et se tint devant le magnifique trône d'or sculpté.

L'Impératrice se leva. Elle frappa de son sceptre sur le sol, marquant ainsi une importante déclaration. Elle inspira profondément, puis dit d'une voix forte et claire :

— Moi, Lisbeth'tylanhnem, Impératrice d'Omois, destitue Tara'tylanhnem Duncan de son rôle d'Héritière d'Omois, suite aux événements provoqués par ladite Tara'tylanhnem Duncan. Je nomme officiellement, sa sœur, Mara Duncan Héritière Officielle de l'empire d'Omois. Que ceci soit enregistré et consigné. De plus, suite aux nombreux dépôts de plainte des gouvernements d'AutreMonde, la sentence de mort pour Haute Trahison a été commuée en exil permanent sur Terre, à effet immédiat, du fait de son action héroïque pour réparer son erreur. J'ai dit.

Et elle se rassit.

Les deux jeunes filles se regardèrent, aussi atterrées l'une que l'autre.

— Sentence de mort ? murmura Tara.

— Héritière Officielle ? s'étrangla Mara.

Déjà les Hauts Mages avaient incanté et sa robe blanche se couvrait de pourpre et s'ornait du Paon aux Cent Yeux d'Or.

La jeune fille baissa les yeux vers sa robe.

— Jar va me tuer, gémit Mara.

— Je suis exilée ? Sur Terre ? répéta Tara, incrédule.

Elle n'en croyait pas ses oreilles. Au regard triste de sa tante, elle comprit que celle-ci n'aimait pas non plus cette sentence. Mais que, ligotée par les lois, elle n'avait guère le choix.

Xandiar fut derrière elle, accompagné de deux gardes.

Ils traversèrent la foule sous une houle de murmures inquiets. Toute la hiérarchie de l'empire venait d'être bouleversée. Les gens n'aimaient pas les changements.

Ils la conduisirent dans sa chambre. Et lui tendirent une lettre. Puis ressortirent monter la garde dehors.

Tara la retourna et ses yeux s'écarquillèrent lorsqu'elle vit le sceau.

Le Paon Pourpre aux Cent Yeux d'Or.

La lettre s'ouvrit sous ses yeux et les mots en jaillirent pour flamboyer devant elle.

« Chère Tara,

Au fil des années, tu m'es devenue aussi chère que si tu étais ma propre fille. Tu es courageuse, indépendante, têtue, et ce sont de grandes qualités. Ton exil sur Terre est le seul moyen que j'ai trouvé pour préserver et ta vie et la réputation de notre empire, par qui les ennuis sont venus. Cela et le fait que tu nous as déjà sauvés à plusieurs reprises. Je te confie donc la mission, provisoire je l'espère, de traquer et capturer les semsanachs, sortceliers renégats, vampyrs buveurs de sang humain, loups-garous, qui défient nos lois et s'installent sur Terre. Tu feras partie de l'équipe Alpha, sous les ordres de ta grand-mère, Isabella.

Tara, ne pense pas que ce soit une mission anodine. La magie ne DOIT pas être connue des Terriens. Lorsque l'agitation sera retombée, j'espère te faire revenir ici. Je sais que Mara n'a pas la fibre politique et ne s'intéresse pas à l'empire. J'ai appris, avec la fuite de mon frère, qu'il ne fallait pas forcer les gens à faire ce qu'ils détestent, sous peine de les perdre.

Je t'embrasse.

Ta tante Lisbeth. »

Les mots s'effacèrent et la lettre disparut. Personne ne saurait ce que sa tante avait écrit. Tara fut surprise de sentir ses yeux se remplir de larmes. C'était la première fois que sa tante disait qu'elle l'aimait. Venant de la part de l'implacable et froide Lisbeth, c'était aussi inattendu que formidable.

Cal, Moineau, Fabrice, Robin, firent irruption quelques minutes plus tard, très émus. Les gardes les laissèrent passer. Ils avaient juste l'ordre de l'empêcher de sortir.

— Tiens ! lui dit Cal en lui tendant la click qu'il lui avait confisquée lors de sa dépression, reprends-la, ainsi nous aurons toujours un moyen de communiquer avec toi.

Tara eut un pauvre sourire et remit la click à son oreille. Moineau la serra dans ses bras, incapable de penser qu'elle allait perdre sa meilleure amie.

— Allons, allons, fit Tara, en retenant ses larmes, ce n'est pas un adieu, juste un au revoir, vous allez venir me voir sur Terre, ce sera comme des vacances pour vous !

Moineau et Cal grimaçèrent. Ils n'avaient pas gardé un très bon souvenir de leurs quelques voyages sur Terre.

— Moi je viendrai, bien sûr, dit Fabrice. J'ai parlé avec mon père. Il va reprendre sa fonction de Gardien. Je dois lui rendre visite très bientôt pour lui… expliquer ce que j'ai fait.

À voir son visage, on sentait qu'il s'en serait bien passé.

Soudain, Robin se tourna vers les autres.

— Écoutez, j'ai besoin de rester seul un peu avec Tara. Est-ce que vous pourriez… ?

Il leur indiqua fermement la porte. Moineau sourit, Cal râla, Fabrice hocha la tête et Fafnir se contenta de serrer encore une fois Tara dans ses bras en lui chuchotant : « S'il t'embête trop, tape-lui sur la tête, ça marche bien avec les nains. » Tara faillit éclater de rire.

— On te retrouve à la Porte de transfert vers la Terre, indiqua Cal. À tout de suite.

Ils quittèrent sa chambre à regret.

Tara regarda Robin, le cœur battant.

Le demi-elfe était affaibli, très maigre, et elle détestait cette coupe de cheveux. Mais en deux mois, ils n'avaient pas eu le temps de repousser.

— Je n'ai pas encore pu te le dire, mais je suis désolée, souffla-t-elle.

Robin comprit tout de suite qu'elle ne parlait pas de sa presque mort, mais du baiser.

— Je… c'est dur pour moi aussi, Tara. Je ne sais pas ce que tu éprouves pour ce Sylver. Et je ne sais plus ce que tu éprouves pour moi. Que s'est-il passé pendant ces deux mois et demi où tu étais avec lui ?

Ah ! Robin suspectait le pire. Tara se raidit, sentant la colère monter en elle.

Elle croisa les bras.

Et décida qu'elle n'avait pas envie de donner d'explications.

— Je te croyais mort, dit-elle fermement. Je n'ai rien fait de mal, Robin. J'ai juste fait des erreurs. Et V'ala n'a pas arrangé les choses en me cachant que tu étais encore vivant.

— Ah ! n'accuse pas V'ala, s'écria Robin, elle m'a sauvé la vie !

Dans le tumulte de ses sentiments, Tara s'obligea à se calmer, écoutant attentivement ce que Robin ne disait pas.

Puis elle comprit.

Il lui en voulait. De n'être pas restée pour le sauver. D'avoir convoqué les fantômes, d'avoir embrassé Sylver. C'était un tout.

— Tu as raison, dit-elle d'un ton si froid que le demi-elfe s'apaisa immédiatement. J'aurais dû rester, ne pas m'évanouir, continuer à combattre.

Robin sursauta.

— Tu t'es évanouie ?

— J'ignore pourquoi. Mais oui. Xandiar m'a trouvée et emmenée à l'abri. Ensuite, Cal m'a sauvée, car je voulais mourir. Pour te rejoindre. Il m'en a empêchée.

Robin fit un pas en avant, bouleversé.

— Je... je ne savais pas !

— Et comment aurais-tu pu le savoir ? Alors oui, je te présente mes excuses parce que j'ai ouvert aux fantômes, je te présente mes excuses parce que je n'ai pas su te défendre, et je te présente mes excuses parce que je t'ai abandonné, bien involontairement. Mais je ne m'excuserai pas parce que j'ai embrassé Sylver. Et encore moins parce que je le considère comme un ami très cher. Je croyais que tu étais *mort* ! Et il venait de me sauver la vie. Ses écailles m'avaient empêchée de l'approcher, c'était un garçon solitaire et perdu. J'ai voulu lui montrer que j'avais une totale confiance en lui. Et pour cela, non, je ne demanderai pas pardon !

Robin la dévisagea.

— Ses écailles ? Quelles écailles ?

— Il ne savait pas qu'il était le fils d'une dragonne. Ses écailles coupaient tous ceux qui le touchaient.

— Oh ? Alors, vous n'avez pas... vous n'êtes pas...

Tara leva les yeux au ciel.

— Bon sang, Robin, j'étais à moitié folle de chagrin parce que tu étais mort, je voulais activer la machine et mourir afin de te rejoindre, nous étions en pleine quête, poursuivis par des centaines de gens, dans une forêt monstrueuse, en train de combattre des faux dieux, et toi, tu penses que j'avais le temps de batifoler ? Tu es dingue !

Un sourire pointa sur le visage de Robin. Il bondit et prit Tara dans ses bras, la faisant voltiger dans les airs.

— Eeehhhh, cria Tara, encore fâchée, repose-moi !

Robin obéit aussitôt. Pas parce qu'elle l'avait demandé, mais parce qu'il n'avait plus aucune force.

Il la serra contre lui.

— Je suis désolé, dit-il à son tour. Tu m'as rendu fou. Lorsque j'ai appris que j'étais inconscient depuis deux mois, qu'on avait dû me couper les bras et les jambes et que tu avais disparu, qu'il y avait un complot au Palais, organisé avec les loups-garous, et que ta mère en avait pris la tête, j'ai cru que j'allais perdre l'esprit. Je me suis précipité ici et... bref, tu connais la suite. Oh, Tara, tu m'as tellement manqué !

Tara l'embrassa de toute son âme.

— Toi aussi, tu m'as horriblement manqué.

Xandiar ouvrit la porte et se racla la gorge en voyant les ados enlacés.

— Hrrrm, je suis désolé, mais nous devons partir à présent. Robin M'angil, vous devez laisser notre Héri... Son Altesse Impériale achever ses bagages.

Tara et Robin soupirèrent de concert. Et Robin, à regret, sortit de la chambre.

Tara termina de mettre ce dont elle avait besoin dans la changeline et s'assit sur son lit.

Elle allait faire comme Aragorn[1]. Partir en exil.

Cette fois, ce n'était pas elle qui s'enfuyait. Et à sa grande surprise, alors qu'elle avait dit et répété qu'elle détestait la magie et qu'AutreMonde était aussi sauvage que bizarre et barbare, elle constata que cela l'ennuyait.

En réfléchissant à la sentence, elle mesura à quel point sa tante avait été intelligente. Pour les gouvernements AutreMondiens, envoyer quelqu'un vivre sur Terre était une horrible punition, une sorte de mort lente. Le choix d'Isabella avait d'ailleurs beaucoup choqué à l'époque.

Ils ne se rendaient pas compte que Tara, élevée sur Terre, s'y sentait parfaitement à l'aise.

Elle allait redevenir une jeune fille normale. Enfin presque, elle ne serait jamais médecin ou avocate, trader ou pompier, caissière ou boulangère.

Elle serait une guetteuse.

---

1. Celui du *Seigneur des Anneaux*, bien sûr. Le maître de la fantasy la plus heroic !

À son doigt, l'anneau de Kraetovir s'agita. Il percevait tout ce qui se passait autour de lui et avait également accès aux pensées de la jeune fille. C'était flou, mais il avait bien compris qu'elle s'éloignait d'AutreMonde.

Pour aller sur un monde où sa magie serait bien plus faible. Où l'anneau s'épuiserait petit à petit pour finir par... mourir ?

Et cela, il ne pouvait l'accepter.

Avec une violence inouïe, il submergea les défenses de Tara, alors que la jeune fille allait se lever.

Et il prit le pouvoir.

Fin

La suite dans *Tara Duncan. L'Impératrice maléfique.*

Précédemment dans *Tara Duncan*

À la demande de nombreux fans qui aiment bien qu'on leur rappelle les événements des précédents livres (ben quoi ? un an entre chaque livre, ce n'est pas si long, hein !), voici donc un résumé de ce qui s'est passé dans les épisodes précédents. Et pour ceux qui n'ont pas encore lu les six premiers livres : « Par le Charmus/Rigolus, que mes livres vous lisiez et que sur Autre-Monde vous vous éclatiez ! »

Les Sortceliers

Tara Duncan est une sortcelière. Celle-qui-sait-lier les sorts. Elle s'aperçoit de ce léger détail (que sa grand-mère lui a soigneusement caché) lorsque Magister, l'homme au masque, tente de l'enlever en blessant gravement Isabella Duncan, sa grand-mère.

Elle découvre alors que sa mère, qu'elle pensait morte dans un accident biologique en Amazonie, est encore en vie. Tara part avec son meilleur ami terrien, Fabrice, sur AutreMonde, la planète magique, afin de retrouver et de délivrer Selena, sa mère, prisonnière de Magister.

Sur AutreMonde, elle se lie avec un Familier, un pégase de deux mètres au garrot, des ailes de quatre mètres (pas facile, facile à caser dans un appartement), et se fait un ennemi, Maître Dragosh, un terrifiant vampyr aux canines vraiment pointues.

Heureusement, elle rencontre également Caliban Dal Salan, un jeune Voleur qui s'entraîne au métier d'espion, Gloria Daavil dite « Moineau », Robin, un mystérieux sortcelier, qui très vite tombera amoureux de Tara, Maître Chem, un vieux dragon distrait, et enfin la naine Fafnir, sorcelière malgré elle, farouche ennemie de la magie et qui tente de s'en débarrasser.

Grâce à leur aide, enlevée par Magister, elle parvient à délivrer sa mère, affronte Magister et détruit le Trône de Silur, l'objet démoniaque confisqué par Demiderus aux démons des Limbes et que seuls ses descendants directs, Tara et l'Impératrice d'Omois, peuvent approcher et utiliser.

Avant de disparaître, Magister lui révèle que son père n'était autre que Danviou T'al Barmi Ab Santa Ab Maru, l'Imperator d'Omois disparu depuis quatorze ans. Elle est donc l'Héritière de l'empire d'Omois, le plus important empire humain sur AutreMonde.

Le Livre Interdit

Cal est accusé d'un meurtre qu'il n'a pas commis. Bien à contrecœur, Tara repart sur AutreMonde afin de découvrir qui accuse son ami et pourquoi. Les gnomes bleus délivrent Cal (qui ne leur a rien demandé, hein !), en faisant ainsi un fugitif aux yeux d'Omois (ce qui est une très mauvaise idée), afin qu'il les aide contre un monstrueux sortcelier qui les tient en esclavage.

Tara et ses amis n'ont d'autre solution que d'affronter ce sortcelier, car les gnomes bleus ont infecté Cal avec un t'sil, un ver mortel du désert. Ils n'ont que quelques jours pour le sauver. Une fois le sortcelier vaincu, avec l'aide de Fafnir, ils partent pour les Limbes grâce au Livre Interdit, afin d'innocenter Cal.

Ce faisant, ils invoquent involontairement le fantôme du père de Tara, mais celui-ci ne peut rester avec sa fille, sous peine de déclencher la guerre avec les puissants démons. Une fois rentrés sur AutreMonde, Tara et ses amis doivent affronter une terrifiante menace.

En essayant de se débarrasser de la « maudite magie » (les nains ont la magie en horreur), Fafnir devient toute rouge. Non, non, pas de colère, mais parce que sa peau devient pourpre car elle a involontairement délivré le Ravageur d'Âme, qui conquiert toute la planète en quelques jours, en infectant les sortceliers et les autres peuples.

Tara se transforme en dragon et, en s'alliant avec Magister, parvient à vaincre le Ravageur d'Âme. Une fois le Ravageur vaincu, elle abat Magister qui disparaît dans les Limbes démoniaques. Elle pense (en fait, elle espère très fort !) qu'il est mort. Entre-temps, l'Impératrice d'Omois, qui ne peut avoir d'enfants, a découvert que Tara était son héritière et exige qu'elle vienne définitivement vivre sur AutreMonde.

Si Tara refuse, elle détruira la Terre.

Le Sceptre Maudit

Un zombie est assassiné (ce qui n'est pas facile, hein, essayez donc de tuer un type mort depuis des années !). Tara, qui a finalement accepté de vivre sur AutreMonde, est chargée de l'enquête. Mais Magister attaque le Palais avec ses démons pour tenter d'enlever la jeune Héritière encore une fois. Heureusement, ils sont prévenus à temps.

Folle de rage, l'Impératrice décide d'attaquer Magister dans son repaire et laisse l'empire entre les mains de son Premier ministre et de Tara. Hélas ! elle est capturée et Tara se retrouve, bien contre son gré, Impératrice par intérim à quatorze ans.

Magister envoie son terrible Chasseur, Selenba la vampyr, espionner Tara. Selenba prend l'apparence d'un proche de Tara et blesse gravement l'homme qui fait la cour à la mère de Tara, Bradford Medelus. Puis la magie disparaît et ils se rendent compte que Magister a eu, grâce à l'Impératrice, accès au Sceptre Maudit qui empêche les sortceliers d'utiliser leur pouvoir magique.

Coup de chance, les adolescents sont épargnés. Ils délivrent l'Impératrice et détruisent le Sceptre. Magister attaque l'empire d'Omois avec des millions de démons, mais Moineau découvre à temps pourquoi le zombie a été assassiné, et Magister est vaincu.

Son armée est détruite. Robin va chercher Tara pour célébrer la victoire, mais à sa grande horreur la chambre de la jeune fille est vide.

L'Héritière a disparu.

Le Dragon Renégat

Tara s'est lancée à la recherche d'un document qui lui permettra de faire revenir son fantôme de père. Elle a laissé un mot, mais la démone chargée de le donner à l'Impératrice a oublié. Ses amis partent à sa recherche tandis qu'un mystérieux dragon assassine un savant dans l'un des laboratoires du Palais impérial d'Omois. Puis lance un sort sur Tara. Elle devra se rendre à Stonehenge, où, depuis cinq mille ans, il a placé un terrible piège qui va détruire la Terre et tous ses habitants. Tara va-t-elle résister à sa propre magie dont la trop grande puissance risque de la consumer ?

Grâce à l'air d'Igor (petit, contrefait, a un cheveu sur la langue) et à sa géante de femme (grande, solide, peut assommer un bœuf d'un seul coup de poing) et au fidèle Taragang, Tara parviendra à élucider l'énigme de la disparition de son grand-père, mais surtout à déjouer les plans du mystérieux dragon. Et lorsque Robin l'embrassera, enfin, et que l'Impératrice le bannira pour l'empêcher d'approcher son Héritière, Tara prendra une décision qui coûtera cher à l'une de ses meilleures amies…

Le Continent Interdit

Betty, l'amie terrienne de Tara, a été enlevée par Magister. Et Tara n'a toujours pas recouvré sa magie. Or, le Continent Interdit, où a été amenée Betty, est gardé par les dragons qui refusent que Tara y mette le bout de l'orteil.

Pour sauver son amie, elle n'aura pas le choix. Elle devra retrouver son puissant pouvoir, défier les dragons et dévoiler le terrifiant secret que cachent les gros reptiles volants.

De plus, afin de compléter la liste des ingrédients destinés à réincarner son fantôme de père, Tara découvre que le seul endroit où pousse l'une des plantes, la fleur de Kalir, est justement le Continent Interdit.

Avec l'aide toujours aussi précieuse de Robin, le beau demi-elfe dont elle est de plus en plus éprise, de la dangereuse elfe violette V'ala, de Fabrice le Terrien, de Moineau, la Bête du Lancovit, de Cal, le Voleur Patenté, et de Fafnir, la redoutable naine guerrière, Tara va devoir faire face à l'ennemi le plus dangereux qu'elle ait jamais rencontré… la Reine Rouge et ses plans déments de conquête d'AutreMonde.

Tara Duncan dans le piège de Magister

Magister est dingue… amoureux de la mère de Tara. Au point qu'il tente de l'enlever. Folle de rage, Tara décide de se transformer en chasseur. Plus question de subir les attaques de son pire ennemi, désormais, c'est elle qui va le traquer. Elle part à la recherche d'objets de pouvoir démoniaques, les fameux « prototypes » ayant servi à fabriquer les originaux conservés par les gardiens. En soignant Selenba, la redoutable vampyr, Tara apprend à se transformer elle-même en véritable vampyr et vole l'anneau de Kraetovir. Mais les dragons préparent quelque chose et Tara et ses amis devront partir pour le Dranvouglispenchir et affronter celui qui se tapit dans l'ombre, Magister, et ses plans démoniaques.

Tara Duncan et l'invasion fantôme

Celui-là, vous venez de le lire. Donc, pas besoin de résumé. Et il se termine sur un suspense. Alors, on va faire comme dans certains films américains, où, après le générique de fin, on met quelques images en plus, histoire de voir si on est bien resté scotché à son siège jusqu'à la dernière seconde. Voici donc le début potentiel (enfin, si je ne change pas d'avis) du tome VIII de *Tara Duncan : L'Impératrice maléfique*.

Chapitre 1 : L'Impératrice maléfique, ou l'art et la manière de se mettre un monde entier à dos.

La silhouette glissait d'ombre en ombre, maudissant les deux lunes éclatantes. Pourtant, la météo avait annoncé temps couvert et pluie. Si on ne pouvait même plus se fier aux mages météo-rologues, où allait AutreMonde ! La porte de l'Auberge du krakdent Glouton s'ouvrit sous l'impulsion de son museau de labrador noir. Le chien sourit. Ils étaient tous là. Les membres du Magicgang.

Tous, sauf la plus importante.

Il manquait Tara Duncan…

LEXIQUE DÉTAILLÉ D'AUTREMONDE
(et d'Ailleurs)

L'ÉTONNANTE AUTREMONDE

AutreMonde est une planète sur laquelle la magie est très présente. D'une superficie d'environ une fois et demie celle de la Terre, AutreMonde effectue sa rotation autour de son soleil en 14 mois ; les jours y durent 26 heures et l'année compte 454 jours. Deux lunes satellites, Madix et Tadix, gravitent autour d'AutreMonde et provoquent d'importantes marées lors des équinoxes.

Les montagnes d'AutreMonde sont bien plus hautes que celles de la Terre, et les métaux qu'on y exploite sont parfois dangereux à extraire du fait des explosions magiques. Les mers sont moins importantes que sur Terre (il y a une proportion de 45 % de terre pour 55 % d'eau) et deux d'entre elles sont des mers d'eau douce.

La magie qui règne sur AutreMonde conditionne aussi bien la faune, la flore que le climat. Les saisons sont, de ce fait, très difficiles à prévoir (AutreMonde peut se retrouver en été sous un mètre de neige !). Pour une année dite « normale », il n'y a pas moins de sept saisons. Saisons d'AutreMonde : Kaillos saison 1 (temps très froid, pouvant aller jusqu'à – 30 à – 50 °C selon les régions d'AutreMonde), Botant saison 2 (début de la saison tempérée équivalant au printemps terrien), Trebo saison 3, Faitcho saison 4, Plucho saison 5, Moincho saison 6, Saltan (saison des pluies).

De nombreux peuples vivent sur AutreMonde, dont les principaux sont les humains, les nains, les géants, les trolls/ogres, les vampyrs, les gnomes, les lutins, les elfes, les licornes, les chimères, les Tatris, les Salterens et les dragons.

LES PAYS D'AUTREMONDE

Omois • Capitale : Tingapour. Emblème : le paon pourpre aux cent yeux d'or. Habitants : humains et divers.
Omois est dirigé par l'Impératrice Lisbeth'tylanhnem T'al Barmi Ab Santa Ab Maru et son demi-frère l'Imperator Sandor T'al Barmi Ab March Ab Brevis. Il comporte environ 200 millions d'habitants. Il commerce avec les autres pays et entretient la plus grosse armée d'elfes à part celle de Selenda.

Lancovit • Capitale : Travia. Emblème : licorne blanche à corne dorée, dominée par le croissant de lune d'argent. Habitants : humains et divers.

Le Lancovit est dirigé par le roi Bear et sa femme Titania. Il possède environ 80 millions d'habitants. Le Lancovit est l'un des rare pays à accepter les vampyrs, avec qui le pays a noué des liens ancestraux.

Gandis • Capitale : Géopole. Emblème : mur de pierres « mask-sorts », surmonté du soleil d'AutreMonde.

Gandis est dirigé par la puissante famille des Groars. C'est à Gandis que se trouvent l'île des Roses Noires et les Marais de la Désolation.

Hymlia • Capitale : Minat. Emblème : enclume et marteau de guerre sur fond de mine ouverte. Habitants : nains.

Hymlia est dirigé par le Clan des Forgeafeux. Robustes, souvent aussi hauts que larges, les nains sont les mineurs et forgerons d'AutreMonde et ce sont également d'excellents métallurgistes et joailliers. Ils sont aussi connus pour leur très mauvais caractère, leur détestation de la magie et leur goût pour les chants longs et compliqués. Ils possèdent un don précieux, que curieusement ils ne considèrent pas comme de la magie, qui leur permet de passer à travers la pierre ou de la liquéfier à la main pour dégager leurs mines.

Krankar • Capitale : Kria. Emblème : arbre surmonté d'une massue. Habitants : trolls, ogres, orcs, gobelins.

Les trolls sont énormes, poilus, verts avec d'énormes dents plates, et sont végétariens. Ils ont mauvaise réputation car, pour se nourrir, ils déciment les arbres (ce qui horripile les elfes), et ont tendance à perdre facilement patience, écrasant alors tout sur leur passage. Ceux des trolls qui avalent de la viande, par hasard ou volontairement se transforment en ogres, à longues dents et gros appétit. Ils sont alors chassés du Krankar et doivent vivre parmi les autres peuples, qui les acceptent… tant qu'ils ne leur servent pas de dîner. Certains d'entre eux refusent de partir et forment des bandes composées d'ogres, d'orcs et de gobelins qui rendent le Krankar peu sûr.

La Krasalvie • Capitale : Urla. Emblème : astrolabe surmonté d'une étoile et du symbole de l'infini (un huit couché). Habitants : vampyrs.

Les vampyrs sont des sages. Patients et cultivés, ils passent la majeure partie de leur très longue existence en méditation et se consacrent à des activités mathématiques et astronomiques. Ils recherchent le sens de la vie. Se nourrissant uniquement de sang, ils élèvent du bétail : des brrraaas, des mooouuus, des chevaux, des chèvres – importées de Terre –, des moutons, etc. Cependant, certains sangs leur sont interdits : le sang de licorne ou d'humain les rend fous, diminue leur espérance de vie de moitié et déclenche une allergie mortelle à la lumière solaire ; leur morsure devient alors empoisonnée et leur permet d'asservir les humains qu'ils mordent. De plus, il paraît que si leurs victimes sont contaminées par ce sang vicié, celles-ci deviennent à leur tour des vampyrs, mais des vampyrs corrompus et mauvais. Cela dit, les cas d'humains ou d'elfes transformés en vampyrs sont tellement rares qu'on pense que c'est juste une légende. Les vampyrs victimes de cette malédiction sont impitoyablement pourchassés par leurs congénères (les célèbres et redoutées Brigades Noires), ainsi que par tous les peuples d'AutreMonde. S'ils sont capturés, ils sont emprisonnés dans des prisons spéciales et meurent alors d'inanition.

Le Mentalir • Vastes plaines de l'Est sur le continent de Vou. Habitants : licornes et centaures. Pas d'emblème.

Les vastes plaines de l'Est sont le pays des licornes et des centaures. Les licornes sont de petits chevaux à corne spiralée et unique (qui peut se dévisser), elles ont des sabots fendus et une robe blanche. Si certaines licornes n'ont pas d'intelligence, d'autres sont de véritables sages, dont l'intellect peut rivaliser avec celui des dragons. Cette particularité fait qu'il est difficile de les classifier dans la rubrique peuple ou dans la rubrique faune.

Les centaures sont des êtres moitié homme (ou moitié femme) moitié cheval ; il existe deux sortes de centaures : les centaures dont la partie supérieure est humaine et la partie inférieure cheval, et ceux dont la partie supérieure du corps est cheval et la partie inférieure humaine. On ignore de quelle manipulation magique résultent les centaures, mais c'est un peuple complexe qui ne veut pas se mêler aux autres, sinon pour obtenir les produits de première nécessité, comme le sel ou les onguents. Farouches et sauvages, ils n'hésitent pas à larder de flèches tout étranger désirant passer sur leurs terres.

On dit dans les plaines que les shamans des tribus des centaures attrapent les pllops, grenouilles blanc et bleu très venimeuses, et lèchent leur dos pour avoir des visions du futur. Le fait que les centaures aient été pratiquement exterminés par les elfes durant la Grande Guerre des Étourneaux peut faire penser que cette méthode n'est pas très efficace.

Selenda • Capitale : Seborn. Emblème : lune d'argent pleine au-dessus de deux arcs opposés, flèches d'or encochées. Habitants : elfes.

Les elfes sont, comme les sortceliers, doués pour la magie. D'apparence humaine, ils ont les oreilles pointues et des yeux très clairs à la pupille verticale, comme celle des chats. Les elfes habitent les forêts et les plaines d'AutreMonde et sont de redoutables chasseurs. Ils adorent aussi les combats, les luttes et tous les jeux impliquant un adversaire, c'est pourquoi ils sont souvent employés dans la Police ou les Forces de Surveillance, afin d'utiliser judicieusement leur énergie. Mais quand les elfes commencent à cultiver le maïs ou l'orge enchanté, les peuples d'AutreMonde s'inquiètent : cela signifie qu'ils vont partir en guerre. En effet, n'ayant plus le temps de chasser en temps de guerre, les elfes se mettent alors à cultiver et à élever du bétail ; ils reviennent à leur mode de vie ancestral une fois la guerre terminée.

Autres particularités des elfes : ce sont les elfes mâles qui portent les bébés dans de petites poches sur le ventre – comme les marsupiaux – jusqu'à ce que les petits sachent marcher. Enfin, une elfe n'a pas droit à plus de cinq maris !

Smallcountry • Capitale : Small. Emblème : globe stylisé entourant une fleur, un oiseau et une aragne. Habitants : gnomes, lutins P'abo, fées et gobelins.

Petits, râblés, dotés d'une houppette orange, les gnomes se nourrissent de pierres et sont, comme les nains, des mineurs. Leur houppette est un détecteur de gaz très efficace : tant qu'elle est dressée, tout va bien, mais dès qu'elle s'affaisse, les gnomes savent qu'il y a du gaz dans la mine et s'enfuient. Ce sont également, pour une inexplicable raison, les seuls à pouvoir communiquer avec les Diseurs de Vérité.

Les P'abo, les petits lutins bruns très farceurs de Smallcountry, sont les créateurs des fameuses sucettes Kidikoi. Capables de projeter des illusions ou de se rendre provisoirement invisibles, ils adorent l'or qu'ils gardent dans une bourse cachée. Celui qui parvient à trouver la bourse peut faire deux vœux que le lutin aura l'obligation d'accomplir afin de récupérer son précieux or. Cependant, il est toujours dangereux de demander un vœu à un lutin car ils ont une grande faculté de « désinterprétation »… et les résultats peuvent être inattendus.

Les fées s'occupent des fleurs et lancent des sorts minuscules mais efficaces, les gobelins essayent de manger les fées et en général tout ce qui bouge.

Salterens • Capitale : Sala. Emblème : grand ver dressé tenant un cristal de sel bleu dans ses dents. Habitants : Salterens.

Les Salterens sont les esclavagistes d'AutreMonde. Terrés dans leur impénétrable désert, mélange bipède de lion et de guépard, ce sont des pillards et des brigands qui exploitent les mines de sel magique (à la fois condiment et ingrédient magique). Ils sont dirigés par le Grand Cacha et par son Grand Vizir, Ilpabon, et divisés en plusieurs puissantes tribus.

Tatran • Capitale : Cityville. Emblème : équerre, compas et boule de cristal sur fond de parchemin. Habitants : Tatris, Cahmboums, Tatzboums.

Les Tatris ont la particularité d'avoir deux têtes. Ce sont de très bons organisateurs (ils ont souvent des emplois d'administrateurs ou travaillent dans les plus hautes sphères des gouvernements, tant par goût que grâce à leur particularité physique). Ils n'ont aucune fantaisie, estimant que seul le travail est important.

Ils sont l'une des cibles préférées des P'abo, les lutins farceurs, qui n'arrivent pas à imaginer un peuple totalement dénué d'humour et tentent désespérément de faire rire les Tatris depuis des siècles. D'ailleurs, les P'abo ont même créé un prix qui récompensera celui d'entre eux qui sera le premier à réussir cet exploit.

Les Cahmboums, sortes de grosses mottes jaunes aux yeux rouges et tentacules, sont également des administratifs, souvent bibliothécaires. Les Tatzboums sont en général des musiciens et jouent des mélodies extraordinaires grâces à leurs tentacules.

LES AUTRES PLANÈTES

Dranvouglispenchir • Planète des dragons. Énormes reptiles intelligents, les dragons sont doués de magie et capables de prendre n'importe quelle forme, le plus souvent humaine. Pour s'opposer aux démons qui leur disputent la domination des univers, ils ont conquis tous les mondes connus, jusqu'au moment où ils se sont heurtés aux sortceliers terriens. Après la bataille, ils ont décidé qu'il était plus intéressant de s'en faire des alliés que des ennemis, d'autant qu'ils devaient toujours lutter contre les démons. Abandonnant alors leur projet de dominer la Terre, les dragons ont cependant refusé que les sortceliers la dirigent mais les ont invités sur AutreMonde, pour les former et les éduquer. Après plusieurs années de méfiance, les sortceliers ont fini par accepter et se sont installés sur AutreMonde. Les dragons vivent sur de nombreuses planètes, sur Terre, sur AutreMonde, sur Madix et Tadix, sur leur planète bien sûr, le Dranvouglispenchir, et s'obstinent à fourrer leur museau dans toutes les affaires humaines qui les amusent beaucoup. Leurs plus terribles ennemis sont les habitants des Limbes, les démons. Ils n'ont pas d'emblème.

Les Limbes • Univers démoniaque, le domaine des démons. Les Limbes sont divisés en différents mondes, appelés cercles, et, selon le cercle, les démons sont plus ou moins puissants, plus ou moins civilisés. Les démons des cercles 1, 2 et 3 sont sauvages et très dangereux ; ceux des cercles 4, 5 et 6 sont souvent invoqués par les sortceliers dans le cadre d'échanges de services (les sortceliers pouvant obtenir des démons des choses dont ils ont besoin et vice-versa). Le cercle 7 est le cercle où règne le roi des démons. Les démons vivant dans les Limbes se nourrissent de l'énergie démoniaque fournie par les soleils maléfiques. S'ils sortent des Limbes pour se rendre sur les autres mondes, ils doivent se nourrir de la chair et de l'esprit d'êtres intelligents pour survivre. Ils avaient commencé à envahir l'univers jusqu'au jour où les dragons sont apparus et les ont vaincus lors d'une mémorable bataille. Depuis, les démons sont prisonniers des Limbes et ne peuvent aller sur les autres planètes que sur invocation expresse d'un sorcelier ou de tout être doué de magie. Les démons supportent très mal cette restriction de leurs activités et cherchent un moyen de se libérer.

L'unique raison pour laquelle les démons voulaient envahir la Terre est qu'ils sont aqualics. L'eau de mer agit sur eux comme de l'alcool et il n'en existe nulle part dans leur univers. Ils adorent le goût de nos océans. Leur credo est « massacrer tout le monde en buvant de l'eau salée ».

Santivor • Planète glaciale des Diseurs de Vérité, végétaux intelligents et télépathes.

FAUNE, FLORE ET PROVERBES D'AUTREMONDE

Aragne • Originaires de Smallcountry, comme les splenditals, les aragnes sont aussi utilisées comme montures par les gnomes et leur soie est réputée pour sa solidité. Dotées de huit pattes et de huit yeux, elles ont la particularité de posséder une queue, comme celle des scorpions, munie d'un dard empoisonné. Les aragnes sont extrêmement intelligentes et adorent poser des charades à leurs futures proies.

Astophèle • Les astophèles sont des petites fleurs roses qui ont la propriété de neutraliser l'odorat pendant quelques jours. Les animaux évitent soigneusement les champs d'astophèles, ce qui convient parfaitement aux plantes, qui ont développé cette étrange faculté pour échapper aux brouteurs de toutes sortes. Les humains devant s'occuper des traducs, dont la chair est délicieuse mais la puanteur légendaire, utilisent le baume d'astophèle pour neutraliser leur odorat.

Balboune • Immenses baleines, les balbounes sont rouges et deux fois plus grandes que les baleines terrestres. Leur lait, extrêmement riche, fait l'objet d'un commerce entre les liquidiens, tritons et sirènes et les solidiens, habitants de terre ferme. Le beurre et la crème de balboune sont des aliments délicats et très recherchés. Les baleines d'AutreMonde chantent des mélodies inoubliables. « Chanter comme une balboune » est un compliment extraordinaire.

Ballorchidée • Magnifiques fleurs, les ballorchidées doivent leur nom aux boules jaunes et vertes qui les contiennent avant qu'elles n'éclosent. Plantes parasites, elles poussent extrêmement vite. Elles peuvent faire mourir un arbre en quelques saisons puis, en déplaçant leurs racines, s'attaquer à un autre arbre. Les arbres d'AutreMonde luttent contre les ballorchidées en sécrétant des substances corrosives afin de les dissuader de s'attacher à eux.

Bang-bang • Plantes rouges dont les extraits cristallins donnent une euphorie totale qui conduit à l'extase puis à la mort pour les humains. Les trolls, eux, s'en servent contre le mal de dents.

Bééé • Moutons à la belle laine blanche, les bééés se sont adaptés aux saisons très variables de la planète magique et peuvent perdre leur toison ou la faire repousser en quelques heures. Les éleveurs utilisent d'ailleurs cette particularité au moment de la tonte : ils font croire aux bééés (sur AutreMonde, on dit « crédule comme un bééé ») qu'il fait brutalement très chaud et ceux-ci se débarrassent alors immédiatement de leur toison.

Bendruc le Hideux • Divinité des Limbes démoniaques, Bendruc est si laid que même les autres dieux démons éprouvent un certain respect pour son aspect terrifiant. Ses entrailles ne sont pas dans son corps, mais en dehors, ce qui, lorsqu'il mange, permet à ses adorateurs de regarder avec intérêt le processus de digestion en direct.

Bizzz • Grosses abeilles rouge et jaune, les bizzz, contrairement aux abeilles terriennes, n'ont pas de dard. Leur unique moyen de défense, à part leur ressemblance avec les saccats, est de sécréter une substance toxique qui empoisonne tout prédateur voulant les manger. Le miel qu'elles produisent à partir des fleurs magiques d'AutreMonde a un goût incomparable. On dit souvent sur AutreMonde « doux comme du miel de bizzz ».

Blaz • Équivalent des pouf-pouf nettoyeurs, mais volants, les blaz sont la terreur des araignées d'AutreMonde qu'ils traquent sans pitié.

Blll • Les bllls sont des poissons ailés qui passent une partie de leur temps dans l'eau et l'autre, lorsqu'ils doivent se reproduire, en dehors. Très gracieux et magnifiques par leurs couleurs chatoyantes, ils sont souvent utilisés en décoration, dans de ravissantes piscines.

Blurps • Étonnante preuve de l'inventivité de la magie sur AutreMonde, les blurps sont des plantes insectoïdes. Dissimulées sous la terre, ressemblant à de gros sacs de cuir rougeâtre, une partie dans l'eau et l'autre sur terre, elles s'ouvrent pour avaler l'imprudent. Les petites blurps ressemblent à des termites, et s'occupent d'approvisionner la plante mère en victimes en les rabattant vers elle. Une fois grandes, elles s'éloignent du nid et plantent leurs racines, s'enfonçant dans la terre, et le processus se répète. On dit souvent sur

AutreMonde « égaré dans un nid de blurps » pour désigner quelqu'un qui n'a aucune chance de s'en sortir.

Bobelle • Splendide oiseau d'AutreMonde un peu semblable à un perroquet. Les bobelles se nourrissent de magie pure et sont donc très attirés par les sortceliers.

Boudule filtreur • Gros organismes ressemblant à des sacs bleus qui se nourrissent des déchets dans les ports d'eau salée d'AutreMonde, gardant ainsi l'eau claire et pure.

Breubière • Ainsi nommée parce qu'à la première gorgée on frissonne et on fait breuuu et qu'on se demande si on va avoir le courage de boire la seconde…

Brill • Mets très recherché sur AutreMonde, les pousses de brill se nichent au creux des montagnes magiques d'Hymlia et les nains, qui les récoltent, les vendent très cher aux commerçants d'AutreMonde. Ce qui fait bien rire les nains (qui n'en consomment pas) car à Hymlia, les brills sont considérés comme de la mauvaise herbe.

Brillante • Lointaines cousines des fées, les brillantes sont les luminaires d'AutreMonde. Elles peuvent adopter plusieurs formes, soit de jolies petites fées miniatures et lumineuses avec des ailes, soit des serpents ailés et lumineux eux aussi, selon les continents. Elles font leurs nids sur les réverbères et partout où les AutreMondiens les attirent. Très lumineuses, une seule brillante peut éclairer toute une pièce.

Broux • Lézard se nourrissant exclusivement de crottes de draco-tyrannosaure. Faites-moi confiance, vous ne voulez pas savoir à quoi peut ressembler l'odeur de ses entrailles… certaines armes biologiques sont moins dangereuses.

Brrraaa • Énormes bœufs au poil très fourni dont les géants utilisent la laine pour leurs vêtements. Les brrrraaas sont très agressifs et chargent tout ce qui bouge, ce qui fait qu'on rencontre souvent des brrrraaas épuisés d'avoir poursuivi leur ombre. On dit souvent « têtu comme un brrrraaa ».

Brumm • Variété de gros navets à la chair rose et délicate très appréciés sur AutreMonde.

Bulle-sardine • La bulle-sardine est un poisson qui a la particularité de se dilater lorsqu'elle est attaquée ; sa peau se tend au point qu'il est pratiquement impossible de la couper. Ne dit-on pas sur AutreMonde « indestructible comme une bulle-sardine » ?

Camélin • Le camélin, qui tient son nom de sa faculté à changer de couleur selon son environnement, est une plante assez rare. Dans les plaines du Mentalir, sa couleur dominante sera le bleu, dans le désert de Salterens, il deviendra blond ou blanc, etc. Il conserve cette faculté une fois cueilli et tissé. On en fait un tissu précieux qui, selon son environnement, change de couleur.

Camelle brune • Plantes en forme de cœur, dont les feuilles sont comestibles. Beaucoup de voyageurs ont pu survivre sans aucune autre alimentation que des feuilles de camelle. La plante peut arborer différentes couleurs selon les saisons et les endroits. On l'appelle aussi « plante du voyageur ». Son goût ressemble un peu à celui d'un sandwich au fromage dont elle a d'ailleurs la consistance vaguement spongieuse.

Cantaloup • Plantes carnivores, agressives et voraces, les cantaloups se nourrissent d'insectes et de petits rongeurs. Leurs pétales, aux couleurs variables mais toujours criardes, sont munis d'épines acérées qui « harponnent » leurs proies. De la taille d'un gros chien, elles sont difficiles à cueillir et constituent un mets de choix sur AutreMonde.

Chatrix • Les chatrix sont des sortes de grosses hyènes noires, très agressives, aux dents empoisonnées, qui ne chassent que la nuit. On peut les apprivoiser et les dresser, et elles sont parfois utilisées comme gardiennes par l'empire d'Omois.

Chimère • Souvent conseillère des souverains d'AutreMonde, la chimère est composée d'une tête de lion, d'un corps de chèvre et d'une queue de dragon.

Clac-cacahuète • Les clac-cacahuètes tiennent leur nom du bruit très caractéristique qu'elles font quand on les ouvre. On en tire une huile parfumée, très utilisée en cuisine par les grands chefs d'AutreMonde... et les ménagères avisées.

Crochiens • Chacals verts du désert du Salterens, les crochiens chassent en meute.

Crogroseille • Le jus de crogroseille est désaltérant et rafraîchissant. Légèrement pétillant, il est l'une des boissons favorites des AutreMondiens.

Crouiccc • Gros mammifère omnivore bleu aux défenses rouges, les crouicccs, connus pour leur très mauvais caractère, sont élevés pour leur chair savoureuse. Une troupe de crouicccs sauvages peut dévaster un champ en quelques heures : c'est la raison pour laquelle les agriculteurs d'AutreMonde utilisent des sorts anticrouiccc pour protéger leurs cultures.

Discutarium / Devisatoire (en fonction du peuple qui l'emploie) • Entité intelligente recensant tous les livres, films et autres productions artistiques de la Terre, d'AutreMonde, du Dranvouglispenchir mais également des Limbes démoniaques. Il n'existe quasiment pas de question à laquelle la Voix, émanation du discutarium, n'ait la réponse.

Diseurs de Vérité • Végétaux intelligents, originaires de Santivor, glaciale planète située près d'AutreMonde. Les Diseurs sont télépathes et capables de déceler le moindre mensonge. Muets, ils communiquent grâce aux gnomes bleus, seuls capables d'entendre leurs pensées.

Draco-tyrannosaure • Cousins des dragons, mais n'ayant pas leur intelligence, les draco-tyrannosaures ont de petites ailes, mais ne peuvent pas voler. Redoutables prédateurs, ils mangent tout ce qui bouge et même tout ce qui ne bouge pas. Vivant dans les forêts humides et chaudes d'Omois, ils rendent cette partie de la planète particulièrement inappropriée au développement touristique.

Effrit • Race de démons qui s'est alliée aux humains contre les autres démons lors de la grande bataille de la Faille. Pour les remercier, ils ont reçu de la part de Demiderus l'autorisation de venir dans notre univers sur simple convocation d'un sortcelier. Ils ont décidé d'utiliser leurs pouvoirs pour aider les humains sur AutreMonde. Les moins puissants d'entre eux sont utilisés comme serviteurs, messagers, policiers, etc.

Élémentaire • Il existe plusieurs sortes d'Élémentaires : de feu, d'eau, de terre et d'air. Ils sont en général amicaux, sauf les Élémentaires de feu qui ont assez mauvais caractère, et aident volontiers les AutreMondiens dans leurs travaux ménagers quotidiens.

Gambole • La gambole est un animal couramment utilisé en sorcellerie. Petit rongeur aux dents bleues, il fouit très profondément le sol d'AutreMonde, au point que sa chair et son sang sont imprégnés de magie. Une fois séché, et donc « racorni », puis réduit en poudre, le « racorni de gambole » permet les opérations magiques les plus difficiles. Certains sortceliers utilisent également le racorni de gambole pour leur consommation personnelle car la poudre procure des visions hallucinatoires. Cette pratique est strictement interdite sur AutreMonde et les accros au racorni sont sévèrement punis.

Gandari • Plante proche de la rhubarbe, avec un léger goût de miel.

Gazz • Petits quadrupèdes au poil lisse et rouge (ou vert chez les trolls), couronnés de bois.

Géant d'Acier • Arbres gigantesques d'AutreMonde, les Géants d'Acier peuvent atteindre deux cents mètres de haut et la circonférence de leur tronc peut aller jusqu'à cinquante mètres ! Les pégases utilisent souvent les Géants d'Acier pour nicher, mettant ainsi leur progéniture à l'abri des prédateurs.

G'ele d'Arctique • Minuscule animal à fourrure très blanche, capable de survivre à des températures de moins quatre-vingts grâce à un sang antigel. Sa fourrure est très recherchée, car les g'ele meurent au bout de deux printemps, le 1er de Plucho exactement. Les chasseurs de g'ele vont alors en Arctique où la température remonte à un confortable moins vingt et cherchent les g'ele. Le seul problème étant que l'animal se cache dans un trou pour mourir et que, sa fourrure étant parfaitement blanche, elle est difficile à repérer. Et mettre la main dans tous les trous n'est pas une bonne idée, du fait des krokras, sortes de phoques qui se cachent sous la banquise et mangent tous ceux qui s'aventurent près de leurs trous.

Gélisor • Divinité mineure des Limbes démoniaques dont l'haleine est si violente que ses adorateurs ne peuvent entrer dans son temple que le museau/gueule/visage couvert par un linge aromatisé. Même les mouches ne peuvent survivre dans le temple de Gélisor. Et lors des réunions avec les autres dieux, il est prié de se laver les crocs avant de venir, histoire que la réunion soit un minimum supportable. Il est également interdit de fumer à proximité de Gélisor.

Gliir • Le gliir des marais puants est un oiseau incapable de voler qui, pour échapper à ses prédateurs, a adopté la même technique de survie que les traducs, puer autant qu'il le peut, en ingérant la yerk, une plante à l'odeur capable de repousser la plus coriace des mouches à sang.

Glouton étrangleur • Comme son nom l'indique, le glouton étrangleur est un animal velu et allongé qui utilise son corps comme une corde pour étrangler ses victimes.

Glurps • Sauriens à la tête fine, vert et brun, ils vivent dans les lacs et les marais. Très voraces, ils sont capables de passer plusieurs heures sous l'eau sans respirer pour attraper l'animal innocent venu se désaltérer. Ils construisent leurs nids dans des caches au bord de l'eau et dissimulent leurs proies dans des trous au fond des lacs.

Hydre • À trois, cinq ou sept têtes, les hydres d'AutreMonde vivent souvent dans les fleuves et dans les lacs.

Jourstal (pl. : jourstaux) • Journaux d'AutreMonde que les sortceliers et nonsos reçoivent sur leurs boules, écrans, portables de cristal (enfin, s'ils sont abonnés…)

Kalorna • Ravissantes fleurs des bois, les kalornas sont composées de pétales rose et blanc légèrement sucrés qui en font des mets de choix pour les herbivores et omnivores d'AutreMonde. Pour éviter l'extinction, les kalornas ont développé trois pétales capables de percevoir l'approche d'un prédateur. Ces pétales, en forme de gros yeux, leur permettent de se dissimuler très rapidement. Malheureusement, les kalornas sont également extrêmement curieuses, et elles repointent le bout de leurs pétales souvent trop vite pour pouvoir échapper aux cueilleurs. Ne dit-on pas « curieux comme une kalorna » ?

Kax • Utilisée en tisane, cette herbe est connue pour ses vertus relaxantes. Si relaxantes d'ailleurs qu'il est conseillé de n'en consommer que dans son lit. Sur AutreMonde, on l'appelle aussi la molmol, en référence à son action sur les muscles. Et il existe une expression qui dit : « Toi t'es un vrai kax ! » ou « Oh le molmol ! » pour qualifier quelqu'un de très mou.

Keltril • Métal lumineux et argenté utilisé par les elfes pour leurs cuirasses et protections. À la fois léger et très résistant, le keltril est quasiment indestructible.

Kidikoi • Sucettes créées par les P'abo, les lutins farceurs. Une fois qu'on en a mangé l'enrobage, une prédiction apparaît en son cœur. Cette prédiction se réalise toujours, même si le plus souvent celui à qui elle est destinée ne la comprend pas. Des Hauts Mages de toutes les nations se sont penchés sur les mystérieuses Kidikoi pour essayer d'en comprendre le fonctionnement, mais ils n'ont réussi qu'à récolter des caries et des kilos en trop. Le secret des P'abo reste bien gardé.

Krakdent • Animaux originaires du Krankar, les krakdents ressemblent à une peluche rose mais sont extrêmement dangereux, car leur bouche extensible peut quintupler de volume et leur permet d'avaler à peu près n'importe quoi. Beaucoup de touristes sur AutreMonde ont terminé leur vie en prononçant la phrase : « Regarde comme il est mign… ».

Kraken • Gigantesque pieuvre aux tentacules noirs, on la retrouve, du fait de sa taille, dans les mers d'AutreMonde, mais elle peut également survivre en eau douce. Les krakens représentent un danger bien connu des navigateurs.

Kré-kré-kré • Petits rongeurs au pelage jaune citron ressemblant au lapin, les kré-kré-kré, du fait de l'environnement très coloré d'AutreMonde, échappent assez facilement à leurs prédateurs. Bien que leur chair soit plutôt fade, elle nourrit le voyageur affamé ou le chasseur patient. Sur AutreMonde, les kré-kré-kré sont également élevés en captivité.

Krel doré • Arbres sensitifs d'AutreMonde, ils reflètent en d'impressionnantes débauches de couleur les sentiments des animaux ou des gens qui les frôlent ou les traversent.

Kri-kri • Sorte de sauterelles violet et jaune dont les centaures font une consommation effrénée mais dont le cri cri cri stri-dent dans les hautes herbes peut aussi rendre fou celui qui tente de dormir.

Kroa ou croa • Grenouille bicolore, la kroa constitue le principal menu des glurps qui les repèrent aisément à cause de leur chant particulièrement agaçant.

Krok-requin • Le krok-requin est un prédateur des mers d'AutreMonde. Énorme animal aux dents acérées, il n'hésite pas à s'attaquer au célèbre kraken et, avec ce dernier, rend les mers d'AutreMonde peu sûres aux marins.

Krouse • Sorte de grosses roses sauvages de toutes les couleurs délicieusement parfumées.

Krruc • Ressemble vaguement à un croisement entre un homard et un crabe, mais avec dix pinces. Ce qui en fait un mets très recherché sur AutreMonde.

Licorne • Petit cheval aux pieds fourchus et à la corne unique. Les licornes sont de sages penseurs grâce à l'herbe de la Connaissance du Mentalir.

Mangeur de Boue • Habitants des Marais de la Désolation à Gandis, les Mangeurs de Boue sont de grosses boules de poils qui se nour-rissent des éléments nutritifs contenus dans la boue, d'insectes et de nénuphars. Les tribus primitives des Mangeurs de Boue ont peu de contact avec les autres habitants d'AutreMonde.

Manuril • Les pousses de manuril, blanches et juteuses, forment un accompagnement très prisé des habitants d'AutreMonde.

Miam • Sorte de grosse cerise rouge de la taille d'une pêche.

Mooouuu • Ce sont des élans sans corne à deux têtes. Quand une tête mange, l'autre reste vigilante pour surveiller les prédateurs. Pour se déplacer, les mooouuus font des bonds gigantesques de côté, comme des crabes.

Mouche à sang • Ce sont des mouches dont la piqûre est très douloureuse. Nombreux sont les animaux qui ont développé de longues queues pour tuer les mouches à sang.

Mouchtique • Plus grosses que les mouches à sang, les mouchtiques se posent discrètement sur les traducs et autres brrraaas et s'enfouissent dans leur chair, provoquant de petits nodules, qu'il faut entailler pour les en faire sortir, car elles sécrètent des toxines qui peuvent tuer le bétail.

Mrmoum • Fruits très difficiles à cueillir, car les mrmoumiers sont d'énormes plantes animées qui couvrent parfois la superficie d'une petite forêt. Dès qu'un prédateur s'approche, les mrmoumiers s'enfoncent dans le sol avec ce bruit caractéristique qui leur a donné leur nom. Ce qui fait qu'il peut être très surprenant de se promener sur AutreMonde et, tout à coup, voir une forêt entière de mrmoumiers disparaître, ne laissant qu'une plaine nue.

Nonsos • Les nonsos (contraction de « non-sortcelier ») sont des humains ne possédant pas le pouvoir de sortcelier.

Oiseau de feu • Curieuse forme de vie sur AutreMonde dont les plumes flambent continuellement et se renouvellent. Les oiseaux de feu nichent sur les igniteurs, les seuls arbres ignifugés d'AutreMonde, qui peuvent supporter leurs nids. Totalement hydrophobes, la moindre goutte d'eau peut les tuer.

Oiseau Roc • L'oiseau Roc est un volatile géant. Bon, on vous dit « volatile géant », et vous vous imaginez une sorte de gros aigle, au pire un condor. Pas du tout. L'oiseau Roc fait la taille d'une fusée Ariane, d'ailleurs, l'animal magique est capable de vivre dans l'espace, et est utilisé par les sortceliers pour mettre les satellites en orbite. Fort heureusement, l'oiseau se nourrit de la lumière des deux soleils d'AutreMonde et n'a pas besoin d'éliminer. Sinon, vous imaginez la taille des fientes ?

Pégase • Chevaux ailés, leur intelligence est proche de celle du chien. Ils n'ont pas de sabots, mais des griffes pour pouvoir se percher facilement et font souvent leur nid en haut des Géants d'Acier.

Piqqq • Comme leur nom l'indique, les piqqqs sont des insectes d'AutreMonde qui, comme les mouches à sang, se nourrissent du sang de leurs victimes. La différence, c'est qu'ils injectent un venin puissant pour fluidifier le sang de leurs proies et que de nombreux traducs, mooouuus ou bééés se sont littéralement vidés de leur sang après avoir été attaqués par des piqqqs. Heureusement, ils se tiennent surtout aux alentours des marais où ils pondent leurs œufs.

Pllop • Grenouille blanc et bleu très venimeuse, qui lèche son dos pour avoir des visions du futur.

Pouf-pouf • Petites boîtes sur pattes avec un gros couvercle qui avale tous les déchets qui tombent par terre. Il est conseillé sur AutreMonde de faire attention à ce que l'on lâche involontairement, sous peine de devoir aller le rechercher dans la gueule d'une pouf-pouf. Les chercheurs qui ont inventé les pouf-pouf (c'est un organisme mi-magique mi-technologique) les ont programmées afin que les déchets qu'elles ne peuvent pas utiliser nutritionnellement soient transférés automatiquement par mini-Portes de transfert intégrées dans un trou noir de la galaxie d'Andromède.

Pouic • Petite souris rouge capable de se téléporter physiquement d'un endroit à un autre et munie de deux queues. Son ennemi naturel est le mrrr, sorte de gros chat orange à oreilles vertes qui bénéficie de la même capacité.

Prroutt • Plante carnivore d'AutreMonde d'un jaune morveux, elle exhale un fort parfum de charogne pourrie pour attirer les charognards et les prédateurs. Qu'elle engloutit dès qu'ils s'approchent à portée de ses tentacules. Sur AutreMonde, l'insulte « puer comme une prroutt » rivalise avec « puer comme un traduc ».

Rouge-banane • Équivalent de nos bananes, sauf pour la couleur et leur taille plus importante.

Saccat • Gros insecte volant communautaire rouge et jaune, venimeux et très agressif, producteur d'un miel particulièrement apprécié sur AutreMonde. Seuls les nains peuvent consommer les larves de saccat dont ils sont très friands, tous les autres risquant de se retrouver bêtement avec un essaim dans le ventre, la carapace des larves ne pouvant pas être dissoute par le suc digestif des humains ou des elfes.

Scoop • Petite caméra ailée, produit de la technologie d'AutreMonde. Semi-intelligente, la scoop ne vit que pour filmer et transmettre ses images à son cristalliste.

Scrogneupluf • Petit animal particulièrement stupide dont l'espèce ne doit sa survie qu'au fait qu'il se reproduit rapidement. Ressemble à un croisement entre un ragondin et un lapin sous anxiolytiques. « Scrogneupluf » est un juron fréquent sur AutreMonde pour désigner quelqu'un ou quelque chose de vraiment stupide.

Sèche-corps • Entités immatérielles, sous-élémentaires de vent, les sèche-corps sont utilisés dans les salles de bains, mais également en navigation sur AutreMonde où ils se nomment alors « souffle-vent ».

Serpent milière • Serpent des Marais de la Désolation, qui se déplace exclusivement dans la boue, grâce à des sortes de minuscules écailles aplaties sur les côtés. Mis dans l'eau, le milière coule.

Shaman ou Chaman • Ce sont les guérisseurs, les médecins d'AutreMonde. Car si tous les sortceliers peuvent appliquer des Reparus, il est de nombreuses maladies qui ne peuvent pas être soignées grâce à ce sort si pratique. Les shamans sont également les maîtres des herbes et des potions.

Slurp • Le jus de slurp, plante originaire des plaines du Mentalir, a étrangement le goût d'un fond de bœuf délicatement poivré. La plante a reproduit cette saveur carnée afin d'échapper aux troupeaux de licornes, farouchement herbivores. Cependant, les habitants d'AutreMonde, ayant découvert la caractéristique gustative du slurp, ont pris l'habitude d'accommoder leurs plats avec du jus de slurp. Ce qui n'est pas de chance pour les slurps…

Sopor • Plante pourvue de grosses fleurs odorantes, elle piège les insectes et les animaux avec son pollen soporifique. Une fois l'insecte ou l'animal endormi, elle l'asperge de pollen afin qu'il joue le rôle d'agent fécondant. L'insecte ou l'animal se réveille au bout d'un moment et, en passant dans d'autres champs, féconde ainsi d'autres fleurs. Les sopors ne sont pas dangereuses, mais, en endormant leurs pollinisateurs, les exposent à d'autres prédateurs. Raison pour laquelle on voit souvent des carnivores aux alentours des champs de sopor, carnivores ayant appris à retenir leur souffle le temps d'attraper leur proie et de la sortir du champ. On dit sur AutreMonde : « Ce type est somnifère comme un champ de sopor. »

Sortcelier • Humain, elfe ou toute autre entité intelligente possédant l'art de la magie.

Snuffy rôdeur • Ressemblant à un renard bipède, vêtu le plus souvent de haillons, un grand sac sur le côté, le snuffy rôdeur est un pilleur de poulailler et de spatchounier, ce qui fait qu'il n'est pas très aimé des fermiers d'AutreMonde. Il a la particularité, peu connue, de pouvoir se dédoubler, ce qui lui permet de se libérer lui-même des prisons où il est souvent enfermé.

Spalendital • Sorte de scorpions, les spalenditals sont originaires de Smallcountry. Domestiqués, ils servent de montures aux gnomes qui utilisent également leur cuir très résistant. Les gnomes adorant les oiseaux (dans le sens gustatif du terme), ils ont littéralement dépeuplé leur pays, ouvrant ainsi une niche écologique aux insectes et autres bestioles. En effet, débarrassés de leurs ennemis naturels, ceux-ci ont pu grandir sans danger, chaque génération étant plus nombreuse que la précédente. Le résultat pour les gnomes est que leur pays est envahi de scorpions géants, d'araignées géantes, de mille-pattes géants.

Spatchoune • Les spatchounes sont des dindons géants et dorés qui gloussent constamment en se pavanant et qui sont très faciles à chasser. On dit souvent « bête comme un spatchoune », ou « vaniteux comme un spatchoune ». Un spatchounier est l'équivalent d'un poulailler sur AutreMonde.

Stridule • Équivalent de nos criquets. Les stridules peuvent être très destructeurs lorsqu'ils migrent en nuages, dévastant alors toutes les cultures se trouvant sur leur passage. Les stridules produisent une bave très fertile, couramment utilisée en magie.

Tak • Sortes de petits rats verts ou gris, que l'on retrouve dans les ports. Les taks sont redoutés des marins car ils peuvent ronger un bateau en quelques jours. Ce qui prouve qu'ils n'ont pas un gros instinct de survie, parce qu'une fois le bateau rongé, les taks se noient.

Taludi • Les taludis sont de petits animaux à trois yeux en forme de casque blanc qui sont capables d'enregistrer n'importe quoi. Ils se nourrissent de pellicule ou d'électricité et voient à travers les illusions, ce qui en fait des témoins précieux et incorruptibles. Il suffit de les mettre sur sa tête pour voir ce qu'ils ont vu.

Taormi • Redoutables souris à tête de fourmis dont la piqûre est horriblement douloureuse, les taormis sont capables de décimer une forêt entière lorsque l'une des fourmilières/nids décide de migrer. Elles produisent également un miel très sucré, apprécié des animaux d'AutreMonde, mais particulièrement difficile à obtenir sans y laisser la vie.

Tatchoum • Petite fleur jaune dont le pollen, l'équivalent du poivre sur AutreMonde, est extrêmement irritant. Respirer une tatchoum permet de déboucher n'importe quel nez.

Tatroll • Pour la facilité de la traduction autremondien/terrien, l'auteur a directement converti les tatrolls en kilomètres et les batrolls en mètres. Un troll faisant trois mètres de haut, un batroll fait donc un mètre et demi et un tatroll un kilomètre et demi.

Téodir • Sorte de champagne des dragons. Les humains trouvent que ça a un vague goût d'antigel.

T'hoculine • Fleur composée de Pierres précieuses changeant de couleur régulièrement. La fleur de Pierre est considérée comme l'un des plus beaux joyaux vivants d'AutreMonde et en acquérir une est extrêmement difficile, car elle n'est cultivée que sur la très dangereuse île de Patrok.

Tolis • L'équivalent des amandes sur AutreMonde.

Toye • Herbe rappelant un mélange détonant entre de l'ail très fort et un oignon trop fait. Le Toye est une épice très prisée par les habitants d'AutreMonde.

Traduc • Ce sont de gros animaux élevés par les centaures pour leur viande et leur laine. Ils ont la particularité de sentir très mauvais, ce qui les protège des prédateurs, sauf des crrrèks, petits loups voraces capables d'obturer leurs narines pour ne pas sentir l'odeur des traducs. « Puer comme un traduc malade » est une insulte très répandue sur AutreMonde.

Treee • Petits oiseaux couleur rubis dans les forêts d'AutreMonde et verts dans celle des trolls. Leur nom est dû au cri très spécial (treeeeeeee) qu'ils poussent.

Tricrocs • Armes enchantées trouvant immanquablement leur cible, composées de trois pointes mortelles, souvent enduites de poison ou d'anesthésique, selon que l'agresseur veut faire passer sa victime de vie à trépas ou juste l'endormir.

Trr rouge • Bois imputrescible, dont les rondins sont souvent utilisés pour les maisons et surtout pour les auberges, parce qu'il est difficile à briser et ne craint pas la bière.

T'sil • Vers du désert de Salterens, les t'sils s'enfouissent dans le sable et attendent qu'un animal passe. Ils s'y accrochent alors et percent la peau ou la carapace. Les œufs pénètrent le système sanguin et sont disséminés dans le corps de l'hôte. Une centaine d'heures plus tard, les œufs éclosent et les t'sils mangent le corps de leur victime pour sortir. Sur AutreMonde, la mort par t'sil est l'une des plus atroces. C'est la raison pour laquelle il n'y a pas beaucoup de touristes tentés par un trekking dans le désert de Salterens. S'il existe un antidote contre les t'sils ordinaires, il n'y en a pas contre les t'sils dorés dont l'attaque conduit immanquablement à la mort.

Tzinpaf • Délicieuse boisson à bulles à base de cola, de pomme et d'orange, le Tzinpaf est rafraîchissant et dynamisant.

Velours (Bois de) • Bois fort prisé sur AutreMonde pour sa solidité et sa magnifique couleur dorée, très utilisé en marqueterie et pour les sols. Sa texture particulière fait qu'à la vue il semble glacé et qu'au toucher il est comme une profonde moquette moelleuse.

Ver taraudeur • Le ver taraudeur se reproduit en insérant ses larves sous la peau des animaux pendant leur sommeil. Bien que non mortelle, sa morsure est douloureuse et il faut la désinfecter immédiatement avant que les larves ne se propagent dans l'organisme. « Quel ver taraudeur celui-là ! » est une insulte désignant quelqu'un qui s'incruste.

Vlir • Petites prunes dorées d'AutreMonde, assez proches de la mirabelle, mais plus sucrées.

Vloutour • Oiseau charognard d'AutreMonde gris et jaune ayant beaucoup de mal à voler, le vloutour est capable de digérer à peu près n'importe quoi. Ses intestins peuvent survivre à sa mort et continuer à digérer des choses, des mois durant. Les tripes de vloutour sont souvent utilisées en magie, notamment pour conserver la fraîcheur des potions.

Vouivre • Lézard ailé volant surtout la nuit, pouvant mesurer jusqu'à trente mètres de long et piscivore. La vouivre possède une pierre précieuse enchâssée dans son front, qui neutralise les effets de certains poisons, et les différentes parties de son corps sont souvent utilisées pour des potions. On murmure que la première vouivre serait née d'un œuf de coq, impossibilité biologique qui à l'époque avait fait grand bruit dans le poulailler et déclenché une série de questions très embarrassantes pour le pauvre volatile.

Vrrir • Félins blanc et doré à six pattes, favoris de l'Impératrice. Celle-ci leur a jeté un sort afin qu'ils ne voient pas qu'ils sont prisonniers de son palais. Là où il y a des meubles et des divans, les vrrirs voient des arbres et des pierres confortables. Pour eux, les courtisans sont invisibles et quand ils sont caressés, ils pensent que c'est le vent qui ébouriffe leur fourrure.

Vv'ol • Sorte de moineau multicolore d'AutreMonde.

Wyverne • Servantes des dragons, les wyvernes sont des sortes de lézards géants aux écailles dorées, capables de se tenir en position bipède grâce à des hanches pivotantes. Moins intelligentes que les dragons, elles composent une grosse partie de leurs forces armées et n'ont aucun sens de l'humour, surtout un fusil à neutron entre les pattes. Elles seraient issues des expériences biologiques des dragons sur leurs propres cellules et en seraient donc de très lointaines cousines.

Yerk • Plante qui a trouvé le moyen de se rendre immangeable par les herbivores grâce à une odeur absolument dissuasive. Seuls les gliirs, qui n'ont aucun odorat, peuvent en manger les graines.

Zinvisible • Caméléon intelligent capable de se fondre totalement dans le décor au point de devenir invisible. Protecteur de la famille impériale d'Omois, il sert d'enregistreur vivant et espionne pour l'Impératrice.

Remerciements

Merci à mon mari Philippe, qui me supporte depuis déjà 28 ans (ça passe super vite !) et qui arrive encore, après tout ce temps, à me surprendre, m'émouvoir et me faire hurler de rire. À mes deux filles, Diane et Marine, dont l'une a décidé de partir à la conquête de l'Amérique et l'autre de la Chine... je sens que je vais devoir aussi remercier Skype ! lol !

À toi, Maman, qui sais rire même quand tu as mal, à Cilou, mon infatigable sœur, vazymachériemordzyloreille ! et à sa jolie famille, Didier et petit Paul. Aux z'audouins, ma famille d'adoption, qui suit fidèlement et parfois avec stupeur les aventures de Sophie au pays de l'édition. Ça secoue hein ? Avec une mention spéciale à papy Audouin que j'aime du fond du cœur, et je suis contente que votre nouveau salon/salledebains vous plaise ! À Thomas et Anne-Marie Seligman, nos meilleurs amis, tout simplement.

À Bernard Fixot, Caroline Lépée, Édith Leblond, Valérie Taillefer et toute la bande de XO Éditions, merci encore pour cette merveilleuse année en votre compagnie.

Merci à Jean-Claude Dubost, Natacha Derevitsky, Glenn Tavennec, la formidable équipe d'Univers Poche qui a réalisé un magnifique travail sur les *Tara* Pocket Jeunesse.

À Benoît Di Sabatino à qui je songe sérieusement à élever un autel pour toute l'aide qu'il apporte à Tara. Et à Cynthia qui a « envoûté » les éditeurs de New York pour qu'ils éditent Tara aux États-Unis ! *Thank you so much* Cynthia Money !

Merci aussi à Nicolas Atlan, je compte sur toi, Nico, pour ensorceler aussi les producteurs américains, maintenant que tu nous as abandonnés pour L.A. Sans oublier Dorothée « lavacheçavacoûterunetonne », et Maya, Éricleréalisateur, Taniaauxcheveuxroses qui est la plus talentueuse des dessinatrices !

À Brice Ohayon de chez Webpopulation qui est capable d'inventer et produire un jeu en quinze jours, pas vu mieux jusqu'à maintenant.

À Stéphane Legrand, toujours le roi des *webmasters* qui pourtant m'abandonne cette année snif !

À Alain Barsikian et Sylvain Jarreau, les plus incroyables avocats de Paris, bien contente que vous soyez de mon côté les gars !

À ma meilleure amie, Martine Mairal, qui a décidé d'effrayer ses lecteurs avec son nouveau thriller, *Le Sang de l'Ermite*, et qui m'a fait plier de rire avec sa lettre sur le tome 6 où elle a abondamment râlé à cause de la fin... Je t'aime ma chérie. Et bisous à Jacques aussi.

À Thomas Mariani, dit Tomlou, qui vient d'avoir un magnifique bébé (enfin sa femme hein, pas lui!), félicitations! Et vivement que notre projet de *La Danse de La Licorne* aboutisse!
Idem pour toi Christophe Balency, cher compositeur des chansons de *Clara Chocolat*, bienvenue à ton bout de chou et félicitations à Christine!
Plein de futurs lecteurs taraddicts... coool!

À Fabrice Florent et à sa famille. Longue vie à Madmoiz'elle.com. Quand tu veux tu me donnes de tes nouvelles, lâcheur!

À A'rno et à son Jean, merci mon elfe styleur de sauver mes cheveux avec autant de talent.

À Joanna Ruer et David Faure, pour leur amitié, leur talent et nos crises de fou rire.
À tous mes fantastiques fanatiques taraddicts, et blogueurs acharnés : Artemis qui combat la morosité à grands coups de bagarres aux shampoings sur le blog, en compagnie de Garance, Magistinette, Lisbeth et ses kidikoi, Alex60 qui veut ouvrir un café Tara Duncan, Babe, Alice, Miss catastrophe, JackO'Neill, Lancovito57 et Suppo, Azram, Ashline et Sauve-qui-peut, Minyu, Fomejew, Volesprit, à Plumee le garçon, merci à vous tous pour vos scénarios délirants, j'adore!
À Hony et Lliane, toujours ensemble, à Tiloti, qui patiemment donne des cours de chant à Marine, merci à toi. À Milora, future écrivain, qui vient plus souvent sur le blog, c'est sympa! Bravo d'avoir remporté le concours d'écriture, tu as beaucoup de talent! Merci à toi Arwen, d'avoir redonné sa bonne humeur au blog, et à AngelJP, toujours présent, courage Boston «Tomorrow will be another day», à Soizic, notre laitue au curry, à Siah, toujours fidèle en dépit d'études exigeantes, à taratyl, ciarialla et super maman, merci de vos crises de fou rire, total bonheur! À Dauphino, fan de Moonscoop, à Elfée notre chaudron qui se fait plus rare, à Emmasanes, paix à l'âme de son Yuki, à CédricquiressembleàCal, merci pour ton journal d'AutreMonde qui gagne en qualité d'année en année, bravo! À Cali notre nouveau Caliban. À Hélios, bravo pour ton 1 sur le blog! À Erolas, fidèle de Lyon et des cheveux blonds, Eowyn et ChemJunior, Keryan, Ava et notre Wyrda nationale, à Tassouauxyeuxverts, à Kyoko Soma, Sarator qui a quitté ses mangas pour Tara Duncan, merci à toi, audreycommentonestdanslesremerciements, et tous les nouveaux, Ororig, Alice, Samain, à Nira, qui vise le top 5 du blog, à notre Polochonnette bretonne, à Butterfly (j'adore ton pseudo), à tite pomme, Maegis, à Epona du Quebec comme Khyra, Syrya trop rare, à Julien reviens-nous! Camille, Manon, Margot, Margaux, Océane, Doris, Alexandre, Clémentine, Salomée, Charlotte, Maëlle, Sydney; Lou-Andréa, Élora, Éric, Saïd, Axina qui est venu à la Japan Expo, Loéva-mat, Kallilou, Perrine et sa famille, Sillevi, Delphine, toujours fidèle, Joseph qui veut aussi le rôle de Cal, Sabine, Amélie, Flavien, Juliette, Clémentine, Alexandra, Sarah, Lala, lélé, Cloriane, Léa, Meeee, sarah02, Calia, Mylady Motus, Lorelei et Malak, Fiora, Sébastien et son teaser d'enfer du tome 7, je voudrais tous vous mettre, mais ce n'est pas possible, sinon ce livre ressemblerait à un annuaire! Même si vous n'êtes pas cité, soyez en sûrs, à tous et à toutes, je vous aime autant que vous aimez AutreMonde!!!

ONE DAY, WE WILL CONQUER THE WORLD!

Texte lauréat du concours de nouvelles 2009

« Son pendentif préféré… »
par Julia Conesa-Soriano (Milora)

J'ai toujours adoré l'altitude. Cette sensation grisante d'être au-dessus du monde, de faire partie du ciel et de chaque élément de l'air qui agite vos cheveux, cet horizon s'étirant à perte de vue, avec le sentiment, au creux de l'estomac, d'être une minus-cule particule immensément importante. Ce soir-là, néanmoins, accrochée désespérément au bord d'un toit, au trente-sixième étage, je n'avais pas trop l'esprit à de telles considérations.

— Hé ! cria l'un des gardes qui s'étaient lancés à ma poursuite.

Il n'allait pas tarder à me localiser. Je resserrai de mon mieux mon étreinte sur le précieux rebord et tentai de ne pas gémir. Se faire repérer en mission, ça ne faisait pas bien sur un CV de Voleuse Patentée. Se faire repérer et prendre en chasse sur le toit de l'immeuble où l'on essaie de s'introduire, ça faisait encore moins bien. Mais se faire repérer, prendre en chasse *et* glisser lamentablement dans le vide, ça faisait par contre un peu trop bien sur une pierre tombale. Le choc m'avait coupé le souffle, et ma poitrine faisait si mal que j'aurais juré m'être brisé quatre ou cinq côtes en autant de morceaux. Pour cou-ronner le tout, même si le bâtiment était un hôtel luxueux au cœur d'un quartier tranquille, mes poursuivants étaient à la solde d'un individu peu recommandable du nom de Mérak. Se faire attraper n'allongerait pas mon espérance de vie.

Et zut. Si j'incantais, on me repérerait immédiatement au son de ma voix. Le garde était juste au-dessus de moi, à scruter les environs. Je frissonnais en essayant de ne pas regarder en bas, où m'attirait irrésistiblement la rue déserte. Travia endormie s'éten-dait alentour ; ses couleurs chamarrées et son calme douillet succédaient au foisonnement des allées et venues de la journée. En d'autres circonstances, cela aurait valu le coup d'œil.

Le garde renifla bruyamment tandis que je maudissais ma négligence. Bon. Réfléchissons, me dis-je en remarquant que tout afflux de sang s'était interrompu dans mes doigts. Plan A) s'échapper par un Transmitus. Mais c'était renoncer à ma mission, et ça, mon code de l'honneur et le découvert sur mon compte en banque me l'interdisaient. Plan B) lâcher prise et battre des bras très fort pour voir si ça ralentissait les effets de la gravité. J'avais de légers doutes. Surtout si je ne me sentais pas une vocation de steak haché. La tête me tournait. À en croire le craquement des tuiles, le garde s'était éloigné... C'était le moment ou jamais de faire quelque chose. N'importe quoi.

Sans m'autoriser à réfléchir, je commençai à balancer mes jambes, tentant de prendre assez d'élan pour atteindre la fenêtre éclairée qui me narguait à un mètre de là. Le vent froid semblait décidé à congeler la sueur qui coulait le long de mon front. Malgré mes avant-bras qui m'élançaient comme si un bataillon de draco-tyrannosaures y jouait au trampoline, je poussai le mouvement pour arriver à la hauteur de la fenêtre. Voilà, j'y étais presque... Presque... Tant pis, je ne tiendrais pas une minute de plus. Profitant de mon élan, je lançai à nouveau mes jambes et lâchai le rebord salvateur, me retrouvant propulsée dans les airs à une vitesse impressionnante. L'air siffla à mes oreilles.

— Aaaaaaaaaah ! fis-je en transperçant la vitre opaque.

— Ooooooooooh ! fit le garde en se ruant dans ma direction.

— Hiiiiiiiiiiiiiiiih ! fit la vieille dame lorsque j'atterris dans sa baignoire.

Plus qu'une baignoire, c'était une petite piscine. Faisant voler en éclats la fenêtre, je plongeai dans un torrent de mousse et d'éclaboussures, submergée par une eau tiède et parfumée. Je suffoquai, saisie par la soudaine impression de me noyer dans un flacon de gel douche, et remontai coûte que coûte à la surface pour aspirer bruyamment une gorgée d'air. La grande salle de bains était tout ce qu'il y a de plus normal dans ce genre d'hôtel, avec ses murs carrelés de marbre rose, ses produits de beauté soigneusement rangés, et sa vieille dame tétanisée contre le bord de la baignoire. L'Élémentaire d'eau, médusé, avait reculé jusqu'à son niveau, et dégoulinait négligemment pile au milieu de son crâne. Je leur souris piteusement.

— Je... heu... Service d'étage, bafouillai-je. Aucun doute, l'eau chaude est réparée. Bon, eh bien, bonne soirée, madame !

Je m'extirpai vivement de l'eau sous leur regard effaré et me dirigeai vers la sortie, ma robe de sortcelière trempée, collée à la peau. Je n'avais pas une minute à perdre. Après tout, même si ce n'était pas dans les conditions prévues, j'étais entrée – et au bon étage. Je m'élançai à travers la suite, évitant un fauteuil en velours qui accourait pour m'offrir de m'asseoir. Je tirai de ma poche un brassard Camouflus dégoulinant et l'activai en vitesse, maudissant l'orgueil qui m'avait dissuadée de le faire plus tôt. Juste au moment où j'atteignais la porte, elle tourna sur ses gonds pour révéler deux hautes silhouettes musclées, qui n'auraient pas détonné au fond d'une taverne mal famée.

Je me coulai sur le côté, invisible grâce au Camouflus, et me faufilai derrière eux pour rejoindre le couloir incognito. Les cris indignés de la vieille dame me parvinrent au moment où je me plantais devant la chambre de ce Mérak, détenteur du diamant que je venais reprendre. Il avait réussi à le dérober au Château Vivant, et j'étais chargée de l'y ramener. Un Déverrouillus et deux jurons plus tard, je me trouvais dans sa suite.

Par terre, et à demi étourdie par une violente rafale qui s'était déclenchée à mon entrée, me rejetant avec force contre le mur. Mal en point, mon Camouflus se désactiva, me laissant visible et vulnérable. Flûte.

— Qui ose pénétrer ici ? tonna une voix d'outre-tombe qui fit vibrer les murs.

Son propriétaire était un immense effrit, l'un de ces démons que les entreprises de sécurité invoquaient comme gardiens ; celui-ci portait un débardeur de lin qui faisait ressortir sa peau rouge et luisante, et l'on y avait cousu un badge avec un logo bleu estampillé Société Tupasrapa™. Je me remis péniblement sur mes jambes, endolorie. Le démon brandit une main griffue pour me barrer le passage, et découvrit des crocs à rendre jaloux le meilleur des dentistes.

J'activai ma magie.

Il rugit.

Je désactivai ma magie.

Ouille. Mérak avait dû souscrire à la plus forte assurance de l'hôtel. Ce n'était pas pour rien que j'avais initialement prévu de passer par la cheminée... Je changeai de tactique.

— C'est l'hôtel qui vous a engagé pour protéger les chambres des clients en leur absence, n'est-ce pas ? demandai-je avec un regard approbateur alentour.

Le démon me toisa, surpris.

— En effet, confirma-t-il.

— Excellent travail ! le félicitai-je. Je suis impressionnée. En toute honnêteté, quand j'ai su que la garde n'était confiée qu'à un effrit seul, j'avais quelques doutes.

— Je suis très compétent ! se récria-t-il, certifiant involontairement qu'il était le dernier obstacle entre moi et le diamant.

— Je vois ça ! m'enthousiasmai-je dans un sourire cajoleur. Oh, mais je me présente : Zania Til, de la société d'assurances Star Plus. J'étais chargée de procéder à un contrôle de votre système de sécurité. Vous avez passé le test avec brio !

Il retroussa les babines, méfiant – mais abaissa son bras. J'évaluai l'intérieur de la pièce. Sur une table basse en bois de velours, était respectueusement posé un petit coffret ouvragé ; mon pouls s'emballa à sa vue. Mais des voix graves, de l'autre côté de la porte, me tirèrent de mes pensées. Je considérai en hâte la situation : l'effrit à demi (voire à un quart) convaincu, le coffret à portée de main, la fenêtre juste derrière qui n'attendait que moi…

— Vite ! m'écriai-je soudain fougueusement. Dépêchez-vous, j'ai besoin de renforts !

Le démon gronda de toute la puissance de ses tripes, comprenant que je l'avais berné, et se tourna vers la porte pour faire face à mes supposés complices. Sans perdre un instant, je me ruai vers le coffret, l'ouvris et m'emparai de la pierre. Une rafale balaya la pièce, fauchant les deux gardes au moment où ils passaient le seuil.

— Imbécile ! Elle va s'enfuir ! s'emporta l'un d'eux.

Le démon fit volte-face, furieux. J'étais déjà à la fenêtre, que je brisai d'un coup de coude en espérant que la noble race des vitres ne me vouerait pas une haine éternelle. Un jet de magie fendit l'air et s'abattit contre le mur, juste à ma droite ; je sursautai. Les Transmitus n'étaient bloqués qu'à l'intérieur. En quête d'une réplique finale à la hauteur, je considérai une seconde les deux gardes en train de se dépêtrer, et l'effrit fonçant sur moi ; mais ce fut une seconde de trop : un autre jet de magie m'atteignit en plein dans l'estomac. Je basculai dans le vide. Encore. La sensation de chute fit passer les montagnes russes pour un doux souvenir.

— Par le Transmitus ! incantai-je entre deux hurlements. Qu'au Château Vivant je me rende sur-le-champ !

Les jambes tremblantes, je me matérialisai à bon port. Cette fois, il s'en était fallu d'un cheveu ! Je dépliai lentement les doigts : le diamant était sagement lové dans ma main. Un large sourire s'étala sur mon visage, avec la force d'un tsunami dopé aux stéroïdes. J'avais réussi ! J'avais du mal à le croire. C'est la reine Titania qui allait être contente de récupérer son pendentif préféré…

Liste des gagnantes
et gagnants du concours de dessin 2009...

Alexane Bocco	camelle brune
Mathilde Cochepin	vrrir
Roxane Poissonnier	krok-requin
Antoine Cousin	blurps et son camélin
Floriane Limbourg	gambole
Camille Veyart	treee
Camille Clermont	spatchoune
Maëline Artigala	piqqq
Cloé Caumia	vouivre et sa mouche à sang
Laura Tomaszewski	t'sil
Laurine Picotin	rouge-banane
Clara Doma	scrogneupluf
Lou-Anne Mathieu	zinvisible
Alexandra Girard	tatchoum et sa pouf-pouf
Noël Barruzzi	cantaloup
Amandine Le Bellec	tak et glouton étrangleur
Melania Van Hove	chimère
Caroline Wiscart	oiseau Roc
Morgane Burgues	Diseur de Vérité
Alix Mellier	aragne.

... et toujours les artistes de 2008

Théo Jordano	glurps
Alexandra Girard	ballorchidée et traduc
Morane Le Sciellour	kroa
Nolwenn Gangloff	krouse
Joel Herter	krakdent et draco-tyrannosaure
Thiphaine Charrondiere	astophèle
Caroline Wiscart	licorne
Sophie Lux	oiseau de feu
Julie Iuso	mrmoum et brumm

Morgane Singer	balboune
Eugénie Benoit	kré-kré-kré
Aurélie Wiorm	prroutt
Romane Queyras	kri-kri
Solène Queyras	bobelle
Priscillia Macquart	sopor
Marion Roujolle	pouic
Marie Eléna	crochien et miam
Clotilde Plantureux	hydre
Bérengère Guillemot	brrraaa et bizzz et pllop
Justine Lacroze	bééé et taormi
Floriane Limbourg	blll
Zoé Vuong	chatrix
Mathieu Désilets	saccat
Charline Pagnier	kalorna
Caroline Vincent	mooouuu
Cédric Derval	mangeur de boue, taludi
Cécile Primault	kraken, bulle sardine, spalendital, stridule
Lise Bianciotto	Snuffy rôdeur

Table

Composé par Nord Compo Multimédia
7, rue de Fives, 59650 Villeneuve-d'Ascq

Cet ouvrage
a été achevé d'imprimer
sur Roto-Page
par l'Imprimerie Floch
à Mayenne en juillet 2012.

N° d'édition : 2255/12 – N° d'impression : 82876
Dépôt légal : septembre 2009
Imprimé en France